Das Badische Gesetz Vom 5. October 1863 Über
Die Organisation Der Innere Verwaltung Mit Den
Dazu Gehörigen Verordnungen, Sammt
Geschichtlicher Einleitung und Erläuterungen
by G. Weizel

Das
Badische Gesetz
vom 5. October 1863
über die
Organisation der innern Verwaltung
mit den dazu gehörigen
Verordnungen, sammt geschichtlicher Einleitung und Erläuterungen.

Nach amtlichen Quellen bearbeitet

von

Dr. G. Weizel,
Großh. Bad. Secretär und Präsidenten des Verwaltungsgerichtshofs.

Karlsruhe.
Verlag der G. Braun'schen Hofbuchhandlung.
1864.

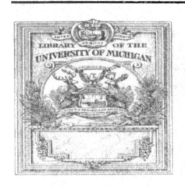

Das
Badische Gesetz
vom 5. October 1863

über die

Organisation der innern Verwaltung

mit den dazu gehörigen

Verordnungen, sammt geschichtlicher Einleitung
und Erläuterungen.

Nach amtlichen Quellen bearbeitet

von

Dr. G. Weizel,

Großh. Bad. Staatsrath und Präsidenten des Verwaltungsgerichtshofs.

Karlsruhe.
Druck und Verlag der G. Braun'schen Hofbuchhandlung.
1864.

Vorwort.

———

Zur Veröffentlichung der nachstehenden Schrift habe ich mich auf mehrfache Aufforderungen hauptsächlich aus dem Grunde entschlossen, um nicht nur meine Fachgenossen, sondern auch alle Diejenigen, welche als Bezirksräthe oder Mitglieder der Kreisversammlungen oder der Kreisausschüsse berufen werden, an der öffentlichen Verwaltung Theil zu nehmen, in das neue Gesetz über die Organisation der innern Verwaltung einzuführen.

Ich habe es mir zur Aufgabe gemacht, die Grundsätze, von welchen der Gesetzgeber ausgegangen ist, möglichst klar darzulegen und sie zum allgemeinen Verständniß zu bringen. Dabei mußte aber auch an das bisher Bestandene angeknüpft und gezeigt werden, wie aus dem Letzteren das Neue sich herausgebildet hat und in welchem Zusammenhang es mit dem Ideengange steht, welcher die ganze Frage auch in andern Ländern beherrscht.

Die amtlichen Quellen, welche ich bei der Bearbeitung dieser Schrift benützte, bestunden außer den gedruckten Protocollen der beiden Kammern der Ständeversammlung in den stenographischen Aufzeichnungen derselben und den Acten des Ministeriums des

Innern, welche mir mit der größten Bereitwilligkeit zur Verfügung gestellt wurden, wofür ich hiemit meinen wärmsten Dank ausspreche.

In die Schrift wurden sämmtliche bis jetzt erschienene Vollzugsverordnungen zu dem neuen Verwaltungsgesetze und ebenso das Gesetz vom 29. Juli 1864 über die Stempel, Sporteln und Taxen in Verwaltungssachen aufgenommen, damit Jedem, der bei Anwendung des neuen Gesetzes mitzuwirken hat, das gesammte Material zur Hand sei, und ihm so die genaue Kenntniß desselben, so viel als möglich, erleichtert werde.

Wenn dieser kleine Beitrag zu unserem Verwaltungsrechte dazu dient, daß die neue Verwaltungseinrichtung von allen ihren Trägern richtig erfaßt und damit ihre Durchführung erleichtert wird, so ist die Absicht des Verfassers erreicht.

Karlsruhe, im September 1864.

Dr. G. Weizel.

Uebersicht des Inhalts.

II.

Die Grundlagen des Gesetzes vom 5. October 1863 über die Organisation der innern Verwaltung.

III.

Das Gesetz vom 5. October 1863 über die Organisation der innern Verwaltung.

VI. Schlußbestimmungen.

IV.

Die Vollzugsverordnungen zu dem Gesetze vom 5. Oct. 1863 über die Organisation der innern Verwaltung mit dem Gesetze vom 29. Juli 1864 über die Stempel, Sporteln und Taxen in Civilstaatsverwaltungs- und Polizeisachen.

b

V.

Das badische Gesetz vom 10. April 1849 über die Einrichtung und den Geschäftskreis der Verwaltungsbehörden

und

die Verwaltungsgesetze anderer Staaten.

I.

Geſchichtliche Einleitung.

~~~~~~~~~~

I.
Geschichtliche Einleitung.

§. 1.

Die früheren Verwaltungszustände des Großherzogthums Baden (sowohl der Organismus der Behörden, als die Normen der Verwaltung selbst) waren vielfach verflochten mit der geschichtlichen Bildung und Entwickelung des jetzigen Länderbestandes des Großherzogthums.

Es erscheint daher zweckmäßig, zunächst die letztere in einem kurzen Umrisse darzustellen.

Erster Abschnitt.

Die Bildung und Entwickelung des jetzigen Länderbestandes des Großherzogthums Baden [1]).

A. Die Markgrafschaft Baden (1746 bis 1803).

§. 2.
Länderbestand.

Die Markgrafschaft Baden, ehedem von Einem Fürsten regiert, wurde von Markgraf Christoph I. im Jahr 1515 testamentarisch unter

---

[1]) Geschichte der Regierung und Bildung von Baden unter Karl Friedrich, von Frhrn. v. Drais. 2 Bände. Carlsruhe 1816—1818.

Gemälde aus dem Leben Karl Friedrich's des ersten Großherzogs von Baden, von Frhrn. v. Drais. Mannheim 1829.

Geschichtliche Entwickelung des Staatsrechts des Großherzogthums Baden, von J. Pfister. 2 Thle. Heidelberg 1836.

1*

seine drei Söhne getheilt. Da aber einer derselben bald darauf starb, so wurde von den beiden Ueberlebenden nach längeren Streitigkeiten durch den Theilungsvergleich von 1535 der ohnedieß kleine Ländercomplex in zwei Theile zerlegt und damit die Bernhardinische oder Baden=Badische und die Ernestinische oder Baden=Pforzheim=Durlachische Linie gegründet.

Nach dem im Jahr 1771 erfolgten Aussterben der ersteren Linie wurde die gesammte Markgrafschaft wieder unter Markgraf Karl Friedrich von Baden=Durlach, welcher 1746 seine Regierung antrat, vereinigt und bestund:

I. aus dem Baden=Durlachischen Antheile,
      nämlich:
   1) der Markgrafschaft Hochberg (Oberamt Emmendingen),
   2) der Herrschaft Rötteln und der Landgrafschaft Sausenberg (Oberamt Lörrach),
   3) der Herrschaft Badenweiler (Oberamt Müllheim),
   4) der untern Markgrafschaft (den Oberämtern: Karlsruhe, Durlach, Pforzheim und den Aemtern: Stein, Münzesheim, Gondelsheim, Mühlhausen),
   5) den linksrheinischen Besitzungen Rhob und Jbar,
      im Flächengehalt von 29⅓ Quadratmeilen mit 98,418 Einwohnern;

II. aus dem baden=badischen Antheile (der oberen Markgrafschaft),
      nämlich:
   1) dem Oberamt Rastatt,
   2) den Aemtern Baden, Ettlingen, Steinbach, Bühl, Stollhofen, Kehl,
   3) der Grafschaft Eberstein mit Frauenalb (Oberamt Gernsbach),

Badische Landesgeschichte von Joseph Baber. Freiburg 1834.

Badische Geschichte von Albert Preußchen. Karlsruhe 1842.

Das Großherzogthum Baden, historisch=geographisch=statistisch=topographisch beschrieben von Heunisch. Heidelberg 1837.

Beiträge zur Geschichte des badischen Civilrechts von A. Mayer. Belle-Vue bei Konstanz 1844.

Die badischen Gemeindegesetze von Fr. Fröhlich. Karlsruhe 1861. Geschichtl. Einleitung. S. VII. u. folg.

4) der Herrschaft Mahlberg (Oberamt Mahlberg),

5) der Herrschaft Staufenberg (Oberamt Staufenberg),

6) der linksrheinischen Grafschaft Sponheim mit der Herrschaft Martinstein, dem Amt Beinheim im Elsaß und den Herrschaften Rodemachern und Hespringen unter Luxenburgischer Oberhoheit,

mit 35½ Quadratmeilen und 75,450 Einwohnern.

B. Das Kurfürstenthum Baden (1803 bis 1806).

§. 3.

Erster Ländererwerb in Folge des Reichs-Deputationshauptschlusses vom 25. Februar 1803.

Der in Folge der französischen Revolution ausgebrochene Krieg zwischen dem deutschen Reiche und Frankreich (1793) führte, nachdem das linke Rheinufer von französischen Truppen besetzt und später auch der Uebergang auf das rechte Rheinufer bewerkstelligt wurde, zu dem Separatfrieden zwischen Baden und Frankreich vom 22. August 1796 [1]), in welchem der Markgraf Karl Friedrich für sich und seine Nachfolger alle seine Ländereien, Rechte und Ansprüche auf dem linken Rheinufer (§. 1, I. 5, II. 6) an Frankreich abtrat, wogegen Letzteres sich verpflichtete, bei dem dereinstigen Friedensabschlusse mit dem deutschen Reiche sich dahin zu verwenden, daß dem Markgrafen von Baden eine Entschädigung hiefür auf der rechten Rheinseite zu Theil werde, wozu besonders einige zu säcularisirende geistliche Besitzungen ausersehen waren [2]).   Die wirkliche Zuweisung der Entschädigungsobjecte verzögerte sich aber durch die nachgefolgten Kriegsereignisse längere Zeit. In dem Lüneviller Frieden vom 9. Februar 1801 (Art. VI.) wurde das linke Rheinufer an Frankreich abgetreten, wogegen die hiedurch in Verluste gerathenen deutschen Reichsfürsten aus Mitteln des deutschen Reichs entschädigt werden sollten (Art. VII.), worüber nähere Anordnungen vorbehalten waren.

---

[1]) Abgedruckt bei Pfister: Geschichtliche Darstellung der Staatsverfassung des Großherzogthums Baden und der Verwaltung desselben. Heidelberg 1829. Beilagen 8—15.

[2]) Ebendas. S. 15—23.

Nachdem dieser Friedensschluß durch Kaiser und Reich genehmigt und zu seinem Vollzuge eine außerordentliche Reichs-Deputation niedergesetzt war, kam am 25. Februar 1803 unter Vermittlung Frankreichs und Rußlands der Reichsdeputations-Hauptschluß zu Stande, welcher die Genehmigung des Kaisers und sämmtlicher Reichsstände erhielt [3]).

Nach §. 5 desselben wurde dem Markgrafen von Baden für die von ihm abgetretenen linksrheinischen Besitzungen als Entschädigung zugewiesen:

1) das Bisthum Konstanz;
2) die Reste der Bisthümer Speier, Basel und Straßburg;
3) die pfälzischen Aemter Ladenburg, Bretten und Heidelberg mit den Städten Heidelberg und Mannheim;
4) die Herrschaft Lahr;
5) die Landgrafschaft Hanau-Lichtenberg (die hessischen Aemter Lichtenau und Willstedt);
6) die Abteien Schwarzach, Frauenalb, Allerheiligen, Lichtenthal, Gengenbach, Ettenheimmünster, Petershausen, Reichenau, Oehningen, Salem;
7) die Probstei Odenheim;
8) die Reichsstädte Ueberlingen, Pfullendorf, Offenburg, Gengenbach, Zell und das Reichsthal Harmersbach.

Auch wurde dem Markgrafen durch §. 31 die Kurwürde verliehen.

Die abgetretenen Landestheile betrugen 19 Quadratmeilen mit 64,626 Seelen; die neuen Erwerbungen dagegen 61,77 Quadratmeilen mit 253,396 Einwohnern, während die alten rechtsrheinischen Stammlande nur in 51 1/2 Quadratmeilen mit 196,760 Einwohnern bestunden.

§. 4.

Zweiter Ländererwerb in Folge des Preßburger Friedens vom 26. Dezember 1805.

Der erneute Ausbruch des Kriegs zwischen Oesterreich und Frankreich, an welchem Baden zu Gunsten des Letztern sich zu betheiligen genöthigt war, führte nach dem Siege der französischen Waffen zu dem

---

[3]) Die angeführten Actenstücke sind abgedruckt bei Leist, Lehrbuch des deutschen Staatsrechts. Göttingen 1805. Anhang S. 1—83.

Die Literatur hierüber s. bei Zöpfl, Grundsätze des Staatsrechts. §. 78. Nr. 16.

Frieden von Preßburg (26. Dez. 1805), in Folge dessen dem Kurfürsten von Baden zufiel:

1) der größte Theil des Breisgaues [1]);
2) die früher baden=badische Landgraffschaft Ortenau;
3) die Deutsch=Ordens=Commende Mainau mit der Herrschaft
　 Blumenfeld;
4) die Stadt Konstanz.
　　Ein Ländercomplex von 44,₄₁ Quadratmeilen mit 164,000
　　Seelen.

Dem Kurfürsten wurde überdieß sowohl hinsichtlich dieser neuen
Lande als der bisher von ihm besessenen „die volle Souveränetät und
alle daraus fließenden Rechte" in der Weise zugestanden, wie sie Oesterreich und Preußen seither in ihren deutschen Besitzungen ausübten [2]).
War hiedurch der Verband Badens und einiger andern in gleiche Rechts-
lage gesetzten deutschen Staaten mit dem deutschen Reiche ausdrücklich
auch nicht aufgehoben [3]), so war doch dadurch und durch die übrigen
Bestimmungen des Friedensvertrags, sowie durch die völlige Ohnmacht
des Reichs selbst die Losreißung von demselben so gut als besiegelt.

Sie erfolgte dann auch bald darauf durch den Beitritt Badens und
mehrerer anderer deutschen Fürsten zum „Rheinischen Bunde" (12. Juli
1806) [4]) und die Lossagungsurkunde vom deutschen Reichsverbande
vom 1. Aug. 1806 [5]).

Wenige Tage später legte Franz II. die Regierung des deutschen

---

[1]) Ueber die einzelnen angefallenen Bestandtheile der Landgraffschaft Breisgau
f. Fröhlich a. a. O. S. X.

[2]) S. b. §§. 6, 8, 14, 15 des Friedens=Tractats von Preßburg bei Guido
von Maier Staatsacten für Geschichte und öffentl. Recht des deutschen Bundes.
I. S. 95 u. folg.
　Kurfürst Karl Friedrich nahm hierauf den Titel an:
　　„Markgraf zu Baden und Hochberg, Herzog zu Zähringen, des heiligen
　　römischen Reichs souveräner Kurfürst ꝛc." Regg.=Bl. 1806. Nr. 1.

[3]) Der Artikel 7 des Vertrags sagt: Sans néamoins cesser d'appartenir
à la conféderation germanique.
　Den Ausdruck „Reich" hatte man also schon vermieden.

[4]) Die Rheinbundacte f. bei Pfister Geschichtl. Darstellung. Beilage VI.
S. 30.

[5]) Pfister a. a. O. Beil. V. S. 26.

Reichs nieder (6. Aug. 1806) und entband die Stände und alle Ange=
hörigen des Reichs ihrer Verpflichtungen gegen daſſelbe [6]).

C. Das Großherzogthum Baden.

§. 5.

Dritter Ländererwerb durch die Rheinbunds-Akte vom 12. Juli 1806.

Nach dem Art. 5 der Rheinbunds=Akte [1]) nahm der Kurfürſt von
Baden den Titel als G r o ß h e r z o g an, und es wurden ihm „königliche
Rechte, Ehren und Vorzüge" beigelegt.

Nach dem Art. 19 wurden Demſelben „zur Vereinigung mit ſeinen
Landen mit allen Souveränetäts= und Eigenthumsrechten" zugewieſen:

1) die Grafſchaft Bonndorf;
2) die Städte Villingen und Bräunlingen mit ihren Gebieten;
3) das Fürſtenthum Heitersheim;
4) die Deutſch=Ordens=Commenden Beuggen und Freiburg.

Ferner wurden dem Großherzog durch Art. 24 derſelben
Akte die Souveränetätsrechte zugeſtanden über:

5) den größten Theil des Fürſtenthums Fürſtenberg;
6) die fürſtl. Oraniſche Herrſchaft Hagnau;
7) die fürſtl. Auerspergiſche Herrſchaft Thengen;
8) die fürſtl. Schwarzenbergiſche Herrſchaft Klettgau;
9) die gräfl. Leiningen'ſchen Aemter Neudenau und Billigheim;
10) das Fürſtenthum Leiningen;
11) einen Theil des fürſtlich und gräflich Löwenſtein=Wertheimi=
ſchen Gebiets;
12) das fürſtl. Salm=Krautheim'ſche Gebiet.

Gleichzeitig wurde durch Art. 25 dem Großherzog
13) „die volle Souveränetät über die in ſeinen Staaten eingeſchloſ=
ſenen reichsritterſchaftlichen Beſitzungen" eingeräumt.

Dieſer abermalige Länderzuwachs betrug 91 ½ Quadratmeilen mit
270,000 Seelen [2]).

Am 13. Auguſt 1806 erließ Großherzog Karl Friedrich eine Pro=

---

[6]) Maier a. a. O. S. 107.
[1]) Abgedruckt bei Pfiſter a. a. O. Beilagen. S. 30 u. folg.
[2]) Heuniſch a. a. O. S. 52.

clamation [3]), wonach er die alten Stammlande und die neuen theils zu
Eigenthum, theils zur Ober= und Erbherrlichkeit erworbenen Fürsten=
thümer, Graf= und Herrschaften zu einem untheilbaren, souveränen
Staat und Großherzogthum erklärt, und für sich den Titel eines Groß=
herzogs annahm „mit allen der königlichen Würde anhängigen Rech=
ten, Ehren und Vorzüge."

§. 6.

**Staatsverträge über den Länderbestand des Großherzogthums.   Erwerb der Landgraf=
schaft Neuenburg, des Amts Hornberg und der Grafschaft Hohengeroldseck.**

Der reiche Länderzuwachs, mit welchem die Krone Baden durch
die oben (§. 3, 4, 5) angeführten völkerrechtlichen Verträge bedacht
wurde, machte nothwendig, daß mit den angrenzenden Staaten besondere
Verträge abgeschlossen werden, theils zur näheren Ausführung jener
völkerrechtlichen Tractate, theils zur schicklichen Arrondirung der ein=
zelnen Staaten, theils zur Ausgleichung vielfach entstandener Streitig=
keiten [1]).

Solche Verträge wurden geschlossen:

I. mit dem Großherzogthum **Hessen**:
   1) am 5. Okt. 1806 (Reg.=Bl. 1807, Nr. 2),
   2) am 8./25. Sept. 1810 (Reg.=Bl. 1810, Nr. 47);

II. mit dem ehemaligen Großherzogthum **Würzburg**:
   am 17. Mai 1807 (Reg.=Bl. 1807, Nr. 24);

---

[3]) Reg.=Bl. v. 1806 Nr. 18.

[1]) Obgleich diese Verträge zum Theil in eine frühere Periode zurückgreifen,
so wird es doch zweckmäßig sein, sie der Uebersichtlichkeit wegen in Kürze zu=
sammenzustellen. Hieran mag es genügen, da der Inhalt derselben aus den
Regierungsblättern ersehen werden kann.

Unerwähnt blieben in der obigen Darstellung der Entstehung des Großher=
zogthums diejenigen Besitzungen und Erwerbungen, welche wieder abgetreten wurden,
da es für unseren Zweck nur darauf ankam, anzugeben, wann und durch welche Acte
zu den alten Stammlanden diejenigen Erwerbungen hinzukamen, welche jetzt noch
Bestandtheile des Großherzogthums bilden und auch dieses nur in so weit, um die
mit dem Wechsel der Territorial=Verhältnisse in Verbindung stehenden Organi=
sationen und Aenderungen in der Verfassungs= und Verwaltungsgesetzgebung des
Landes im richtigen geschichtlichen Verlaufe zu erfassen. Vergl. Pfister Geschichtl.
Entwicklung. S. 58 und Beilagen S. 54.

III. mit dem Königreich Württemberg:
1) am 17. Okt. 1806 (Reg.=Bl. Nr. 23),
2) am 13. Nov. 1806 (Reg.=Bl. 1807, Nr. 10),
3) am 16. Apr. 1807 (Reg.=Bl. Nr. 25),
4) am 23. Apr. 1808 (Reg.=Bl. 1809, Nr. 4),
5) am 31. Dez. 1808 (Reg.=Bl. 1809, Nr. 4),
6) am 2. Okt. 1810 (Reg.=Bl. Nr. 47),
7) am 26. Apr. 1822 (Reg.=Bl. Nr. 16),
8) am 17. Mai 1825 (Reg.=Bl. Nr. 13).

Der unter Ziff. 6 genannte Vertrag hatte zur Aufgabe, die in den Art. III. und IV. des Wiener Friedens vom 14. Okt. 1809 [2]) zu Gunsten Badens enthaltenen Stipulationen in Vollzug zu setzen.

Demgemäß wurden von Württemberg an Baden zur Herstellung des Zusammenhangs mit seinen übrigen Besitzungen am Bodensee abgetreten:
1) Die ehemalige Landgrafschaft Nellenburg (bestehend aus dem damaligen Bezirke des Oberamts Stockach),
2) die Stadt Hornberg mit einem Theil des Oberamts,
3) sodann mehrere zerstreut liegende Orte der württembergischen Oberämter Rottweil, Tuttlingen, Ebingen, Maulbronn, Brackenheim, Mergentheim;

IV. mit dem ehemaligen Fürstenthum Hohenzollern = Sigma = ringen:
am 12. Juni 1812 (Reg.=Bl. Nr. 24);

V. mit dem eidgenössischen Kanton Aargau:
am 17. Sept. 1808 (Reg.=Bl. 1809, Nr. 35), und
am 27. Juli 1819 (Reg.=Bl. Nr. 27 und 29).

Diese neuen Erwerbungen betrugen . . . 63,000 Einwohner, die Abtretungen kleinerer Parzellen, welche in Folge obiger Verträge gemacht wurden 29,000   „
so daß sich ein Ueberschuß von . . . . 32,100 Einwohner ergibt.

VI. Durch den Frankfurter Territorial=Receß erhielt das Großherzogthum die Grafschaft Hohengeroldseck mit 4460 Seelen. (Reg.=Bl. 1819, Nr. 30).

---

[2]) Maier a. a. O. S. 143.

VII. Kleinere Gebietsausgleichungen wurden durch den Vertrag mit Baiern vom 24. Apr. 1840 (Reg.-Bl. 1843, S. 17) am Rhein, und durch jenen mit Württemberg vom 28. Juli 1843 (Reg.-Bl. 1846, S. 60) längs der badisch-württembergischen Grenze vorgenommen.

§. 7.
Frankfurter Vertrag vom 20. Nov. 1813. Beitritt Badens zum Deutschen Bund. Der Territorial-Receß vom 20. Juli 1819.

Der Rheinische Bund hatte schon mit der Schlacht von Leipzig sein factisches Ende erreicht.

Am 20. Nov. 1813 trat Großherzog Karl, welcher dem am 10. Juni 1811 mit Tod abgegangenen Karl Friedrich in der Regierung nachfolgte, in dem sog. Frankfurter Vertrage dem Bunde der europäischen Großmächte gegen Frankreich bei, und verpflichtete sich in einem geheimen Artikel:

"sich alle diejenigen Einrichtungen und Territorial-Abtretungen gefallen zu lassen, welche die neue Ordnung der Dinge in Deutschland zur Erhaltung der Kraft und Unabhängigkeit dieses Landes erfordern werde."

Von den Großmächten wurde dagegen dem Großherzog die Zusicherung gegeben:

"daß er für Territorial-Abtretungen, wenn solche nöthig würden, in so weit Entschädigung erhalten sollte, als diese mit dem Reste der zur Zeit des Friedensschlusses verwendbaren Gegenstände und mit dem eben erwähnten Zweck vereinbar sein werde, und so, daß die Entschädigung dem jetzigen Umfang des Großherzogthums möglichst nahe komme" [1].

Der erste Pariser Frieden vom 30. Mai 1814 [2] bestimmt in Art. VI, daß die deutschen Staaten unabhängig und in einen Bund vereinigt sein sollen; der Art. XXXII setzt fest, daß auf einem allgemeinen Congresse zu Wien die zur Vervollständigung dieses Friedens verlangten nöthigen Anordnungen sollten berathen werden.

---

[1] S. d. Staatsschrift: Ueber die Ansprüche der Krone Baiern's an Landestheile des Großherzogthums Baden. Mannheim bei Schwan und Götz 1827. S. 2.

[2] v. Mayer a. a. O. 1. S. 151.

Am 8. Juni 1815 wurde die deutsche Bundesacte unterzeichnet [3]) und der am 9. Juni 1815 abgeschlossenen Wiener Congreß=Acte [4]) einverleibt.

Am 26. Juli 1815 erklärte Großherzog Karl seinen „unbedingten und vollkommenen Beitritt zu dem Inhalt der deutschen Bundesacte" [5]).

Am 20. Nov. 1815 wurde der zweite Pariser Friede geschlossen [6]). Sowohl dieser Friedensschluß als die Wiener Congreß=Acte hatten manche Fragen über Territorial=Angelegenheiten Deutschlands einer näheren und definitiven Regelung vorbehalten oder wenigstens zu einer solchen Anlaß gegeben.

Diese Anstände wurden durch den sog. Frankfurter Territorial=Receß vom 20. Juli 1819 [7]) beseitigt. Demselben waren zwei auf das Großherzogthum Baden bezügliche Staatsverträge beigelegt.

Der Eine derselben wurde am 10. Juli 1819 von Oesterreich, Großbrittanien, Preußen und Rußland mit Baden abgeschlossen [8]) und wurde wörtlich in den Territorial=Receß — wie folgt — aufgenommen:

„Art. 9. Der, eine das Großherzogthum Baden beschwerende Klausel enthaltende, Zusatz=Artikel zu dem Frankfurter Vertrag vom 20. Nov. 1813 ist zurückgenommen. Seine Königl. Hoheit der Großherzog von Baden, seine Erben und Nachfolger sind zu ewigen Tagen davon befreit und der Besitzstand des Großherzogthums ist, wie er in dem gegenwärtigen Augenblick besteht, förmlich anerkannt."

„Art. 10. Das Recht der Erbfolge in dem Großherzogthum Baden, wie solches in demselben zu Gunsten der Grafen von Hochberg, Söhne des verstorbenen Großherzogs Karl Friedrich, festgesetzt ist, ist für die contrahirenden Mächte und in deren Namen anerkannt."

Dieser völkerrechtliche Act ist für den Bestand des Großherzogthums

---

[3]) Abgedruckt in: Badisches Bürgerbuch. Karlsruhe bei Macklot 1845. S. 5
[4]) v. Mayer a. a. O. I. S. 162.
[5]) Bab. Bürgerbuch S. 18.
[6]) v. Mayer a. a. O. I. S. 224.
[7]) Ebendas. I. S. 299.
[8]) Die unter Ziff. 1 genannte Staatsschrift. Beilage 5 S. 87.

von der größten Bedeutung; es erhielt derselbe die erneuerte Anerkennung der Großmächte, da auch Frankreich demselben am 20. Okt. 1820
beigetreten war. Durch ihn wurden auch die von der Krone Baiern
auf den Grund des Rieder Vertrags erhobenen Ansprüche auf Abtretung einiger Theile des Gebiets des Großherzogthums Baden beseitigt [9]).

Der andere Vertrag ist in den Art. 8 des Territorial-Recesses auf-
genommen und bezieht sich auf die Abtretung eines Theils des Amts
Steinfeld in der Grafschaft Wertheim gegen Erwerbung der Grafschaft
Hohengerolbseck. (§. 6.)

Zweiter Abschnitt.

Die früheren Verwaltungszustände.

A. Die Zeit der Markgrafschaft (1746 bis 1803).

§. 8.
Karl Friedrich und seine Verwaltung.

Die Markgrafschaft Baden war als Bestandtheil des deutschen
Reichs dem Kaiser und Reich unterworfen, und zwar als reichsunmittel-
bares Gebiet [1]).

Im Fürstenrathe führte dieselbe d r e i Stimmen, die erste für
Baden-Baden, die zweite für Baden-Durlach, die dritte für die Grafschaft Hochberg [2]).

Sie war dem schwäbischen Kreise zugetheilt.

Unter die kaiserlichen Privilegien [3]), welche dem markgräflichen
Hause zustunden, gehörte auch das de non evocando [4]).

---

[9]) S. hierüber und über den sogen. Sponheim'schen Successions-Streit, die
oben (Note 1) angef. Staatsschrift und die übrige bei Pfister a. a. O. 1. Theil
S. 372—378 zusammengestellte Literatur.

[1]) Moser, Einleitung in das markgräflich-badische Staatsrecht. Frankfurt
und Leipzig 1772. S. 104 u. folg.

[2]) Moser a. a. O. S. 130.

[3]) Ebendas. S. 100. Leist deutsches Staatsrecht. Göttingen 1805. §. 124
und 154.

[4]) Das privilegium de non appellando stund damals der Markgrafschaft
noch nicht zu, sie erlangte es erst durch den Reichsdeputations-Hauptschluß.

Die Staatsform des Landes war die der unbeschränkten Monarchie. Obgleich im 16. und 17. Jahrhundert in den beiden Landen der Markgrafschaft Landtage abgehalten und Landtagsabschiede erlassen wurden, so scheint doch seit der Mitte des 17. Jahrhunderts diese Einrichtung ganz in Abgang gekommen zu sein.

Landesverträge oder landesherrliche Reversalien, wodurch eine Beschränkung der Machtbefugnisse des Staatsoberhaupts festgesetzt worden wäre, liegen nicht vor [5].

Die Unterthanen hatten den Schutz ihrer Rechte in den Bestimmungen der Reichsverfassung zu suchen [6].

Die Verwaltung des Landes anlangend, so hatte zwar schon die vormundschaftliche Regierung, welche acht Jahre vor dem Regierungsantritte Karl Friedrich's die Markgrafschaft Baden-Durlach verwaltete, mit der größten Sparsamkeit, Gewissenhaftigkeit und Sorgfalt ihre Aufgabe gelöst.

Die langjährigen Kriegszeiten hatten aber dem kleinen Lande zu tiefe Wunden geschlagen, als daß nicht dem jungen Landesherrn ein reiches Feld segensvoller Thätigkeit geöffnet geblieben wäre.

Und er begriff und bemeisterte seine Aufgabe [7].

In allen Zweigen des staatlichen Lebens schritt er ernst zu wohlüberlegten Verbesserungen, welche getragen waren von dem weisen, humanen und erleuchteten Geiste, der die ganze Regierung Karl Friedrich's auszeichnet.

Obgleich die Staatsform die der absoluten Monarchie war, so erkannte doch die Landesgesetzgebung für sich schon damals gewisse Schranken an, über welche hinaus in die freiheitliche Sphäre des Einzelnen nicht eingegriffen werden dürfe.

Sehr bezeichnend spricht sich hierüber die Hofraths-Instruction vom 28. Juli 1794 aus.

Der §. 25 derselben setzt fest, daß die Entwürfe der Gesetze darauf Rücksicht zu nehmen haben:

---

[5] Moser a. a. O. S. 361—64.

[6] Leist a. a. O. S. 23.

[7] v. Drais Beiträge zur Kulturgeschichte und Statistik von Baden unter Karl Friedrich. Karlsruhe bei Maklot. S. 109 u. folg. S. 117—142.
Derselbe: Geschichte der Regierung ꝛc. Band II. S. 138, 153, 165, 348.

„daß die Freiheit der Handlungen des Staatsbürgers weiter als für die Sicherheit der übrigen, für eine augenscheinlich über= wiegende Wohlfahrt Aller oder für die Aufrechthaltung der Staats= verfassung nothwendig ist, nicht eingeschränkt werde."

Der §. 28 bemerkt ferner:

„daß die Gesetze in Regierungs= und Polizeigegenständen zur Absicht haben, das Wohl jedes Staatsbürgers und das Wohl der vereinten Gesellschaft, beides in billigem Ebenmaß gegen einander zu befördern."

Auf solchen Grundlagen wurden nun eine Reihe der wohlthätigsten Einrichtungen geschaffen.

Die Freiheit der Person wurde zunächst durch Aufhebung der Leib= eigenschaft und einiger mit ihr zusammenhängenden Abgaben anerkannt und durch angemessene Bestimmungen in der Strafprozeßordnung ge= sichert, die Tortur 1768 abgeschafft und die Strafe der körperlichen Züchtigung bedeutend eingeschränkt; die Gewissensfreiheit blieb unan= getastet und war durch besondere Bestimmungen garantirt; das Eigen= thum unter den Schutz der Gesetze gestellt und durch Verbesserung der Prozeßvorschriften für erleichterte Verfolgung von privatrechtlichen An= sprüchen gesorgt. Der Wegzug war durch eine Reihe von Conven= tionen mit andern Staaten erleichtert.

Der innnern Verwaltung wurde eine alle Richtungen dieses großen Gebietes beherrschende Thätigkeit zugewendet, — Volksschulen wurden zum Theil neu gegründet, theils die Einrichtung der schon bestehenden verbessert, ein Schullehrer=Seminarium in Karlsruhe errichtet und für die äußere Lage der Schullehrer und ihrer Familien besser gesorgt. Für die höhere wissenschaftliche und practische Ausbildung der Geistlichen wurden mehrfache zweckmäßige Anordnungen getroffen und ein Pfarr= Wittwen=Fiscus gegründet.

Auch die gelehrten Schulen des Landes wurden einer umfassenden Reorganisation unterworfen.

Nicht minder als auf dem geistigen Gebiete wurde für die materiel= len Interessen des Landes gesorgt. Landwirthschaft und Gewerbe wur= den in aller Weise zweckmäßig befördert; Mißbräuche, welche sich im Laufe der Jahre, besonders im Zunftwesen, eingeschlichen hatten und auf den Volkswohlstand nachtheilig einwirkten, kräftig abgestellt; für die

Belebung des Verkehrs durch Anlage von Straßen u. dergl. wirksame Hülfe geschaffen, eine Brandversicherungsordnung für Gebäude erlassen und mit vieler Mühe in's Leben geführt.

Für die weltlichen Diener wurde eine Wittwenkaffe gegründet. Die Finanzen befanden sich in geordnetem Zustande. Die Staatsschuld betrug zwar 1771 im Ganzen 1,224,344 Gulden; allein sie hatte ihren Grund vorzugsweise in dem Ankauf mehrerer Ortschaften, Gemarkungen und Renten, wofür 665,000 fl. aufgewendet werden mußten, in dem Loskauf des pfälzischen Lehenverbandes mit 60,000 fl., in der Entschädigung an den baden-baden'schen Hof mit 250,000 fl. in Folge des Successionsvertrags und in der Uebernahme der baden-badischen 220,226 fl. betragenden Landesschulden.

In so gedeihlichem Zustande befand sich die Markgraffchaft Baden-Durlach, als durch den 1771 erfolgten Tod August Georg's die baden-baden'schen Landestheile an Baden-Durlach fielen, und so die über dritthalb hundert Jahre getrennten Markgraffchaften wieder unter Einem Scepter vereinigt wurden.

Waren schon die zur Sicherung des Erbanfalls eingeleiteten Verhandlungen über den am 28. Januar 1765 endlich zu Stande gekommenen Erbvertrag mit vielfachen Widerwärtigkeiten verknüpft, so traten dem neuen Landesherren nicht geringere Schwierigkeiten bei der wirklichen Uebernahme der baden-baden'schen Landestheile entgegen.

Die öffentliche Verwaltung der beiden Markgraffchaften war in sehr verschiedenem Geiste geführt worden und die Aufgabe, sie zu Einem staatlichen Organismus zu verschmelzen, keine geringe. Sie wurde mit aller Energie von Karl Friedrich erfaßt.

Zunächst wurden der Hofhalt und die Landes-Collegien in Rastatt eingezogen und mit den hiedurch erzielten Ersparnissen nicht nur die bedeutenden übernommenen Schulden gedeckt, sondern auch mehrfache in dem neu angefallenen Landestheile bestandenen Abgaben aufgehoben.

Die Thätigkeit der Regierung vereinigte sich in dem Streben, manche Mißbräuche, welche sich in die Verwaltung der baden-baden'schen Lande eingeschlichen hatten, zu beseitigen, die als wohlthätig erkannten Einrichtungen der alten Lande auch in den neuen einzuführen, die Verfassung und Verwaltung beider Landestheile möglichst gleichförmig zu gestalten und sie durch stetes Fortschreiten auf der schon früher betretenen Bahn weiser Reformen zu verbessern.

Insbesondere wurde für die Verbesserung des öffentlichen Unter=
richts, wozu durch die Landschulordnung August Georg's schon ein
guter Grund gelegt war, gesorgt. Die Mittel hiezu wurden aus den
aufgehobenen Jesuiten=Collegien zu Baden und Ettlingen genommen.
In Baden wurde ein Gymnasium errichtet und bei der Unzulänglichkeit
der Einkünfte aus dem Vermögen des aufgehobenen Jesuitenordens aus
Staatsmitteln unterstützt.

Zur Erleichterung des Verkehrs wurden neue Straßen erbaut, in
mehreren Orten die Loosungsrechte abgeschafft, der Zunftzwang mehr=
fach beschränkt, das öffentliche Rechnungswesen geordnet und vielfache
Verbesserungen im gerichtlichen Verfahren eingeführt.

Die Aufhebung der Leibeigenschaft, des sog. Abzugs, des Abzugs=
Pfundzolls, des Landschaftsgelds, des Todtfalls, des Hauptrechts oder
Bestfalls wurde auf die ganze Markgraffschaft ausgedehnt [8]).

Auf die hiewegen vom ganzen Lande dargebrachte Danksagung er=
ließ Karl Friedrich die ewig benkwürdige Antwort vom 19. Sept. 1783
in welcher der weise Fürst die Grundsätze seines Regierungssystems
niederlegte [9]).

Die Finanzen, welche insbesondere in dem baden=baden'schen Lan=
destheile einer starken Aufhülfe bedurften, wurden nach Kräften ge=
ordnet [10]), dem Bergbau, der Land= und Forstwirthschaft blieb stets und
mit großem Erfolge ein aufmerksames Auge zugewendet, insbesondere
wirkte in letzterer Beziehung die Einführung der Beförsterung der Ge=
meindewaldungen sehr günstig.

§. 9.
**Die Gesetzbücher und Sammlungen über Verwaltungsgegenstände. Organisation der
Behörden.**

Die Gesetze und Verordnungen über Verwaltung und Polizei waren
enthalten:

„für Baden=Durlach in einer „Landes=Ordnung", welche
1559 für sämmtliche baden=durlachische Landestheile eingeführt,
sodann 1622 und 1715 neu aufgelegt wurde;

---

[8]) v. Drais, Geschichte der Regierung. Bd. II. Beilage Nr. VI.

[9]) Ebendas. Band II. S. 146—153.

[10]) Ebendas. S. 325 — 348, und Heunisch, das Großherzogthum Baden ꝛc.
S. 31—42.

für Baden=Baden in einer 1588 nur handschriftlich er=
lassenen „Landes=Ordnung".

Die später nachgefolgten Gesetze und Verordnungen erschienen ein=
zeln und zerstreut für die Markgraffschaft Baden=Durlach seit
1758 in dem Karlsruher, und für Baden=Baden seit 1764 in dem
Rastatter Wochenblatt.

Systematisch zusammengestellt sind dieselben in der Privatarbeit:

Sammlung aller baden=durlachischen Anstalten und Verord=
nungen von K. Fr. Gerstlacher. Karlsruhe 1773 und 1774.
3 Bände.

Eine amtliche, auszugsweise Zusammenstellung derselben wurde
später veranstaltet unter dem Titel:

Wesentlicher Inhalt der neuen Markgräfl. Bab. Gesetz=
gebung, oder: Alphabetischer Auszug aus den in den Wo=
chenblättern befindlichen, auch mehreren andern dazu gehörigen
noch nicht gedruckten Verordnungen. Karlsruhe 1782 bis 1814.
4 Bände.

Von besonderer Wichtigkeit aber war die:

Hofraths=Instruction vom 28. Juli 1794 (neu aufgelegt 1805.
Karlsruhe, bei Macklot),

in deren Bestimmungen die Regierungs= und Verwaltungs=Grundsätze,
welche seit einer Reihe von Jahren befolgt wurden, niedergelegt und als
Anweisung für die Behörden verkündet sind.

Die Organisation der Staatsverwaltung war eine
höchst einfache.

Nach dem Anfall der baden=baden'schen Lande wurden die Regie=
rungsbehörden derselben mit denen in Karlsruhe vereinigt.

Die oberste Staatsbehörde war das Geheime Raths=Colle=
gium.

Demselben waren untergeordnet:

1) das Hofraths=Collegium für die Verwaltungssachen;
2) das Hofgerichts=Collegium für die Justizverwaltung;
3) das Rentkammer=Collegium für die Finanzsachen;
4) das Kirchenraths=Collegium für geistliche Angelegenheiten;
5) die Militär=Commission für Kriegssachen.

Unter diesen Collegien stunden die verschiedenen Lokalbehörden, von welchen die 10 Ober= und 26 Aemter die Geschäfte der Rechtspflege sowohl als der Verwaltung in erster Instanz besorgten.

B. Die Zeit des Kurfürstenthums.

§. 10.
Die Organisation von 1803.

Der Erwerb der in §. 3 und 4 bezeichneten neuen Landestheile, welche den alten Stammlanden (§. 1) sowohl an Flächengehalt als See=lenzahl vorgingen, sowie die Vielgestaltigkeit der Verfassung und Ver=waltung derselben, machte eine neue Organisation des Kurfürstenthums, welches nunmehr 113,₈₅ Quadratmeilen und 450,156 Seelen zählte, zur bringenden Aufgabe.

Diese erfolgte denn auch schon in der ersten Hälfte des Jahres 1803 durch die Verkündung von 13 Organisations=Edicten [1]).

Das Erste derselben v. 4. Febr. 1803 regelt die „allgemeine Landes=Administration.‟

Als oberste Verwaltungsbehörde wurde das Geheimeraths=Collegium bestellt, welches in drei Departements getheilt war:

1) Den Staatsrath zur Besorgung der allgemeinen Staatsange=legenheiten, der das Fürstliche Haus betreffenden Gegenstände, der auswärtigen, insbesondere der Reichs=, Kreis= und Reichs=collegial=Angelegenheiten, der Postverhältnisse und der Leitung des General=Landes=Archivs;

2) den Regiments=Rath, welchem „alle staatsrechtlichen Landes=Angelegenheiten mit Einschluß der Landesgesetzgebung in diesem Fach‟ zugetheilt waren;

3) den Finanz=Rath zur Erledigung „aller staatswirthschaftlichen Landes=Angelegenheiten.‟

Außer dieser Departements=Eintheilung bestund noch eine weitere in vier Conferenzen:

a. die allgemeine: für die wichtigsten Landes=Angelegenheiten, insbesondere Aenderungen in den Grundlagen der Verfassung, Belastung des Landes mit Schulden, Abänderungen der be=stehenden Schuldentilgungsplane;

---

[1]) Kurfürstl. Badische Landes=Organisation in 13 Edicten. Karlsruhe 1803. Macklot's Hofbuchhandlung. 8.

b. die geheime: für einzelne vom Regenten besonders zu bezeichnende, dem Wirkungskreis des Staatsraths angehörige Fälle;
c. die evangelische;
d. die katholische;

für Fragen, welche auf die Kirchenverfassung und das Kirchengut der betreffenden Confession sich beziehen.

Für das Kirchenwesen, beziehungsweise „die Verwaltung aller Staatsrechte in Kirchen- und Schulsachen" wurde überdieß noch eingesetzt: der evangelisch-lutherische Kirchenrath in Karlsruhe, das reformirte Kirchenraths-Collegium in Heidelberg und die katholische Kirchen-Commission in Bruchsal.

Es wurde ferner eine Forst-, Straßen-Bau- und Sanitäts-Commission errichtet.

Als oberster Gerichtshof des Landes wurde das Oberhofgericht in Bruchsal eingesetzt.

Das Land wurde in drei Staatsverwaltungs-Bezirke eingetheilt:
die badische Markgrafschaft;
die badische Pfalzgrafschaft am Rhein;
das badische obere Fürstenthum oder Fürstenthum am Bodensee [2]).

In jeder dieser Provinzen bestund ein Hofraths-Collegium, welches in zwei Senaten die Gegenstände der innern und der Finanz-Verwaltung zu besorgen hatte.

Die Verwaltung der bürgerlichen und der Strafrechtspflege, soweit sie nicht dem Oberhofgerichte oder den Aemtern in ihrer Eigenschaft als Untergerichte übertragen war, stund den Hofgerichten zu.

Nur in dem obern Fürstenthum waren dem Hofraths-Collegium zugleich auch diese richterliche Functionen übertragen, indem ein Senat desselben zugleich als Hofgericht für diese Provinz constituirt war.

Die drei Provinzen waren wieder in Bezirke eingetheilt, denen unter der verschiedenen Benennung von Oberämtern, Stabsämtern, Stadt-Directionen, Obervogteien, Bezirksstellen vorgesetzt waren, denen die Besorgung der Rechtspflege und Verwaltung gleichmäßig übertragen war. (Sechstes Organ.-Ed. v. 9. März 1803) [3]).

---

[2]) Geographisch-statistisch-topographische Beschreibung von dem Kurfürstenthum Baden, von Wundt und Schmidt. Karlsruhe 1804. Müller'sche Buchhandlung.

[3]) Eine Uebersicht dieser Landes-Eintheilung s. bei Heunisch a. a. O. S. 46.

Rücksichtlich der ersteren waren die Aemter den Hofgerichten, rücksichtlich der letzteren den Hofraths = Collegien der Provinz untergeordnet.

Zwischen die letzteren und die Aemter wurde versuchsweise eine Mittel = Instanz eingeschoben, nämlich die Landvogteien, welchen die „directive Leitung und Visitation" der Aemter zugewiesen war.

Das zweite Organisations = Edict v. 8. Febr. 1803 enthält die Archiv = Ordnung;

das dritte v. 11. Febr. 1803 die Bestimmungen über Religions = übung und Religionsduldung;

das vierte vom 14. Febr. 1803 die Anordnungen über die dem Hause Baden zugefallenen Stifte und Klöster;

das fünfte vom 24. Febr. 1803 die Vorschriften über Vorbereitung zum weltlichen Staatsdienst;

das sechste vom 9. März 1803 die Organisation der „executiven Landes = Administration";

das siebente vom 18. März 1803 die Organisation der mediatisirten Reichsstädte;

das achte vom 4. April 1803 das Edict über die Verwaltung der Strafrechtspflege;

das neunte v. 21. März 1803 die Vorschriften über Besorgung der Militär = Angelegenheiten;

das zehnte v. 20. April 1803 die Einrichtung verschiedener Staats = Anstalten, z. B. der Brandversicherungs = Anstalt, der weltlichen Diener=, evangelischen Pfarr=, sowie der Schullehrer=Wittwen-kasse, der öffentlichen Waisen = Fonds, der Krankenversorgungs = und öffentlichen Verkündigungs = Anstalten;

das elfte v. 2. Mai 1803 die Normative über die von den Behörden zu gebrauchenden Titel und Siegel;

das zwölfte v. 2. Mai 1803 Vorschriften über die Formen des Geschäfts = Styls;

das dreizehnte v. 13. Mai 1803 die Organisation der „gemeinen und wissenschaftlichen Lehranstalten."

Diese umfassende neue Gesetzgebung ruhte auf demselben Geiste der Milde und Humanität, der die gesammte Regierungsweise des greisen Karl Friedrich auszeichnete.

Sie trug nicht wenig dazu bei, die vielfachen und so verschiedenartig regierten, zum Theil geistlichen und reichsstädtischen Gebiete zu einem

staatlichen Ganzen zu verschmelzen, — eine Aufgabe, die mit manchen
ernsten Schwierigkeiten verbunden war, die aber endlich durch die Weis=
heit und Versöhnlichkeit der neuen Regierung glücklich gelöst wurde.

In diese Zeit fällt auch noch der Anfang der mit so großem Erfolg
begonnenen Restauration der unter der letzten pfälzischen Regierungs=
periode in Verfall gerathenen Universität Heidelberg.

§. 11.

**Zur Beurtheilung der Verwaltungszustände während der markgräflichen und kurfürst=
lichen Zeit.**

Man kann die Zeit der Markgraffchaft und des Kurfürstenthums
in der Entwicklung unserer Verwaltungszustände wohl als die Erste
Periode betrachten, und ihr, wenn man sie mit einem Namen bezeichnen
will, den der patriarchalischen Zeit, — den Ausdruck im besten
Sinne des Wortes genommen — beilegen.

In den meisten Gebietstheilen, aus welchen das Kurfürstenthum
zusammengesetzt war, besonders aber in den ehemaligen Besitzungen geist=
licher Fürsten und in den kleineren Klostergebieten bestunden nur äußerst
dürftige Normen in dem großen Bereiche der innern Verwaltung.
War auch durch die bisherige Gesetzgebung in organisativer Beziehung
Manches geschehen, um die zum Theil sehr heterogenen Bestandtheile des
Landes nach Thunlichkeit miteinander zu verschmelzen, so fehlte es doch
an durchgreifenden und umfassenden Bestimmungen über viele und wich=
tige materielle Theile des Verwaltungsrechts, insbesondere der
Polizei, und an Vorschriften über die Einrichtung, Zuständigkeit und
Ueberwachung der Bezirksbehörden. Es war daher, und weil die Ge=
meinden ganz unter der Bevormundung der Regierung stunden, die Ver=
waltung zu einem nicht geringen Theile dem Ermessen der Regierungs=
behörden anheimgegeben.

Die oberen Landes = Collegien waren aber meist für ganz verschie=
denartige Geschäfte bestellt und auch verhältnißmäßig mit wenigen
Räthen besetzt, so daß der Schwerpunkt der eigentlichen Verwaltung in
den Bezirksbeamten lag. Diese hatten nicht nur einen sehr ausgedehnten
Geschäftskreis, sondern auch nach Unten eine sehr bedeutende Gewalts=
befugniß, und nach Oben eine — bei dem fast gänzlichen Mangel an
wirksamer Controle — sehr große Selbständigkeit.

In der Hand Eines Mannes lag die Criminal= und Civil=Justiz, die freiwillige Gerichtsbarkeit, die innere Verwaltung, Polizei, und oft auch noch die Verwaltung des Staatsvermögens eines Bezirks.

Dazu kommen noch die sehr zahlreichen Patrimonialbeamten, bei welchen der Privatdienst für den Gutsherrn von dem öffentlichen Justiz= und Verwaltungsdienst nicht ausgeschieden war.

Wenn die eigentlichen Besoldungen der Beamten nach den einfacheren Verhältnissen der damaligen Zeit nicht sehr hoch bemessen waren, so war doch ihr Gesammteinkommen durch vielfache Nebenbezüge, insbesondere durch den Bezug der Sporteln, Taxen u. dergl. ein sehr namhaftes.

Die Stellung des Beamten wurde hiedurch eine einflußreiche und gesuchte.

Durch die verschiedenartigen Richtungen seiner Berufsthätigkeit mit den Verhältnissen des Bezirks auf das genaueste vertraut, schied ein solcher Mann nicht leicht aus dem gewohnten Kreise seiner Thätigkeit.

Bei dieser Einrichtung war Wohl oder Wehe eines Bezirks in viel= facher Beziehung auf die Individualität eines einzigen Mannes gesetzt. War der Beamte ein Mann von Redlichkeit, Kenntnissen und offenem Herzen für die Interessen des ihm anvertrauten Bezirks, so konnte er, — mit den örtlichen Verhältnissen und den besondern Bedürfnissen der Angehörigen durch vielfache unmittelbare Berührung und eigene An= schauung genau vertraut — um so segensreicher wirken, als er durch feststehende Normen und Gesetze in dem Gebiete der Verwaltung wenig gehindert war, bei seinen Maßnahmen den besondern Anforderungen der obwaltenden Umstände in dem einzelnen Falle volle Rechnung zu tragen.

Den Anordnungen eines so mächtigen, einflußreichen Beamten füg= ten sich die Amtsangehörigen in der Regel willig.

War dagegen ein Bezirk der Hand eines willkürlichen, eigennützigen und herrschsüchtigen Mannes anvertraut, so trug bei dem Mangel aus= reichender bindender Verwaltungs=Normen auch seine ganze Verwal= tungsweise diesen Charakter, und es war nicht leicht, durch Beschwer= den bei den höheren Behörden, auch wenn diese noch so willfährig gewesen wären, Abhülfe zu erlangen; denn, wenn auch im einzelnen ge= gebenen Falle noch eine Remedur eintreten mochte, — der Geist, in dem die ganze Bezirksverwaltung von einem so mächtigen, oft auch gefürch= teten und wenig controlirten Beamten geführt wurde, konnte nicht leicht geändert werden.

So wenig Garantien gegen Mißbräuche eine solche Einrichtung also barbot, so erfreuten sich unter Karl Friedrichs Regierung boch die meisten Bezirke einer einsichtsvollen, wohlwollenden Verwaltung; denn die Männer, welchen sie anvertraut wurde, wurden mit Sorgfalt ausgewählt, und es konnte nicht ausbleiben, daß der Geist der Milde und Humanität, der in den obern Regierungskreisen herrschte, auch nach Unten hin seine wohlthätigen Wirkungen äußern mußte.

Dabei darf aber nicht übersehen werden, daß die großen Nachtheile, welche dieses System selbst unter den günstigsten äußern Umständen nothwendig mit sich führen mußte, nur bei dem damaligen Stand der politischen Bildung des Volks erträglich erscheinen konnten.

Die Bezirke wurden je nach der Individualität ihrer Beamten sehr verschiedenartig verwaltet, so daß im Ganzen sich ein ziemlich buntes Bild der Verwaltungszustände darstellte.

Diese Verschiedenartigkeit und Vielgestaltigkeit, die in dem Wesen der ganzen Einrichtung an sich lag, wurde aber dadurch noch unendlich vermehrt, daß in den vielen und zum Theil kleinen neu angefallenen Landestheilen der Zustand in keinem Falle ein besserer war, und daß die mit ihnen übernommenen Beamten ihre Ausbildung für den öffentlichen Dienst unter sehr ungleichartigen Verhältnissen erhalten hatten. Der gutgeschulte altbadische Beamte stund von einem Klosteramtmann oder dem Beamten eines kleinen reichsstädtischen Gebiets in seiner ganzen Anschauungsweise gewiß wohl weit genug ab, um eine auch nur einigermaßen homogene Bezirksverwaltung durch dieselben unter den gegebenen Verhältnissen für leicht erreichbar zu halten.

C. Die Zeit des Großherzogthums.

§. 12.
Die Organisation von 1807 und 1808.

Durch die Auflösung des deutschen Reichs und die Bestimmungen der Rheinbundsacte (§. 4 und 5) wurde das frühere Unterordnungsverhältniß Badens unter das Reich aufgehoben und der Großherzog trat in die volle Souveränetät ein. Das Großherzogthum war von da an ein völkerrechtlich unabhängiger Staat [1]).

---

[1]) Vergl. H. A. Zachariä, deutsches Staats- und Bundesrecht. S. 35—37. Zöpfl, Staatsrecht. S. 106. 107.

Die Beziehungen zum schwäbischen Kreise lösten sich mit dem Auf=
hören der durch den Bestand des Reichs bedingten Kreisverfassung.
Die Regierungsform blieb während der Rheinbundsperiode die un=
beschränkt monarchische. Wie bisher machte auch jetzt der greise Karl
Friedrich von seiner Rechtsbefugniß einen weisen und nach allen Seiten
hin wohlthätig wirkenden Gebrauch.

Bemerkenswerth in dieser Beziehung ist folgende Stelle in dem
Edicte v. 5. Juli 1808 [2]) über die Organisation der obersten Staatsbe=
hörden:

„Wir sind daher entschlossen, die Staatsverwaltung auf einfache
und pragmatische Grundsätze, welche dem Geist der Zeit entsprechen
zurückzuführen: — Wir wollen ein gleichförmiges, auf richtigen
Verhältnissen beruhendes Abgabesystem gegründet, durch Tilgung
der durch die Kriegsverhältnisse angewachsenen Schuldenmasse den
Staats=Credit erhoben, und mittelst einer Landesreprä=
sentation, wie sie in Westphalen und Baiern eingeführt worden,
das Band zwischen Uns und dem Staatsbürger noch fester, wie
bisher — geknüpft wissen. Wir wollen, daß mit dem Geist der
Humanität und des Rechts, welcher — Wir können es mit inniger
Beruhigung sagen — seit sechs Jahrzehnden Unsere Regentenhand=
lungen geleitet hat, auch in dem Gebiete der Verwaltungs=
zweige mehr Einheit und Zusammenhang, in den Geschäfts=
formen eine größere Einfachheit und in der Vollziehung die
möglichste Schnelligkeit und Kraft hervorgehe.“

Mitten in den Stürmen der Kriege dieser Periode und des Druckes,
der auch auf den innern Angelegenheiten des Landes lastete, war die Re=
gierung bemüht, die in Folge der Auflösung des deutschen Reiches, der
Bildung des rheinischen Bundes, der abermaligen Einverleibung neuer
Gebietstheile, insbesondere von standes = und grundherrlichen Terri=
torien nothwendig gewordenen Veränderungen in der Gesetzgebung und
Verwaltung rasch vorzunehmen, und sie hat in dieser Beziehung eine
große und segensreiche Thätigkeit entfaltet.

Was zunächst die Organisation der Staatsbehörden be=
trifft, so erlitt dieselbe vielfache Veränderungen:

---

[2]) Reg.=Bl. 1808, Nr. 21, S. 185.

1) Das geheime Raths=Collegium (§. 9 und 10), welches als Cen=
tralpunkt der Staatsverwaltung seine bisherige collegiale
Verfassung beibehalten sollte, wurde durch das Constitu=
tiv=Rescript vom 20. März 1807 [3]) in vier Abtheilungen ge=
theilt: das Staats =, Justiz =, Polizei = und Finanz=Departement;
jedem derselben stund ein dirigirender Minister vor.

Die Hauptgegenstände, welche einem jeden dieser Departements
zugewiesen wurden, sind in dem Constitutiv=Rescripte besonders
aufgeführt.

2) Die Eintheilung des Großherzogthums in drei Provinzen (§. 10)
wurde zwar beibehalten, aber in der Weise abgeändert, daß die
Provinz des obern Fürstenthums aufgehoben wurde. Es bestun=
den nach der Organisation vom 22. Juni 1807: [4])

die oberrheinische oder badische Landgrafschaft;
die mittelrheinische oder badische Markgrafschaft;
die unterrheinische oder badische Pfalzgrafschaft.

Jeder dieser Provinzen war eine Anzahl Aemter zugetheilt.

Für die breisgauischen Lande war unmittelbar nach deren An=
fall durch Verordnung vom 5. Mai 1806 [5]) eine breisgauische
Regierung und Kammer in Freiburg errichtet worden.

Durch die Verordnung vom 10. August 1807 [6]) wurde jeder
dieser Provinzen ein Hofgericht (mit dem Sitze in Freiburg, Ra=
statt und Mannheim) eine Regierung und eine Rentkammer (mit
dem Sitze in Freiburg, Karlsruhe und Mannheim) vorgesetzt.

Rücksichtlich der kirchlichen Angelegenheiten sollte es bei den
Bestimmungen der Kirchen = Constitution bleiben und ein evan=
gelischer Oberkirchenrath für die protestantische Confession in
Karlsruhe, eine lutherische Oberverwaltung daselbst und eine re=
formirte in Heidelberg, drei katholische Oberverwaltungen aber je
am Sitze der Regierung, errichtet werden. An die Stelle derselben
sollten jedoch in Folge der Bestimmungen des ersten Constitutions=
Edicts vom 14. Mai 1807 unter gleichzeitiger Aufhebung der

---

[3]) Reg.=Bl. 1807, Nr. 11, S. 35.
[4]) Reg.=Bl. 1807, Nr. 23, S. 93.
[5]) Reg.=Bl. 1806, Nr. 12, S. 31.
[6]) Reg.=Bl. 1807, Nr. 30, S. 157.

katholischen Kirchen = Commission bie bei einer jeben der brei Re=
gierungen zu errichtende katholische Kirchen=Oekonomie=Commis=
sionen, und für die protestantische Confession die lutherische Kirchen=
Commission in Karlsruhe, und die reformirte in Heidelberg
treten [7]).

Die Forst = [8]) und Sanitäts = Commission blieben in ihrem
früheren Bestande mit Ausdehnung auf alle inzwischen erworbe=
nen Landestheile. Zugleich wurde eine Staatsanstalten=
Direction errichtet, zur Leitung der Zucht=, Arbeits=, Ge=
walts= und Irrenhäuser, sowie zur Besorgung der Brandver=
sicherungs = Angelegenheiten; einer Generalstudien = Com=
mission wurde „die oberste Aufsicht und Leitung über den Plan
des Landschul=Unterrichts und die Direction der Mittel=
schulen (Art. 11 des 13. Organis.=Edicts) aller Confessio=
nen" übertragen [9]).

3) Die Organisation der obersten Staatsbehörden, wie sie durch das
constitutive Rescript v. 20. März 1807 (s. oben Ziff. 1) bestimmt
war, erlitt aber in Bälde durch die Verordnung vom 5. Juli
1808 [10]) eine wesentliche Veränderung:

   a. das Geheime = Raths = Collegium als oberste Staatsbehörde
     wurde aufgehoben und die Centralverwaltung des Staats in
     fünf Ministerial=Departements vertheilt, nämlich
     in das der Justiz, der auswärtigen Verhältnisse, des Innern,
     der Finanzen und des Kriegswesens. Die „Collegialform"
     der Departements hörte auf.

   b. Als höchste Staatsbehörde wurde ein Kabinetsrath gebil=
     det, in welchem der Großherzog selbst, oder bei seiner Verhin=
     derung der Kabinets = Minister den Vorsitz führte.

   c. Außerdem wurde ein Staatsrath errichtet zur Vorberei=
     tung der Gegenstände von größerer Wichtigkeit, Entwerfung

---

[7]) Landesherrl. Verordnung vom 27. October 1807, Reg.=Bl. Nr. 36,
S. 213, und Verordnung v. 3. Nov. 1807 über die Amtsverhältnisse dieser Kom=
missionen im Reg.=Bl. 1807, Nr. 39, S. 237.

[8]) Die Forst = Organisation vom 24. Nov. 1807. S. im Reg.=Bl. 1807,
Nr. 41, S. 253.

[9]) Verordnung v. 8. Dez. 1807, Reg.=Bl. Nr. 43, S. 274—278,

[10]) Reg.=Bl. 1808, Nr. 21, S. 185—192.

von Grundgesetzen und Hauptverordnungen, besonders in Bezug auf Auflagen, Finanzsachen und Landesverfassung, ferner zur Prüfung der Frage über Entlassung eines Verwaltungsbeamten oder Stellung desselben vor Gericht.

Ordentliche Mitglieder des Staatsraths waren die Departementsminister oder die sie supplirenden Directoren, die Staats- und Kabinetsräthe.

Außerordentliche dagegen die Referenten der Departements über einzelne vorliegende Gegenstände, welche aber besonders berufen werden mußten.

Den successionsfähigen männlichen Mitgliedern des Großherzogl. Hauses stund nach zurückgelegtem achtzehnten Jahr das Recht zu, den Staatsrath zu besuchen, wie auch der Thronerbe befugt war, den Sitzungen des Kabinetsraths beizuwohnen. Eine Verordnung vom gleichen Tage [11]) bestimmte die Geschäfts-Ordnung-Formen und Vertheilung bei diesen Stellen.

§. 13.
Gesetzgebung. (Constitutionsedicte.)

Gleichzeitig mit der Organisation der Verwaltung wurde aber auch die Gesetzgebung auf dem Gebiete des öffentlichen Rechts wesentlich gefördert.

Die wichtigsten Gesetze, welche in dieser Zeit erlassen wurden, sind:

1) das Landesgrundgesetz vom 1. October 1806 über die Unveräußerlichkeit und Untheilbarkeit des Landes und die Belastung desselben mit Schulden [1]);

2) das erste Constitutions-Edict vom 14. Mai 1807 über die kirchliche Staatsverfassung [2]);

---

[11]) Reg.-Bl. 1808, Nr. 22, S. 193—200, und ein Nachtrag hiezu v. 14. Juli 1808 im Reg.-Bl. Nr. 25, S. 209.

Vergl. auch Verordn. v. 20. Juli 1808 über den Geschäftsgang im Reg.-Bl. Nr. 24, S. 205—207.

[1]) Reg.-Bl. 1806, Nr. 26, S. 89.

[2]) Reg.-Bl. 1807, Nr. 21, S. 87.

3) das zweite vom 14. Juli 1807 über die Verfassung der Ge=
meinheiten, Körperschaften und Staatsanstalten [3]);

4) das dritte vom 22. Juli 1807 über die Standesherrlichkeits=
Verfassung [4]);

5) das vierte vom gleichen Tage über die Grundherrlichkeits=Ver=
fassung [5]);

6) das fünfte vom 12. August 1807 über die Lehensverfassung [6]);

7) das sechste vom 4. Juni 1808 über die Grundverfassung der
verschiedenen Stände [7]);

8) das siebente vom 25. April 1809 über die Verfassung des
staatsdienerlichen Standes [8]), welches aber schon am 14. Nov.
1809 wieder zurückgenommen wurde [9]);

9) das Statut über die Civildiener=Wittwenkasse vom 28. Juni
1810 [10]);

10) das Edict über die Rechtsverhältnisse der Juden vom 13. Jan.
1809 [11]);

11) die Gesinde=Ordnung vom 15. April 1809 [12]);

12) die Brandversicherungs=Ordnung vom 15. April 1809 [13]);

13) die Medizinalordnung vom Jahr 1806 [14]).

Nicht minder thätig war die Gesetzgebung im Gebiete des Privat=
rechts: Der Code Napoléon wurde mit Zusätzen als badisches Land=
recht eingeführt und neben dem Ersten und Zweiten Einführungs=Edicte
eine Reihe von Rechtsbelehrungen und Erläuterungen erlassen, eine
Eides=, Ehe= und Notariats=Ordnung verkündet.

Die Strafgesetzgebung wurde in den neu erworbenen Landestheilen
eingeführt.

---

[3]) Reg.=Bl. 1807, Nr. 26, S. 125.
[4]) Ebendas. Nr. 29, S. 141.
[5]) Ebendas. Nr. 31, S. 165.
[6]) Ebendas. Nr. 34, S. 199.
[7]) Reg.=Bl. 1808, Nr. 18, S. 145, in Nr. 19, S. 161.
[8]) Reg.=Bl. 1809, Nr. 17, S. 161.
[9]) Ebendas. Nr. 47, S. 387.
[10]) Reg.=Bl. 1810, Nr. 30, S. 225.
[11]) Reg.=Bl. 1809, Nr. 29, S. 29.
[12]) Ebendas. Nr. 19, S. 185
[13]) Reg.=Bl. 1808, Nr. 4, S 25.
[14]) Vergl. Anzeige im Reg.=Bl. 1806, Nr. 20, S. 63.

§. 14.
Die Organiſation vom 26. November 1809.

Durch die bisherigen, ſo raſch auf einander gefolgten Organiſatio=
nen von 1803, 1807 und 1808 (§. 10—12) war aber den Bedürfniſſen
der öffentlichen Verwaltung keineswegs vollſtändig entſprochen. (Vergl.
§. 11.)

Karl Friedrich erließ daher ſchon am 26. Nov. 1809 ein neues
Organiſations=Edict [1]).

In dem Eingange deſſelben iſt bemerkt, daß in allen Theilen des
Staats ſolche Veränderungen vorgegangen ſeien:

„daß Wir ſchon lange die Nothwendigkeit fühlen, demſelben, an=
paſſend den jetzigen Verhältniſſen, eine gleiche und einfache
Verwaltung zu geben.“

„Unſere Edicte von 1807 und 1808 (vergl. §. 12) haben nur
in Anſehung der directiven Stellen das Nöthigſte einſt=
weilen verfügt, da zu weiter greifenden Anordnungen die Vorbe=
reitungen damals noch nicht vollendet waren.“

„Inzwiſchen ſind dieſe nun ſo weit gediehen, daß Wir uns im
Stande finden, auch rückſichtlich der unteren und mittleren
Verwaltungsſtellen das Nöthige feſtzuſetzen, ſie an die Centralſtel=
len gehörig anzuknüpfen, und ſo das Ganze der Staatsver=
waltung zu umfaſſen.“

Dieſes Organiſations=Edict iſt von der größten Bedeutung, ein=
mal weil es auf das geſammte Gebiet der Staatsverwaltung ſich bezieht,
zum andern, weil es die Competenz jeder einzelnen Behörde genau regelt [2]).

---

[1]) Reg.=Bl. v. 1809, Nr. 49, S. 395—398.
Nr. 50, S. 403—414.
Nr. 51, S. 419–444.
Nr. 52, S. 447—494.
Beſondere Abdrücke ſind erſchienen: Karlsruhe bei Müller 1810; zweite
Auflage mit nachgefolgten Reſcripten und Noten über die eingetretenen näheren
Beſtimmungen vermehrt v. 1813.

[2]) Für den Zweck dieſer Schrift kann nur die Organiſation der innern Ver=
waltung (im engſten Sinne des Worts) in Betracht kommen, und auch dieſe
kann nur in einem allgemeinen Umriſſe dargeſtellt werden. Das Nähere iſt leicht
aus dem Edicte und ſeinen Beilagen ſelbſt zu erſehen.

Dasselbe gilt, wenn auch im Einzelnen durch nachgefolgte Gesetze und Verordnungen vielfach abgeändert, doch in seinen wesentlichen Grundlagen noch bis jetzt.

Erst durch die Einführung des Gesetzes vom 5. Oct. 1863 (Reg.=Bl. Nr. 44) werden in Bezug auf die Organisation der innern Verwaltung diese Grundlagen in ihren Haupttheilen geändert, wozu freilich schon manche vorbereitende Schritte geschehen waren.

Die Grundzüge der Organisation vom 26. November 1809 sind folgende:

1) Die bisherige Eintheilung des Landes in Provinzen, welche zugleich die Verwaltungskreise bildeten, wird aufgehoben.

   Das Großherzogthum wird in 10 Kreise und diese werden in Bezirke eingetheilt.

2) Die Verwaltungsstellen sind:

   a. für die innere Verwaltung: die Ortsvorgesetzten, die Aemter, die Kreisdirectorien, das Ministerium des Innern;

   b. für die Finanzverwaltung: die Ortsvorgesetzten, Revierförster und Waldaufseher, Verrechnungen und Forstämter, Kreisdirectorien und Oberforstämter, Ministerium der Finanzen;

   c. für die Justizverwaltung: Aemter, Hofgerichte (und zur Zeit noch standesherrliche Justizkanzleien), Oberhofgericht, Ministerium der Justiz.

3) Es werden folgende Ministerien gebildet:

   a. das Ministerium „der auswärtigen Verhältnisse",

   b. das Justizministerium,

   c. das Ministerium des Innern,

   d. das Finanzministerium,

   e. das Kriegsministerium.

4) Der Vereinigungspunkt sämmtlicher Ministerien ist die Ministerial=Conferenz; das Cabinetsministerium ist aufgehoben.

5) Die Einrichtung und der Geschäftsumfang der genannten Behörden ist in den Beilagen B. bis F. des Edicts genau bezeichnet [3]).

---

[3]) Vergl. das Organis.=Rescript vom 26. Nov. 1809, Ziff. 1, 3, 6—9, 10, 11, 13.

§. 15.

Die Bezirksämter.

1) Die Zahl der Bezirksämter betrug im Ganzen 119, nämlich 66 landes= und 53 standesherrliche. Da die Volkszahl (nach der Zählung vom Dez. 1808) auf 924,307 sich belief, so hatte jeder Bezirk durchschnittlich 7—8000 Seelen.

Diese Eintheilung bestund jedoch nur kurze Zeit. Bald nach ihrer Einführung hatte die Krone Baden in Folge der Pariser Verträge vom 8. September und 21. October 1810 an das Groß= herzogthum Hessen ein Gebiet von 15,000 Seelen abzutreten, dagegen von dem Königreich Württemberg ein solches von 45,000 Seelen zu erhalten. In Folge dieser und einiger andern Ver= träge (vergl. §. 6) und der hieburch herbeigeführten Gebietsver= änderungen [1]) wurde durch das Edict vom 15. Nov. 1810 [2]) einer der 10 Kreise, nämlich der Odenwälderkreis, aufgehoben und unter die drei anstoßenden, nämlich den Pfinz= und Enz=, den Neckar=, den Main= und Tauberkreis vertheilt und auch die Ein= theilung der Bezirksämter zum Theil neu festgestellt.

Danach bestunden in den neun Kreisen 91 landesherrliche und 29 standesherrliche, also im Ganzen 120 Aemter [3]).

2) Ein Amtsbezirk soll in der Regel wenigstens 7000 Seelen um= fassen; wo sich nach den örtlichen Verhältnissen nur 4 — 5000 Seelen zu einem Amte vereinigen lassen, soll dem Beamten zu seinen übrigen Geschäften auch noch die „herrschaftliche Verrech= nung" übertragen werden. Solchen Aemtern wurde die Be= zeichnung: „Stabsämter" beigelegt [4]).

3) Jedem Amte ist in der Regel nur Ein Beamter vorgesetzt.

4) Den Aemtern ist übertragen:

---

[1]) Heunisch a. a. O. S. 53—55 und Beilage A zu dem Organis. Edict im Reg.=Bl. 1809, Nr. 50, S. 403—414.

[2]) Reg.=Bl. 1810, Nr. 49, S. 355.

[3]) Heunisch a. a. O. S. 55.

[4]) Ueber die Einrichtung und den Geschäftskreis der Aemter s. Beilage C zu dem Organis.-Edicte (Reg.=Bl. 1809, Nr. 51, S. 419, u. folg.).

a. bie Gerichtsbarkeit erster Instanz in bürgerlichen Rechtssachen in der Regel über alle Bewohner und Corporationen ihrer Bezirke [5];

b. bie Strafgerichtsbarkeit in dem bisherigen Umfange, b. h. in der Regel bie Aburtheilung berjenigen Vergehen, welche mit keiner höheren als vierwöchentlichen Freiheitsstrafe bebroht sinb und bie Führung der Untersuchung in denjenigen Straf-fällen, beren Aburtheilung ben Hofgerichten zugewiesen ist [6];

c. ein Theil der „willkürlichen Gerichtsbarkeit" [7];

d. bie Besorgung berjenigen Geschäfte der innern Verwaltung und Polizei, welche in §. 18, 19 u. folg. der Beil. C. I. des Org.-Edicts besonders aufgeführt sinb.

5) Den Aemtern waren beigegeben:

   a. bie Amtsrevisorate zur Besorgung besjenigen Theils der Ge-schäfte der „willkürlichen Gerichtsbarkeit", welche nicht ben Aemtern übertragen war, sowie zur Erledigung des Rech-nungswesens der Gemeinden, Zünfte, Pflegschaften und der Lokalstiftungen u. bergl. [8];

   b. bie Physicate zur Besorgung der gerichtsärztlichen und sani-tätspolizeilichen Geschäfte [9].

§. 16.
Die Kreisdirectorien.

1) Die 10 Kreise, in welche nach der Beil. A. zu dem Org.-Edicte das Land eingetheilt wurde, waren mit ihren Amtssitzen folgende:

---

[5] Ebendaf. Ziff. I. 10, wo auch bie Ausnahmen von obiger Regel enthalten sinb. (Vergl. noch Ausgabe v. 1813. S. 26 bis 30.)

[6] Ebendaf. Ziff. 14 unb Straf-Edict (Ausgabe von Rhenanus) §. 4. In bem Nachtrage zum Org.-Edict von 1809. (Reg.-Bl. 1810, S. 24) waren meh-rere Aemter als besondere Criminalämter bestellt, an welche in wichtigen, zur peinlichen Aburtheilung geeigneten Fällen die Acten zur Führung der Spezial-Untersuchung abgegeben werden sollten (cfr. V.-O. v. 23. Juni 1813. Reg.-Bl. Nr. 20, S. 117). Diese Einrichtung wurde später aufgehoben und jedem Bezirks-amte bie vollständige Führung der Criminal-Untersuchungen überlassen. (V.-O. v. 23. Jan. 1819, Reg.-Bl. Nr. 5, S. 19.)

[7] Org.-Edict Beil. C. I. 20. Zweites Einf.-Eb. zum Landrecht §. 5, 7, 10—23.

[8] Org.-Edict Beil. C. II.

[9] Ebendaf. C. III.

Weizel, Gesetz üb. inn. Verwalt.   3

Seekreis (Konstanz),
Donaukreis (Villingen),
Wiesenkreis (Lörrach),
Dreisamkreis (Freiburg),
Kinzigkreis (Offenburg),
Murgkreis (Rastatt),
Pfinz= und Enzkreis (Durlach),
Neckarkreis (Mannheim),
Odenwälderkreis (Mosbach),
Main= und Tauberkreis (Wertheim).

Der Odenwälderkreis wurde schon 1810 (§. 15 zu Note 2), der Wiesenkreis 1815 aufgehoben und mit dem Dreisamkreis vereinigt [1]).

2) Die Geschäftsform der Kreisdirectorien ist nach dem Organisa= tions=Edicte [2]) eine rein bureaucratische. Die Geschäfte werden theils von dem Kreisdirector in Person erledigt, theils wird ihm über dieselben von den Räthen und andern Beamten des Directoriums vorgetragen, in welchem Falle seine Ansicht die entscheidende ist; ausgenommen hievon sind nur die in Bei= lage D., Ziff. 8 a—d speziell genannten Streitigkeiten, bei welchen collegiale Berathung und Entscheidung nach Stimmenmehr= heit eintritt. Für die „Behandlung und den Betrieb der Ge= schäfte" trägt der Director die Verantwortlichkeit.

3) Den Kreisdirectorien sind alle im Kreise befindliche weltliche und geistliche Bezirksdiener unmittelbar, die Lokaldiener aber mittelbar in ihrer ganzen Amtsführung, soweit sie auf staatliche Gegen= stände sich bezieht, untergeordnet; sie beaufsichtigen diese Stellen, „visitiren" dieselben nach Gutfinden, erkennen wegen Dienstnach= lässigkeiten und Unordnungen die gesetzliche Strafe ohne Beschrän= kung, arbiträr aber bis zu 25 Rchsthlr. Sie können die Sub= alterndiener des Kreises, der Bezirks= und Lokalstellen bis zu 14tägigem Arrest strafen, auch die Gerichtsleute (Bürgermeister [Vögte] und Gemeinderäthe) der Ortschaften auf Antrag der Aemter wegen Dienstuntauglichkeit oder Dienstunordnungen

---

[1]) Reg.=Bl. 1815, Nr. 20, S. 121, und Nr. 22, S. 131
[2]) Beil. D. I. §. 3.

gegen ihren Willen entlassen, gegen Bezirksdiener aber in eilenden Fällen Suspension vom Amt, nicht aber vom Gehalt verfügen [3]).

4) Sie sind dem Ministerium untergeordnet und für den pünktlichen Vollzug der Weisungen derselben verantwortlich.

5) „Der Geschäftskreis der Kreisdirectorien begreift a l l e z u r S t a a t s v e r w a l t u n g i n d e n i h n e n a n g e w i e s e n e n K r e i - s e n g e h ö r i g e n G e g e n s t ä n d e, soweit sie nicht namentlich hievon ausgenommen sind" [4]).

Insbesondere steht ihnen

A. rücksichtlich der i n n e r n V e r w a l t u n g zu:

   a. die Aufsicht, Leitung und Controle über die gesammte Ge-schäftsführung der Aemter, Amtsrevisorate und Physicate;

   b. die Erledigung der Recurse gegen die Verfügungen der Aemter;

   c. die erstinstanzliche Entscheidung der in Beil. D. I. 8 genann-ten Streitigkeiten, von welchen mehrere, als dem bürgerlichen Rechte angehörig, den ordentlichen Gerichten hätten überwie-sen werden sollen;

   d. die wichtigsten Fragen im Gebiete des Verfassungs- und Ver-waltungsrechts sind ihnen ebenso zur Erledigung zugewiesen, wie eine Menge kleinerer, untergeordneter Gegenstände. Ihre Befugniß erstreckt sich insbesondere auf die bedeutendsten Fra-gen im Kirchen- und Schulwesen, dem Gebiete der gesammten Polizei, der Volkswirthschaft, des Gemeindewesens und der damals mit dem Namen: „Regiminalsachen" bezeichneten Gegenstände [5]).

B. In Ansehung der w i l l k ü r l i c h e n G e r i c h t s b a r k e i t steht den Kreisdirectorien nicht blos die Aufsicht über die Geschäftsführung der Aemter und Amtsrevisorate und die Erledigung der Recurse in rechtspolizeilichen Gegenständen zu, sondern es ist ihnen auch die un-mittelbare Besorgung sehr wichtiger, einzelner Geschäftszweige über einige privilegirten Stände ganz zugewiesen.

---

[3]) Beil. D. I. §. 4.
[4]) Ebendas. §. 6. 7.
[5]) Ebendas. §. 10, 11, 13—19.

Ueberbies ſteht ihnen zunächſt die Entſcheidung in manchen be=
deutenderen, beſtimmt bezeichneten rechtspolizeilichen Fragen zu [6]).

C. Im Gebiete der Strafgerichtsbarkeit iſt dieſen Verwal=
tungsſtellen gleichfalls eine ſehr ausgedehnte Befugniß eingeräumt.

Sie erkennen nicht blos über die Recurſe gegen die Erkenntniſſe
der Aemter in polizeilichen Strafſachen, ſondern auch über jene in In=
jurienfällen, ſind zur Strafverwandlung und zum hälftigen Nachlaß
der von den Aemtern erkannten polizeilichen und von den Forſtämtern
ausgeſprochenen Forſtfrevel=Strafen berechtigt, ebenſo zu Erkennung auf
Vermögensconfiscation und Landesverweiſung gegen ausgetretene Unter=
thanen; ſie beſtrafen den Ungehorſam oder andere Vergehen der Unter=
thanen, welche gegen das Directorium in der Ausübung ſeines Dienſtes
gerichtet ſind, ſo ferne ſie ſich nicht zum hofgerichtlichen Erkenntniß eig=
nen, ebenſo die Forſt= und Jagdfrevel, ſoweit im einzelnen Falle die
Strafe den Betrag von 30 fl. überſteigt [7]).

D. Rückſichtlich der Finanzverwaltung liegt den Kreisdirec=
torien nicht nur die Beauffichtigung der geſammten Dienſtführung der
Bezirksverrechnung in dem directen und indirecten Steuerweſen, der
Domänen= und Amtskaſſenverwaltung ob, ſondern es kommt ihnen auch
eine Reihe ſelbſtſtändiger Befugniſſe in dieſem ausgedehnten Verwaltungs=
kreiſe zu [8]).

§. 17.
Das Miniſterium des Innern.

1) Daſſelbe zerfällt nach der Verſchiedenheit der ſeinem Geſchäftskreiſe
zugetheilten Gegenſtände [1]) in fünf Departements, nämlich:
    a. das Landeshoheits=Departement,
    b. das Landespolizei=Departement,
    c. das Landesökonomie=Departement,
    d. das Katholiſche kirchliche Departement und
    e. das Evangeliſche kirchliche Departement.

---

[6]) Beil. D. I. §. 12.
[7]) Ebendaſ. §. 9.
[8]) Ebendaſ. §. 19.
[1]) S. Beilage F. I. zu dem Org.=Edicte von 1809, §. 1–7, und die
Ausgabe v. 1813, S. 113–144, und Beilage G. S. 172–184.

2) Jedes dieser Departements hat einen Director, die nöthige Zahl von Räthen, Assessoren, Secretäre und Registratoren.

3) Schriftliche Communicationen unter den einzelnen Departements finden in der Regel nicht statt; die zu dem Wirkungskreis mehrerer derselben gehörigen Gegenstände werden durch mündlichen Vortrag der Referenten in den Sitzungen der andern Departements erledigt.

4) Die Geschäfte werden collegialisch behandelt; jeder Rath hat eine entscheidende Stimme. Die Stimme des Directors entscheidet, wenn mit Einrechnung derselben Stimmengleichheit vorhanden ist. Er ist auch berechtigt, eine Sache zur Entscheidung an das General=Directorium zu bringen, wenn er überstimmt wurde oder er es aus andern Gründen für angemessen findet.

5) Den Departements sind die Kreis=Directorien unmittelbar, die Bezirks= und Lokaldienststellen und Diener aber mittelbar untergeordnet.

Sie sind verbunden, von Zeit zu Zeit Visitationen dieser Dienste, auch nach Befinden summarische Untersuchungen gegen die Diener, welche sie bekleiden, anzuordnen, und, wenn sich Unordnungen vorfinden, Letztere (jedoch mit Ausnahme der Kreisdirectorien, wegen welchen das Geeignete bei dem General=Directorium vorzuschlagen ist) mit Geldstrafen bis zu 25 Reichsthaler oder mit Gefängniß bis zu 14 Tagen zu belegen, auch die Suspension vom Amte, aber nicht vom Gehalte, gegen sie zu erkennen.

6) Die Ministerialverwaltung des Innern vereinigt sich in dem General=Directorium, in welches die wichtigeren Gegenstände der innern Verwaltung theils zur endlichen Entscheidung, theils zur weiteren Berathschlagung gelangen [2]).

Dasselbe besteht aus dem Minister als Präsidenten, dem General=Director als Vicepräsidenten, den sämmtlichen Directoren der Departements oder bei deren Verhinderung den Vicedirectoren oder den ältesten Räthen derselben.

7) Die Departements erstatten keine Anträge oder Berichte an das General=Directorium, sondern legen demselben nur die Ent-

---

[2]) Beil. F. I. zum Org.=Edict §. 8—12 und §. 22.

würfe ihrer Beschlüsse mit den Acten vor, worauf dieses seine Beschlüsse mittelst Randbeisätzen faßt.

8) Das General-Directorium hat, wie die einzelnen Departements, eine collegiale Einrichtung, die Stimmenmehrheit seiner Mitglieder entscheidet.

9) Der Minister ist befugt, eine Sache zur Entscheidung an die allgemeine Ministerial-Conferenz (s. unten §. 18) zu bringen, wenn die Stimmenmehrheit seiner Ansicht entgegen ist, oder er es aus andern Gründen für zweckmäßig findet.

10) „Der Geschäftskreis der einzelnen Departements beginnt erst da, wo der Geschäftskreis der Kreis-Directorien aufhört" [3]. Zur Geschäftsbehandlung durch dieselben eignen sich also nur die Recurse gegen Entschließungen der Kreis-Directorien, die Anfragen der letzteren, oder diejenigen Gegenstände, welche ihrer Zuständigkeit entzogen sind.

11) Der Geschäftskreis der einzelnen Departements, wie er §. 15—21 der Beilage F. I. b. Org.-Edicts genau verzeichnet ist, in Verbindung mit jenem des General-Directoriums (§. 22 das.) umfaßt das ganze Gebiet der innern Verwaltung und der Polizei, einschließlich des öffentlichen Unterrichts. In jedem dieser Gebiete steht dem Ministerium nicht blos die centrale Leitung zu, sondern auch die Entschließung über eine große Zahl ihm vorbehaltener Detailfragen.

§. 18.
Die Ministerial-Conferenz.

1) Sie bildet die oberste Staatsbehörde, „in welcher die wichtigsten Gegenstände der Staatsverwaltung zur Berathung gebracht werden sollen" [1].

Als solche sind neben einigen andern insbesondere bezeichnet:

a. Aenderungen der Staatsverfassung oder Verwaltung, der großh. Hausgesetze, des Deputatwesens der großh. Familienglieder;

---

[3] Beil. F. I. zum Org.-Edict §. 14.
[1] Org.-Edict v. 1809. Beil. F. VI. §. 37.

b. die Erlassung neuer Gesetze oder authentische Interpretation der bestehenden ;

c. die Entscheidung der Competenz-Conflicte zwischen den Gerichten und Verwaltungsbehörden ;

d. die Feststellung „neuer Geschäfts-Grundsätze in allen Theilen der Staatsverwaltung" ;

e. die Bestimmung der Verhältnisse der Staats- und Kirchengewalt gegen einander und die Abschließung der hierauf sich beziehenden Vergleiche , „die Verwilligung der Religionsübung an Orten, wo dieselbe bisher nicht in Ausübung war" ;

f. die Bestätigung neuer oder Aufhebung bestehender weltlicher oder geistlicher Corporationen, Stiftungen, öffentlicher Anstalten oder gesellschaftlicher Staatsinstitute, die Ertheilung neuer Berechtigungen an dieselben oder Veränderung in ihrer Verfassung oder Bestimmung ;

g. die Erledigung der an den Regenten ergriffenen Recurse gegen Entschließungen der Ministerien ;

h. die Anstellung der Staatsdiener, Regulirung ihrer Dienst-, Besoldungs- und Pensionsverhältnisse ;

i. die Entlassung der niederen, von den Ministerien angestellten Diener ;

k. die Entscheidung der in den Geschäftskreis mehrerer Ministerien einschlagenden Gegenstände, wenn ein übereinstimmender Beschluß unter ihnen nicht erzielt werden konnte ;

l. die Entscheidung über Gegenstände, welche die Minister außerordentlicher Weise vorlegen, und über Anfragen, welche sie zu ihrer Legitimation stellen ;

m. die Anträge über Gegenstände, worüber der Großherzog besonderes Gutachten von der gesammten Ministerial-Conferenz verlangt ;

n. mehrere administrative Detailfragen, so weit sie in Beil. F I. §. 22 b. Org.-Edicts dem General-Directorium nur zur Vorbereitung und Vortragerstattung zugewiesen sind ;

o. „die Supplirung der regentenamtlichen Autorisation in Fällen, wo der Regent durch Abwesenheit, Krankheit oder Minderjährigkeit gehindert ist, soweit die Ministerial-Conferenz

von ihm felbft oder durch Staats= und Hausgefetze dazu be=
vollmächtigt ift" [2]);

p. die Entfchließung über die wichtigern Ober=Curatelgegenftände
der beiden Landesuniverfitäten.

2) Die meiften der oben genannten Gegenftände müffen, fofern der
Großherzog nicht felbft in der Minifterial=Conferenz den Vorfitz
führt, durch Anträge oder Berichte der Minifterien oder ihren
Departements, denen zur Seite die Anficht der Conferenz beizu=
fetzen ift, in das Kabinet des Großherzogs zur Entfcheidung ge=
bracht werden. Ausgenommen hievon find nur die unter g, k,
l, n, p aufgeführten Verwaltungsfachen und die Anftellung eini=
ger Kategorien von Beamten.

3) In den nicht an den Großherzog gelangenden Gefchäften werden
nur die von den Minifterien oder ihren Departements entworfenen
Refolutionen mit den Acten vorgelegt, welche fobann mit kurzer,
zur Seite beizufetzender Bemerkung der Conferenz=Entfchließung
wieder an die Minifterien zur Ausfertigung zurückgehen.

4) Die Minifter haben darüber zu wachen, daß die in der Conferenz
vorkommenden Gegenftände reiflich erwogen und nach den be=
ftehenden, oder fo weit nöthig, nach zu beftimmenden „gleichen und
feften Staatsgrundfätzen" entfchieden werden.

Der Kabinetsminifter hat die Befugniß, jede ihm dazu geeignet
fcheinende Sache aus der Conferenz, nachdem fie darin zur Ent=
fcheidung hinreichend vorbereitet worden ift, zum unmittelbaren
Vortrag an den Großherzog in das Kabinet zu bringen. Ueber
alle Einrichtungen, die er für zweckmäßig erachtet, foll er mit den
einfchlägigen Minifterien conferiren und dafür forgen, daß die
erforderlichen Entfchließungen darüber gefaßt und zum Vollzug
gebracht werden [3]).

----

[2]) Org.=Edict v. 1809. Beilage F. VI. §. 38. Außerdem find auch meh=
rere einzelne Gefchäfte der Minifterien der auswärtigen Angelegenheiten, der Juftiz
und der Finanzen zur fchließlichen Erledigung der Minifterial=Konferenz zugewiefen,
die aber hier keiner befondern Erwähnung bedürfen.

[3]) Ebendaf. §. 39 und 40.

§. 19.
Zur Beurtheilung der Organisation vom 26. November 1809.

Die Organisation vom 26. Nov. 1809, deren Grundzüge in Bezug auf die innere Verwaltung kurz dargestellt wurden, hat mit den früheren patriarchalischen Verhältnissen (§. 11) gründlich gebrochen.

Mit ihr beginnt auch die z w e i t e P e r i o d e der Entwickelung un=serer Verwaltungsverhältnisse.

Durch sie wurden sehr v i e l e untere Verwaltungsbehörden (§. 15) mit sehr k l e i n e n Bezirken, und sehr e n g e b e m e s s e n e r Compe=t e n z geschaffen. In allen Fragen von nur einigem Belange waren die Aemter in der Regel nur die instruirenden und vollziehenden Stel=len, die Entschließung dagegen ruhte in den Händen der Kreis=Directorien oder des Ministeriums des Innern.

Das Recursrecht in Verwaltungssachen war ein sehr ausgedehn=tes, so, daß auch die unbedeutendsten Gegenstände bis an die höchste Ver=waltungsbehörde zur Entscheidung gebracht werden konnten.

Der Mangel an festen Normen über viele dem Gebiete der Verwal=tung angehörige Fragen und die Verschiedenartigkeit der Behandlung derselben in den verschiedenen neu angefallenen Landestheilen gab den oberen Behörden Veranlassung, sehr viele Verordnungen, Reglements, allgemeine Bescheide zu erlassen, wodurch der Thätigkeit der Aemter eine bestimmtere Richtung gegeben wurde.

Da alle eingreifenden Verfügungen in den wichtigern Verwaltungs=sachen von den obern Behörden ausgingen, so mußten diese, um einige Kenntniß von den administrativen Zuständen der verschiedenen Bezirke zu erhalten, sich regelmäßig eine beträchtliche Zahl von Uebersichten und Tabellen vorlegen lassen [1]), welche noch dadurch vergrößert wurden, daß die im Ganzen sehr strenge und eingehende Controle über die Bezirks=ämter meist auf schriftlichem Wege geführt wurde, und daher eine nam=hafte Zahl periodischer tabellarischer Nachweise nöthig machte.

Der Hauptgedanke dieser Organisation und zugleich derjenige, wo=durch sie mit den bisherigen Zuständen in den schneidendsten Gegensatz trat, war die mit wenigen Ausnahmen (z. B. Beibehaltung der Ver=

---

[1]) Verordnung v. 21. Aug. 1810, Reg.=Bl. Nr. 35, S. 269.

einigung der Juſtiz und Verwaltung in der unterſten Inſtanz, und
Ueberweiſung von reinen Finanzgegenſtänden an die Kreis=Directorien)
ſtrenge Durchführung des ſog. Realſyſtems mit ſeinen auf Cen=
traliſation und Uniformität gerichteten Wirkungen, — ein Sy=
ſtem, welches in Frankreich zu Anfang dieſes Jahrhunderts ſchon zur
höchſten Ausbildung gelangt war [2]) und in Deutſchland um dieſe Zeit
theils wegen ſeiner unbeſtreitbaren Vorzüge gegenüber den bisherigen,
völlig unhaltbar gewordenen Zuſtänden, theils unter Einwirkung der
Fremdherrſchaft vielfach zur Geltung gelangte.

Nach dieſem Syſteme wurde das ganze Land in möglichſt gleich=
mäßige Bezirke eingetheilt, deren jeder auch die gleichen Behörden mit
den gleichen Verwaltungseinrichtungen vorgeſetzt erhielt.

Die den Behörden zugewieſene Geſchäftsmaſſe war nach den Ge=
genſtänden ausgeſchieden, ſo daß die verſchiedenen Zweige der Staats=
verwaltung: Juſtiz, Adminiſtration, Finanzen, äußere Angelegenheiten,
Militärſachen von dem Miniſterium abwärts bis zur Bezirksbehörde
mit wenigen Ausnahmen abgeſondert waren, und jeder Hauptverwal=
tungszweig von der Spitze bis zum Bezirksbeamten ſich als ein ſachlich
geſondertes Ganze darſtellt.

Der Schwerpunkt dieſer vielgegliederten Verwaltung liegt in dem
Staatsoberhaupte und dem unter ihm ſtehenden Miniſterium. Von
ihm gehen alle allgemeinen Anordnungen und Normen aus, ſowohl über
den formellen als den materiellen Theil der Verwaltung, von ihm em=
pfangen die Organe derſelben den Impuls ihrer Thätigkeit. Die unter=
geordneten Beamten ſind zum ſtrengen Vollzuge, die mittleren Verwal=
tungsſtellen zur genauen Ueberwachung deſſelben verpflichtet. Die
Möglichkeit der Handhabung einer ſtrengen Dienſtpolizei iſt in die
Hände der oberen Dienſtbehörden gelegt, welche ohnedieß den entſchei=
dendſten Einfluß auf Vorrücken und Verbeſſerung im öffentlichen Dienſte
ausüben.

Einheit und Ordnung in der Verwaltung ſind Hauptzielpunkte
dieſes Syſtems; — deßhalb die kräftige Zuſammenfaſſung aller Ver=
waltungs=Organismen, die Erlaſſung vielfacher Vorſchriften, Inſtruc=
tionen, Reglements für möglichſt gleichmäßige Behandlung der einzelnen

---

[2]) v. Mohl, Geſchichte und Literatur der Staatswiſſenſchaften III. S. 197
und folg.

Fälle, wozu theils das sehr ausgedehnte Beschwerderecht, theils die An=
fragen der untergeordneten Stellen sattsamen Stoff bieten.

Die bedeutende Reform der Verwaltung, welche durch diese Orga=
nisation herbeigeführt wurde, war im Großen und Ganzen, und insbe=
sondere im Rückblick auf die früheren Zustände, von den wohlthätigsten
Erfolgen begleitet.

Der alte Schlendrian in der Geschäftsbehandlung, wodurch manche
Gegenstände Jahre lang herumgezogen wurden, hörte auf, und der Regel
nach trat eine prompte und rechtzeitige Erledigung der an die Behörden
gebrachten Fragen ein; den Beschwerden wegen Geschäftsverzögerung
wurde von den Oberbehörden besondere Aufmerksamkeit geschenkt und
in der Regel schnelle und wirksame Abhilfe getroffen.

Die Willkür, mit welcher früher der Beamte bei dem Mangel aus=
reichender positiver Vorschriften und einer angemessenen Controle han=
deln konnte, mußte zum großen Theil aufhören, da seinem freien Er=
messen kein so großer Spielraum mehr vergönnt und er an die rasch
auf einander folgenden vielfachen Verwaltungsvorschriften gebunden war.
Die Entscheidungen der Verwaltungsbehörden wurden gerechter und
gleichförmiger. — Für eine würdigere, die Unbefangenheit mehr
sichernde und Vertrauen gewährende Stellung des Beamten war insbe=
sondere dadurch gesorgt, daß die Besoldungen derselben fixirt, alle Bezüge
an Sporteln u. dergl. aufgehoben [3]) und Geschenkannahmen bei Strafe
der Dienstentlassung verboten waren [4]).

Die größeren Ansprüche, welche an die geschäftliche Bildung der
Beamten gemacht wurden, wirkten günstig auf den Eifer dieser Männer,
sich für ihren Beruf gehörig zu befähigen und demselben mit Treue und
Pünktlichkeit vorzustehen. Die strenge Ueberwachung von Oben ließ
auch das außeramtliche Verhalten der Beamten nicht aus dem Auge,
und so war man in der Lage, auch in dieser Beziehung Mißstände, welche
im Einzelnen sich gezeigt hatten, möglichst beseitigt zu sehen. Dem Be=
amtenstande konnte man unter der Herrschaft dieses Systems im Ganzen
das Zeugniß der Berufstreue, Geschäftstüchtigkeit und würdigen Hal=
tung nicht versagen.

---

[3]) Org.=Edict v. 1809. Beil. C. I. §. 8.
[4]) Straf=Edict §. 55.

§. 20.

Fortsetzung.

So unläugbar manche Vorzüge des Systems, welches der Organi=
sation von 1809 zu Grunde liegt, an sich sind, und so günstig es na=
mentlich u n t e r d e n g e g e b e n e n V e r h ä l t n i s s e n (§. 11) wirken
mußte, so dürfen doch auch die Nachtheile nicht unerwähnt bleiben,
welche dasselbe besonders dann mit sich führt, wenn es allzu sehr ge=
spannt und bis zu der äußersten Spitze möglicher Consequenzen getrie=
ben wird, ohne in anderen entsprechenden Einrichtungen einen schützen=
den Damm gegen seine Wirkungen zu finden.

Es ist um so nothwendiger, seine Schattenseiten hier unbefangen
zu beleuchten, als die verschiedenen Reformen, welche später unter Bei=
behaltung der wesentlichen Grunblagen der Organisation von 1809 nach
und nach eintraten, nur dann richtig erfaßt werden können, wenn man
jene genau kennt.

V i e l e u n d k l e i n e A e m t e r m i t s e h r b e s c h r ä n k t e r C o m p e=
t e n z können nicht günstig auf die sachgemäße Entwickelung der öffent=
lichen Verwaltung wirken.

Schon der Einfluß auf die ganze dienstliche Stellung des Verwal=
tungsbeamten ist ein schädlicher.

Ein Beruf, in welchem entweder nur die Befehle der obern Behör=
den zu vollziehen oder die Geschäfte zur Beschlußfassung der höher stehen=
den Collegien vorzubereiten sind, in welchem ferner nicht nur keine eigene
größere, selbstständig zu lösende Aufgabe gestellt ist, sondern dem über=
dieß noch die Last eines geisttödtenden Formalismus und Mechanismus
anklebt, ein solcher Beruf kann keine tüchtigen Verwaltungsbeamten bil=
den. Mancher wird sich von vorneherein von ihm abwenden, Manche
aber werden zu einer mechanischen, steifen Thätigkeit geführt, sie suchen
den bestehenden Dienstvorschriften gemäß die vielen nach oben zu rich=
tenden Vorlagen ordnungsmäßig zu bearbeiten, die periodisch einzusen=
denden Tabellen und Uebersichten im geordneten Stande zu erhalten,
die positiven Vorschriften auf die kleinen und unbedeutenden Gegen=
stände, die ihnen zur Erledigung überlassen sind, mit Aengstlichkeit in
Anwendung bringen, — aber das L e b e n lernen solche Männer nicht
kennen, die ihre Zeit fast ausschließlich auf der Schreibstube hinter den
Acten zubringen müssen. Und doch ist die Aufgabe der Verwaltung

keine andere, als das Ordnen des Lebens im Staate. Dieses Leben muß
der Verwaltungsbeamte kennen lernen durch die unmittelbarste und fort=
gesetzte Anschauung, und er muß auch die Befugniß haben, heilend und
fördernd eingreifen und in einer gewissen nicht allzu beengten Sphäre
selbstständig handeln zu können.

Gibt man ihm keinen angemessenen Wirkungskreis, läßt man ihn
seine Kraft nur an Kleinigkeiten und einer Menge formaler Geschäfte
erproben, so wird er nach und nach gewöhnt, Dinge, über die man sonst
nicht viel Aufhebens macht, mit großer Wichtigkeit zu behandeln, weil
sie nun einmal seine Lebensaufgabe geworden sind. Kommt dazu bei
dem Einzelnen eine unter diesen Umständen leicht erklärliche Hinneigung
zu Förmlichkeiten oder ein Vergnügen am Befehlen, so entwickelt sich
jenes bureaucratische Wesen und pedantischsteife Wichtigthun, welches
abstößt; das freundliche, lebenskräftige und frische Erfassen der Berufs=
aufgabe, die offene und gemüthliche Theilnahme für die Interessen der
Amtsangehörigen, das thatkräftige Eintreten für dieselben kann nicht
aufkommen.

Die Folgen dieses centralisirenden Systems sind aber auch für die
gesammte Regierungsthätigkeit sehr bedenkliche.

Durch die beschränkte Thätigkeit der untern Verwaltungsorgane,
durch die Verlegung der Entscheidung der Hauptfragen auch über Ge=
genstände der Bezirks= und sogar auch der örtlichen Verwaltung an
höher stehende Collegien ist das so viel besprochene und beklagte V i e l =
r e g i e r e n und in seinem Gefolge die V i e l s c h r e i b e r e i eingetreten.

Wenn rein örtliche Angelegenheiten von den entfernt gelegenen
höhern Stellen entschieden werden müssen, so müssen sämmtliche that=
sächliche Verhältnisse actenmäßig gemacht werden, um eine richtige Ent=
scheidung herbeizuführen; die untern Behörden entwickeln in langen Be=
richten ihre Ansichten über die zu erlassende Verfügung oder die zu tref=
fenden Maßnahmen.

Ob aber das Bezirksamt die Sache genau aus eigener Anschauung
kennt, ob es nicht blos auf die Berichte der Ortsbehörde hin wieder be=
richtet, ist eine andere Frage; gewiß aber ist, daß die obere Behörde nur
durch das Auge der untern sieht und daß gar keine Gewähr dafür ge=
geben ist, daß die untere Behörde die Sache vollkommen durch unmittel=
bares Eingreifen und Erheben klar erfaßt, und sich dieselbe nicht etwa

nur auf gewöhnlichem schriftlichem Wege vielleicht unvollständig und
nicht unbefangen vortragen läßt.

Ist der Beamte der rechte Mann, so würde er die Sache, wegen
der er nun weitläufige Berichte zu erstatten hat, in viel kürzerer Zeit
und wohl ebenso gut als die vorgesetzte Collegialbehörde entscheiden, ja
vielleicht, wenn ihm die Geschäftsformen nicht entgegengestanden wären,
sie einfach an Ort und Stelle unter Zuzug der Betheiligten in erster
Tagfahrt zur allseitigen Zufriedenheit erledigt haben.

Wenn man aber die Centralisation so weit ausdehnt, daß der Staat
nicht nur seine eigenen Angelegenheiten besorgt, sondern vielfach auch
jene der großen Corporationen, der socialen Kreise und Einzelner in den
Bereich seiner Obsorge zieht; wenn alle die hiedurch veranlaßten Geschäfte in die gewöhnliche kanzleimäßige Form gebracht werden, und die
vorgeschriebene Hierarchie der Stellen durchlaufen müssen, bis sie zu
ihrer Erledigung gelangen, so macht sich bald das Bedürfniß fühlbar,
alle derartigen Fragen, welche im Leben in so vielfacher Gestalt auf-
tauchen, schon von vorneherein durch Verordnungen in feste Regeln zu
bringen, damit die Behörden richtig und gleichförmig verfahren.

Der Staat und seine Behörden quälen sich ab mit einer Menge sie
zunächst gar nicht berührenden Dingen, die Staatsangehörigen aber
wissen ihm für seine aufbringliche Thätigkeit keinen Dank, im Gegentheil es beschleicht sie ein unbehagliches Gefühl, wenn sie, nachdem sie
ein großes und folgenschweres Geschäft abgeschlossen, nunmehr bei den
Staatsbehörden von vorne anfangen und eine etwa vorbehaltene Genehmigung bei der obersten Behörde auswirken sollen, die mit der Sachlage
nicht vertraut, sich von unten durch mehrere Stellen berichten lassen
muß, so daß ganz nutzlos eine oft kostbare Zeit verstreicht.

Das System glaubt die große Aufgabe lösen zu können, für alle
Verhältnisse, wie sie aus dem Leben herausgenommen und der staatlichen
Behandlung überantwortet werden, fertige Normen schaffen zu können,
mit denen jene beherrscht werden; es ist ein künstlicher und kostspieliger
Mechanismus dazu geschaffen worden, er hat unstreitig gute Dienste geleistet, und doch konnte es nicht wohl ausbleiben, daß man schließlich erkannte, wie es viel natürlicher sei, die Verwaltung dem Leben anzupassen,
diesem seine Bewegung und Gestaltung, den Individualitäten ihre besondere Berechtigung zu lassen, als über die Aufgabe des Staates hinaus

eine Masse von Dingen, und überdieß in oft sehr schwerfälligen Formen, seinem Machtworte zu unterwerfen [1]).

§. 21.
Die nachgefolgten Reformen.

1) Die Bezirksämter. (Vergl. §. 15.)

Die Zeit unmittelbar nach Erlassung der Organisation von 1809 war vorzugsweise ihrem Ausbau und den Arbeiten zu ihrem Vollzuge gewidmet.

Es dauerte indeß nicht sehr lange, so begann man, wenn auch anfänglich langsam und stückweise, den Weg der Reformen zu betreten und von dem Beginne dieser könnte man die dritte Periode (vergl. §. 11 und 19) der Entwicklung unserer Verwaltungszustände datiren.

Von der tief eingreifendsten Wirkung für die letzteren war

1) die durch das Edict vom 14. Mai 1813 [1]) erfolgte Auf = hebung der Patrimonial = Jurisdiction, wodurch die sämmtlichen standes= und grundherrlichen Bezirksämter (ebenso die standesherrlichen Justizkanzleien) außer Wirksamkeit gesetzt und ihre Geschäfte den landesherrlichen Behörden übertragen wurden.

Die Verwaltungsgeschäfte (um welche es sich hier allein handelt) kamen dadurch in Eine Hand, während bisher die nach den allgemeinen Competenzbestimmungen den Bezirksämtern zugewiesenen Geschäfte in grund= und standesherrlichen Bezirken zum Theil den Patrimonial- ämtern, zum Theil den landesherrlichen Aemtern übertragen waren [2]),

---

[1]) Ueber die Folgen dieses Systems für das Gemeindewesen s. Fröhlich, die bad. Gemeindegesetze, S. XVIII—XXII.

[1]) Reg.=Bl. 1813, Nr. 15, S. 87. Auf den Grund der Declarationen vom 12. Dez. 1823, Reg.=Bl. 1824, Nr. 1, und 30. Juli 1840 (Reg.=Bl. Nr. 25) wurde von den Herren Fürsten v. Fürstenberg und Leiningen die Gerichtsbarkeit und Polizeigewalt in ihren Standesgebieten ausgeübt. Im Jahr 1849 gingen sie aber auf den Grund eines geleisteten Verzichts in Gemäßheit des Gesetzes v. 24. Febr. 1849 (Reg.=Bl. Nr. 9, S. 120) mit Vortheil und Lasten vollständig an den Staat über. In Folge hievon trat auch eine veränderte Aemtereintheilung ein. V.=O. v. 8. Sept. 1849, (Reg.=Bl. Nr. 56, S. 442.)

[2]) III. Const.=Edict v. 22. Juli 1807, §. 22, 25—43.

IV. Const.=Edict v. 22. Juli 1807, §. 14. V.=O. für die oberrheinische Pro= vinz v. 24. Dez. 1807 im Reg.=Bl. 1808, Nr. I., S. 2.

woburch nicht bloß Conflicte, sondern auch eine Menge von Schreibereien entstunden.

Es fielen mit dieser Maßregel überhaupt eine sehr beträchtliche Zahl allzu kleiner Aemter weg und die Verwaltung kam badurch aus= schließlich in die Hände des Staats, wohin sie allein gehört.

Die Zahl der landesherrlichen Bezirksämter betrug damals zwei und neunzig [3]).   Auch von diesen wurden nach einigen Jahren

2) mehrere aufgehoben [4]) und im Allgemeinen der Geschäftskreis der Aemter und Kreis=Directorien durch landesherrliche Verord= nung vom 8. Juli 1819 [5]) erweitert

> „um jenen der Ministerien, vorzüglich des Ministeriums des Innern auf die wichtigern Gegenstände und auf die Recurse, so weit diese zulässig bleiben, zu be= schränken.“

So beträchtlich diese Competenzerweiterung der untern Behörden auch war, so trat doch in aller Bälde abermals eine solche, und zwar in erweitertem Umfange, durch die landesherrliche Verordnung vom 17. Ja= nuar 1822 [6]) ein, in deren Eingang bemerkenswerther Weise gesagt wird:

> „Da Wir Uns mehrfältig zu überzeugen Gelegenheit hatten, daß der Wirkungskreis Unseres Ministeriums des Innern, so wie er sich in Beziehung auf innere Landes=Administration und Polizei durch verschiedene auf einander gefolgte organische Ver= ordnungen nach und nach ausgebildet hat, mancherlei min= der wichtige, keineswegs in die Attribution einer höchsten Landesbehörde gehörige Geschäftsgegen= stände umfaßt, welche bisher weder zum Vortheil der Unterthanen, noch dem eines beschleunigten

---

[3]) Vergl. Beilage A zu dem landesherrl. Edicte v. 24. Juli 1813, Reg.=Bl. Nr. 22, S. 129.

[4]) V.=O. v. 23. Jan. 1819, wodurch zugleich die durch die V.=O. v. 24. Juli 1813 (Reg.=Bl. Nr. 22) errichteten Criminalämter aufgehoben und die beß= fallsigen Geschäfte jedem Amte für seinen Bezirk zugewiesen wurden, im Reg.=Bl. 1819 Nr. 5, S. 19, und V.=O. v. 23. Nov. 1819, Reg.=Bl. 1819, Nr. 30, S. 196.

[5]) Reg.=Bl. 1819, Nr. 21, S. 125.

[6]) Reg.=Bl. 1822, Nr. 3, S. 11.

Geschäftsbetriebs dabei behandelt wurden. Wir aber in steter Berücksichtigung des Wohls Unserer getreuen Unterthanen, Unser vorzüglichstes Augenmerk auf die Ein= führung eines möglichst einfachen und raschen Geschäftsgangs gerichtet haben, so ꝛc."

Mit diesen Vorgängen hatte man den richtigen Weg betreten, we= niger Verwaltungsbehörden, also größere Bezirke mit ausgedehnterem Geschäftsumfang zu schaffen.

Da aber in der untersten Instanz noch immer die Justiz mit der Verwaltung verbunden war, so mußte das neue System nothwendig dazu führen, daß

3) bei den nach Seelenzahl und Geschäften vergrößerten Aemtern mehrere Beamte angestellt und unter diesen die Arbeiten an= gemessen vertheilt wurden.

Dem ersten Beamten wurde in der Regel die Verwaltung des Be= zirks und etwa noch ein Theil der Rechtspflege zugewiesen; der zweite Beamte war ausschließlich mit der letztern, oft auch noch mit der poli= zeilichen Strafrechtspflege betraut und der Aufsicht des ersten Beamten in der Weise unterstellt, daß diesem letzteren die entscheidende Befugniß, aber auch zugleich die volle Verantwortlichkeit für die Geschäftsführung des zweiten oder dritten Beamten zukam.

Nach Einführung der neuen Proceßordnung wurde den Beamten, welchen die bürgerlichen Rechtsstreitigkeiten zur Verhandlung überwiesen waren, das Recht der selbstständigen Entscheidung eingeräumt und die Aufsicht und Verantwortlichkeit der Oberbeamten auf die übrigen Zweige der Rechtspflege, also insbesondere auf die Strafrechtspflege und die prompte und ordnungsmäßige Förderung des Geschäftsgangs in allen Rechtssachen beschränkt [7]).

4) Eine bedeutend veränderte Stellung erhielten die Bezirksämter und auch die Mittelbehörden der Verwaltung durch die Einfüh= rung der Gemeindegesetze vom 31. Dez. 1831. Während sie früher die Bevormundung über die Gemeinden ausübten und auch in dieser Beziehung den Aemtern nur eine kleine Competenz zukam, stund ihnen nach dem neuen Rechte nur ein durch das

---

[7]) Staats=Minist.=Entschl. v. 15. Aug. 1832. Mittelrhein. Anz.=Bl. Nr. 78, S. 678.

Gesetz selbst genau geregeltes Aufsichtsrecht zu. Dieses aber war zum größten Theil in die Hände der Bezirksämter gelegt.

Die Verordnung vom 17. Juli 1833 über die Competenz in Gemeindesachen [8]) stellt nämlich als Regel auf, daß in allen Fällen, wo zur Gültigkeit eines Gemeindebeschlusses die Genehmigung der Staatsbehörde gefordert ist, dieselbe von den Bezirksämtern zu ertheilen sei, wenn nicht ausdrücklich etwas Anderes verordnet ist. Solcher Ausnahmen sind in der Verordnung nicht sehr viele gemacht.

Ueberdieß stellt der §. 2 dieser Verordnung die weitere Regel auf, daß die Bezirksämter, wo in Anwendung des Gemeinde- und Bürgerrechts-Gesetzes überhaupt Streit entsteht, die erste Instanz bilden.

Damit wurde also auf einem ganzen und großen Gebiete der administrativen Thätigkeit der Grundsatz ausgesprochen, daß in der Regel alle örtlichen Angelegenheiten von derjenigen Staatsbehörde zunächst zu erledigen sind, welche den Personen und Verhältnissen am nächsten steht und daher durch die Unmittelbarkeit der Beziehungen auch zur sachgemäßesten Beurtheilung berechtigt.

5) Von großem Einfluß auf die Geschäftsbehandlung bei den Bezirksämtern war auch die Verordnung über die Recurse in Verwaltungs- und Polizeisachen vom 14. März 1833 [9]).

Es wurde durch sie nicht blos ein mehr geordneter und fester Geschäftsgang eingeführt, sondern es wurden auch gegenüber den bisherigen Zuständen die Instanzen für die Recurse in Verwaltungs- und Polizeisachen beschränkt, indem die Ministerien in der Regel als die letzte und höchste Instanz bezeichnet wurden.

§. 22.
Fortsetzung.

Diese Reformen der innern Verwaltung stunden in engem Zusammenhang mit dem großen Umschwung, dessen unser gesammter öffentlicher Rechtszustand mit der Einführung und Durchführung der Verfassungsurkunde vom 22. Aug. 1818 sich erfreute.

Man war rasch bemüht, mit den Ueberkommnissen aus der abso-

---

[8]) Reg.-Bl. 1833, Nr. 32, S. 183.
[9]) Reg.-Bl. 1833, Nr. 13, S. 63.

luten Zeit zu brechen und einen Zustand zu schaffen, der für die Hand=
habung des Rechts und den Schutz der individuellen Freiheit auch gegen
die Macht der Staatsbehörden ausreichende Garantien bot.

Die freie Presse, die Oeffentlichkeit der ständischen Verhandlungen,
das Petitionsrecht der Staatsangehörigen waren so wirksame Schutz=
mittel gegen mögliche Uebergriffe der Behörden, daß es zu deren Ver=
meidung der lästigen, kleinlichen und dennoch meist unwirksamen frühe=
ren, größtentheils schriftlichen Controle der Lokalbeamten durch die
obern Behörden und seiner Beschränkung auf einen kleinen, unbefriedi=
genden Wirkungskreis nicht mehr bedurfte.

Man befürchtete von einer größern Machtvollkommenheit der Be=
zirksbeamten keine Nachtheile mehr für den Schutz der bürgerlichen
Freiheit, man erstrebte, da man der Herrschaft des Rechtes sicher war,
vor Allem Einfachheit, Raschheit und Natürlichkeit in der Verwaltung.
In diesem Sinne kam auch die Vereinfachung der Verwaltung auf den
Landtagen von 1844/45 und 1845/46 zur Sprache. Auf dem ersteren
wurde von der zweiten Kammer eine Adresse an den Landesherrn be=
schlossen, welcher aber die erste Kammer nicht beitrat; auf dem letztern
kam eine Verminderung des Aufwandes für die Verwaltungs=Mittel=
stellen zur Sprache, um dadurch zur Einführung einer namhaften Ge=
schäftsvereinfachung zu nöthigen [1]).

Eine durchgreifende Vorschrift über die Aenderung in den Geschäfts=
formen erfolgte damals nicht. Man wollte den Gang der Berathun=
gen über den Entwurf einer Gerichtsverfassung, welcher der
zweiten Kammer am 18. Nov. 1843 vorgelegt wurde [2]), und ebenso
über das in Folge dieses Entwurfs gänzlich veränderte Budget für die
Rechtspflege und Verwaltung (den Kammern vorgelegt am 9. Juli
1846 [3]) abwarten, da eine wesentliche Umgestaltung hienach in Aus=
sicht stund.

Der erwähnte erste Entwurf einer Gerichtsverfassung ging näm=
lich von dem Grundsatze aus, daß auch in der untern Instanz die
Rechtspflege von der Verwaltung getrennt und ausschließlich dafür be=
stellten Gerichten übertragen werden soll.

---

[1]) Landst. Verh. v. 18⁴⁵/₄₆ II. Kammer. 8tes Beil.=Heft S. 50—59.
[2]) Landst. Verh. v. 18⁴³/₄₄ II. Kammer. 9tes Beil.=Heft S. 1.
[3]) Landst. Verh. v. 18⁴⁵/₄₆ II. Kammer. 4tes Beil.=Heft S. 343 und folg.

Es wurde von beiden Kammern nach langwierigen Berathungen angenommen und als Gesetz vom 6. März 1845 verkündet [4]).

Auf dieses Gesetz stützte sich das oben bezeichnete Budget, mit welchem zugleich ein neuer Plan für die äußere Organisation der Verwaltungsbehörden vorgelegt wurde. Danach sollte das Land in 55 Verwaltungs- und 65 Gerichtsbezirke eingetheilt und den ersteren je ein Oberamt, den letzteren ein Oberamtsgericht vorgesetzt werden.

Dieses Gesetz und die auf dasselbe gegründete Organisation der Behörden kam aber nicht zur Ausführung, sondern es blieb einstweilen bei den bisherigen Zuständen.

Am 13. Mai 1848 wurde der zweite Entwurf einer Gerichtsverfassung [5]) und am 19. Juli 1848 ein umfassender Entwurf über die Einrichtung und den Geschäftskreis der Verwaltungsbehörden den Kammern vorgelegt [6]).

Die Verhandlungen über den zweiten Entwurf einer Gerichtsverfassung führte zu keinem Ergebnisse; der Entwurf des Gesetzes über die Verwaltungsorganisation dagegen wurde von den Kammern angenommen und als Gesetz vom 10. April 1849 unter dem Bemerken verkündet [7]), daß der Tag, an welchem dasselbe in Wirksamkeit tritt, nachträglich verkündet werden solle.

Auf den Grund dieses Gesetzes und der während der Berathung desselben und der Gerichtsverfassung gefaßten ständischen Beschlüsse wurde das Budget für die Verwaltung aufgestellt und demselben zwei Entwürfe über die Bildung der neuen Verwaltungsstellen beigelegt.

Nach dem Entwurf I., welchen die Regierung zur Annahme empfahl, soll das Land in 10 Kreise eingetheilt werden, wie dieß auch in der Organisation von 1809 geschehen war. Die 10 Kreisämter sollen aber nicht, wie die damaligen 10 Kreis-Directorien zweite Instanz und Aufsichtsbehörden in Verwaltungssachen sein, sondern sie verwalten den ganzen Kreis unmittelbar, jedoch in der Art, daß in den entfernteren Bezirken besondere Beigeordnete als Hülfsbeamte des Kreisamts aufgestellt werden, welche den Vollzug der kreisamtlichen Beschlüsse be-

---

[4]) Reg.-Bl. 1845, Beilage zu Nr. 15, S. 135.
[5]) Landst. Verh. II. Kammer v. 1848. 7tes Beil.-Heft S. 235.
[6]) Ebendas. S. 307—381.
[7]) Reg.-Bl. 1849, Nr. 23, S. 205.

forgen, und bei welchen die Betheiligten der auswärtigen Bezirke ihre Angelegenheiten zu Protokoll geben und überhaupt die Sache instruiren laſſen. Zugleich ſollen dieſe Beigeordneten in ihren Bezirken noch eine Reihe anderer Geſchäfte, wo die Eile oder Nähe von Gewicht iſt, oder wo es ſich um eine mit keiner Entſcheidung oder Gewaltsübung verbundene Sache handelt, beſorgen.

Der Entwurf I. enthält neben den 10 Kreisämtern 29 ſolcher auswärtigen Beigeordneten oder Nebenämtern.

Der Entwurf II. theilt das Land in 30 Verwaltungskreise, deren jedem ein Kreishauptmann mit der erforderlichen Zahl von Aushilfebeamten vorſteht. Auch bei dieſem Entwurfe fällt die bisherige Verwaltungs-Mittelſtelle weg [8]).

Später wurde demſelben Landtage ein revidirtes Budget vorgelegt, wonach ſtatt 10 Kreisämtern deren 12 errichtet werden ſollen, ſo daß die Bezirke der Kreisgerichte gleichmäßig auch jene der Kreisämter bilden ſollen [9]).

Dieſe Einrichtung erhielt die Zuſtimmung der Kammern [10]).

Allein das Verwaltungsgeſetz kam nie zur Ausführung und mit ihm fielen alle auf daſſelbe gegründeten Organiſationsprojecte [11]).

Gleiches Schickſal hatte der im Jahre 1848 den Kammern vorgelegte Geſetz-Entwurf über die Ueberweiſung der Geſchäfte der Rechtspolizei an die Gerichte, und der im Jahr 1849 vorgelegte über die Staatsſchreiberei [12]).

Im Mai 1849 war nämlich die Revolution ausgebrochen. Nach ihrer Bewältigung konnte nicht daran gedacht werden, neue, umfaſſende und koſtſpielige Organiſationsprojecte zur Durchführung zu bringen. Die nächſte Sorge der Regierung war auf Wiederherſtellung geordneter, ſtaatlicher Zuſtände gerichtet.

---

[8]) Landſt. Verh. II. Kammer v. 1848. 4tes Beil.-Heft. II. Abth. Budget des Miniſteriums des Innern. S. 16 bis 53.

[9]) Ebendaſ. 5tes Beil.-Heft. S. 351—360.

[10]) Ebendaſ. S. 419—434.

[11]) Ueber den Inhalt dieſes Geſetzes werden unten die erforderlichen Andeutungen erfolgen.

[12]) Verhandl. d. II. Kammer v. 18⁴⁷/₄₉. 8tes Beil.-Heft. S. 273 u. folg. u. S. 335.

§. 23.

Fortsetzung.

Ungeachtet der nicht günstigen äußeren Verhältnisse traten in dieser Zeit zur Hebung der Zustände der innern Verwaltung tief eingreifende Verbesserungen ein.

1) Die Competenz der Bezirksämter wurde durch die Verordnung v. 21. Juni 1850[1]) sehr bedeutend erweitert, indem ihnen eine Reihe von Geschäften, welche bisher in erster Instanz den Verwaltungs-Mittelstellen zugewiesen waren, übertragen wurden, und zwar insbesondere auch die Entscheidung sehr wichtiger Verwaltungsstreitigkeiten.

Hiemit war der Grundsatz, daß in der Regel die Bezirksämter die erste Instanz für alle Gegenstände der innern Verwaltung, soweit sie sich auf Interessen des Bezirks oder einzelner Orte beziehen, sein sollen, mit wenigen Ausnahmen zur Geltung gebracht, welche entweder in der Natur der Sache oder darin ihren Grund hatten, daß die Competenz einer höheren Verwaltungsbehörde in einem bestehenden G e s e t z e ausgesprochen war.

Von großer Bedeutung war auch:

2) Die Beschränkung der Instanzen für Recurse in Verwaltungssachen. Obgleich die Recurs-Ordnung vom 14. März 1833 (vergl. oben §. 21, Ziff. 5) schon dem Uebelstand der allzu zahlreichen Recursinstanzen dadurch abzuhelfen suchte, daß dieselben auf drei reduzirt wurden, so überzeugte man sich doch bald, daß damit weitaus nicht genug geschehen sei. Die höheren Behörden, und insbesondere das Ministerium des Innern, wurden mit einer solchen Masse von Recursen in ganz unbedeutenden, meist auf richtiger Würdigung der localen Verhältnisse beruhenden Dingen überschwemmt, daß darunter die größeren Aufgaben desselben Noth leiden mußten. Ueberdieß wurde im Ganzen ein Aufwand von Kraft und Zeit für die Behörden nöthig, welcher gewöhnlich im umgekehrten Verhältniß zu der Bedeutsamkeit der Sache stund. Verzögerung und Verschleppung der endlichen Erledigung der Geschäfte, unnöthige Vielschreiberei und Förderung der Streitsucht

---

[1]) Reg.-Bl. 1850, Nr. 31, S. 232.

waren die Folgen der vielen Instanzen. Die Instanzenzüge wur=
den daher durch §. 3 der angeführten Verordnung v. 21. Juni
1850 in der Weise beschränkt, daß, wenn in zwei Instanzen gleich=
förmig erkannt worden ist, ferner, wenn die Streitsumme im
Ganzen den Betrag von fünfhundert, oder den jährlichen Betrag
von zwanzig fünf Gulden nicht übersteigt, oder wenn durch be=
sondere Bestimmung die Mittelstelle schon jetzt als letzte Instanz
bezeichnet ist, ein weiterer Rechtszug nicht zulässig ist.

3) Hatte man den Verwaltungsbeamten durch solche Maßregeln eine
selbstständigere und einflußreichere Stellung gegeben, so wurde
auf der andern Seite doch auch Bedacht darauf genommen, ihnen
die allgemeinen Richtpunkte, nach welchen sie die Verwaltung
zu führen haben, klar und fest zu bezeichnen.

Als Beispiel hiefür möge der nachstehende Auszug aus einem
Rundschreiben dienen, welches von dem Vorstande des Ministeriums des
Innern am 17. Sept. 1849 an die Amtsvorstände erlassen wurde:

„... Sie sind überhaupt diejenigen Organe der Staatsver=
waltung, welche, als mitten im Volke stehend, zunächst dazu be=
rufen sind, die Bedürfnisse ihrer Amtsangehörigen kennen zu
lernen, ihnen mit Rath und That beizustehen, Abhülfe zu
leisten oder herbeizuführen, wo Mißstände sich zeigen, und jede
gute, gemeinnützige Einrichtung zu fördern und zu unterstützen.
Sie werden aber mit Segen in ihrem schönen und wichtigen
Berufe nur wirken können, wenn Sie sich bemühen, durch un=
mittelbare eigene Anschauung alle Verhältnisse Ihres Bezirkes
kennen zu lernen, wenn Sie im mündlichen Verkehre mit allen
Betheiligten Zweifel und Anstände zu erledigen suchen und alle
zeitraubende Vielschreiberei vermeiden, überhaupt die Gelegen=
heit, im Kleinen wie im Großen, Gutes zu wirken, nicht an sich
kommen lassen, sondern dieselbe überall selbstthätig mit Eifer
aufsuchen. Insbesondere fordere ich Sie auf, überall, wo es
sich um wichtigere Interessen handelt, den Rath kundiger und
patriotischer Männer des Bezirks einzuholen. Einerseits werden
dadurch ihre eigenen Ansichten erweitert und geläutert, anderer=
seits richtigere Begriffe über Zweck und Motive der Regie=
rungsmaßregeln verbreitet, die Mitwirkung einflußreicher Bür=
ger für deren Einführung in's Leben wird gesichert und zu=

gleich auch dem bürgerlichen Elemente schon dermalen auf die einfachste Weise die nöthige Einwirkung auf die Staatsverwaltung eingeräumt. Auf diese Weise wird Lebendigkeit, Frische, Natürlichkeit und Raschheit in die Verwaltung gebracht werden. Wenn Sie hiemit in allen Ihren Geschäftsbeziehungen — wie ich es verlangen muß — Kraft, Gerechtigkeit, Unpartheilichkeit und freundlich wohlwollende Behandlung Ihrer Amtsangehörigen verbinden, so muß nach und nach das öffentliche Vertrauen sich wieder beleben, und die Ordnung, der Friede und mit ihnen der Wohlstand in die Gemeinden zurückkehren."

4) Die Durchführung dieser Grundsätze sollte gesichert und erleichtert werden durch die Einführung der sog. Ortsbereisungen; durch dieselben sollte den Verwaltungsbeamten Gelegenheit gegeben werden, sich genaue Kenntniß über die öffentlichen Zustände ihrer Bezirke durch Selbstanschauung zu verschaffen, sich durch unmittelbare Wahrnehmungen und durch einen lebendigen persönlichen Verkehr mit den Ortsvorgesetzten, sowie mit anderen Bediensteten und den einzelnen Einwohnern von der Befähigung, Thätigkeit und Amtsführung der Localbehörden an Ort und Stelle selbst zu überzeugen, von den öffentlichen Anstalten Einsicht zu nehmen. Zugleich sollte den Amtsangehörigen dabei die Veranlassung geboten sein, ihre Wünsche oder Beschwerden den Beamten vorzutragen, sowie auf Mißstände aufmerksam zu machen, um so diesen abhelfen und wünschenswerthe Verbesserungen anbahnen zu können.

Nach einer Entschließung des Ministeriums des Innern v. 11. Dec. 1849 war der Amtsvorstand ermächtigt, des Jahres zweimal die sämmtlichen Gemeinden des Bezirks zu besuchen. Ueber die hiebei gemachten Wahrnehmungen und Beobachtungen, über die dabei erhaltenen Eindrücke und empfangenen Mittheilungen und Auskünfte, sowie über die desfalls getroffenen Anordnungen und Maßnahmen hatte er ein Tagebuch zu führen und solches der Kreisregierung zur Prüfung vorzulegen. Die Abhaltung der Rügegerichte, wie sie durch die Verordnung vom 3. Okt. 1811 (Reg.=Bl. Nr. 27, S. 127) vorgeschrieben waren, wurden einstweilen suspendirt.

Die neue Einrichtung wurde später, unter Beibehaltung ihres

Wesens in mancher Beziehung vereinfacht und namentlich vorgeschrie=
ben, daß die größeren Gemeinden, zumal diejenigen, deren Haushalt und
Zustände einer fortgesetzten genauen Aufsicht bedürfen, von dem Amts=
vorstande in jedem Jahr besucht werden müssen, während bei klei=
nen oder geordneten Gemeinden es genügt, wenn solche alle zwei Jahre
besucht werden [2]).

5) Die Visitationen der Bezirksämter durch die obern
Verwaltungsbehörden waren zwar schon durch die Orga=
nisation von 1809 vorgeschrieben, allein sie wurden nur sehr selten
vorgenommen. Es fehlte theils an einer maßgebenden Instruc=
tion, theils gebrach es den obern Behörden, die mit einer Masse
von Detailgeschäften überhäuft waren, an Zeit, ihre Mitglieder
für solche auswärtige Geschäfte abzugeben.

Im Jahr 1836 wurde eine Instruction zur Vornahme der Amts=
visitationen erlassen, eine entsprechende Position im Budget zur Bestrei=
tung des hieburch veranlaßten Kostenaufwandes genehmigt, und es
sollten die Visitationen durch Commissäre des Ministeriums des Innern
und der Kreisregierungen vorgenommen werden. Die wohlthätige Ein=
richtung gerieth aber nach und nach in's Stocken, weil eben die obern
Behörden, noch immer unter dem Drucke zu vielen Details, Stockungen
in ihrem Geschäftsgange zu befürchten hatten, wenn einige ihrer Mit=
glieder mit auswärtigen Geschäften hätten betraut werden müssen. Nach
Erlassung der Verordnung vom 21. Juni 1850 hatten sich aber in dieser
Beziehung die Verhältnisse zum Besseren gewendet, und es wurden jähr=
lich von dem Ministerium unmittelbar die Aufträge zur Visitation einer
größern Anzahl von Aemtern ertheilt, und zwar sowohl an Mitglieder
des Ministeriums selbst als an die Vorstände und Räthe der Kreisre=
gierungen. Durchschnittlich wurde regelmäßig alle Jahre Ein Dritttheil
der Aemter visitirt.

Die Instruction von 1836 wurde zwar nicht abgeändert, allein die
Commissäre wurden auch nicht strenge an dieselbe gebunden, sondern es
wurde ihnen, unter Hervorhebung einiger Hauptgesichtspunkte, auf
welche sie ihr besonderes Augenmerk zu richten hatten, und insbesondere
unter Hinweisung darauf, daß sie sich durch unmittelbare Anschauung

---

[2]) Verordnung des Ministeriums des Innern v. 22. Mai 1858. Central=
verordnungsblatt Nr. 8, S. 39—41.

und durch persönliches Benehmen mit den einflußreichen Angehörigen
des Bezirks von den Zuständen desselben zu unterrichten haben — über=
lassen, nach ihrem eigenen Ermessen, ihrer Erfahrung und den besondern
obwaltenden Verhältnissen bei dem Vollzuge ihres Auftrags vorzugehen.

6) Ein vorbereitender Schritt zur Trennung der Rechtspflege von
der Verwaltung in der untersten Instanz erfolgte durch die Staats=
Ministerial=Entschließung vom 30. März 1852. Danach wurden
die Vorstände der Bezirksämter der ihnen übertragenen Oberauf=
sicht über die Civil= und Strafrechtspflege der Justizbeamten
(vergl. oben §. 21 zu Note 7) entbunden und die letzteren in
dienstpolizeilicher Beziehung unter die Hofgerichte und das Justiz=
ministerium gestellt [3]). Die Trennung selbst wurde endlich durch
landesherrliche Verordnung vom 18. Juli 1857 [4]) ausgesprochen.

Danach gieng die Rechtspflege, wie sie bisher von den Bezirksäm=
tern ausgeübt wurde, auf die Amtsgerichte über; die Rechtspolizei
blieb bei den Aemtern.

Da sich jedoch in der Anwendung alsbald Anstände über die Zu=
ständigkeit der Gerichte oder Verwaltungsbehörden zur Erledigung eini=
ger rechtspolizeilicher Geschäfte ergaben, so wurde zur Beseitigung der=
selben durch ein provisorisches Gesetz vom 19. August 1858 [5]) bestimmt,
daß die durch das Landrecht an die Gerichte gewiesenen Geschäfte der
Rechtspolizei, welche durch das zweite Einführungs=Edict zum Landrecht,
sowie durch das Organisations=Rescript vom 26. Nov. 1809, und spä=
tere Gesetze oder landesherrliche Verordnungen nicht ausdrücklich
andern Behörden, namentlich den Verwaltungs= und Polizeibehörden,
übertragen sind, von den Amtsgerichten und Hofgerichten zu
besorgen seien.

An die Stelle dieses Provisoriums trat später das Gesetz vom
5. Juni 1860 [6]), nach welchem ein großer Theil der Rechtspolizeige=
schäfte bei den Bezirksämtern verblieb.

---

[3]) Annalen XIX. S. 228. 229.
[4]) Reg.=Bl. 1857, Nr. 29, S. 318. Landst. Verhandl. v. 1858, II. Kammer.
Beil.=Heft 4, S. 271. Prot.=Heft S. 145 und 146. Jahrbücher für bad. Recht. I.
S. 17—30.
[5]) Reg.=Bl. 1858, Nr. 40, S. 355—357.
[6]) Ebendas. 1860, Nr. 37, S. 247—251.

Die Zahl derselben war inzwischen auf 64 herabgesunken, während 73 Amtsgerichte bestunden.

§. 24.

2) Die Kreis=Directorien, Kreisregierungen. (Vergl. §. 16.)

Das System, welches der Organisation von 1809 zu Grunde lag, war besonders stark in der streng bureaucratischen Einrichtung der Kreis=Directorien ausgeprägt; in dem mit großer Gewaltsbefugniß ausgerüsteten Kreis=Director erkennt man sofort den französischen Prä=fecten, in dessen Händen alle Fäden der ganzen Kreisverwaltung zusam=menlaufen.

Das bisher für die obern Verwaltungsbehörden maßgebende Col=legialsystem war auf ein Minimum zurückgeführt.

Es konnte deßhalb nicht ausbleiben, daß, nachdem andere Grund=sätze sich Bahn zu brechen begannen (§. 20—23), auch die Kreis=Direc=torien davon berührt werden mußten.

1) Nachdem die ursprünglichen 10 Kreis=Directorien auf 8 reducirt waren (§. 16 zu Note 1), wurden durch Verordnung vom 3. März 1819 [1]) die Directorien des Donau= und des Murgkreises aufge=hoben und die betreffenden Aemter anderen Kreisen zugetheilt.

2) Für eine sehr große Anzahl von Gegenständen wurde durch die landesherrliche Verordnung vom 7. April 1813 [2]) die collegiale, statt der bisherigen bureaucratischen Geschäftsbehandlung vorge=schrieben.

3) Die Competenz der Kreis=Directorien wurde durch die Verord=nungen vom 8. Juli 1819 und 17. Januar 1822 [3]) erweitert, indem ihnen unbedeutendere Fragen abgenommen und den Aem=tern zugewiesen, dagegen wichtigere aus dem Geschäftskreis des Ministeriums des Innern übertragen wurden. (Vergl. oben §. 21, Ziff. 2.)

4) Die Thätigkeit der Kreis=Directorien wurde ausschließlich auf Gegenstände der innern Verwaltung zurückgeführt, indem die ihnen bisher zugewiesenen Gegenstände aus dem Gebiete der

---

[1]) Reg.=Bl. 1819, Nr. 8, S. 33.
[2]) Reg.=Bl. 1813, Nr. 10, S. 57.
[3]) Ebendas. 1819, Nr. 21, S. 125, und Reg.=Bl. v. 1822, Nr. 3, S. 11.

Finanzverwaltung, nämlich die Leitung der Administration der Domänen und das directe und indirecte Steuerwesen besonderen Finanz=Mittelstellen, der Hof=Domänenkammer⁴) und der Steuer= Direction⁵) übertragen wurden.

5) Durch landesherrliche Verordnung vom 26. Januar 1832⁶) wurde die Eintheilung des Großherzogthums in die noch bestehen= den sechs Kreise sammt den Kreis=Directorien aufgehoben, das Land in vier Kreise (See=, Oberrhein=, Mittelrhein= und Unter= rheinkreis) eingetheilt, und jedem derselben „als Administrativ= Stelle" eine Kreisregierung vorgesetzt.

In dem Eingange der Verordnung ist als Grund der Maßregel angegeben, daß in den Kreis=Directorien sämmtliche Zweige des öffent= lichen Dienstes innerhalb eines verhältnißmäßigen Areals vereinigt werden sollten, daß aber inzwischen von denselben mehrere wichtige Ge= genstände, namentlich des Steuer= und Domänenwesens getrennt wor= den seien, und der Geschäftsumfang mit dem Kostenaufwand der bis= herigen Einrichtung in keinem Verhältniß mehr stehe, daß ferner die Ausdehnung der Wirksamkeit dieser Mittelstellen auf ein größeres Areal, einen leichteren und gleichförmigeren Gang in der gesammten Staats= verwaltung und eine Vereinfachung der letztern erziele.

6) Den Kreisregierungen wurde ein Theil sehr wichtiger Fragen im Gemeindewesen vorbehalten⁷), und die Verwaltung der weltlichen und kirchlichen Local= und Districts=Stiftungen nebst der Revision der Rechnungen derselben übertragen⁸), und endlich wurden ihnen durch die Verordnung vom 21. Juni 1850⁹) noch einige früher dem Geschäftskreise des Ministeriums des Innern zugehörige Ge= genstände überwiesen.

7) Nach der Recursordnung vom 14. März 1833¹⁰) und der Ver= ordnung vom 21. Juni 1850, §. 3, war die Kreisregierung, wenn zwei gleichförmige Erkenntnisse vorlagen, in der Regel die letzte

⁴) Landesh. Verordnung v. 22. Jan. 1824, Reg=Bl. Nr. 2, S. 19.
⁵) Landesh. Verordnung v. 30. März 1826, Reg.=Bl. Nr. 9, S. 59.
⁶) Reg.=Bl. 1832, Nr. 9, S. 133.
⁷) Verordnung v. 17. Juli 1833, Reg.=Bl. Nr. 32, S. 183.
⁸) Verordnung v. 10. April 1833, Reg.=Bl. Nr. 18, S. 97.
⁹) Reg.=Bl. 1850, Nr. 31, S. 230.
¹⁰) Reg.=Bl. 1833, Nr. 13, S. 63.

Instanz, insbesondere war dieß auch der Fall bei den Polizei=
straffachen.

Die Stellung der Kreisregierungen war daher als Recursbehörde
von großer Bedeutung, nicht minder aber auch in ihrer Eigenschaft als
die auffehende und controlirende Behörde über die Bezirksverwaltung.

Sie waren zugleich die zweite Instanz in allen jenen Rechtspolizei=
sachen, welche in erster Instanz den Bezirksämtern überwiesen waren.

§. 25.
3) Das Ministerium des Innern. (Vergl. §. 17.)

Die Eintheilung des Ministeriums des Innern in fünf Depar=
tements unter einem General=Directorium, wie sie durch die Organisa=
tion von 1809 festgesetzt war, wurde bald als sehr complicirt erfunden,
und es wurde deßhalb

1) durch die landesherrliche Verordnung vom 21. Juli 1812 [1]) und
   ein über die Geschäfts=Eintheilung und Behandlung erlassenes be=
   sonderes Rescript vom gleichen Tage [2]) „zur Beschleunigung und
   Abkürzung des Geschäftsgangs“ die nachstehenden Aenderungen
   eingeführt:
   a. das General=Directorium (§. 17 oben, Ziff. 6—8) wurde
      aufgehoben;
   b. die drei Departements der Landeshoheit, Polizei und Oecono=
      mie (§. 17, Ziff. 1 — 5) wurden unter dem Namen des
      Ersten, und die zwei kirchlichen unter dem Namen des
      Zweiten Departements vereinigt;
   c. zu dem ersten Departement gehörte die Sanitäts=Com=
      mission und die Oeconomie=Commission [3]) (für
      Behandlung der wirthschaftlichen Gegenstände der Staatsan=
      stalten und Gemeinden, sowie die der Erledigung ihres Rech=
      nungswesens); das zweite theilte sich für alle Vorberei=
      tungsgeschäfte und „für die Entscheidung rein kirchlicher

[1]) Reg.=Bl. 1813, Nr. 10, S. 55.
[2]) Abgedruckt in der zweiten Auflage des Organisations = Edicts v. 1809.
Karlsruhe bei C. F. Müller 1813. Beilage G. Ziff. III. §. 1—10. S. 176—183.
[3]) Jeder dieser Commissionen war ein Ministerial=Commissär als Vorstand
beigegeben. §. 5 des Rescripts v. 21. Juli 1812.

Gegenstände" in eine evangelische und eine katholische Section [4]) und besorgte die Universitätsangelegenheiten, das Studienwesen, Kirchen= und Schulsachen der christlichen Confessionen;

d. dem Ministerium des Innern wurden abgenommen: die Postsachen, welche dem Ministerium der auswärtigen Angelegenheiten und die den Wasser= und Straßenbau=Sachen, welche dem Finanzministerium überwiesen wurden.

2) Diese etwas vereinfachte Eintheilung des Ministeriums in zwei Departements bestund aber nicht lange. Schon im Jahre 1814 wurde ihre Aufhebung beantragt und provisorisch genehmigt, um vorerst Erfahrungen über die Zweckmäßigkeit derselben zu sammeln [5]). Ihre definitive Aufhebung erfolgte im Jahre 1819. Zunächst wurde

a. durch landesherrliche Verordnung vom 15. April 1819 [6]) die Oeconomie=Commission aufgelöst und ihr Geschäfts= kreis dem Ministerium des Innern überwiesen, mit Ausnahme der auf die Civildiener=Wittwenkasse, die Brandkasse, Irren= und Zuchthäuser sich beziehenden Gegenstände, welche an eine besondere unter dem Vorsitze eines Mitglieds des Ministeriums des Innern zu errichtende Commission übergehen sollen.

Durch dieselbe Verordnung wurde die Sanitäts=Com= mission in ihrer bisherigen Eigenschaft aufgehoben, und ihr nur ein rein „artistischer" Wirkungskreis belassen [7]);

b. durch Verordnung vom 29. April 1819 [8]) wurde sodann ausgesprochen, daß dem Ministerium des Innern „anhängig" bleiben:

α. die zwei Kirchen sectionen;

---

[4]) Der Geschäftskreis der beiden Sectionen wurde durch die §§. 8 und 9 des Rescripts v. 21. Juli 1812 näher festgesetzt. S. Beilage G. der Note 2 angef. Ausgabe des Org.=Edicts Nr. III.

[5]) Landesherrl. Rescript v. 24. Febr. 1814, Nr. 1977.

[6]) Reg.=Bl. 1819, Nr. 13, S. 71.

[7]) Die näheren Bestimmungen über ihre innere Einrichtung wurden durch landesherrl. Verordnung v. 6. Mai 1819 ertheilt. Reg.=Bl. Nr. 17, S. 107.

[8]) Von dieser Verordnung wurden nur die §§. 1 u. 2 im Reg.=Bl. v. 1819, Nr. 16, S. 91 verkündet, die weiteren §§. 3—7 aber in scriptis erlassen.

β. die Staatsanstalten=Direction, welcher die Geschäfte der
aufgehobenen Oeconomie=Commission zugetheilt werden;

γ. die Sanitäts=Commission.

Gleichzeitig wurden dem Ministerium des Innern neben einigen
dem damals aufgelösten Justizministerium abgenommenen und an das=
selbe nach seiner Wiederherstellung zurückgegebenen Geschäften noch
übertragen das Amtskassen= sowie das Fluß= und Straßenbauwesen[9].

Durch dieselbe Verordnung wurde auch das „geistliche Plenum des
Ministeriums des Innern" wie die Hauptsitzungen des zweiten Departe=
ments (§. 7 des Rescripts vom 21. Juli 1811)[10] genannt wurde, auf=
gehoben.

3) Durch die Verordnungen vom 8. Juli 1819 (Reg.=Bl. Nr. 21,
S. 125), 17. Januar 1822 (Reg.=Bl. Nr. 3, S. 12) und
vom 21. Juni 1850 (Reg.=Bl. Nr. 31, S. 230)[11] wurde dem
Ministerium des Innern eine Masse von Detailgeschäften abge=
nommen und den mittleren und unteren Verwaltungsbehörden
übertragen, sowie andererseits demselben wie den übrigen Mini=
sterien durch die Verordnung vom 21. Juni 1861 (Reg.=Bl.
Nr. 31, S. 203) im Interesse der Vereinfachung und Beschleuni=
gung des Geschäftsgangs mehrere Befugnisse eingeräumt wurden,
welche bisher der landesherrlichen Entschließung vorbehalten waren.

4) Die beiden Kirchen=Ministerial=Sectionen traten nach der Verord=
nung vom 5. Jan. 1843[12] mit der Benennung Evangelischer
Oberkirchenrath, Katholischer Oberkirchenrath, in die Reihe
der dem Ministerium des Innern untergeordneten Central=Mit=
telbehörden, der Evangelische Oberkirchenrath jedoch nur in seiner
Eigenschaft als Staatsbehörde, während er, soweit ihm die Ver=
waltung der innern Kirchenangelegenheiten obliegt, unmittelbar
unter den Landesherrn als obersten Landesbischof gestellt war[13].
Im Uebrigen blieben diese Behörden in dem ganzen Umfange
ihrer bisherigen Geschäfts=Competenz.

---

[9] S. Verordn. v. 26. Juni 1823, Reg.=Bl. Nr. 16, S. 83.
[10] S. oben Note 2.
[11] S. hierüber oben die §§. 20—24.
[12] Reg.=Bl. 1843, Nr. 2, S. 9.
[13] Bekanntmachung v. 25. Oct. 1853, Reg.=Bl. Nr. 43, S. 383 und 384,
und Verordnung v. 18. Dez. 1856, Reg.=Bl. Nr. 51, S. 553.

In Folge des Gesetzes vom 9. Oct. 1860 über die rechtliche Stel=
lung der Kirche im Staate [14]) wurde der Evangelische Oberkir=
chenrath durch Verordnung vom 28. Dec. 1860 [15]) bezüglich der
Ordnung und Verwaltung der Angelegenheiten der evangelisch=prote=
stantischen Kirche unmittelbar unter den Landesherrn als obersten Lan=
desbischof gestellt; der Katholische Oberkirchenrath aber durch
Verordnung vom 1. Dezember 1862 [16]) aufgehoben. Seine Geschäfte
wurden theils dem inzwischen errichteten Katholischen Oberstiftungs=
rathe [17]), theils dem ebenfalls neu constituirten Oberschulrathe [18]),
theils dem Ministerium des Innern übertragen.

5) Eine Veränderung in der Competenz des Ministeriums des In=
    nern trat durch die Errichtung des Handels=Ministeriums ein,
    worüber die Verordnungen vom 9. April 1860 (Reg.=Bl. Nr. 12,
    S. 139), vom 25. Jan. und 8. Febr. 1861 (Reg.=Bl. Nr. 6,
    S. 41 und 45—47) das Nähere enthalten.

5) Durch die landesherrliche Verordnung vom 20. Febr. 1863
    (Reg.=Bl. Nr. 9) wurden die verantwortlichen Chefs der Mini=
    sterien des Innern, des Handels und der Finanzen für befugt
    erklärt, den Geschäftsgang in ihren Ministerien und mit den
    ihnen untergeordneten Behörden selbstständig zu regeln; sie kön=
    nen insbesondere von den Directoren der Central=Mittelstellen
    sich Vortrag erstatten lassen oder dieselben zu den Sitzungen der
    Ministerien berufen oder denselben das Referat über einzelne
    wichtigere Gegenstände aus dem Geschäftskreise der Ministerien
    übertragen, aus den Mitgliedern ihre Ministerien=Abtheilungen
    bilden und diesen Abtheilungen auch Mitglieder der Central=
    Mittelstellen beigeben; solche Abtheilungen auch in den Mittel=
    stellen anzuordnen und den Sitzungen derselben Mitglieder der
    Ministerien anwohnen lassen.

----

[14]) Reg.=Bl. 1860, Nr. 51, S. 375.
[15]) Reg.=Bl. 1860, Nr. 69, S. 553.
[16]) Reg.=Bl. 1862, Nr. 61, S. 561.
[17]) Landesherrl. Verordnung v. 20. Nov. 1861, Reg.=Bl. Nr. 52, S. 465.
[18]) Landesherrl. Verordnung v. 12. Aug. 1862, Reg.=Bl. Nr. 39, S. 325.
An diese Behörde gingen überhaupt alle Befugnisse der bisherigen Schulbehörden,
nämlich des Oberstudienraths, der beiden Oberkirchenräthe, der Oberschulconferenz
und des Oberraths der Israeliten über.

Soweit für einzelne Gegenstände collegialische Behandlung vorge=
schrieben ist, sollen die desfallsigen Bestimmungen in Kraft bleiben.

§. 26.

4) Das Staatsministerium. (Vergl. §. 18.)

Der Bestand der Ministerial=Conferenz als oberster Staatsbehörde
war nicht von langer Dauer. Sie wurde durch landesherrl. Verord=
nung vom 21. Sept. 1811 aufgehoben [1]) und an ihre Stelle

1) ein Staatsrath gesetzt, welcher aus den Staatsministern und 10
Staatsräthen bestehen sollte.

Zu dem Geschäftskreise desselben gehörten

a. alle Aenderungen in der Staatsverfassung,

b. alle Gesetzgebungsangelegenheiten,

c. die von dem Landesherrn zur Berathschlagung besonders an
denselben verwiesenen einzelnen Gegenstände.

Alle übrigen, bisher zur Competenz der Ministerial=Conferenz ge=
hörigen Gegenstände (s. oben §. 18, Ziff. 1, Buchst. a—p) sollten zum
Großh. Geheimen Cabinet eingesendet und daselbst von den „referiren=
den geheimen Cabinetsräthen" zum Vortrag gebracht werden.

2) Durch Verordnung vom 15. Juli 1817 [2]) wurde aber auch diese
Einrichtung aufgehoben.

Die bisherigen Referate im Geheimen Cabinete wurden eingestellt,
und es sollten künftig die früher an die Geheimen Cabinetsräthe zum
Vortrag gewiesenen Geschäftsgegenstände dem Landesherrn vor dem
„gesammten Staats=Ministerium" vorgetragen und von
diesem ausgefertigt werden.

Ueber die Einrichtung, den Geschäftsgang und die Competenz dieser
Behörde enthalten die Verordnungen vom 6. August 1817 [3]), 15. und
29. April 1819 [4]) die näheren Bestimmungen.

---

[1]) Reg.=Bl. 1811, Nr. 24, S. 107.

[2]) Reg.=Bl. 1817, Nr. 18, S. 65.

[3]) Ebendas. Nr. 20, S. 73.

[4]) Reg.=Bl. 1819, Nr. 13, S. 71, und Nr. 16, S. 92.

§. 27.

Der Staatsrath.

Obgleich ein Staatsrath als eine neben der obersten Verwaltungs=
behörde (Staats=Ministerium) selbstständig bestehende, zur Berathung
des Regenten in den wichtigsten Fragen der Gesetzgebung und Verwal=
tung, oft auch zur Entscheidung der Competenz=Conflicte, der Recurse
in Verwaltungsstreitigkeiten und einigen besonders wichtigen Verwal=
tungsfragen bestimmte Stelle im Großherzogthum nicht besteht, so wird
es doch bei der großen Bedeutsamkeit des Instituts [1]), und da es in sehr
vielen Staaten, wenn auch unter mancherlei Modificationen eingeführt
ist, nicht unangemessen erscheinen, zum Schlusse kurz auf den eigenthüm=
lichen Gang hinzuweisen, den die Frage über seine Einführung im Groß=
herzogthum genommen hat.

Der e r s t e Versuch zur Einführung eines Staatsraths in obigem
Sinne wurde durch das Edict vom 5. Juli 1808 (Reg.=Bl. Nr. 21,
S. 187) gemacht. Derselbe stund n e b e n der damaligen obersten
Staatsbehörde, dem Cabinetsrath, und war mit den oben §. 12, Ziff. 3 c,
bezeichneten Functionen betraut.

Durch die Einführung der Organisation von 1809 hörte er auf.

Der z w e i t e Versuch lag in der Verordnung vom 21. Sept. 1811
(Reg.=Bl. Nr. 24, S. 107) vergl. oben §. 26. Hienach sollten alle zur
Entscheidung des Landesherrn geeignete Fragen direct an das Geheime
Cabinet gelangen. Ausgenommen hievon waren und mußten zuerst
von dem Staatsrathe berathen werden: die Fragen über Aenderung der
Staatsverfassung, die Gesetzgebungssachen, die von dem Landesherrn zur
Berathschlagung besonders an denselben verwiesenen einzelnen Gegen=
stände.

Die Verordnung vom 15. Juli 1817 (Reg.=Bl. Nr. 18, S. 65)
hob auch diesen mit beschränkter Competenz ausgerüsteten Staatsrath
wieder auf.

---

[1]) Bluntschli, Allgem. Staatsrecht. II., S. 157—161.
v. Mohl, Geschichte und Literatur der Staatswissenschaften Bd. III., S. 245.
Derselbe, Staatsrecht ꝛc. B. II., S. 501.

Den **b r i t t e n** Versuch bildete die Verordnung vom 11. Nov. 1821 [2]), in deren Eingang gesagt ist:

„Von der Ueberzeugung geleitet, daß die Beschlüsse in den wichtigeren Angelegenheiten unseres Landes stets das Gepräge derjenigen Gründlichkeit, Reife und innern Uebereinstimmung tragen sollen, welche nur das Resultat vielseitiger Beleuchtung und umfassender Berathung sein können, haben wir Uns bewogen gefunden, neben Unserem ꝛc. Staatsministerium ein **b e r a t h e n d e s** **C o l l e g i u m** unter dem Titel: zweite Section des Staats-Ministeriums zu bestellen ꝛc. ꝛc."

Zu dem Geschäftskreise desselben gehörten: alle Verfassungsangelegenheiten, Gesetzgebungssachen, Gegenstände der Verhandlungen mit den Landständen, organische Verordnungen von besonderer Wichtigkeit, die bedeutenderen Bundesangelegenheiten, Competenz-Conflicte zwischen Justiz- und Verwaltungsbehörden, Beschwerden gegen Ministerialentschließungen wegen Beeinträchtigung des Eigenthums oder der persönlichen Freiheit, die Fragen über Stellung der Staatsbeamten vor Gericht wegen Dienstvergehen, und ferner alle diejenigen, worüber der Landesherr ein besonderes Gutachten von der Section einzuholen für angemessen findet. Die Verordnung enthält ferner die nöthigen Bestimmungen über den Geschäftsgang dieser neuen, mit einer bedeutenden Competenz ausgestatteten Behörde.

Sie wurde durch eine landesherrliche, mit keiner Contrasignatur versehene Verordnung vom 17. Febr. 1826 (Reg.-Bl. Nr. 6) einfach aufgehoben.

Der **v i e r t e** Versuch trat mit der landesherrlichen Verordnung vom 23. Dezember 1844 [3]) ein, durch welche „um die reife Berathung und gebührende Erledigung wichtiger Staatsangelegenheiten in höherem Maße zu sichern" neben dem Staatsministerium ein Staatsrath bestellt wurde, welcher, dem letzteren coordinirt, unmittelbar unter dem Landesherrn stund und theils eine **b e r a t h e n d e,** theils eine oberste **e n t s c h e id e n d e** Behörde war.

---

[2]) Reg.-Bl. 1821, Nr. 19, S. 135.
[3]) Reg.-Bl. 1844, Nr. 35, S. 315.

Die Verordnung bezeichnet die Fälle, in welchen der Landesherr in der Regel das Gutachten des Staatsraths als b e r a t h e n d e r Behörde er= heben wird, in noch ausgedehnterem Maße, als dieß durch die Verordnung vom 11. Nov. 1821 geschah, und weist demselben als e n t s c h e i d e n d e r Behörde ohne Ausnahme zu: die Competenz=Streitigkeiten zwischen Justiz= und Verwaltungsbehörden und zwischen den Civil= und Militär= Justizbehörden über die Frage, ob die Civil= oder Militärgerichtsbarkeit begründet sei, alle Recurse von den Entscheidungen der Ministerien in Administrativ=Justizsachen, welche bisher von dem Staatsministerium zu erledigen waren, sowie die Recurse gegen die Entscheidungen des Finanz=Ministeriums über Gesuche wegen Aufhebung alter Abgaben.

Die Verordnung enthält ferner eingehende Bestimmungen über die Bildung und den Geschäftsgang des Staatsraths.

Die Zweite Kammer der Stände war aber der Ansicht, daß diese Verordnung nur als Gesetz mit Zustimmung der Stände hätte erlassen werden können und reclamirte dieselbe zur ständischen Zustimmung [4]), worauf von Seiten der Regierung die Vorlage eines Gesetz=Entwurfs zugesichert wurde.

Diese Vorlage, welche man als den f ü n f t e n Versuch zur Lösung der vorliegenden Frage betrachten mag, erfolgte auf dem Landtage von 1848 [5]).

Der Entwurf theilt den Staatsrath:

1) in die e n g e r e Versammlung,
2) in die e n t s c h e i d e n d e Abtheilung,
3) in die v o l l e Versammlung.

Der ersten fällt zu die Begutachtung von Gesetz=Entwürfen, von Streitigkeiten zwischen verschiedenen Ministerien über ihre Competenz, oder über die Auslegung und Anwendung von Gesetzen, ferner von Streitigkeiten, die sich auf Verhältnisse des Staates zur Kirche oder der einen Kirche zur andern beziehen, von Beschwerden über Verletzung ver= fassungsmäßiger Rechte und von Recursen über mehrere andere §. 6 das. näher aufgeführte Gegenstände.

---

[4]) Landst. Verhandl. II. Kammer v. 18⁴⁵/₄₆. 7tes Beil.=Heft. S. 157, und VI. Prot.=Heft S. 127—172.

[5]) Landst. Verhandl. II. Kammer v. 1848. 7tes Beil.=Heft S. 181.

Der entscheidenden Abtheilung steht zu die Ertheilung des Erkenntnisses in Competenz=Streitigkeiten zwischen Justiz= und Verwaltungsbehörden, in den dem Staatsministerium vorbehaltenen Recursen in Administrativ=Justizsachen und in den Recursen gegen Entscheidung des Finanzministeriums über Gesuche wegen Aufhebung alter Abgaben.

Der vollen Versammlung fallen zu die Berathungen in den Fällen, in welchen das Staatsministerium gegen die Gesetzmäßigkeit eines ihm von der entscheidenden Abtheilung mitgetheilten Erkenntnisses erhebliche Bedenken hat, oder wenn sich in Bezug auf ein Gutachten der engeren Versammlung zwischen dieser und dem Staatsministerium eine wesentliche Meinungsverschiedenheit ergibt, oder in den Fällen, in welchen der Landesherr die Begutachtung einer Frage von der vollen Versammlung verlangt.

Ueber die Bildung der Versammlungen und die Geschäftsformen sind ausführliche Bestimmungen gegeben.

Der Entwurf kam in der zweiten Kammer nicht zur Berichterstattung, konnte daher keine Gesetzeskraft erlangen.

Die Verordnung vom 23. Dez. 1844, welche bis dahin fortbestanden hatte, wurde vielmehr durch solche vom 20. Oct. 1849 (Reg.=Bl. Nr. 48, S. 543) aufgehoben.

Die Geschäfte, welche der Staatsrath als oberste entscheidende Behörde zu besorgen hatte, wurden dem Staatsministerium überwiesen; bei Entscheidung von Competenz=Streitigkeiten sind drei Mitglieder von Gerichtshöfen beizuziehen, und zwar aus der Zahl derjenigen, welche vom Landesherrn jeweils für eine Landtagsperiode hiezu besonders bezeichnet werden.

So die gegenwärtige Lage dieser wichtigen Frage.

Es war vorauszusehen, daß dieselbe bei der Berathung des neuen Verwaltungs=Gesetzes auf dem Landtage von 1863 wieder zur Sprache kommen werde. Dieß geschah, wenn auch in einer theilweise veränderten Richtung auf Veranlassung der Commission der Ersten Kammer. Dieselbe beantragte nämlich, den Wunsch an die Großh. Regierung in das Protokoll niederzulegen:

> sie möge in Erwägung ziehen, ob nicht die nöthige Gewähr der Einheit der Staatsverwaltung und der Verwaltungsrechtspflege am besten dadurch hergestellt werde, daß dafür, wie

überhaupt für die höchsten staatsrechtlichen Fragen, ein oberster Staatsgerichtshof errichtet werden solle.

Als solche Fragen bezeichnet sie:

1) die staatsrechtliche Prüfung und die autoritative Entscheidung über die Verfassungsmäßigkeit und Gesetzmäßigkeit von Gesetzen und Verordnungen;

2) die Ministerverantwortlichkeit;

3) die Entscheidung über Competenz-Conflicte zwischen den obersten Verwaltungs- und Gerichtsbehörden;

4) die Entscheidung über Nichtigkeitsbeschwerden — die unrichtige Auslegung von Gesetzen und Verordnungen inbegriffen — gegen Urtheile des obersten Verwaltungsgerichtshofes und vielleicht auch des Oberhofgerichts.

Die Erste Kammer trat diesem Antrage bei [6]).

Die Frage wird wohl bei der ersten sich darbietenden Gelegenheit abermals Gegenstand der Berathung werden.

§. 28.
Die Anforderungen an ein gutes Verwaltungssystem.

Faßt man den Entwickelungsgang des staatlichen und socialen Lebens aufmerksam in's Auge, welchem eine gute Verwaltung mit ihrem Organismus sich anschließen muß, so werden sich unschwer die allgemeinen Richtpunkte finden lassen, von welchen die Gesetzgebung bei Regelung der Frage über die Organisation der innern Verwaltung auszugehen hat. Es dürften wohl folgende sein:

1) Sowohl den Corporationen als den Einzelnen gegenüber ist die frühere, oft sehr weit gehende Bevormundung aufzugeben, und auch die hie und da in verschiedenen Formen an ihre Stelle getretene Staatsfürsorge und Staatsaufsicht ist möglichst zu beschränken. Der individuellen Thätigkeit sind nirgend unnöthige Schranken zu setzen, denn sie wirken, so wohl sie oft

---

[6]) Landst. Verhandl. v. 18⁶¹/₆₃. I. Kam. Beil.-Heft III. S. 349, und Prot.-H. S. 185.

gemeint sein mögen, meist schädlich, insbesondere auch auf dem wirthschaftlichen Gebiete.

Die Grenze, welche der individuellen, freiheitlichen Thätigkeit ge= steckt ist, findet sich einfach in den Rücksichten auf das allgemeine Staats= wohl selbst. Der Bestand, die Sicherheit und die Ordnung des Staats müssen durch eine kräftige, mit der erforderlichen Macht ausgerüsteten Regierung verbürgt sein; denn hierin liegt die alleinige Gewähr der Freiheit.

Ein kleinliches, ängstliches Einmischen des Staats in die Verhält= nisse der Corporationen und der Einzelnen lähmt ihn in der Erfüllung seiner größeren Aufgaben, führt zu der oft beklagten Vielschreiberei und erzeugt unter den Staatsangehörigen gerechten Mißmuth.

Man überlasse also möglichst Jedem seine eigene Angelegenheiten zur freien Besorgung, und scheide sie aus dem Kreise der Staatsthätig= keit aus.

2) Die innere Verwaltung muß so eingerichtet sein, daß sie dem Le= ben des Volkes möglichst nahe steht. Die Bedürfnisse, Wünsche und Anschauungen desselben müssen von den Organen der Ver= waltung leicht, klar und sicher erfaßt werden können; sie müssen in die Lage gesetzt sein, durch beständige Berührung mit dem Volke, und insbesondere den bei den Geschäften Betheiligten die Zustände durch unmittelbares Anschauen zu ermitteln und zu erörtern, um hiedurch

3) eine solche Erledigung der Sache vorzubereiten, welche den con= creten Verhältnissen des einzelnen Falls, den Bedürfnissen und Zuständen der einzelnen Lebenskreise entspricht. Der Verwal= tungsbeamte darf daher durch Verwaltungs=Vorschriften nicht so eingeengt werden, daß er diesen die materielle Bedeutung einer Sache zum Opfer bringen muß.

Die Gesetzgebung darf sich daher bei einer großen Zahl von Ver= waltungssachen nicht in ein ängstliches Detail von unter allen Umstän= den bindenden Bestimmungen einlassen, sondern muß sich oft mit der Aufstellung von allgemeinen Regeln begnügen, die dann durch statuta= rische Bestimmungen je nach den verschiedenen Verhältnissen und Be= dürfnissen der einzelnen Bezirke oder Gemeinden ergänzt werden mögen.

4) Dem Verwaltungsbeamten, welcher auf diese Weise den Interessen des ihm anvertrauten Bezirks nahe gerückt ist, muß eine möglichst

große Competenz zugeschieden werden, damit die höheren Behör=
den ihren größeren Aufgaben alle Kraft und Zeit widmen können,
und nicht genöthigt werden, über Dinge zu entscheiden, die ganz
besonders von der genauen Kenntniß aller örtlichen und sachlichen
Verhältnisse abhängen.

Die hiedurch für den Verwaltungsbeamten gewonnene größere
Selbstständigkeit wird für ihn ein Sporn sein, anregend und selbstschaf=
fend auf die Wohlfahrt seines Bezirks einzuwirken.

5) Gleichzeitig betheilige man die Bürger an der öffentlichen Ver=
waltung der Bezirke. Gelingt es, für ein solches Ehrenamt
Männer zu finden, die sich durch Liebe zum Vaterlande, durch
Hingebung für das Gemeinwohl und Befähigung auszeichnen,
und die nicht blos von den Partheien zur Förderung ihrer Par=
thei=Zwecke vorgeschoben sind, so wird man in ihnen gute Richter
und Berather der gemeinsamen Angelegenheiten finden. Wer
durch seinen Beruf und seine ganze Lebensstellung in inniger Be=
rührung mit seinen Mitbürgern bleibt, der weiß auch ihren Be=
dürfnissen gehörige Rechnung zu tragen.

Der Verwaltungsbeamte kann in ihnen eine kräftige Stütze finden,
und es wird schon durch das Bestehen einer solchen Einrichtung der Ver=
waltung größeres Vertrauen zugeführt werden. Manches Vorurtheil
gegen dieselbe wird schwinden, wenn die Bürger selbst an ihr Theil neh=
men, und sich von dem Gange derselben, von den Gründen der getroffe=
nen Anordnungen und den Schwierigkeiten, die der Erfüllung mancher
Wünsche entgegenstehen, selbst zu überzeugen Gelegenheit haben; die
Klagen über die Bureaucratie [1] werden aufhören, wenn der Beamte,
umgeben von den geachtetsten Bürgern seines Bezirks, die Angelegen=
heiten desselben leitet.

Es kommt bei dieser Einrichtung wesentlich darauf an, einen solchen
Wahlmodus zu finden, der die tüchtigsten Männer ohne alle Nebenrück=
sicht in das Amt bringt und der Regierung den nothwendigen Ein=
fluß sichert. Ebenso muß der Wirkungskreis des bürgerlichen Elements
in der Verwaltung, genau und nach richtigen Grundsätzen ausgeschieden
und festgestellt werden.

---

[1] v. Mohl, Staatsrecht. 2ter Bd. Politik S. 99—130.

6) Man wirke bei jeder Gelegenheit und in jedem Zweige der Ver=
waltung, ſo weit es nur immer mit den ſachlichen Intereſſen ver=
einbarlich iſt, auf die größte Vereinfachung hin. Eine for=
menreiche, ſchwerfällige, mechaniſche Uniformität verträgt ſich
nicht mit den Anforberungen, die man jetzt an ein Verwaltungs=
ſyſtem macht, das auch den Bürger zur Theilnahme an den öffent=
lichen Angelegenheiten beruft.

7) Ein wohlgeordnetes, aber nicht zu weit ausgedehntes Recursver=
fahren muß die Gerechtigkeit der Entſcheidungen verbürgen, und

8) zweckmäßige Beauffichtigung der Behörden durch öftere an Ort
und Stelle vorgenommene und durch unmittelbares Benehmen
mit den Bezirksangehörigen und durch eigene Anſchauungen der
Commiſſäre auch für die höheren Behörden fruchtbar werdende
Viſitationen muß die pünktliche, gewiſſenhafte und wohlwollende
Dienſtführung ſichern. (§. 23.)

9) Die öffentlichen Rechte der Staatsbürger müſſen eines ebenſo
wirkſamen Rechtsſchutzes genießen, wie die Privatrechte.

II.

Die Grundlagen

des Gesetzes vom 5. October 1863 über die Organisation der
innern Verwaltung.

II.

Die Grundlagen

des Gesetzes vom 5. October 1863

über die Organisation der innern Verwaltung.

~~~~~~~~~

§. 1.
Einleitende Bemerkungen.

Die Stellung der Verwaltungsbehörden, sowohl der Bezirksämter als der Kreisregierungen, ist durch die neuesten, tief eingreifenden Veränderungen im Gebiete der Gesetzgebung eine wesentlich andere geworden.

Durch das Gewerbegesetz vom 20. September 1862 (Reg.=Bl. Nr. 44, S. 409 u. folg.) wurde denselben eine nicht unbeträchtliche Zahl von Arbeiten abgenommen, ebenso verminderte sich die Geschäfts= aufgabe derselben und insbesondere der Kreisregierungen dadurch, daß in Folge des Gesetzes vom 9. Oct. 1860 (Reg.=Bl. Nr. 51, S. 375) die Führung der Aufsicht über die katholischen kirchlichen Orts= und Distrikts=Stiftungen, der besetzten und erledigten Pfründen dem Katholischen Oberstiftungsrathe und jene über die evangelischen Ortsstiftungen dem Evangelischen Oberkirchenrathe übertragen wurde [1]).

Die Verwaltung der freiwilligen Gerichtsbarkeit wurde durch das Gesetz vom 28. Mai 1864 (Reg.=Bl. Nr. 21) den Verwaltungsbehörden, so weit sie ihnen durch das Gesetz vom 5. Juni 1860 (Reg.=Bl. Nr. 37) noch belassen war, ganz abgenommen und den Gerichten übertragen, wodurch den Kreisregierungen, welche als obere Aufsichtsbehör=

---

[1]) Verordnung v. 20. Nov. 1861 (Reg.=Bl. Nr. 52, S. 465), und vom 28. Febr. 1862 (Reg.=Bl. Nr. 10, S. 87).

ben über die Amtsrevisoren, Notare und das übrige Rechtspolizei=Per=
sonal bestellt waren, ein sehr wesentlicher Bestandtheil ihrer Geschäfte
abgenommen wurde.

Die Ueberweisung der Gerichtsbarkeit in Polizeistrafsachen an die
Gerichte erfolgte nach Maßgabe des §. 15 des Gesetzes über die Gerichts=
verfassung vom 19. Mai 1864 (Reg.=Bl. Nr. 18), durch das Gesetz vom
28. Mai 1864 (Reg.=Bl. Nr. 23). Den Kreisregierungen ist hienach
die Entscheidung der Recurse in Polizeistrafsachen abgenommen.

Es lag daher schon in der wesentlich verminderten Geschäftsauf=
gabe dieser Behörden hinreichender Grund zu deren Aufhebung.

Für dieselbe sprechen ferner finanzielle Rücksichten, und vor Allem
die Erwägung, daß in einem kleinern Lande, welches sich so ausgezeich=
neter Verkehrsmittel erfreut, die Aufsicht über die Bezirksverwaltung
und die Leitung derselben den Bestand von collegialen Mittelbehörden
nicht nothwendig macht.

Die Frage über die Aufhebung derselben mußte aber nothwendig
zu der weiteren über die Umgestaltung der Organisation der innern
Verwaltung überhaupt führen.

Der Gang der staatlichen und socialen Entwickelung im Großher=
zogthum (vergl. geschichtl. Einleitung §. 28) und die Richtung, welche
die Gesetzgebungen vieler deutschen und außerdeutschen Staaten in dieser
Frage schon seit einiger Zeit genommen haben (s. unten IV.), deuteten
wohl klar genug auf die Grundlagen hin, auf welchen der neue Bau
aufgeführt werden sollte.

Die Regierung legte auch auf dem Landtage von 1861/63 den
Ständen einen Gesetzentwurf über die Organisation der innern Ver=
waltung vor, welcher dieselbe auf wesentlich veränderten Grundlagen
neu regelte.

Nachdem er die verfassungsmäßigen Berathungsstadien durchlau=
fen, wurde er als Gesetz vom 5. October 1863 im Regierungsblatt vom
gleichen Jahre, Nr. 44, S. 399—414 verkündet [2]).

---

[2]) Landständische Verhandlungen von 1861—63, II. Kammer.
Gesetz=Entwurf, 4. Beil.=Heft, S. 607—643. Benennung der Com=
missionsmitglieder Prot.=Heft S. 337, 338.
Commissionsbericht des Abg. Kirsner, 6. Beil.=Heft S. 545—596.
Berathung und Beschlüsse, Prot.=Heft S. 422, 425, 433, 440, 445.

Mit der Wirksamkeit dieses Gesetzes beginnt die vierte Periode (vergl. geschichtl. Einl. §. 11, 19, 21) der Entwickelung unserer Verwaltungszustände.

Die Grundgedanken des neuen Gesetzes sind folgende:

1) Die nächste Fürsorge für die Befriedigung einer Reihe von öffentlichen, theils wirthschaftlichen, theils Cultur-Interessen und Bedürfnissen, welche zunächst und unmittelbar die Staatsgesammtheit nicht berühren, soll aus dem Kreise der bisherigen ausschließlichen Thätigkeit von Staatsbehörden ausgeschieden und den betheiligten Staatsangehörigen überlassen werden.

Für diese werden, um die ihnen gesteckte Aufgabe lösen zu können, angemessene Verbände mit einer dem Zwecke entsprechenden Organisation gebildet, welche durch die **Kreisversammlung** vertreten werden (**Interessen oder Selbstverwaltung**).

Der Staat übt nur die im Interesse der Staatsgesammtheit nothwendige Aufsicht mit den aus ihr abfließenden Rechten aus, wie ihm denn selbstverständlich die Einwirkung auf die sorgfältige Pflege derartiger Interessen, sei es durch die Gesetzgebung, sei es durch seine Organe, vorbehalten bleibt. Diese Interessenverwaltung ist strenge geschieden von der politischen und administrativrichterlichen Thätigkeit des Staats.

2) Die eigentliche innere Staats-Verwaltung (im Gegensatz zur **Verwaltungs-Rechtspflege**) wird in den Bezirken, wie bisher, von den Bezirksämtern geführt, denen in dem **Bezirksrath** ein bürgerliches Element beigegeben wird, welches bei vielen, im Gesetz genau bezeichneten Verwaltungsgeschäften **entscheidend**, bei andern **berathend** mitwirkt.

Mittheilung über die von der I. Kammer angenommene veränderte Fassung, 6. Beil.-Heft, S 955—961.

Zweiter Commissionsbericht des Abg. Kirsner, 6. Beil.-Heft S. 931—938.

Berathung und Beschlüsse, Prot.-Heft S. 699.

Verhandl. der I. Kammer: Entwurf nach der Fassung der II. Kammer, 3. Beil.-Heft S. 131.

Bericht des Geh. Raths Dr. Bluntschli. Ebendas. S. 337.

Berathung und Beschlüsse, Prot.-Heft S. 171—185, 210 u. 211.

3) Die oberste Leitung und Aufsicht über die innere Verwaltung bleibt dem Ministerium des Innern. Es kann einen Theil seiner Zuständigkeit durch Ministerial-Bevollmächtigte (Landescommissäre) und den ihm untergeordneten Verwaltungshof ausüben.

4) Die Rechtspflege in bestimmten Streitigkeiten über öffentliches Recht wird in erster Instanz von den Bezirksräthen unter dem Vorsitze der Bezirksbeamten, und in letzter Instanz von dem Verwaltungsgerichtshof ausgeübt.

Danach gestaltet sich der Organismus der Verwaltungsbehörden wie folgt:

  A. Für die innere Staats-Verwaltung:
    1) die Bezirksämter mit den Bezirksräthen,
    2) der Verwaltungshof,
    3) das Ministerium des Innern mit den Landescommissären.
  B. Für die Verwaltungsrechtspflege:
    1) die Bezirksämter mit den Bezirksräthen als Verwaltungsgerichte erster Instanz;
    2) der Verwaltungsgerichtshof als höchste Instanz.
  C. Für die Selbstverwaltung:
    1) der Kreise:
      a. die Kreisversammlung,
      b. die Kreisausschüsse,
      c. der Kreishauptmann;
    2) der Bezirke:
      die Bezirksversammlung.

5) Die Mitglieder der Kreisversammlung werden:
  a. theils gewählt, nämlich zwei Dritttheile durch allgemeine, ein Dritttheil durch Gemeindewahlen, ausschließlich der noch besonders zu wählenden Vertreter der größeren Städte;
  b. theils durch das Gesetz berufen, nämlich die Mitglieder des Kreisausschusses und die größten Grundbesitzer im Kreise.

Behufs der Bildung des Bezirksraths wird alljährlich von der Kreisversammlung für jeden Amtsbezirk des Kreises durch freie Wahl aus sämmtlichen, 25 Jahre alten und ein Jahr im Kreise ansäßigen

Staatsbürgern eine Liste aufgestellt, welche dreimal so viel Namen ent=
hält, als Mitglieder des Bezirksraths ernannt werden sollen. Aus
dieser Liste ernennt sodann das Ministerium des Innern die Bezirks=
räthe.

A. Die innere Staats=Verwaltung.

§. 2.

1) Die Bezirksämter mit den Bezirksräthen.

I. Die Bezirksämter erhalten dadurch eine wesentliche Umgestal=
tung, daß ihnen in dem Bezirksrath „zur Mitwirkung bei der
staatlichen Verwaltung" ein bürgerliches Element zur Seite ge=
stellt wird (Verw.=Ges. §. 2), dessen Wirksamkeit eine nach drei Rich=
tungen hin verschiedene ist:

1) der Bezirksrath als Collegium beschließt, wirkt also mit
   entscheidender Stimme ein:
   a. bei Erledigung der in §. 6 des Verw.=Ges. speziell bezeichneten
      Verwaltungsgeschäfte;
   b. bei Erlassung der in §. 7 d. V.=G. aufgeführten bezirkspolizei=
      lichen, eine fortdauernd geltende Anordnung enthaltenden
      Vorschriften, da die Gültigkeit derselben an die Zustim=
      mung des Bezirksraths gebunden ist.
2) Derselbe kann als berathendes Collegium zugezogen wer=
   den bei den in §. 8 d. V.=G. genannten Maßregeln;
3) die Mitglieder des Bezirksraths sind als Einzelne berufen,
   die Staatsverwaltung bei der Lösung ihrer Aufgabe in der §. 9
   des Verw.=Ges. näher bezeichneten Weise zu unterstützen [1]).

II. Für die in §. 6 d. V.=G. genannten Fälle tritt also colle=
giale Berathung und Entscheidung ein.

Der Bezirksbeamte führt dabei den Vorsitz, hat Stimmrecht und
bei Stimmengleichheit die Entscheidung. (V.=G. §. 4.) Ihm liegt
auch die Vorbereitung der in den Sitzungen des Bezirksraths zu Be=
rathung und Beschlußfassung kommenden Gegenstände ob (V.=G. §. 10),
er kann jedoch mit der Vorbereitung oder gütlichen Vermittelung einer

---

[1]) Ueber die Entscheidungsbefugniß des Bezirksraths als Verwaltungs=
gericht erster Instanz s. unter §. 11.

Verwaltungssache auch ein Mitglied des Bezirksraths beauftragen. (V.-G. §. 9, Ziff. 3.)

Das Verfahren ist n i c h t öffentlich.

III. Der Dienst eines Mitgliebs des Bezirksraths ist ein Ehren=amt, dessen Dauer regelmäßig auf zwei Jahre bestimmt ist; die Hälfte der Mitglieder tritt alljährlich aus. (B.-G. §. 2 u. 3.)

IV. Gegen die Beschlüsse des Bezirksraths steht sowohl den Be=theiligten als i m ö f f e n t l i c h e n I n t e r e s s e auch dem Bezirksbeamten der Recurs an je die vorgesetzte Behörde zu.   Es gibt hienach nur z w e i Instanzen. (B.-G. §. 13.)

V. Ueber die Wahl und beziehungsweise Ernennung der Mitglie=ber des Bezirksraths s. unten §. 20 u. 21.

VI. Alle übrigen Verwaltungsgeschäfte, welche nach §. 6 u. 7 des Verw.=Ges. an die Mitwirkung des Bezirksraths nicht gebunden sind, werden wie bisher von dem Bezirksbeamten allein erledigt.

§. 3.

Fortsetzung.

I. Der Gedanke, den Staatsverwaltungsbehörden ein bürgerliches Element zur Seite zu stellen, wurde in den Motiven zu dem Regierungs=entwurfe hauptsächlich durch den Satz unterstützt, daß diese Behörden das immer schwieriger zu erwerbende Vertrauen in die Redlichkeit und Unpartheilichkeit ihres Willens nur dann fest zu begründen vermögen, wenn durch die Betheiligung des bürgerlichen Elements bei dem Vollzug der Gesetze die Verantwortlichkeit getheilt und die Einsicht in die Schwie=rigkeit ihrer Aufgabe geweckt wird.

Die C o m m i s s i o n d e r Z w e i t e n K a m m e r trat demselben bei und führte in ihrem Berichte näher aus, daß in vielen anderen Staaten ähnliche Einrichtungen bestehen, daß man aus dem Fortbestande der=selben den Schluß ziehen dürfe, daß sie dem Volke überall willkommen waren und auch den Regierungen keine erhebliche Schwierigkeiten berei=teten, ihnen vielmehr das Geschäft des Regierens durch gesunden, dem praktischen Leben entnommenen Rath und Unterstützung erleichtern; daß ferner eine Betheiligung des Volkes an der Regierung und Verwal=tung mit der konstitutionellen Monarchie nicht nur vollkommen verträg=lich sei, sondern im Gegentheil der Ausschluß desselben mit dem Geiste des Verfassungsstaates im Widerspruch stehen dürfte.

Ebenso bejahte sie die Frage, ob dem zu den Staatsgeschäften beigezogenen bürgerlichen Elemente durchschnittlich der erforderliche Grad
von Intelligenz und Gesetzeskenntniß innwohne und ob die Staatsangehörigen auch willig das ihnen angesonnene Opfer an Zeit und Mühe
bringen werden.

In der Discussion der Zweiten Kammer wurden Bedenken
gegen die vorgeschlagene Einrichtung geäußert, dieselbe insbesondere als
verfrüht bezeichnet und bemerkt, daß dem Bezirksrathe nur die Verwaltung seiner Bezirksangelegenheiten überlassen werden, der Regierung
dagegen die administrativ=richterlichen Funktionen und besonders die
Aufgaben der politischen Verwaltung vorbehalten bleiben sollen.

Dem Bezirksrath seien Fragen zugewiesen, wo örtliche und Bezirks-
interessen einen großen Einfluß üben können, während bei einem Staatsbeamten, der mit Gewissenhaftigkeit und wohlwollendem Sinn für die
Interessen der Amtsangehörigen die Gesetze zu handhaben und die Aufgabe der Verwaltung zu lösen bemüht sei, eine größere Unpartheilichkeit
und Freiheit von solchen localen Einflüssen vorausgesetzt werden könne,
welche auf die Bezirksräthe mächtig einwirken können (z. B. in gewerblichen und Gemeindsangelegenheiten), wenn sie auch gerade nicht zu
einer bewußten Verletzung des Gesetzes führen.

Unter allen Umständen würden diese Bedenken den Beweis liefern,
daß die Regierung ihren Einfluß auf die Ernennung der Bezirksräthe
nicht aufgeben dürfe.

Dem wurde entgegengehalten, daß auch bei den Handels=, Schwur-
und Schöffengerichten das bürgerliche Element vertreten sei, daß die
Ministerien ebenfalls zu ihren Berathungen öfter Beiräthe aus dem
Bürgerstande beiziehen, daß durch die vorgeschlagene Einrichtung größeres
Vertrauen zur Verwaltung hervorgerufen, indem der Beamte genöthigt
werde, seine Kräfte anzustrengen, um den Einfluß, den er in Anspruch
nehmen kann, auch zu verdienen durch die Treue, Gewissenhaftigkeit und
Umsicht, womit er seine Geschäfte leitet, der Bezirksrath biete in dieser
Zusammensetzung ein stärkeres Element für gute Entscheidungen, als der
Beamte allein; immerhin stünde der Bezirksrath unter dem Präsidium
eines tüchtigen Geschäftsmannes.

Nachdem noch bemerkt wurde, daß der Entwurf ein Versuch sei,
den man machen müsse, wurde der Grundsatz der Mitwirkung des

bürgerlichen Elements bei der Bezirksverwaltung einstimmig ange=
nommen [1]).

Die Commission der Ersten Kammer trug darauf an, „daß
der Versuch gewagt werde, die Bezirksverwaltung durch Gründung
und Herbeiziehung solcher Ehrenämter zu erweitern," weil dadurch die
Verwaltung dem Volke näher gebracht werde, an Vertrauen und Ein=
sicht in die Volkszustände und Bedürfnisse gewinne, die Fähigkeit unter
den Bürgern, an den öffentlichen Geschäften Theil zu nehmen, sich er=
weitere und ausbilde, die öffentliche Ordnung dadurch neue Stützen und
die öffentliche Freiheit neue Vertreter erhalte.

Bei der Discussion wurden in dieser Kammer keine Einwen=
dungen gegen das in Frage stehende Princip erhoben.

Der Versuch zur Umgestaltung der Verwaltung wurde nur inso=
fern ein gewagter genannt, als sein Gelingen von manchen äußern
Umständen, namentlich davon abhänge, ob die gehörige Anzahl von Per=
sonen im Lande sich finde, die Muße, Opferfreudigkeit und Befähigung
genug haben, um sich in der gewünschten Weise mit den öffentlichen An=
gelegenheiten thätig zu befassen [2]).

Man wird wohl zugeben müssen, daß die erhobenen Bedenken nicht
aller Begründung entbehren, wenn die Träger der neuen Einrichtung,
die Vertreter des bürgerlichen Elements die schöne und würdige Stel=
lung, welche ihnen das Gesetz bietet, nicht mit der Opferwilligkeit und
Hingebung erwiedern, die man von ihnen erwartet, oder wenn die erfor=
derliche Befähigung unter ihnen nicht gefunden würde.

Aber beide Befürchtungen, welche da und dort geäußert wurden,
dürften doch wohl grundlos sein.

Das Opfer, welches von den Staatsbürgern verlangt wird, ist
nicht so groß, als es vielfach geglaubt werden mag. Selbst wenn alle
14 Tage eine Sitzung des Bezirksraths gehalten werden müßte, so würde
hiedurch in die ökonomischen Verhältnisse der Einzelnen nicht allzu
störend eingegriffen, da die Entfernungen von den Amtssitzen durch=
schnittlich gering sind und eine mäßige Entschädigung für die Reisekosten
gewährt wird.

[1]) 83. u. 84. öffentl. Sitzung der Zweiten Kammer vom 5. u. 6. Mai 1863.
Prot.=H. S. 422—428.
[2]) 38. öffentl. Sitzung der Ersten Kammer, Prot.=Heft S. 171—176.

Man darf daher wohl zu der Annahme berechtigt sein, daß in den berufenen Kreisen sich Männer genug finden werden, welche in die Bezirksräthe eintreten, und zwar nicht blos, um eine ihnen einmal auferlegte staatsbürgerliche Verpflichtung zu erfüllen, sondern geleitet von der Ueberzeugung, daß das Gemeinwesen auf einer um so sicherern Grundlage ruht und die öffentliche Verwaltung ihre schwere Aufgabe zum Wohle des Ganzen um so erfolgreicher lösen kann, je mehr ein thatkräftiger, von der Achtung vor dem Gesetze geleiteter Bürgersinn sich an ihr betheiligt und sie unterstützt.

Die Männer, welche die erforderliche B e f ä h i g u n g zu dem Amte eines Bezirksraths haben, werden sich unschwer finden, wenn nur die Bestimmungen des Gesetzes von allen bei der Wahl, und beziehungsweise Ernennung betheiligten Personen richtig angewendet werden und man nicht glaubt, bei den Wahlen ganz vorzugsweise auf den Besitz des O r t s b ü r g e r r e c h t s sehen zu müssen, sondern auch die Classe der staatsbürgerlichen Einwohner hiebei in dem Maße berücksichtigt, als der Grad ihrer Befähigung sie hiezu b e r e c h t i g t.

Die kundgewordenen Befürchtungen, welche mehr in ä u ß e r n V e r h ä l t n i s s e n liegen, dürften hienach nicht von großer Erheblichkeit sein.

Die p r i n c i p i e l l e n Gründe, welche gegen die neue Einrichtung vorgebracht wurden, wiegen aber an sich nicht so schwer, als die oben schon angeführten Vortheile derselben.

Mag auch der Fall wohl vorkommen, daß locale Einflüsse auf e i n z e l n e Mitglieder des Bezirksraths geltend gemacht werden, — das g a n z e C o l l e g i u m wird denselben so leicht nicht unterliegen, da man doch voraussetzen muß, daß genug selbstständige, unbefangene Männer sich in demselben befinden werden, welche das allgemeine Wohl über reine Localinteressen zu stellen wissen, da überdieß der Einfluß des unpartheiischen, mit den Verhältnissen des Bezirks vertrauten, geschäftskundigen Beamten auf den Gang der Berathungen und Beschlußfassungen nicht gering anzuschlagen ist, und schließlich demselben der Recurs an die höhere Verwaltungsbehörde (das Ministerium des Innern) zusteht, wenn er das öffentliche Interesse durch die Beschlüsse des Bezirksraths für verletzt erachtet.

Die Praxis wird auch hier ihre ausgleichende Kraft geltend machen.

II. In Bezug auf die Frage, welcher W i r k u n g s k r e i s den Be-

zirksräthen angewiesen, welche Gattung von Geschäften der innern Ver=
waltung ihnen zur Mitbesorgung übertragen werden solle, ist ein durch=
schlagender allgemeiner Grundsatz im Gesetze nicht aufgestellt, son=
dern es sind in §. 6 bis 8 die einzelnen Geschäftsgegenstände genau
ausgeschieden, bei welchen ihre Mitwirkung erforderlich ist [3]).

Die Motive zum Regierungsentwurfe bemerken darüber
im Wesentlichen:

1) Von der Mitwirkung der Bezirksräthe sollen schlechthin ausge=
schlossen sein:

   a. die Functionen der rein politischen Verwaltung,
welche unter der Leitung der der Landesvertretung verant=
wortlichen Rathgeber der Krone centralisirt sein muß und
nur abhängigen Organen der obersten Staatsbehörden über=
tragen werden darf, wenn der Zweck erreicht und die in jener
Verantwortlichkeit liegende Gewähr wirksam werden soll;

   b. die Verwaltung der den gesammten Staatsverband
berührenden Interessen, Anstalten und Einrich=
tungen, weil die Staatsverfassung bereits für die Vertre=
tung des Landes und die Betheiligung der Bürger an der Ge=
setzgebung über die Verwaltung solcher allgemeinen Staats=
einrichtungen gesorgt habe, diese überdieß in der Hauptsache
einer centralen Leitung bedürfen.

2) An den noch übrig bleibenden Geschäften soll eine Betheiligung
der Bürger nach zweierlei Richtung stattfinden:

   a. die nächste Fürsorge für die Befriedigung der §. 1, Ziff. 1
(S. 79) bezeichneten, die Staatsgesammtheit zunächst und un=
mittelbar nicht berührenden Interessen soll den da=
bei betheiligten Staatsbürgern überlassen werden;

   b. bei denjenigen Geschäften aber, deren Besorgung zur unmit=
telbaren Aufgabe des Staates gehört, soll eine angemessene
Betheiligung der Staatsbürger stattfinden. Diese soll aber
nicht bestehen in der Uebertragung sämmtlicher auf
die Ausübung der Regierungsgewalt bezügli=

---

[3]) Hier handelt es sich blos von den Geschäften der eigentlichen innern Ver=
waltung, im Gegensatz zur Verwaltungsrechtspflege, über welche unten das Nähere
folgen wird.

cher Functionen, sondern nur in der „Mitwirkung der tüchtigsten und durch ihre Einsicht und ihren Gemein= sinn ausgezeichneten Männer der Bezirke unter der Leitung des ständig aufgestellten Staatsbeamten bei einer Reihe von staatlichen Geschäften." Es sollen dieß haupt= sächlich solche sein, welche einerseits ihrer Natur nach die col= legialische Behandlung ertragen, und bei welchen andererseits die localen Kenntnisse und Erfahrungen von besonderem Nutzen sind, oder solche, deren Erledigung wesentlich dem freien Ermessen der Verwaltung anheim gegeben ist und bei welchen der Begründung größeren Vertrauens, wegen eine Mitwir= kung des bürgerlichen Elements als erwünscht erscheint. Die rein politische und polizeiliche Executive, welche rasches, kräftiges und einheitliches Handeln erfordert, soll zwar in der Hand der Staatsverwaltungs=Beamten vereinigt bleiben, doch sei auch auf diesem Felde, insbesondere bei den polizeilichen Functionen, die Mitwirkung der Mitglieder, Bezirksräthe als Einzelne von Nutzen, wie sie zugleich das Ansehen ihrer amtlichen Stellung wesentlich zu erhöhen, geeignet sei. (Verw.=Ges. §. 9.)

Eine weitere Ausnahme von diesem Grundsatze wurde auch in §. 7 insofern gemacht, als bezirkspolizeiliche Vorschriften, welche eine fortdauernd geltende Anordnung enthalten, ohne Zustimmung des Be= zirksraths von Staatsbeamten nicht erlassen werden können.

Dieß sind im Allgemeinen die Richtpunkte, nach welcher die Aus= messung der Zuständigkeit der Bezirksräthe erfolgte, und mit welchen die beiden Kammern sich einverstanden erklärten. Die Verhandlungen derselben gehen in ein näheres Detail nicht ein.

Der Gang, den die Gesetzgebung auf dem Gebiete der Verwaltung nimmt und die Erfahrungen, welche man bei der Anwendung des neuen Gesetzes macht, werden darüber entscheiden, ob die Thätigkeit der Be= zirksräthe erweitert werden kann oder nicht. Der Schlußsatz des §. 6 des B.=G. läßt in zweckmäßiger Weise eine solche Erweiterung durch Regierungsverordnung zu.

III. Die zweijährige Amtsdauer der Bezirksräthe (B.=G. §. 2, Abs. 4) wurde in der Regierungsvorlage damit begründet, daß öftere Gelegenheit geboten sei, einzelne Personen, welche den Erwartungen nicht entsprechen und zu dem Amte sich nicht eignen, zu entfernen, ohne zu einer unmittelbar gegen sie gerichteten, immerhin verletzenden persön= lichen Maßregel genöthigt zu sein.

Die Zweite Kammer hatte hiebei keinerlei Bedenken.

In der Ersten Kammer dagegen wurde der Antrag gestellt, die Amtsdauer von zwei auf vier Jahre auszudehnen, weil die kurze Dauer nicht erlaube, sich gehörig einzuarbeiten und dadurch eine ge= wisse Selbstständigkeit zu erlangen ; seien aber die Gewählten eingear= beitet, so müßten sie austreten; die Bezirksräthe böten die Garantien nicht, wie ein vom Staat angestellter Richter, weil sie von Denen ab= hängig seien, über die sie zu richten hätten, und in je kürzerer Zeit sie sich einer Wiederwahl unterwerfen müßten, destoweniger würden sie un= abhängig sein.

Dagegen wurde bemerkt, daß eben weil die Bezirksräthe die Ga= rantien für die Unabhängigkeit nicht bieten, wie ein Berufsbeamter, be= sonders in Angelegenheiten localer Natur, es nicht wünschenswerth wäre, wenn die Erneuerung des Bezirksraths erst nach längerer Zeit eintrete.

Der gestellte Antrag wurde schließlich verworfen und der Regie= rungsentwurf angenommen.

Es kommt hiebei noch ergänzend zu bemerken, daß, wenn auch im Allgemeinen eine sehr kurze Dauer von auf Wahlen beruhenden Aemtern sich nicht empfiehlt, in der vorliegenden Frage doch wohl in Betracht gezogen werden muß, daß in dem Staatsbeamten, welcher vermöge sei= nes Amtes und seiner Befähigung in dem Bezirksrathe eine sehr ein= flußreiche Stellung einnehmen wird, ein stabiles Element zurückbleibt, um welches sich das mehr wechselnde gruppirt, der Wechsel daher hier in keinem Falle so schädlich wirken kann, wie bei einem andern Wahl= amte.

Ueberdieß wurde in den Verhandlungen anerkannt, daß in der ersten Zeit kein Ueberfluß an Männern vorhanden sein werde, die sich zur Uebernahme der Ehrenstelle eines Bezirksraths eignen. Würde man aber denselben zumuthen, das Amt allzulange führen zu müssen, so würden sie auf alle Weise desselben sich zu entledigen suchen, womit für die neue Institution wohl wenig gewonnen wäre.

IV. Gegen die Beschlüsse des Bezirksraths in Verwaltungs= sach ⸳⸳⸳ ⸳⸳ er die Recurse bei Verwaltungsstreitigkeiten s. unten) hat der §. 13 des B.-G. sowohl den Partheien als dem Bezirksbeamten, letzterem aus Gründen des öffentlichen Interesses, das Recursrecht an je die vorgesetzte Behörde eingeräumt.

Damit ist der Grundsatz ausgesprochen, daß nur zwei Instanzen bestehen sollen.

In dem Regierungsentwurf waren keine Bestimmungen über das Recursrecht der Partheien in reinen Verwaltungssachen (im Gegensatze zu Verwaltungsstreitigkeiten) enthalten; es würde daher nach demselben bei der Recursordnung vom 14. März 1833 (Reg.-Bl. Nr. 13) und den ihr nachgefolgten Bestimmungen geblieben sein.

Die jetzige Fassung erhielt das Gesetz durch die Vorschläge der Ersten Kammer, denen die Zweite beitrat.

Die in diesen Vorschlägen enthaltene Beschränkung der Instanzen= zahl fand — und zwar mit vollem Recht — nirgend Beanstandung.

Zugleich sollte auch die jetzige Fassung den Unterschied zwischen dem Verfahren in Verwaltungsstreitigkeiten und dem in einfachen Ver= waltungssachen und die veränderte Form und Bedeutung des Rechts= mittels, je nachdem es sich um die eine oder andere Gattung von Ge= schäften handelt, hervorheben.

Was das dem Bezirksbeamten zustehende Recursrecht anbe= langt, so hatte der Regierungsentwurf dafür eine andere Form vorgeschlagen, indem er demselben die Befugniß einräumte, gegen Be= schlüsse des Bezirksraths, bei welchen er im öffentlichen Interesse wesent= liche Bedenken hegt, Einsprache einzulegen und sie zur höheren Prüfung an die geordnete Recursbehörde zu bringen.

Ueber die Sache selbst war keine Meinungsverschiedenheit. In den Motiven zum Regierungsentwurfe ist zur Begründung dieses Rechts des Beamten bemerkt, daß die Art der persönlichen Zusammen= setzung der Bezirksräthe keine vollständige Gewähr dafür gebe, daß nicht in einzelnen Fällen die Majorität die localen Interessen über das berech= tigte und nothwendig zu berücksichtigende allgemeine Interesse setze, oder bei ihren Entscheidungen allgemeine Gesetze und Verordnungen außer Acht lasse. Für solche immerhin denkbare Fälle sei das vorgeschlagene Veto, beziehungsweise die Abrufung zur Entscheidung durch die höhere Behörde, nicht zu entbehren.

Die Commission der Zweiten Kammer bemerkte in ihrer Berichte, daß man wohl annehmen dürfe, daß die Bezirksbeamten   dieser weitgehenden Befugniß nur ausnahmsweise und mit großer Vorsicht Gebrauch machen werden. In dieser Unterstellung finde die Commission die Bestimmung zweckmäßig, um auffallenden Verirrungen in den Beschlußfassungen, welche bei der oft mangelhaften Gesetzeskenntniß und als Folge einer blinden Opposition gegen den Beamten immerhin möglich seien, unschädlich zu machen.

Die Commission der Ersten Kammer änderte die Form, indem sie dem Beamten statt das Einsprachs-, das Recursrecht gab.

Bei den Discussionen in beiden Kammern wurden diese Anträge ohne weitere Bemerkung angenommen.

Es ist klar, daß im wohlverstandenen öffentlichen Interesse ein solches Recursrecht des Beamten gar nicht entbehrt werden kann, wie es denn auch in andern Ländern, welche ähnliche Einrichtungen haben, besteht.

Die öffentlichen Interessen können aber in doppelter Beziehung als verletzt erscheinen; entweder

1) dadurch, daß der Beschluß des Bezirksraths gegen ein Gesetz oder eine Verordnung verstößt, sei es durch irrige Auslegung oder irrige Anwendung.

In einem solchen Falle ist die Autorität des Gesetzes und die Einheit der Rechtsanwendung gefährdet; der Bezirksbeamte wird daher in der Regel den Recurs ergreifen müssen; oder

2) der Beschluß verstößt zwar gegen keine normative Bestimmung, verletzt aber gleichwohl die öffentlichen Interessen.

Dieß kann namentlich bei Fällen vorkommen, deren Erledigung dem freien Ermessen der Verwaltung anheimgegeben ist, z. B. bei der Ertheilung oder Versagung der Staatsgenehmigung zu gewissen Verwaltungshandlungen der Gemeinden, wie Capitalaufnahmen, außerordentliche Holzhiebe, Waldausstockungen, oder bei den Fragen über einstweilige Enthebung der Gemeindebeamten vom Dienste, deren Entlassung oder deren Stellung vor die Gerichte wegen Amtsvergehen.

Hier wird der Beamte zu erwägen haben, ob der einzelne Fall für die öffentlichen Interessen von solcher Bedeutung ist, um gegen die Beschlüsse des Bezirksraths den Recurs zu ergreifen.

2) Der Verwaltungshof.

§. 4.

Die Aufhebung der Kreisregierungen macht die Vertheilung der bisher von ihnen besorgten Geschäfte an andere Behörden nothwendig.

Ein Theil derselben geht an die Bezirksämter über, ein anderer an das Ministerium des Innern. Es erübrigt aber noch eine Reihe von sehr wichtigen Geschäften, welche sich zur Ueberweisung an die Bezirks= ämter nicht eignen, da sie sich auf Interessen und Einrichtungen beziehen, welche dem ganzen Lande gemeinsam sind, daher einer centralen Leitung durch eine Collegialbehörde bedürfen, welche aber auch dem Ministerium des Innern nicht überwiesen werden können.

Diese Behörde erhält nämlich durch den Wegfall der Kreisregie= rungen, wodurch sie in den unmittelbaren geschäftlichen Verkehr mit den Bezirksämtern tritt, die größere Zahl der von den ersteren in reinen Verwaltungssachen bisher erledigten Recurse, und noch vielfache andere Verwaltungsgegenstände übernimmt, — einen solchen Geschäftsum= fang, daß sie ihre Aufgabe schwer zu bewältigen vermöchte, wenn man ihr auch die Geschäfte hätte zutheilen wollen, welche dem Verwaltungs= hofe bestimmt sind.

Der letztere hat sich nicht mit der politischen Verwaltung (im engern Sinne) zu befassen, ihm fallen wesentlich zu: die Beaufsichtigung und Leitung der Staatsanstalten (Heil= und Pflegeanstalt Jllenau und Pforzheim, polizeiliche Verwahrungsanstalt, der Strafanstalten 2c.), die Verwaltung und Beaufsichtigung der weltlichen milden Stiftungen, die Leitung des Amtskassenrechnungswesens, und noch einige andere Ge= schäftsgegenstände, welche ihrer Natur nach nicht zur Ueberweisung an das Ministerium des Innern sich eignen, dem der Verwaltungshof als eine Central=Mittelstelle unmittelbar untergeordnet ist.

Es ist insbesondere von großem Belang, daß die Leitung der Staats= anstalten in Eine Hand gelegt werde.

Bis jetzt stunden einige derselben zunächst unter einer Provinzial= oder Kreisbehörde, und verschiedene derartige Behörden hatten über ein= zelne Angelegenheiten solcher Landesanstalten zu entscheiden, z. B. die 4 Kreisregierungen über die Aufnahmen in die Heil= und Pflege=Anstalt Jllenau, und die Bestimmung der Unterhaltskosten; die Strafanstalten waren einem andern Ministerium (dem der Justiz) untergeordnet.

Sowohl in der technischen als ökonomischen oberen Leitung konnte also die hier nothwendige einheitliche Richtung nicht erzielt werden, und es concentrirten sich nicht einzelne Kräfte auf die geschäftlichen Leistungen auf einem Gebiete, welches neben der sachlichen Tüchtigkeit noch so manche andere Anforderungen an seinen Mann macht, denen nur durch völlige Hingebung an diesen schweren Beruf genügt werden kann, und für den nichts schädlicher wirkt, als wenn seine Träger mit allerlei anderen, ganz verschiedenartigen Geschäften belastet sind, und wenn die verschiedenen Anstalten selbst, die, wenn sie gleich verschiedene Zwecke verfolgen, auch sehr viel Gemeinsames haben, auseinander gerissen und unter verschiedene Aufsichtsbehörden gestellt werden.

Auch bei der im Jahr 1849 projectirten Organisation hatte man die Errichtung eines „Staatsanstalten= und Rechnungshofs" in Aussicht genommen, dem im Wesentlichen der Geschäftskreis des jetzigen Verwaltungshofs zugedacht war [1]).

§. 5.
3) Das Ministerium des Innern mit den Landes-Commissären.

I. Die Einrichtung des Ministeriums des Innern, wie sie seither bestund (vergl. Geschichtl. Einl. §. 17 und 25), wird durch das Verwaltungsgesetz vom 5. October 1863 im Wesentlichen nicht geändert. Ihm bleibt die oberste Aufsicht und Leitung über die innere Verwaltung. (§. 20 das.)

Der Geschäftskreis desselben wird dagegen in nicht unerheblicher Weise modificirt.

Es gibt nämlich sämmtliche Recurse in Streitigkeiten des öffentlichen Rechts (V.=G. §. 5) an den Verwaltungs=Gerichtshof ab, wogegen ihm die Recurse in eigentlichen Verwaltungssachen, welche bisher von den Kreisregierungen erledigt wurden, nebst einigen andern, diesen zugetheilt gewesenen Geschäften zufallen.

Von der größten practischen Bedeutung ist, daß durch die Aufhebung der Kreisregierungen das Ministerium des Innern als oberste Verwaltungsbehörde des Landes der Bezirksverwaltung unmit=

---

[1]) S. Budgetvorlage des Ministeriums des Innern in den Verhandl. der II. Kammer von 1848, 4. Beil.=Heft, II. Abth., S. 22—24.

telbar nahe gerückt wird, wodurch dieses, wie die Motive zum Regie=
rungsentwurf bemerken, in den Stand gesetzt wird, eine einbringlichere,
nicht durch Zwischenglieder gehemmte oder abgeschwächte Einwirkung
auf den Gang der Verwaltung zu üben, und durch unmittelbare An=
schauung seiner Mitglieder und Commissäre von dem Vollzug und der
Wirksamkeit der Gesetze und der erlassenen Anordnungen Kenntniß zu
nehmen.

In dem Commissionsbericht der Zweiten Kammer, welche schon auf
früheren Landtagen die Aufhebung der Kreisregierungen in Anregung
brachte [1]), wird hierüber bemerkt, daß dadurch die Verwaltung sich ein=
heitlicher, concentrirter und somit wirksamer gestalte und verhütet
werde, daß nicht in der Peripherie des Staates andere Principien Gel=
tung haben, als in seinem Centrum.

In dem Berichte der Ersten Kammer ist gleichfalls anerkannt, daß
durch diese Maßregel die Geschäftsleitung an Einfachheit gewinne, die
Verwaltung einfacher, rascher, gleichmäßiger und energischer werde. Das
Land sei nicht so groß, wird weiter bemerkt, und in seinen Bestandthei=
len auch nicht so verschieden, um die Nothwendigkeit von Provinzial=
oder Kreisregierungen zu begründen, wenn gleich es so groß und so
mannigfaltig geartet sei, um die Mängel derselben gelegentlich fühlbar
zu machen.

Gegen die Aufhebung derselben wurden in den Berathungen der
beiden Kammern keine Bemerkungen gemacht. (Vergl. Grundlagen §. 1.)

II. Von großer Bedeutung in der neuen Organisation der Ver=
waltung ist das Institut der Landes = Commissäre. (V.=G. §. 1,
22 und 23.)

Anknüpfend an die Vortheile, welche daraus hervorgehen, daß das
Ministerium der Bezirksverwaltung näher gerückt wird, begründet der
Regierungsentwurf diese Einrichtung damit, daß die häufige Unter=
suchung der öffentlichen Zustände und der Dienstführung der Executiv=
beamten an Ort und Stelle, die persönliche Prüfung und Beseitigung
von Beschwerden und Mißständen, sowie das unmittelbar nachhelfende
Eingreifen der höheren Organe eine so wichtige Aufgabe einer guten
Verwaltung sei, daß es unerläßlich erscheine, mehrere Mitglieder des

[1]) Verhandl. der II. Kammer von 18⁴⁵/₄₆, 8. Beil.=Heft S. 50—59.

Ministeriums aufzustellen, welchen die Erfüllung dieser Aufgabe für
gewisse, ihnen zur besonderen Obsorge zugewiesene Landesbezirke eigens
aufgetragen wird.

Diese Mitglieder des Ministeriums (Landes=Commis=
säre) würden, sowohl wegen der genauern Kenntniß ihres Bezirks, als
auch weil es angemessen und von politischem Vortheil sei, daß die Staats=
regierung in den größern Städten des Landes durch höhere Beamten
vertreten sei, in ihren Bezirken Wohnsitz nehmen, im Uebrigen aber im
Ministerium über ihre Thätigkeit und die zu erlassenden Anordnungen
Vortrag zu erstatten haben.

In der Commission der Zweiten Kammer machten sich dreierlei
Ansichten über die vorgeschlagene neue Einrichtung geltend.

Die erste erklärte die Landes=Commissäre für durchaus entbehr=
lich und hielt es für zweckmäßiger, wenn das Ministerium des Innern
seine Mitglieder abwechselnd in die verschiedenen Theile des Landes ent=
sende, damit nach und nach Alle dasselbe genau kennen lernen.

Die zweite Meinung führte dagegen an, daß nach diesem Vor=
schlage kein einziges Mitglied des Ministeriums eine auf eigene An=
schauung gegründete genaue Kenntniß des Landes erhalten würde;
dieses werde nur geschehen, wenn ihnen gewisse Bezirke zur speziellen
Ueberwachung überwiesen würden, wobei sie jedoch ihren Wohnsitz am
Sitze des Ministeriums behalten, und ihren Bezirk nur excurrendo
besuchen müßten, damit die Conformität und Kraft des Ministeriums
und seine directe Einwirkung auf die Bezirksorgane hergestellt und ge=
sichert werde.

Die dritte Ansicht glaubte, daß dieses wünschenswerthe und noth=
wendige Ziel auch dann erreicht werde, wenn die Landes=Commissäre
auswärts ihren Wohnsitz bekommen, aber durch häufig wiederkeh=
rende Theilnahme an den Sitzungen des Ministeriums der unmittelbare
und mündliche Verkehr mit denselben erhalten werde.

Für diese Meinung wurde insbesondere noch angeführt, daß die
Landes=Commissäre ihre gewiß ersprießliche Wirksamkeit nur dann er=
langen könnten, wenn sie in der Mitte ihres Bezirks wohnen, wenn
ihnen dadurch die genaue Kenntnißnahme aller Bedürfnisse desselben
und seine fortwährende Ueberwachung erleichtert, und wenn auch diese so
wichtigen und einflußreichen Organe der Staatsverwaltung der Bevöl=
kerung überall, namentlich aber auch in den von dem Centrum entfern=

teren Landestheilen für die Mittheilung von Beschwerden und Wünschen
zugänglich gemacht würden.

Darin waren aber alle Mitglieder der Commission einverstanden,
daß die Landes-Commissäre nicht den Keim zur Entwickelung zu wiederkehrenden besonderen Mittelstellen in sich tragen dürfen. Deßhalb sollen
sie Mitglieder des Ministeriums bleiben, als Landes-Commissäre keine
besondere Signatur erhalten, mit dem Ministerium in oft wiederholtem
mündlichen Verkehre bleiben, und von demselben zu jeder Zeit ohne alle
Schwierigkeit zurückberufen werden können.

In der Hauptsache einigte sich schließlich die Commission auf die
dritte der oben aufgeführten Ansichten, wonach das Ministerium
des Innern (im Regierungsentwurf hieß es statt dessen: „Staatsregierung") Bevollmächtigte aus seiner Mitte als Landes-Commissäre verwenden und ihnen auswärts ihren Wohnsitz anweisen kann.

Bei der Berathung in der Zweiten Kammer [2]) wurde der Antrag
der Commission nach längeren Debatten, und nachdem ein Antrag auf
Strich des §. 19 des Commissionsntwurfs (jetzigen §. 22) verworfen
war, angenommen.

Die Commission der Ersten Kammer erklärte sich mit der Einrichtung der Landes-Commissäre nicht nur einverstanden, sondern hielt sie
nach Aufhebung der Kreisregierungen für nöthig, da sie keine Zwischen-
instanz bilden zwischen den Bezirken und dem Ministerium des Innern,
sondern lediglich als Organe desselben für größere Kreise zu betrachten
seien, wodurch der Zusammenhang und die Einheit der obersten Verwaltung nicht durchbrochen, sondern erhalten, aber zugleich der höhere
Einblick in die Zustände und Bedürfnisse der Kreise und Verwaltungsbezirke gefördert und die große Zahl von Geschäften, welche naturgemäß
von den Bezirken an das Ministerium gelangen, gruppenweise vertheilt
und einer zweckmäßigen Vorbereitung zugewiesen werde.

Diese Ansicht ist gewiß auch die richtige. In dem Geiste der
neuen Einrichtungen ist es schlechthin eine Nothwendigkeit, daß
dem Ministerium des Innern Organe beigegeben werden, welche der
Bezirksverwaltung möglichst nahe gerückt sind und zugleich in der
innigsten Verbindung mit dem Ministerium des Innern selbst

---

[2]) Verhandl. von 18⁶¹/₆₃, Prot.-Heft S. 441—444.

stehen; denn nur durch eine solche Einrichtung kann das Princip der Unmittelbarkeit der Verwaltung zur gehörigen Durchführung kommen, und nur durch sie kann eine lebendige und fruchtbringende Ueberwachung der Bezirksverwaltung und die Herstellung vollkommenster Harmonie zwischen dieser und der Centralverwaltung erreicht werden.

B.   Die Verwaltungsrechtspflege.

§. 6.

1) Allgemeine Grundsätze über das Verhältniß zwischen Rechtspflege und Verwaltung.

Bei dem Herantreten an die Frage über die Verwaltungsrechtspflege begegnet man sofort dem großen und in der Wissenschaft noch nicht gelösten Streite, ob eine solche Rechtspflege überhaupt nur zulässig sei [1]).

Der Streit hierüber hat zunächst seinen Grund in der großen Verschiedenheit der Meinungen über die weitere Frage: was sind Rechts-, und was Verwaltungs-, insbesondere streitige Verwaltungs- (administrativ-contentiöse) Sachen?

Die Eine Ansicht behauptet, daß überall, wo es bei einer behaupteten Rechtsverletzung auf Anwendung eines Gesetzes oder einer, gleiche bindende Kraft besitzenden, Norm handle, unter welche der streitige Fall subsumirt werden kann, eine Rechtssache vorliege, sofern das Gesetz den Charakter hat, eine Norm zwischen Staat und Bürger zu begründen, oder die Absicht, auf bleibende Weise die Rechte der Einzelnen zu regeln.

---

[1]) Die Hauptschriften über diese Streitfrage sind zusammengestellt in: v. Mohl, Polizeiwissenschaft, S. 49 und 50, Anm. 4.

Derselbe, Encyclopädie der Staatswissenschaften, S. 269 und 273, Anm. 5.

In einigen dieser Schriften befinden sich die Hinweisungen auf weitere Ausführungen dieses Gegenstandes, wie sie in den Bearbeitungen einzelner hier einschlagender Theile der Rechtswissenschaft, insbesondere des Staatsrechts und bürgerlichen Processes enthalten sind.

Vergl. auch Mayer, Grundsätze des Verwaltungsrechts §. 1—14, (Tübingen, bei Laupp. 1862.)

Ueber das französische Verwaltungsrecht und die Verwaltungsrechtspflege: v. Mohl, Geschichte und Literatur der Staatswissenschaften, Bd. III, S. 193 u. folg.

Gegen jede behauptete Beeinträchtigung dieser Rechte, sie mögen sich nun auf die Verhältnisse des Einzelnen zum Staate oder der Einzelnen unter sich beziehen, muß nach dieser Ansicht der Rechtsschutz der Gerichte offen stehen.

Diese Theorie fußt offenbar auf dem Satze, daß Gesetze und ihnen gleichwirkende Normen bestimmt sind, für den Einzelnen unter allen Umständen ein Privatrechtsgebiet zu schaffen, und einige Anhänger dieser Theorie bezeichnen auch die Rechte, welche dem Einzelnen in der oben angegebenen Weise verliehen werden, förmlich als Privatrechte, wenn sie ihm auch nur dem Staate gegenüber, und zwar ausschließlich in seiner Eigenschaft als Staatsunterthan zukämen.

Dieser Ansicht zunächst steht eine zweite, welche von den nämlichen Grundsätzen ausgeht, allein doch eine Reihe von streitigen Verwaltungssachen von der gerichtlichen Behandlung ausscheidet, weil dieß durch Rücksichten der Zweckmäßigkeit, z. B. bessere Vorbildung der Verwaltungsbeamten für solche, raschere Entscheidung durch dieselben, zu große Betheiligung der Regierung bei derartigen Fragen, deren richtige Entscheidung nicht allein dem strengen Rechte, welches von den Gerichten allein zur Richtschnur genommen werde, sondern auch mit Rücksicht auf das Gemeinwohl erfolgen müsse.

Daß mit dieser, politisch mehr als bedenklichen Ansicht der Streit grundsätzlich nicht entschieden ist, bedarf kaum einer Andeutung.

Eine dritte Ansicht anerkennt zwar den eigenthümlichen Charakter der administrativ-contentiösen Sachen, behauptet aber auch, daß es sich bei ihnen, wie bei den bürgerlichen Rechtssachen, um Rechte von Privaten gegen einander handle, und findet den Unterschied von den letzteren lediglich darin, ob das verletzte und zugleich streitige Rechtsverhältniß seine Norm in dem Civilgesetzbuch oder einem Administrativgesetze finde, wodurch eine aus der innern Natur der Sache hergenommene Entscheidung des Streits abermals nicht herbeigeführt würde.

Die vierte Ansicht, von ihren Anhängern verschieden begründet, und auch in einzelnen auslaufenden Spitzen verschieden ausgeführt, geht in ihrem wesentlichen Grundgedanken dahin:

Das Rechtsgebiet, in welchem der Einzelne im Staate sich bewegt, ist ein zweifaches; entweder handelt es sich um seine Beziehungen zum Staate als Glied desselben, als untergeben seiner Gewalt, oder es handelt sich um Beziehungen, in welche er als

Einzelner anderen Einzelnen gegenüber und abgesehen von jedem Unterthanenverhältnisse tritt.

Diese beiden verschiedenartigen Beziehungen werden von den Gesetzen geregelt.

Aus dem ersteren Verhältniß entspringen die Rechte des Staatsangehörigen gegen den Staat, die ganz ausschließlich auf dieses Verhältniß sich gründen und ohne den Bestand des Staats gar nicht denkbar wären, und ebenso entspringen aus benselben die Rechte des Staats gegen seine Angehörigen, die sich gleichfalls nur auf den Staatsverband und auf die Mitgliedschaft des Einzelnen beziehen können.

Die Summe dieser gegenseitigen Rechte bildet das öffentliche Recht.

Aus dem zweiten Verhältniß entspringen die Rechte und Pflichten des Staatsangehörigen gegen die Einzelnen ohne alle Beziehung zur Staatsgesammtheit — d. h. seine Privatrechte.

Die Gegenstände des Privatrechts überweist diese Theorie der Justiz, jene des öffentlichen Rechts dagegen der Verwaltung, und zwar ohne Unterschied, ob die Gegenstände streitig sind oder nicht.

Die Justiz hat nach ihr die freiwillige Gerichtsbarkeit eben so zu verwalten, wie die streitige; es mag dieß durch verschiedene Behörden geschehen, immerhin bleiben sowohl die Gerichte, welche die streitige, als die Behörden, welche die freiwillige Gerichtsbarkeit verwalten, Justizstellen.

Ganz der gleiche Grundsatz tritt in Bezug auf die Verwaltung ein. Diese erledigt nicht nur die reinen Verwaltungssachen, sondern auch die Streitigkeiten, welche sich über Verhältnisse des öffentlichen Rechts ergeben, der Streit mag entstehen zwischen dem Einzelnen und dem Staate über aus dem Subjectionsverhältniß herrührende Fragen, oder zwischen Einzelnen unter sich über einen Gegenstand des öffentlichen Rechts.

Der Hauptgrund, welcher für diese Theorie angeführt wird, liegt darin, daß die Staatsgewalt, in der Hand des Staatsoberhauptes vereinigt, im Staate keinem Dritten unterworfen werden könne, was der Fall wäre, wenn die Gerichte über das oben bezeichnete Gebiet des öffentlichen Rechts zu entscheiden hätten.

„Mit der Macht über die Regierungsrechte zu entscheiden, wäre die Regierung selbst übertragen." (Dahlmann.)

Als im Wesentlichen außerhalb des Streits liegend, kann man die Frage betrachten, daß das Gebiet des Strafrechts als eine Justiz= sache zu betrachten ist.

Zwar haben sich die Meinungen über einzelne Arten von kleineren Vergehen, namentlich die s. g. Polizeivergehen, in dieser Beziehung nicht vollkommen geeinigt, allein rücksichtlich der übrigen besteht auch in der Theorie kein Zweifel, daß zu ihrer Aburtheilung nur die Gerichte be= rechtigt seien.

§. 7.

1) Das bisherige badische Recht.

Bei diesem Stande der Wissenschaft, die sich auch voraussichtlich so bald über alle in Streit gezogene Punkte nicht einigen wird, war es bringende Aufgabe der Gesetzgebung, diesen wichtigen und praktisch be= deutungsvollen Gegenstand nach der einen oder anderen Richtung hin zu lösen, wenn nicht die größte Verwirrung in den Geschäftsverhältnis= sen der Justiz= und Verwaltungsbehörden eintreten sollte.

Nach der Auflösung des deutschen Reichs, unter dessen Bestand auch die Reichsstände wegen ihrer die Reichsverfassung verletzenden Regierungshandlungen von den Reichsgerichten belangt werden konnten, wurde diese Frage, nachdem schon die Hofraths=Instruction von 1794 (§. 40), und das erste Organisations=Edict von 1803 (§. III. und VI.) einige regelnde Sätze aufgestellt hatten, durch das Organisa= tions=Edict vom 26. Nov. 1809 (Beil. C. 10—14, 20, Beil. E. 4—7, 11—16 und die vielfachen, auf die Verwaltung sich beziehenden Detail= Bestimmungen), das zweite Einführungs=Edict zum Landrecht und einige nachgefolgte Verordnungen im Wesentlichen dahin geordnet:

I. Den Gerichten waren überwiesen:

    1) die privatrechtlichen oder bürgerlichen Rechtsstreitigkeiten;

    2) die Strafsachen, mit Ausnahme einiger kleinerer Delicte, der Defraudationen von öffentlichen Abgaben, und der Polizei= vergehen und Ehrenkränkungen.

II. Den Verwaltungsbehörden:

    1) die freiwillige Gerichtsbarkeit;

    2) die I. 2. bezeichneten, der Competenz der Gerichte entzogenen Strafsachen;

3) außer den reinen Verwaltungsſachen und den über ſolche ſich
ergebenden Streitigkeiten auch noch weiter die Gerichtsbarkeit
über einige rein bürgerliche Rechtsſtreitigkeiten;
nämlich:

   a. „die Erfüllung der Accorde zwiſchen den Unternehmern
öffentlicher Arbeiten an Straßen, Flüſſen, Brücken, öf=
fentlichen Gebäuden einer=, und dem Staat oder den
betreffenden Gemeinheiten andererſeits;

   b. die zu ſolchen Einrichtungen abzugebenden Plätze oder
ſonſt abzutretenden Berechtigungen, welche dritten Perſo=
nen zuſtehen und über die dafür zu leiſtenden
Entſchädigungen;

   c. die Beſtimmung des Betrags der Alimentengelder für
uneheliche Kinder auf entſtehende Beſchwerden über die
richterlichen Anſätze eines Amts." (Org.=Edict von
1809. D. 8. a. und d.)

Der §. 14 der Verfaſſungs=Urkunde beſtimmt gleichmäßig mit dem
§. 1 der Proceß=Ordnung von 1831, daß die „bürgerlichen Rechtsſtrei=
tigkeiten" von den Gerichten zu entſcheiden ſind, ſchließt alſo damit
die Verwaltungsſtreitigkeiten von denſelben aus. Nach §. 2 der Pro=
ceß=Ordnung von 1831 ſtund den Verwaltungsſtellen noch das Recht
der Verhandlung und Entſcheidung in denjenigen „bürgerlichen
Streitſachen zu, welche durch ausdrückliche Geſetze an ſie gewieſen ſind.
Durch §. 3 des Geſetzes vom 28. Auguſt 1835 (Reg.=Bl. Nr. 42)
über die Zwangsabtretung wurde die Frage über die Entſchädigung
des zur Abtretung ſeiner Rechte Verpflichteten (oben Ziff. 3 b.) vor die
bürgerlichen Gerichte gewieſen und die revidirte bürgerliche Pro=
ceß=Ordnung von 1851 weiſt in ihrem jetzigen §. 2 die oben unter
Ziff. 3 a. und c. genannten Streitigkeiten — aber auch nur dieſe
— gleichfalls den Gerichten zur Entſcheidung zu. „Der großh. Fiscus
aber nimmt in allen aus privatrechtlichen Verhältniſſen entſpringen=
den Streitigkeiten Recht vor den Landesgerichten." (Bürgerl. Proc.=O.
von 1831 und 1851, §. 4.)

Die oben unter Ziff. I. 2. und II. 2. bezeichneten Strafſachen gin=
gen theils durch beſondere Geſetze, theils durch das Einführungsgeſetz
zum Strafgeſetzbuch vom 5. Februar 1851, und in Folge der Trennung
der Rechtspflege von der Verwaltung (Verordn. vom 18. Juli 1857,

Reg.=Bl. Nr. 29) mit Ausnahme der polizeilichen Strafrechtspflege an die Amtsgerichte über.

Auch ein großer Theil der freiwilligen Gerichtsbarkeit wurde durch das Gesetz vom 5. Juni 1860 (Reg.=Bl. Nr. 37) von den Aemtern an die Amtsgerichte übertragen.

Nach diesem in kurzen Umrissen geschilderten Entwicklungsgang der Gesetzgebung [1] bewegt sich also die Verwaltung auf dem ihr aus=schließlich zugehörigen Boden des öffentlichen Rechts frei und un=behindert durch die Justiz, und nur zwei Functionen blieben ihr noch übertragen, die ihrem Wesen und ihrer Aufgabe mehr oder weniger fremd waren, nämlich:

1) die in §. 1 des Gesetzes vom 5. Juni 1860 (Reg.=Bl. Nr. 37) verzeichneten Geschäfte der freiwilligen Gerichtsbarkeit;
2) die polizeiliche Strafrechtspflege in ihrem ganzen Umfang.

Rücksichtlich der Verwaltung aber kam den Verwaltungsbe=hörden [2] nicht blos die Befugniß zu, die eigentlichen reinen Verwal=tungsgegenstände zu erledigen, z. B. die Genehmigung zu gewissen Be=schlüssen der Gemeinden zu ertheilen, oder die aus dem Aufsichtsrecht über die Stiftungen erforderlichen Verfügungen zu erlassen, sondern sie hatten auch das Recht, Streitigkeiten zu entscheiden, welche in dem öf=fentlichen Rechte ihren Grund haben, mag nun der Streit zwischen Einzelnen geführt werden, welche ein entgegengesetztes Interesse verfol=gen, z. B. bei Streitigkeiten über den Bürgergenuß, oder zwischen einem Einzelnen und der Gemeinde, z. B. wegen versagter Anerkennung des Heimathsrechts, verweigerter Zulassung zum Bürgerrecht, oder mag der Streit des Einzelnen gegen eine Staatsbehörde gerichtet sein, deren Ver=fügungen er bei der höheren Behörde rückgängig zu machen sucht, z. B. bei baupolizeilichen Auflagen.

Es lag hierin nichts Anderes, als eine unabweisbare Consequenz

---

[1] S. hierüber v. Weiler über Verwaltung und Justiz und über die Grenzlinien zwischen beiden. Mannheim bei Schwan u. Götz. 1826. §. 46-68.
Derselbe im Archiv für bad. Rechtspflege und Gesetzgebung. I. S. 342 bis 367.
Zentner, im Magazin für bad. Rechtspflege und Verwaltung. V. S. 229 bis 261, 321—364.
[2] S. die Recursordnung vom 14. März 1833 (Reg.=Bl. Nr. 13).

des Grundsatzes, welcher die Entwickelung unserer Gesetzgebung und Praxis in dieser Frage beherrschte, des Grundsatzes nämlich, den die oben (§. 6) bezeichnete vierte, wohl richtige Theorie aufstellt, wonach bürgerliche Rechtssachen an die Gerichte, — Gegenstände des öffentlichen Rechts an die Verwaltungsbehörden gewiesen werden müssen.

Es verdient hier noch angeführt zu werden, daß auf dem Landtage von 1831 von beiden Kammern eine Adresse an die großh. Regierung beschlossen wurde, in welcher die Bitte gestellt ist:

> „die Gesetze, welche die Verhandlung und Entscheidung von Rechtsstreitigkeiten den Verwaltungsstellen zugewiesen haben, einer Revision unterwerfen zu lassen und nach Erfund den Gerichtshöfen und den Verwaltungsstellen diejenigen Gegenstände zur Cognition zuzuweisen, die als zu ihrer Competenz gehörig zu betrachten sind.“

Aus den Discussionen und den erstatteten Berichten ist zu entnehmen, daß man hiebei neben denjenigen Geschäften der freiwilligen Gerichtsbarkeit, welche das zweite Einführungsedict zum Landrecht gegen den Inhalt des letzteren den Verwaltungsbehörden überwiesen hat, ganz vorzugsweise die im Organisations-Edict von 1809 (Beil. D. 8. a, b und d) genannten reinen Rechtssachen (s. oben II. 3. a — c) im Auge hatte und anerkannte, daß die unter Buchst. c. des §. 8. Beil. D. des Organisations-Edicts aufgeführten Streitigkeiten über die Schuldigkeit, Art und Größe des Beitrags der Unterthanen und Interessenten zu directen und indirecten Steuern rc. den Character einer Verwaltungssache haben und daher, besonders mit Rücksicht auf die Bestimmungen der Verordnung vom 9. Sept. 1815 (Reg.-Bl. Nr. 16, S. 99) sich zur Entscheidung durch die Verwaltungsbehörden eignen [3]).

Es ist also, wie von manchen Schriftstellern, so auch von den Kammern damals der Begriff der s. g. Administrativ-Justiz in einem ganz engen Sinn, nämlich dahin aufgefaßt worden, daß unter dieselbe nur

---

[3]) Ständeverhandlungen von 1831:

     II. Kammer. Beil.-H. I. S. 141—159.
       „   „   „ IV. S. 67—83.
       „   Prot.-H. 18. S. 226—299.
       „   „   „ 32. S. 161—162, 202—207.
     I. Kammer. Beil.-H. III. S. 1—9.
       „   Prot.-H. 4. S. 55—87. 90.

diejenigen Streitigkeiten fallen, welche von der Gesetzgebung selbst zwar als bürgerliche Rechtsstreitigkeiten anerkannt, der Verwaltung aber nur aus Zweckmäßigkeitsrücksichten überwiesen werden.

Ein solches Anerkenntniß der Gesetzgebung liegt nun in dem Organisations-Edicte von 1809 allerdings vor, da in der Beil. D., Ziff. 8 gesagt ist:

„Rücksichtlich der bürgerlichen Gerichtsbarkeit beschränkt sich in der Regel der Geschäftskreis der Kreisdirectorien blos darauf, die Beschwerden gegen die Aemter wegen verzögerter oder verweigerter Gerechtigkeitspflege durch die geeigneten Weisungen zu erledigen. Ausnahmsweise steht den Kreisdirectorien bei entstehenden Streitigkeiten die Entscheidung zu 2c."

Die Administrativ-Justiz in diesem engeren Sinne, wie sie von Frankreich nach Deutschland verpflanzt wurde, ist daher nach den oben angeführten Gesetzen aufgehoben, da die Bestimmung des Organisations-Edicts von 1809, Beil. D. §. 8 c., welche sich auf Beiträge der Unterthanen zur Bestreitung von Staats- und Gemeindelasten, Kriegsschäden u. dergl. bezieht, offenbar dem Kreise des bürgerlichen Rechts entrückt ist, weßhalb sie auch bei der im Jahre 1851 erfolgten Revision der bürgerlichen Proceßordnung in den §. 2 derselben nicht aufgenommen wurde (s. hierüber unten §. 9, Ziff. 5).

§. 8.

3) Die neueste Gesetzgebung.

An dem Verhältnisse zwischen der Rechtspflege und der Verwaltung, wie es so eben (§. 7) dargestellt wurde, hat die neueste Gesetzgebung nur zwei, aber sehr bedeutsame Aenderungen vorgenommen. Es wurde nämlich:

1) die bürgerliche, nicht streitige Gerichtsbarkeit den Amtsgerichten auch in denjenigen Rechtspolizeisachen übertragen, welche das Gesetz vom 5. Juni 1860 (Reg.-Bl. Nr. 37) den Bezirksämtern zuweist, mit alleiniger Ausnahme der Entscheidung über Einsprachen gegen die Ehe (§. 14 der Gerichtsverfassung vom 19. Mai 1864, Reg.-Bl. Nr. 18, §. 14 des Gesetzes über die Verwaltung der freiwilligen Gerichtsbarkeit und über das Notariat vom 28. Mai 1864, Reg.-Bl. Nr. 21);

2) die Gerichtsbarkeit in Polizeistrafsachen gleichfalls den Gerichten
überwiesen (Ger.=Verf. §. 15, Gesetz über die Gerichtsbarkeit und
das Verfahren in Polizeistrafsachen vom 28. Mai 1864, Reg.=
Bl. Nr. 23).

Damit ist nun das Verhältniß zwischen der Rechtspflege und Ver=
waltung bereinigt, und es sind die Grenzlinien beider staatlichen Gewal=
ten, so weit thunlich, festgestellt.

Den Gerichten steht jetzt zu die Gerichtsbarkeit:

1) in sämmtlichen Strafsachen; es kann daher auf diesem Ge=
biete kaum zu einem Conflict mit der Verwaltungsbehörde kom=
men, besonders da in dem Polizeistrafgesetzbuch die Polizeiver=
gehen, rücksichtlich deren Verfolgung das Gesetz vom 28. Mai
1864 den Verwaltungsbehörden eine gewisse in der Natur der
Sache begründete Einwirkung gestattet, genau von den übrigen,
in dem Strafgesetzbuch aufgeführten Vergehen und Verbrechen,
geschieden sind;

2) in den nicht streitigen bürgerlichen Rechtssachen.

Hier tritt das gleich günstige Verhältniß ein, weil die einzelnen
Rechtssachen in dem Landrechte und dem Gesetze vom 28. Mai 1864
speziell bezeichnet sind.

3) In den bürgerlichen Rechtsstreitigkeiten.

Damit ist denn der Geschäftskreis der Verwaltungsbehörden inso=
fern im Allgemeinen bezeichnet, als ihnen alle diejenigen Geschäfte zu=
kommen, welche nicht an die Gerichte gewiesen sind, also alle Gegen=
stände des öffentlichen Rechts.

Das Verwaltungsgesetz vom 5. Oct. 1863 stellt eine Begriffsbe=
stimmung über Verwaltungssachen eben so wenig auf, als die bürger=
lichen Proceßordnungen von 1831, 1851 und 1864 eine solche über
bürgerliche Rechtsstreitigkeiten enthalten. Es begnügt sich vielmehr
damit, in §. 5 „die Streitigkeiten des öffentlichen Rechts"
im Gegensatz der in §. 6 aufgezählten „Verwaltungssachen" den
Verwaltungsgerichten zuzuweisen, und in §. 15 noch einige andere
Streitigkeiten gleicher Art dem Verwaltungsgerichtshof zu über=
tragen.

Mag man nun auch die Begriffsbestimmung von bürgerlichen und
öffentlichen Rechtssachen noch so richtig fassen, so läßt sich, besonders da
auf manchem Rechtsgebiete das öffentliche und das Privatrecht im ge=

gebenen Falle gleichzeitig zur Anwendung gebracht werden müssen, ein Conflict zwischen Justiz- und Verwaltungsbehörden kaum vermeiden. Dieser Umstand hat nun verschiedentlich zu der Anforderung an die Gesetzgebung geführt, eine möglichst klar erkennbare Grenzlinie zwischen den beiden Gewalten zu ziehen. Bis jetzt sind aber die hie und da gemachten Versuche nicht geglückt, und mit vollem Recht hat unsere Gesetzgebung auf ein solches Wagniß verzichtet.

Zudem hat sich in Baden, in Folge der Uebereinstimmung der verschiedenen Behörden über die maßgebenden allgemeinen Grundsätze, welche sowohl in einzelnen Gesetzen, als auch in Entscheidungen der Gerichte und Verwaltungsbehörden, insbesondere des Staatsministeriums (Verordnung vom 20. Oct. 1849, Reg.-Bl. Nr. 68) ihren Ausdruck fand, eine ziemlich übereinstimmende Praxis gebildet, welche die früher hervorgetretenen Schwierigkeiten zum größten Theil beseitigte. Es geht dieß wohl mit Bestimmtheit aus dem Umstande hervor, daß von 1844 bis 1861 nur 17 Competenz-Conflicte zur Entscheidung der zuständigen Behörde kamen [1]).

§. 9.
Fortsetzung.

Die am Schlusse des vorigen Paragraphen angeführten allgemeinen Grundsätze, von welchen die jetzt herrschende Praxis geleitet wird, sind folgende [1]):

---

[1]) Zentner a. a. O. S. 322 und 327 — 356. Begründung zu dem §. 1 des Entwurfes eines Gesetzes über Ergänzung und Abänderung der bürgerlichen Proceßordnung in Landst. Verh. von 1861—1863. 4. Beil.-Heft S. 728. 729.

[1]) Außer den oben §. 7, Note 1 angeführten Schriften s. einzelne Competenzfragen, beziehungsweise Conflicte, über die nachfolgenden Gegenstände:

a) Gemeindesachen:

Gemarkungsstreitigkeiten, O.H.G.-Jahrbücher X. 161. (Die röm. Zahl bedeutet den Jahrgang der ganzen Sammlung, nicht blos der „Neuen Folge".) Annalen II. 152. III. 116. 141. VI. 180.

Umlagewesen: Jahrb. XII. 310. Ann. II. 179. VII. 129.

Almenden: Annal. I. 349. II. 91. 191. III. 16. IV. 13. IX. 144.

Streit über Mitgebrauch des Gemeinbeeigenthums: Annalen VII. 191.

1) **Bürgerliche Rechtsstreitigkeiten** sind solche, welche sich auf die Wiederherstellung gestörter oder verletzter **Privatrechte**, d. h. solcher Rechte beziehen, welche blos zwischen **einzelnen Rechtssubjecten** ohne alle Rücksicht auf den Staatsverband bestehen.

Sachen des öffentlichen Rechts dagegen sind jene, welche sich auf die Rechtsverhältnisse des **Staates** zu den **Einzelnen**

Waibrechte aus dem Gemarkungsverband: Annal. XII. 244. XXVII. 62.
Lasten der Gemeinde: Jahrb. IX. 466.
Armen=Unterhaltung: Annal. IV. 212.

b) **Rechtsverhältnisse aus dem Schulverbande:** Jahrb. XV. 405. 427.
Pensionsansprüche der Schullehrer. Ann. XXVI. 430.

c) **Kirchenbausachen:** Jahrb. XV. 405. Annal. XIII. 345. XV. 98—103.

d) **Stiftungen:** Jahrb. XV. 588. XVI. 387. 531. XVII. 307. XIX. 112.
Annal. XII. 70. 261. XIX. 225. Magazin III. 48.

e) **Beiträge zu kirchlichen Lasten:** Annal. VI. 8.

f) **Patronatrechte:** Annal. XIII. 329

g) **Rechtsverhältnisse der Staatsdiener:** Vermögensrechtliche Beziehungen zum Staate: Jahrb. VII. 420. VIII. 283. Annal. III. 1. IV. 104. 133. VIII. 145. XVI. 1.
Haftbarkeit der Staatskasse für die Handlungen derselben. Jahrb. X. 152. 157. 176. Annal. IV. 1—12. 239—244. VII. 43. 93.
Entschädigungspflicht der Staatsdiener wegen unrechter Handlungen. Annal. I. 327.

h) **Oeffentliche Abgaben:** Jahrb. XII. 311. XIII. 600. Annal. VIII. 288.

i) **Staatsverträge:** Annal. IV. 85. 138. 139.

k) **Eigenthumsabtretung zum öffentlichen Nutzen:** Annal. I. 31.

l) **Entschädigung für aufgehobene grundherrliche Gefälle:** Jahrb. XIII. 315. 414.

m) **Frohnden und deren Ablösung:** Jahrb. XI. 535. Annal. III. 179. V. 191.

n) **Bürgereinkaufsgelder der Grundherren:** Annal. IX. 331. XIII. 41. 84.

o) **Streitigkeiten über das Bergregal:** Annal. VII. 321. VIII. 433. XIII. 201. 331.

p) **Brückenbauten:** Jahrb. XIX. 98. Annal. IV. 299.

q) **Wasserbauten:** Annal. XXIX. 71. Magazin V. 339. Jahrbücher XIX. 94.

r) **Straßenbauten:** Annal. III. 47. XXVIII. 134.

s) **Gewerbsanlagen:** Annal. IV. 261.

t) **Wildschadensklagen:** Annal. III. 280.

als Glieder desselben beziehen und ihrer ausschließlichen Ver=
fügungsgewalt nicht unterstehen, weil in solchen Fällen dem Ein=
zelnen ein Anspruch nicht beßwegen zusteht, weil sein eigenes
Recht es so verlangt, sondern nur aus dem Grunde, weil das
Wohl und das Interesse des Ganzen es so verlangt. Es sind
also alle öffentlichen Rechte nur vom Staate abgeleitet; er kann
sie in den bestehenden rechtlichen Formen aufheben, mindern oder
mehren, je nachdem er es für zweckmäßig erachtet; jura quaesita
gibt es auf diesem Gebiete nicht.

2) Dem Staate sowohl als andern Corporationen, z. B. den Gemein=
den, steht das Recht der Persönlichkeit zu, vermöge deren sie
zum Vermögensbesitze befugt sind. Sie können daher gleich
dem Einzelnen Rechte und Pflichten überkommen. In dieser
Richtung erscheinen sie als Privatpersonen, unterstehen
dem Privatrecht, und somit im Falle des Streites dem bür=
gerlichen Gerichte (bürgerliche Proc.=Ordn. von 1864, §. 3).

3) Bei jedem einzelnen Streitfalle ist daher genau zu untersuchen, ob
die in Streit gezogenen Punkte dem öffentlichen oder Privatrechte
angehören; und ob der Staat oder eine andere öffentliche Corpo=
ration in der einen oder der andern dieser Rechtssphären gehan=
delt haben, wonach sich dann auch die Competenz bestimmt. In
dem ersteren Falle entscheiden die Gerichte, im zweiten die Ver=
waltungsbehörden. Wenn z. B. der Staat die für eine gewisse
Klasse von Staatsangehörigen nach der bisherigen Landesver=
fassung bestandene Steuerfreiheit aufhebt, so kann eine Be=
schwerde dagegen, weil es sich rein um einen Gegenstand des
öffentlichen Rechts handelt, bei den Gerichten nicht angebracht
werden; denn für den bisher Eximirten liegt ein privatrechtlicher
Titel nicht vor.

Es kann nun aber häufig vorkommen, daß

4) in einer und derselben Sache die beiderlei Sphären des öffent=
lichen und Privatrechts in einander übergreifen und zusammen=
fallen.

Auch für diesen Fall kommt die allgemeine Regel zur Anwendung,
daß der Richter über den privatrechtlichen, die Verwaltung über den
öffentlich rechtlichen Theil der Frage entscheidet, und daß demgemäß die
Sonderung des Streitmaterials vorzunehmen ist. Wenn z. B. Je=

mand auf den Grund eines privatrechtlichen Titels belangt wird,
seine Kirchenbaupflicht zu erfüllen und er neben Bestreitung der ihm
angesonnenen privatrechtlichen Verpflichtung der Klage auch entgegenhalten würde, daß in dem vorliegenden Falle ein Kirchenbau gar nicht
nothwendig, jedenfalls aber der gewählte Bauplan unzweckmäßig und
zu kostspielig sei, so hätte der Richter über die Nothwendigkeit des Baues
und Zweckmäßigkeit des Planes sich jedes Erkenntnisses zu enthalten
und dasselbe lediglich auf die privatrechtlichen Fragen zu beschränken, die
anderen aber zu dem Austrage vor die Verwaltungsbehörden zu verweisen.

  Wie steht es aber in dem Falle, wenn

 5) eine solche Sonderung des Streitmaterials nicht als thunlich
  erscheint?

  Es hat z. B. ein Dritter mit einer Landgemeinde einen Kauf über
eine Liegenschaft abgeschlossen, deren Anschlag den Betrag von 300 fl.
übersteigt; die Gemeinde weigert sich, den Vertrag zu halten und wird
deßhalb vor den bürgerlichen Richter belangt; ihr Vertheidigungsmittel
besteht in der Behauptung, daß zu dem vorliegenden Rechtsgeschäfte nach
§. 136 und 172 des Gemeindegesetzes die Genehmigung der Gemeinde
und des Staates nothwendig gewesen wäre, welche nicht eingeholt worden sei.

  Der Richter hat hier über das in Streit gezogene, zweifellos privatrechtliche Rechtsgeschäft zu entscheiden; indem er aber dieß thut, muß
er zunächst eine Frage des öffentlichen Rechts lösen, nämlich unter welchen Voraussetzungen die Gemeinde zur Liegenschaftsveräußerung berechtigt war. Zu dieser Lösung ist der Richter, der seines Amtes walten
muß, nicht nur berechtigt, sondern auch verpflichtet. Und es geschieht
dieß ohne alle Beeinträchtigung der Verwaltung, denn er beantwortet
eine sich ihm darbietende Frage des öffentlichen Rechts nur zu dem Zweck
der Entscheidung einer bürgerlichen Rechtssache, über die Frage des
öffentlichen Rechts erkennt er nicht, ihre Beantwortung dient ihm nur
als Entscheidungsgrund zum Erkenntniß über die Privatrechts-
frage. Ein solcher Entscheidungsgrund aber ist für die Verwaltung
ohne alle Rechtswirkung. Anders würde sich die Sache gestalten, wenn
der Richter in dem Erkenntnisse über die Privatrechtssphäre hinaus und in jene des öffentlichen Rechts eingreifen würde.

  Die Frage muß aber im entgegengesetzten Sinne beantwortet werben, wenn nach bestehenden Gesetzen die in Mitte liegende Frage des öffentlichen Rechts zu ihrer Lösung eines besonderen Ausspruchs der Verwaltungsbehörde bedarf, so daß dieser als die Vorbedingung zur Geltendmachung privatrechtlicher Ansprüche dient [2]).

Es kommt nun aber auch häufig vor, daß eine Frage des Privatrechts zu lösen ist, um eine vorliegende Streitsache des öffentlichen Rechts entscheiden zu können; z. B. eine Gemeinde erhebt gegen einen ihrer Bürger vor der Verwaltungsbehörde eine Anforderung auf Zahlung der schuldigen Gemeindeumlagen, der Belangte schützt dagegen einen privatrechtlichen Befreiungstitel, z. B. einen ausdrücklichen Vertrag, vor.

Bei dieser Frage sind die Meinungen getheilt; die Eine Ansicht hält auch hier die Verwaltungsbehörden für allein zuständig, weil eben der Gegenstand der Klage, somit des Streits, ein öffentlich rechtlicher ist [3]), und weil es nur auf dieses Moment und nicht darauf ankomme, auf welchem Titel die gegen eine Forderung erhobene Einwendung beruhe, mit Einem Worte: weil hier in Bezug auf die Competenz der Verwaltungsbehörden ganz die gleichen Grundsätze entscheiden müßten, welche oben bei dem Falle, wenn in einem privatrechtlichen Streite Fragen des öffentlichen Rechts zur Lösung gebracht werden müssen, deren Absonderung vom übrigen Streitmaterial nicht möglich ist, für die Competenz der Gerichte angeführt worden sind.

Die andere Meinung beruft sich auf die Verordnung vom 9. Sept. 1815 (Reg.-Bl. Nr. 16), welche in Bezug auf den §. 8, Lit. c. des Org.-Edicts vom 26. Nov. 1809, Beil. D., noch fortwährend in Kraft stehe [4]), daher der obigen Regel gegenüber, selbst wenn man diese zugeben wolle, eine Ausnahme bilde.

Die erste Meinung hat jedenfalls die logische Consequenz für sich, denn wenn man das charakteristische Merkmal, ob eine Sache Justiz- oder Verwaltungssache sei, in die Natur des streitigen Gegenstands legt und den Gerichten das Gebiet des Privatrechts, den Verwaltungsbehör-

---

[2]) Ein Beispiel f. im Magazin für bad. Rechtspflege. Band I. S. 482 und Bd. V. S. 332.

[3]) Christ, das bad. Gemeindegesetz, dritte Auflage. Zus. 3 und 24 zu §. 152, S. 189 und 208, und oberhofgerichtl. Urtheil in Annalen VII. 129.

[4]) Vergl. zwei Entscheidungen des Staatsministeriums im Magazin V. 337. 350. Annalen XXIII. 33.

den jenes des öffentlichen Rechts anweist, so muß jede dieser Gewalten in der Lage sein, unabhängig von der anderen ihre Aufgabe lösen zu können. Ist in einer reinen Verwaltungsstreitigkeit ein von dem übrigen Streitmaterial untrennbarer privatrechtlicher Befreiungs= grund geltend gemacht, so liegt durchaus kein innerer logischer Grund vor, die ihrer Natur nach öffentlich rechtliche Frage ihrem Gebiete zu entziehen und vor den bürgerlichen Richter zu verweisen, welcher dann in Wirklichkeit über einen Streit des öffentlichen Rechts entscheiden würde. Die entgegengesetzte Ansicht würde auch in der Anwendung wohl zu sehr großen Schwierigkeiten führen. Es läßt sich nämlich mit Grund die Behauptung nicht aufstellen, daß ein Vertrag unter allen Umstän= den ein privatrechtlicher Titel sein müsse[5]). Denn wenn der Vertrag ausschließlich über Gegenstände des öffentlichen Rechts abge= schlossen ist, z. B. über ein Gemarkungsverhältniß, so bleibt dieses ein öffentlich rechtliches, ob der Vertrag in Mitte liegt oder nicht, ob er vom klagenden Theile zur Begründung seines Anspruchs oder vom Beklagten zur Bestreitung desselben angerufen wird.

Ganz dasselbe tritt auch bei anderen Einreden ein. Wenn der auf Zahlung einer Gemeindeumlage Belangte vor der Verwaltungsbehörde die Einrede der Zahlung vorschützt, so wird man doch nicht behaupten wollen, daß, weil dieselbe landrechtlich ein Erlöschungsgrund der Ver= bindlichkeiten ist, sie nun unter allen Umständen einen ausschließlich privatrechtlichen Charakter trage. Verbindlichkeiten des öffentlichen Rechts müssen ebenso erfüllt werden, wie jene des Privatrechts. Gehö= ren jene dem öffentlichen Rechte an, so gehört auch der Streit, ob die öffentliche rechtliche Verbindlichkeit durch Zahlung getilgt worden sei, jenem Gebiete an[6]).

Schon hienach läßt es sich in Frage ziehen, ob die Verordnung vom 9. Sept. 1815 zu §. 8, Lit. c. der Beil. D. des Org.=Edicts von 1809 noch fortbesteht oder nicht, wie denn auch von dem Oberhofgerichte (s. Note 3) und von dem Ministerium des Innern (wenn auch von diesem aus anderen Gründen[7]) das Letztere angenommen worden ist.

Dazu kommen aber nach der durch die neueste Gesetzgebung ver=

---

[5]) S. Christ a. a. D. S. 207.
[6]) Magazin II. S. 116.
[7]) Magazin V. S. 349 u. folg.

änderten Lage der Frage noch folgende Erwägungen: Die Verord=
nung vom 9. Sept. 1815 ist, wie in ihrem Eingange gesagt wird, eine
„authentische Erläuterung über den Sinn des §. 8, Lit. D. des
Org.=Edicts vom 26. Nov. 1809".

Es ist aber schon oben (§. 7 am Schlusse) ausgeführt, daß die da=
malige Gesetzgebung die vier in der Beilage D., Ziff. 8 des Org.=Edicts
von 1809 aufgeführten Fälle an sich als Gegenstände der bürgerlichen
Gerichtsbarkeit betrachtete, und sie nur ausnahmsweise aus
Rücksichten für das öffentliche Interesse den Verwaltungsbehörden zur
Entscheidung überwies.

Zwei dieser Fälle (unter Lit. a. und d., nämlich Streitigkeiten über
Erfüllung von Accorden wegen öffentlichen Arbeiten und über den Be=
trag von Alimentengeldern für uneheliche Kinder) wurden durch §. 2
der bürgerlichen Proceßordnung von 1851 unbedingt den Gerichten
überwiesen; der dritte Fall unter Lit. b. (Verbindlichkeit zur Abtretung
des Eigenthums zu öffentlichen Zwecken und Entschädigung des Eigen=
thümers) wurde durch §. 3 des Zwangsabtretungsgesetzes vom 28. Aug.
neu regulirt.

Die Bestimmungen des §. 8 unter Lit. a., b. und d. sind daher
aufgehoben.

Es ist nun wohl außer Zweifel, daß mit ihnen auch die authen=
tische Erläuterung vom 9. Sept. 1815 zu Lit. a. und b. des §. 8 außer
Wirksamkeit getreten ist; für ihre Anwendung fehlt es an jedem Gegen=
stande.

Wie steht es nun aber mit den daselbst unter Lit. c. aufgeführten
Streitigkeiten über die Schuldigkeit, Art und Größe des Beitrags „der
Unterthanen" zu Staats= und Gemeindelasten, zu den Kriegsschäden,
zum Weg=, Brücken= und Flußbau, sollen diese Streitigkeiten, welche
das Org.=Edict von 1809 für bürgerliche Rechtsstreitigkei=
ten erklärte (§. 7 oben), und nur „ausnahmsweise" den Verwal=
tungsbehörden zur Entscheidung übertrug, auch in Zukunft diesen Cha=
rakter als Ausnahmen behalten, und sollen die Verwaltungsbehör=
den dieselben, wie bisher auf den Grund der Bestimmung des
§. 8, Lit. c. des Org.=Edicts entscheiden?

Diese Frage wird verneinend zu beantworten sein. Die Ver=
waltungsbehörden entscheiden zwar auch in Zukunft diese Fälle, aber
nicht als nur ausnahmsweise ihrer Competenz unterstehend und

nicht auf den Grund des §. 8. c. des Org.=Edicts; sie entschei=
den diese Fälle, weil sie ihrer Natur nach und durch positive Be=
stimmungen des Verwaltungsgesetzes vom 5. Oct. 1863 den Verwal=
tungsbehörden als reine Verwaltungssachen angehören. Wenn bei
irgend einer Frage es nach den oben aufgestellten Grundsätzen zweifellos
erscheint, daß sie dem öffentlichen Rechte angehören, so ist es bei der vor=
liegenden der Fall. Wenn es sich um die Beitragspflichtigkeit zu Staats=,
Gemeinde= und anderen öffentlichen Lasten handelt, so kommt der Ein=
zelne nur als Glied des Ganzen in Betracht, und es handelt sich nicht
um seine Privatrechtssphäre.

Nachdem, wie oben nachgewiesen, durch eine Reihe von gesetzlichen
Bestimmungen die Grenzen der Rechtspflege und Verwaltung nach rich=
tigen Gesichtspunkten gezogen wurden, konnte die Gesetzgebung den ano=
malen Satz nicht stehen lassen, daß die Streitigkeiten über die Beiträge
zu öffentlichen Lasten eigentlich Privatrechtsstreitigkeiten
und nur ausnahmsweise von den Verwaltungsbehörden zu ent=
scheiden seien. Das Verwaltungsgesetz vom 5. Oct. 1863 hat in dem
§. 5, Ziff. 3—7, und §. 15, Ziff. 1 und 3 ausführliche und klare Be=
stimmungen darüber gegeben, daß diese Fragen ohne alle Beschrän=
kung zur Competenz der Verwaltungsbehörden gehören, und damit ist
der §. 8, Lit. c., Beil. D. des Org.=Edicts von 1809 aufgehoben.

Es entsteht nun die weitere Frage, ob damit auch die zu demselben
gegebene „authentische Erläuterung", wie sie in der Verordnung vom
9. Sept. 1815 zu §. 8 c. des Org.=Edicts von 1809 enthalten ist, als
aufgehoben angesehen werden muß, oder nicht.

Der Inhalt dieser Verordnung besagt wörtlich Folgendes:

„Die Kreisdirectorial=Competenz hat nur in so fern und in
so lange statt, als von Ausschlägen der Kriegs= und sonstigen
öffentlichen Prästanden — von Normalbestimmungen directer
und indirecter Steuern — von öffentlichen Unternehmungen in
Land= und Flußbausachen — von Gleichstellung der für's Ganze
oder für einen Bezirk getragenen Lasten die Frage ist; wenn aber
entweder bei den einzelnen Subrepartitionen oder bei Entschä=
digungsforderungen einer Gemeinde an die Andere, oder eines
Einzelnen in der Gemeinde an dieselbe An= und Widersprüche,
begründet auf privatrechtlichen Verhältnissen, z. B. auf Verträ=
gen, Herkommen oder sonstigen rechtsgiltigen Verheißungen ent=

stehen; dann soll das Kreisdirectorium die Sache nur gehörig
instruiren und in statum judicandi setzen, sofort mit seiner
Ansicht an das betreffende Hofgericht zur rechtlichen Entschei=
dung schicken."

Dafür, daß diese Verordnung als aufgehoben zu betrachten ist,
spricht der Umstand, daß sie sich selbst als eine authentische Erläu=
terung über den Sinn des angeführten §. 8 c. des Org.=Edicts be=
zeichnet, und daß mit der Aufhebung der Bestimmung, zu deren Er=
läuterung sie bestimmt ist, auch ihr Gegenstand, und somit sie selbst
weggefallen ist.

Man könnte aber entgegenhalten, daß weder das Organisations=
Edict von 1809 noch die Verordnung vom 9. Sept. 1815 durch ein
neues Gesetz ausdrücklich aufgehoben worden seien, und daß die letz=
tere neben den Bestimmungen des neuen Verwaltungsgesetzes eben so
gut fortbestehen könne, als sie neben dem Organisations=Edicte von 1809
bestand, welches die in §. 8 c. genannten Gegenstände ebenfalls vor die
Verwaltungsbehörden gewiesen habe, wie dieß in dem neuen Verwal=
tungsgesetze geschah, daß daher dieses spätere allgemeine Gesetz die Be=
sonderheiten der Verordnung von 1815 nicht aufhebe. (L.R.S. 6 c.)

Dieser Anschauungsweise stehen aber folgende Gründe entgegen:

Nach den Bestimmungen des §. 8 c. des Organisations=Edicts von
1809 und der Verordnung von 1815 waren die Streitigkeiten über
öffentliche Abgaben den Verwaltungsbehörden nur ausnahmsweise
und nur unter sehr gewichtigen Beschränkungen übertragen.

Das neue Gesetz weist sie nicht ausnahmsweise, sondern als
Regel der Verwaltung zu, und zwar ohne alle Beschränkung.

Hierin liegt der wesentliche Unterschied zwischen der neuen und der
alten Gesetzgebung.

Es ist begreiflich, wenn die letztere die von ihr als Ausnahme
aufgestellten Sätze so viel als möglich zu beschränken, und also die Aus=
nahme der Regel möglichst nahe zu stellen sucht.

Wenn aber das neue Gesetz diese Beschränkungen seiner früher
nur als Ausnahme bestandenen Regel nicht beifügt, so werden sie als
aufgehoben betrachtet werden müssen, besonders da der Wortlaut der
Verordnung von 1815 nach den obigen Ausführungen sich nicht immer
mit den nothwendigen logischen Consequenzen des neuen Rechts vereini=
gen ließe.

Weizel, Gesetz üb. inn. Verwalt.   8

Es ist nämlich nachgewiesen worden, daß ein Vertrag nicht unter allen Umständen ein privatrechtlicher Titel sei, weil ja gar oft Corporationen, z. B. Gemeinden über einen Gegenstand mit einander contrahiren, der sich seiner Natur nach der gerichtlichen Entscheidung entzieht, weil er im öffentlichen Rechte ruht und daher ein öffentliches Interesse bei der Entscheidung der streitig gewordenen Frage mit vorliegt. Die Verordnung von 1815 stellt selbst den Grundsatz auf, daß die richterliche Entscheidungsbefugniß nur dann eintrete, wenn keine causa publica vorliege. Wendet man die oben ausgeführten Grundsätze richtig an, so kann ein Eingriff in die Gerichtsbarkeit der bürgerlichen Gerichte nicht erfolgen. Diese muß überall eintreten, wo eine Privatrechtssache vorliegt, aber es ist eben nicht richtig, daß eine solche schon dann und auch unter allen Umständen vorliege, wenn zwar der Gegenstand des Streits unbestritten dem öffentlichen Rechte angehört, die von einem der Betheiligten vorgebrachten Befreiungsgründe zugleich aber auch Erlöschungsgründe einer privatrechtlichen Verbindlichkeit sein können.

Man kann also einen Vertrag nicht schlechthin als einen privatrechtlichen Befreiungsgrund ansehen.

Von diesen Grundsätzen ist auch das Oberhofgericht bei der Entscheidung einer Streitsache über Brückenbaupflicht ausgegangen. In den Entscheidungsgründen wird namentlich bemerkt:

„ ... Nicht jedes ausdrückliche oder stillschweigende Uebereinkommen, wodurch irgend eine in Geldwerth anzuschlagende Verbindlichkeit übernommen wird, ist deßhalb auch ein privatrechtliches, vielmehr entscheidet die Grundlage und der Gegenstand des Uebereinkommens über dessen rechtliche Natur. "

Ein civilrechtlicher Vertrag muß auf einem Privatrechtstitel beruhen, einen im Gebiet des bürgerlichen Rechts zu findenben Entstehungsgrund haben, dann muß der Gegenstand der dadurch geschaffenen Verbindlichkeit ein privatrechtliches Verhältniß (z. B. eine Servitut) darstellen, welches unwandelbar durch den Willen der Vertragspersonen, unabhängig vom Einfluß äußern Wechsels bestimmt wird (L.R.S. 1134 [8]).

---

[8] Oberhofgerichtl. Jahrb. XIX. Jahrg., S. 98 u. folg.

Schon unter dem alten Rechte, welches derartige Streitigkeiten a u s n a h m s w e i s e der Verwaltung zuwies, hat man also die unbe= schränkte Anwendbarkeit der Verordnung von 1815 nicht mehr für zu= lässig gehalten, nachdem durch §. 14 der Verfassungs=Urkunde und §. 1 der bürgerl. Proc.=O. dem Gerichte nur die p r i v a t r e c h t l i c h e n S t r e i = t i g k e i t e n zur Entscheidung überwiesen wurden; um wie viel mehr wird dieß jetzt der Fall sein müssen, nachdem die frühere Ausnahme zur Regel geworden, und alle Streitigkeiten des öffentlichen Rechts den Ver= waltungsbehörden zugewiesen sind?

Die rein privatrechtlichen Fragen werden auch nach den oben ent= wickelten Grundsätzen stets vor den Gerichten ihren Austrag finden, insbesondere etwaige Entschädigungsklagen.

6) Nach denselben Grundsätzen entscheidet sich auch die Frage, wo ein Anspruch auf Rückerstattung einer zur Ungebühr geleisteten Zahlung erhoben werden könne, ob bei den Gerichten oder Verwal= tungsbehörden. Auch hier kommt es auf die Natur des Gegen= standes an, welcher im Streite begriffen ist. Bezieht sich die Zah= lung, um deren Rückforderung es sich handelt, auf das öffentliche Recht, steht z. B. der Rückersatz zur Ungebühr bezahlter Steuern in Frage, so kömmt das Entscheidungsrecht der Verwaltungsbe= hörde zu, im andern Falle aber, wenn der Gegenstand der Rück= forderung privatrechtlicher Natur ist, — den Gerichten.

Diese Frage wurde bisher jedoch nicht immer in dem obigen Sinne, sondern sehr verschieden beantwortet, sie ist aber jetzt durch §. 15, Abf. 3 des Verwaltungsgesetzes ausdrücklich dahin entschieden, daß Ansprüche auf Zurückerstattung zur Ungebühr bezahlter „S t a a t s a b g a b e n" vor die Verwaltungsbehörde gehören. Was von S t a a t s abgaben ge= sagt ist, muß aber auch von allen andern im öffentlichen Rechte begrün= deten Abgaben, z. B. den Gemeindeumlagen, gelten.

7) Unerheblich für die Competenz der Behörden ist die Frage, zwi= schen welchen P e r s o n e n der Streit geführt wird, da es, wie be= merkt, auf die Natur der streitigen Sache ankommt. Wenn also unter E i n z e l n e n über einen Gegenstand des ö f f e n t l i c h e n R e c h t s gestritten wird, so ist die Sache von den Verwaltungsbe= hörden zu erledigen. Der Streit wird eben in einem solchen Falle nicht über Rechte geführt, welche dem Einzelnen gegen jeden Dritten kraft eigenen Rechts zustehen, sondern es handelt sich nur

8 *

um vom §. _nach_ abgeleitete Rechte, die einer Privatbisposition nicht schlechthin unterliegen.

8) Die Rechtsverhältnisse der Staats= und anderer öffentlicher Die= ner [9]) führten rücksichtlich der Competenz der Behörden früher zu manchen Streitigkeiten. Die maßgebende Grundsätze sind aber jetzt im Wesentlichen dahin festgestellt:

a. Dem Staatsdiener ist rücksichtlich solcher Bezüge, welche als **Besoldungstheile**, d. h. als bleibende und regelmäßige Vergeltung für die Dienste erscheinen, der Rechtsweg gesichert.

b. Ansprüche des Staats gegen Diener aus privatrechtlichen Gründen, z. B. Entschädigungsforderungen wegen Dienst= handlungen, müssen gleichfalls von den Gerichten ausgetragen werden.

c. Von Dritten kann der öffentliche Diener wegen seinen Amts= handlungen mit einer Klage von den bürgerlichen Gerichten belangt werden. Eine vorgängige Genehmigung der vorge= setzten Dienstbehörde, beziehungsweise des Staatsministeriums, ist nicht mehr nothwendig, da der §. 10 des Einführungsge= setzes zum Strafgesetzbuch vom 5. Febr. 1851 durch Ziff. IV. der Schlußbestimmungen der bürgerlichen Proceß=Ordnung von 1864 aufgehoben wurde, und zwar unter Vorbehalt der Erhebung eines Competenz=Conflicts in geeigneten Fällen.

d. Streitigkeiten über die Haftbarkeit des Staats für Handlungen seiner Diener, wodurch der Staat britten Personen gegenüber verpflichtet wird, gehören gleichfalls als Privatrechtsstreitig= keiten vor die Gerichte.

§. 10.

Fortsetzung.

1) Bei einem **Streite über die Zuständigkeit** zwischen rich= terlichen und Verwaltungsstellen, — sei es, baß **beide** benselben Gegenstand zu ihrer Zuständigkeit für geeignet erachten (posi= tiver Competenz=Conflict), oder **beide** die Entscheidung der

---

[9]) v. Weiler a. a. O. §. 28, 29, 51. Magazin V. S. 250 und oben Note 1.

Frage ablehnen (negativer Competenz-confclict), erkennt nach der landesherrlichen Verordnung vom 20. Oct. 1849 (Reg.=Bl. Nr. 68) das Staatsministerium unter Mitwirkung von drei Mitgliedern der Gerichtshöfe, und zwar aus der Zahl derjenigen, welche vom Landesherrn jeweils für eine Landtagsperiode hiezu besonders bezeichnet werden (s. oben §. 27). Die Vorstände der bei der Entscheidung betheiligten Ministerien haben hiebei nicht mitzuwirken [1]).

2) Die Entscheidungen des Staatsministeriums in seiner Eigenschaft als Competenz=Gerichtshof sind endgültig und sowohl für die Gerichte als Verwaltungsbehörde bindend.

Die Weigerung des Gerichts, eine auf diesem Wege ihm zur Erledigung zugewiesene Sache zu entscheiden, wäre Justizverweigerung [2]).

3) Ein Competenz=Conflict zwischen einer Gerichts= und Verwaltungsbehörde ist erst dann vorhanden, wenn jede derselben die Entscheidungsbefugniß in einer Sache für sich ausdrücklich in Anspruch genommen hat [3]).

Rücksichtlich der Verwaltungsbehörden können aber zwei Fälle vorkommen:

a. es bestreitet eine solche die Zuständigkeit der Gerichte, weil sie selbst die Entscheidungsbefugniß für sich in Anspruch nimmt, z. B. ein Bezirksamt gegenüber dem Amtsgerichte in einer Almendstreitigkeit. In einem solchen Falle ist die Berechtigung zur Erhebung des Conflicts unzweifelhaft, wenn durch die Gerichte in die Amtsthätigkeit der Verwaltungsbehörde eingegriffen war, oder

b. die den Competenz=Conflict erhebende Verwaltungsbehörde nimmt für sich unmittelbar eine Entscheidungsbefugniß nicht in Anspruch, sondern wahrt nur durch ihr Auftreten die Rechte der Regierung, der competenten Verwaltungsstelle nach den bestehenden Ressortverhältnissen ihre Befugnisse vorbehaltend; z. B. das Finanzministerium erhebt einen

---

[1]) Bürgerl. Proc.=Ordn. §. 69. Magazin V. S. 258—261 und 321.
[2]) Jahrbücher X. (der ganzen Sammlung) S. 157. Annalen IV. 132.
[3]) Jahrbücher X. 225.

Competenz-Conflict, wenn ein Staatsdiener sich wegen vermögensrechtlichen Beziehungen dem Staate gegenüber an die
Gerichte wendet und jenes der Ansicht ist, daß diese Frage nur
von der höchsten Staatsbehörde, nämlich dem Staatsministerium, gelöst werden könne, oder das Ministerium des Innern
erhebt den Conflict bei einem Streite um Genuß einer Stif-
tung, wenn die Gerichte etwa nicht blos über die Berechtigung
zum Genusse, sondern auch über andere Punkte, wie Würdig-
keit der betreffenden Personen, entschieden haben sollten, welche
stiftungsgemäß einer Executorie oder einer untern Verwaltungsbehörde zustehen.   Auch in letzterem Falle ist die Verwaltungsstelle zur Erhebung des Competenz-Conflicts dann
als legitimirt zu betrachten, wenn sie durch ihre organisa-
tionsmäßige Stellung und den ihr angewiesenen Geschäftskreis zur Wahrung der nach ihrer Ansicht in Frage gestellten
Regierungsrechte berufen ist [4]).

4) In Bezug auf das Verfahren bei Competenz-Conflicten schreibt
eine Staats-Ministerialentschließung vom 15. Februar 1824 vor:
    „daß bei jedem eintretenden Competenzzweifel durch die be-
treffende Verwaltungsbehörde der Gerichtsstelle das Nöthige
nicht per modum exceptionis, sondern per modum protesta-
tionis vorgetragen, und erst wenn hierauf die gegen den großh.
Civil-, Kriegs-, Lehen- oder Kirchenfiscus erkannte Ladung
oder sonst ergangene richterliche Verfügung nicht wieder aufgehoben würde, die Sache als ein wirklicher Competenzstreit betrachtet und vor das großh. Staatsministerium gebracht werden solle.“

Dieß muß in Folge einer schriftlichen Erläuterung des letzteren
vom 13. März 1833, Nr. 593, in der Weise geschehen:
    „daß die Ministerien des Innern und der Finanzen die von
ihnen behufs der Entscheidung von Competenz-Conflicten erstatteten Vorträge jedesmal vor der Ablassung an das großh.
Staatsministerium dem Justizministerium zur Einbegleitung
mittelst Beivortrags mittheilen“ [5]).

---

[4]) Annalen IV. 131.   Magazin III. 48.
[5]) Magazin II. 114.

§. 11.

4) Die Einrichtung der Verwaltungsrechtspflege.

Der Bezirksrath als Verwaltungsgericht erster Instanz und der Verwaltungs-Gerichtshof.

1) Die Rechtspflege in bestimmten Streitigkeiten über öffentliches Recht wird in erster Instanz von den Bezirksräthen unter dem Vorsitz der Bezirksbeamten ausgeübt. (Verw.-Gesetz §. 1, Abs. 3, §. 2, Abs. 1.)

Dieses Verwaltungsgericht hat eine rein collegiale Verfassung. (B.-G. §. 4, Abs. 2, §. 10, Abs. 1.)

2) Das Verfahren vor diesem Gerichte ist öffentlich und mündlich; die Partheien können sich durch Bevollmächtigte vertreten lassen; dem Erkenntniß sind Entscheidungsgründe beizufügen. (B.-G. §. 10, Abs. 4, §. 18, Abs. 1.)

3) Der Bezirksbeamte bereitet die Geschäfte zur Berathung und Beschlußfassung in der Sitzung vor (B.-G. §. 10, Abs. 1), beruft den Bezirksrath, führt bei den Berathungen den Vorsitz, hat Stimmrecht und bei Stimmengleichheit die Entscheidung. (B.-G. §. 4, Abs. 1 u. 2.)

4) Die Streitigkeiten des öffentlichen Rechts ohne Unterschied, ob Einzelne, Körperschaften oder der Staat dabei betheiligt sind, über welche dem Bezirksrath ein Entscheidungsrecht zusteht, sind in §. 5 des Verwaltungs-Gesetzes speziell verzeichnet; auf andere als die hier bestimmt genannten darf er seine Competenz nicht ausdehnen.

Durch Regierungsverordnung kann aber derselbe auch noch für weitere Streitigkeiten des öffentlichen Rechts als zuständig erklärt werden. (B.-G. §. 5.)

5) Der Recurs gegen Erkenntnisse des Bezirksraths steht sowohl den Partheien als dem Bezirksbeamten, diesem jedoch nur aus Gründen des öffentlichen Interesses an den Verwaltungs-Gerichtshof zu. (B.-G. §. 13, Abs. 1.)

6) Der Verwaltungs-Gerichtshof entscheidet in letzter Instanz in den im §. 15 des Verwaltungs-Gesetzes bestimmt benannten Streitigkeiten des öffentlichen Rechts. Doch können seiner Entscheidung auch andere derartige Streitfragen überwiesen werden.

7) Die Mitglieder desselben werden von dem Landesherrn ernannt.

8) Der Verwaltungs=Gerichtshof urtheilt in Versammlungen von fünf Mitgliedern (V.=G. §. 16), und hat

9) vor seiner Entscheidung einen Vertreter des Staatsinteresses zu hören, der in der Sitzung des Gerichts seine Anträge stellt und begründet. Demselben sind vorher die Acten zuzustellen oder deren Einsicht zu ermöglichen.

Jedes der Ministerien wird für seinen Geschäftskreis den oder die Stellvertreter des Staatsinteresses dem Verwaltungs=Gerichtshof bezeichnen. (V.=G. §. 17.)

10) Derselbe hat eine collegiale Verfassung; die Verhandlungen werden öffentlich und mündlich unter Zulassung von Vertretern der Partheien gepflogen. Dem Erkenntnisse sind Entscheidungs=gründe beizufügen. (V.=G. §. 18.)

§. 12.
Fortsetzung.

1) Mit dem Grundsatze, daß Streitigkeiten des öffentlichen Rechts nicht von den bürgerlichen Gerichten, sondern von Verwaltungs=behörden zu entscheiden seien, war man bei den ständischen Verhandlungen in beiden Kammern einverstanden.

Insbesondere erklärte sich die Commission der Ersten Kammer mit großer Entschiedenheit für die Einrichtung einer von den Civilge= richten getrennten besondern Verwaltungsrechtspflege [1]), wogegen

---

[1]) In dem Commissionsberichte des Geh. Rath Dr. Bluntschli (Verhandl. der I. Kammer von 1861/63, 3. Beil.=Heft, S. 345—348) ist darüber die nach= stehende treffende Ausführung enthalten:
Sowohl der Regierungsentwurf, als der Bericht und die Beschlüsse der Zweiten Kammer gehen von der Annahme aus, daß die Existenz einer beson= deren Verwaltungsrechtspflege selbstverständlich und nur die bessere Or= ganisation derselben in Frage sei. Man war nicht zu allen Zeiten, auch nicht im Großherzogthum Baden darüber einverstanden, indem im Jahr 1832, auf die Anregung Mittermaier's, beide Kammern sich gegen die Institution einer beson= dern Verwaltungsrechtspflege ausgesprochen hatten, wobei freilich vorzugsweise die Uebergriffe der Verwaltungsgerichtsbarkeit in die eigentliche Civilgerichtsbarkeit in Betracht gezogen wurden. Auch in dem §. 182 der deutschen Reichsverfassung von 1849 hat die Abneigung gegen dieselbe einen Ausdruck gefunden.

Eine Stimme in der Ersten Kammer sich mehr zu der Ansicht neigte, zwischen den in dem Gesetze der Verwaltungsrechtspflege zugewiesenen

§. 182: „Die Verwaltungsrechtspflege hört auf; über alle Rechtsverletzungen entscheiden die Gerichte."

Die Frage ist bekanntermaßen auch in der Wissenschaft sehr streitig und wird in der Praxis der verschiedenen Staaten ganz verschieden beantwortet.

Die ältere deutsche Reichs= und Landesverfassung kannte die Institution nicht. Vielmehr urtheilten die Gerichte — ohne Unterschied über privatrechtliche und öffentlich=rechtliche Streitigkeiten; wie denn überhaupt während des Mittel= alters die Mischung von Privatrecht und öffentlichem Recht überall zu Tage tritt. Freilich kam es dann in den letzten absolutistischen Jahrhunderten oft genug vor, daß ein souveräner Machtspruch der erstarkten Polizei= und Regierungshoheit auch in solche Streitigkeiten eingriff, wenn dieselben eine öffentliche Bedeutung hatten und dann willkürlich als Verwaltung, nicht als Verwaltungsrechtspflege dar= über entschied. In England ist heute noch die Sonderung von öffentlichem und Privatrecht eben so wenig vollzogen, wie die Scheidung der Verwaltung von der Justiz, und deßhalb ist die Institution auch dort noch unbekannt. Die Aristocratie gibt Gesetze, regiert, verwaltet, richtet und hält so alle öffentliche Autorität zu= sammen.

Zuerst ist eine besondere Verwaltungsrechtspflege in Frankreich ausgebil= det worden, im Zusammenhang mit der modernen Sonderung der Gewalten und der schärferen Unterscheidung zwischen öffentlichem und Privatrecht, und die ratio= nellere französische Einrichtung hat dann in andern Ländern — auch in Deutsch= land, wie in Belgien, der Schweiz u. s. f. — mehr oder weniger glückliche Nach= bildungen erfahren. Im Allgemeinen aber ist sowohl die Vervollkommnung der Verwaltungsrechtspflege, als die Ausbildung des Verwaltungsrechts überhaupt in Frankreich weiter fortgeschritten, als in andern europäischen Ländern, so daß bei Prüfung dieser Fragen das französische Vorbild wohl beachtet zu werden verdient.

Ihre Commission, durchlauchtigste, hochgeehrteste Herren, spricht sich, in Uebereinstimmung mit dem Entwurf und den Beschlüssen der Zweiten Kammer, entschieden für die Einrichtung einer besonderen — von den Civilgerichten ge= trennten — Verwaltungsrechtspflege aus, und glaubt nur, die Gründe dieser Meinung, die bisher nicht näher dargestellt worden sind, in Kürze aussprechen zu sollen:

1) Das Verwaltungsrecht als ein Theil des öffentlichen, insbesondere des Staatsrechts, und das Privatrecht, sind zwei so verschiedene Rechts= ordnungen, daß dieselben bei höherer Ausbildung auch eine eigenthüm= liche Organisation der entsprechenden Rechtspflege bedürfen. Alles Ver= waltungsrecht ist lediglich von dem Staate abgeleitet und bleibt ab= hängig von dem Staate. Es kann nie ganz losgetrennt werden von der Entwickelung des Staatslebens, denn es existirt nur durch den Staat, in dem Staat und mit dem Staat. Diese staatliche Natur muß

Gegenständen eine angemessene Ausscheidung zu treffen und einen Theil derselben, nämlich denjenigen, bei welchem es sich blos um die rechtliche

daher fortwährend beachtet werden, auch wenn öffentliche Rechte den einzelnen Bürgern gleichsam anvertraut sind oder zustehen. Auch die Bürgerrechte, die Stimmrechte, die Wählbarkeit der einzelnen Personen, gehören doch niemals wie Eigenthum oder wie Familienrechte den Individuen ausschließlich an, sondern finden ihre Grundlage, ihre Bestimmung und ihre Beschränkung immer nur in der Organisation des Staats und in der Bezugnahme auf die öffentliche Wohlfahrt. Die Privatrechte dagegen kommen der Privatperson für sich zu, im Gegensatz gegen alle Welt, im Gegensatz auch gegen den Staat. Das öffentliche Recht ist zugleich Pflicht, das Privatrecht ist gewöhnlich nur Befugniß, nicht auch Pflicht. Es können sich freilich einzelne öffentliche Rechte, besonders dann, wenn sie sich auf einen Inhalt beziehen, der sich in Geld schätzen läßt, und demgemäß das Vermögen betreffen, den Privatrechten sehr annähern, wie z. B. die Streitigkeiten über die Steuerpflicht eine unverkennbare Aehnlichkeit haben mit Processen über Vertragsschulden; aber sie gehören dennoch einer andern Rechtsordnung an und sind demgemäß auch von dem Privatrecht abzusondern.

2) Da also die Verwaltungsstreitigkeiten immer im Geiste der Gesammtheit, von dem Standpunkte der Staatsordnung aus und im Hinblick auf die öffentliche Wohlfahrt beurtheilt werden müssen, so ist staatsrechtliche, politische und wirthschaftliche Vorbildung für die urtheilenden Behörden eine unerläßliche Voraussetzung. Dafür finden sich aber in den Civilgerichten, deren Vorbildung sowohl, wie die tägliche Geschäftsübung vornehmlich eine civilistische ist, keineswegs die erforderlichen Garantien. Es läßt sich ohne Zweifel viel besser dafür sorgen, wenn man die urtheilenden Behörden mit Rücksicht auf jene Erfordernisse, d. h. eigenthümlich und so einrichtet, daß die Mitglieder fortwährend im Zusammenhang bleiben mit dem öffentlichen Leben und dessen Bedürfnissen.

3) Wird das Verwaltungsrecht in civilistischer Weise gehandhabt, was fast nicht zu vermeiden sein wird, wenn die Civilgerichte darüber urtheilen, so gelangt der öffentliche Geist darin nicht zu voller Anerkennung und es könnte leicht ein Formalismus überhand nehmen, welcher die Staatsentwickelung theilweise in einen Zustand der Lähmung versetzen würde. Sind schon die festgestalteten Privatrechte, welche gänzlich der Willkür der Individuen zudienen, nicht in dem Grade unveränderlich, wie die meisten Juristen glauben, so werden die öffentlichen Rechte viel entschiedener von der Strömung des öffentlichen Lebens, das nicht stille stehen kann, mit fortgezogen. Wenn es daher bei der Beurtheilung streitiger Privatrechte in der Regel genügen wird, die in der Vergangenheit entstandene Form derselben zu erkennen und gegen Verletzung durch an-

Seite, die Gesetzmäßigkeit einer Maßregel handle, den Gerichten, die übrigen aber den gewöhnlichen Verwaltungsbehörden zuzutheilen. Ein Antrag in diesem Sinne wurde jedoch nicht gestellt *).

bere zu schützen, so würde eine derartige nur zurückschauende und blos formelle Auffassung des Verwaltungsrechts, welche den Zusammenhang mit der allgemeinen Bewegung des öffentlichen Lebens nicht beachtete, mit den öffentlichen Bedürfnissen der Gegenwart in einen unleidlichen Wider= spruch gerathen. Allerdings, so weit die Gesetze die Bedingungen und die Schranken des Verwaltungsrechts fest bestimmen, müssen dieselben eben so getreu und aufrichtig dem Urtheile zu Grunde gelegt werden, wie die Gesetze über das Privatrecht. Aber gewöhnlich bleibt dem Richter in Verwaltungsstreitigkeiten innerhalb der Schranken der Gesetze noch ein ziemlich weiter Spielraum offen, innerhalb dessen er die Ansprüche der Partheien auch im Geiste des gegenwärtigen Lebens und seiner Bedürf= nisse zu würdigen und mit dem Fortschritte der Zeit in Einklang zu bringen hat. Der Richter in Verwaltungsstreitigkeiten wird daher weit öfter als der Civilrichter in der Lage sein, neben der Frage der Gesetz= oder Rechtmäßigkeit auch die der Zweckmäßigkeit mit in Be= tracht zu ziehen, folglich nicht blos rückwärts, sondern auch vorwärts schauen müssen.

4) Nur wenn eine besondere Verwaltungsrechtspflege besteht und für ein ge= regeltes Verfahren bei derselben gesorgt ist, dürfen wir hoffen, allmälig ein grundsätzlich durchgebildetes Verwaltungsrecht zu er= halten, durch welches eine unberechtigte und gefährliche Willkür der Ver= waltung verhindert, die allgemeine Rechtssicherheit erhöht und der Sinn für Gesetzlichkeit und Rechtsordnung auch in der Verwaltung befestigt und gestärkt wird. Noch immer führt in dieser Hinsicht der Vergleich der deutschen Verwaltungsrechtswissenschaft und Verwaltungsrechtspraxis mit der französischen zu Resultaten, welche unser Nationalgefühl beschämen. Wir können uns nicht verhehlen, daß wir hierin sehr weit hinter unseren Nachbarn zurückgeblieben sind und daß große Anstrengungen nöthig wer= den, damit wir auch auf diesem Gebiete der Rechtsbildung eine würdigere Stellung erringen. Wie man aber darüber in Frankreich denkt, wo die übertriebene Centralität und das Uebermaß der Regierungsgewalt nicht in Folge, sondern trotz der Verwaltungsrechtspflege sowohl auf die ge= meine politische, als auf die besondere gemeinde= und körperschaftliche Frei= heit einen schweren Druck übt, mag eine Aeußerung des Rechtsgelehrten Dareste aus neuester Zeit zeigen: „Wenn dereinst in Frankreich die poli= tische Freiheit heimisch wird und die Franzosen lernen werden, sich selbst zu verwalten, wie es sich für männlich=reife Völker geziemt, wenn wir eines Tages erleben werden, daß die Allgewalt des Staats beschränkt und Individuen und Gemeinden von der überspannten Vormundschaft der=

Dagegen wurde

2) die Frage bestritten, ob die Verwaltungsrechtspflege in erster In=

---

selben befreit werden, dann wird die Verwaltungsrechtspflege nicht etwa
aufhören, im Gegentheil sie wird wichtiger noch und einflußreicher werden."

5) Werden die Streitigkeiten über Verwaltungsrecht mit denen über Privat=
recht den Civilgerichten zugewiesen, so sind von dieser Verbindung
zwei weitere Nachtheile zu besorgen. Wenn nämlich die Gerichte die poli=
tischen und die socialen Bedürfnisse der Gegenwart zu wenig beachten, so
wird dadurch mit einer gewissen Naturnothwendigkeit die Verwaltung,
welche sich in ihrem Fortschritt gehemmt fühlt, dazu gereizt, der ganzen
gerichtlichen Behandlung entgegenzutreten und Dinge, welche sich zur
Verwaltungsrechtspflege eignen, möglichst als bloße Verwal=
tungsangelegenheit an sich zu ziehen, d. h. statt das Verwaltungs=
recht zu achten, die Verwaltungswillkür in Anspruch nehmen. Sie wird,
wie man das in manchen Staaten unter ähnlichen Voraussetzungen erlebt
hat, zu dem Behuf die Frage der Zuständigkeit aufwerfen und Compe=
tenz-Conflicte veranlassen, wobei schließlich sowohl das Verwaltungs=
recht, als die Verwaltung leicht zu Schaden kommt. Wenn aber umge=
kehrt die Civilgerichte sich bei Beurtheilung der Verwaltungsstreitigkeiten
daran gewöhnen, auch auf die öffentlichen Bedürfnisse, auf den Entwick=
lungsgang des Staats, der ja in Person das Staatsrecht ist, auf die
Frage der Zweckmäßigkeit neben der Rechtmäßigkeit zu achten, so geräth
hinwieder die Privatrechtspflege in Gefahr, ähnlich und dann
der Natur des Privatrechts zuwider behandelt zu werden: und es wird
das Privatrecht durch die Mischung mit Verwaltungsrecht in seiner Rein=
heit getrübt und in seiner Festigkeit bedroht.

6) Der Vorzug einer besonderen Verwaltungsrechtspflege in der Verbindung
mit der Privatrechtspflege ist aber nur unter der Bedingung zu behaupten,
daß auch für jene ein wohlgeordnetes Verfahren eingerichtet wird,
welches den Partheien volle Gewähr dafür gibt, daß ihre Rechte und
Interessen vollständig klar gelegt und erörtert und unpartheiisch und mit
Einsicht gewürdigt werden. In dieser Beziehung trägt die Commission
auf eine wichtige Erweiterung des Gesetzesentwurfs an: Wie die Rechts=
pflege überhaupt, so kann auch die Verwaltungsrechtspflege nur im Lichte
der Oeffentlichkeit und nur bei Einführung der Mündlichkeit
recht gedeihen und das nöthige Vertrauen finden. Wir tragen daher auf
die Einführung dieser Grundsätze auch bei uns an, sowohl für die Be=
zirksräthe als erste, als für das sogenannte Recursgericht, oder wie wir
es lieber und richtiger nennen würden, den Verwaltungsgerichts=
hof als zweite Instanz. Ebenso halten wir das Recht der Partheien,
sich vertreten zu lassen auch durch Anwälte, für eine der wichtigsten Ga=
rantien einer vollständigen und sachgemäßen Vertheidigung ihrer Rechte

ftanz, welche bisher von einem rechtsgelehrten Einzelnbeamten ausgeübt wurde, wohl ohne Besorgniß einem aus bürgerlichen Elementen zusammengesetzten Bezirksrathe, unter dem Vorsitze des Bezirksbeamten übertragen werden könne.

Die Begründung zu dem Regierungsentwurfe glaubte vor Allem dem Einwurf begegnen zu müssen, daß es nicht dem Zweck entsprechend

---

und Interessen, und tragen auch auf Anerkennung dieses Rechtes im Gesetze an. Freilich wird dabei die jetzige Verordnung über das Verfahren in Verwaltungsstreitigkeiten nicht mehr bestehen können, sondern gleichzeitig mit der Einführung der neuen Organisation einer Umarbeitung im Sinne der neu auszusprechenden Grundsätze unterworfen werden müssen. Das jetzige Verfahren nämlich ist wesentlich auf die bureaucratische Schriftlichkeit gebaut; und es wird nicht möglich sein, diese Grundlage stückweise zu verbessern, sondern nöthig werden, dieselbe ganz und gar umzugestalten. Unsers Erachtens ist es aber zweckmäßiger, das vorerst der Regierung zu überlassen, und erst später, wenn man mehr Erfahrung haben und Fortschritte gemacht haben wird in der Ausbildung der Verwaltungsrechtspflege, das Verfahren gesetzlich zu ordnen.

Wir betrachten es nur als eine Folge des Grundgedankens, daß in der Regel der Schutz des Privatrechts den Civilgerichten und der Schutz des öffentlichen Rechts der Verwaltungsgerichten zugewiesen werde, daß man diese Unterscheidung möglichst sorgfältig durchführe und insbesondere Streitigkeiten, die ihrem Wesen nach privatrechtlich sind, wenn gleich die Staatskasse, die eine Parthei ist, von der Verwaltungsrechtspflege wegnehme und an die Civilgerichte verweise, wohin sie gehören. Gerade eine derartige ungerechtfertigte Ueberspannung der Verwaltungsrechtspflege hat das Mißtrauen gegen die Institution hauptsächlich geweckt und großgezogen. Man glaubte nicht an die Unpartheilichkeit der Verwaltungsgerichte, wenn man bemerkte, daß der Staat bloße privatrechtliche Streitigkeiten dann zumal der Competenz der Civilgerichte nicht unterwerfen wolle, wenn er selbst als Privatparthei betheiligt sei und sich in seinen Privatinteressen zum Nachtheil der Gegenparthei besser geschützt finde, wenn die Verwaltungsgerichte darüber urtheilen.

Wird die Ausscheidung des Verwaltungsrechts und des Privatrechts richtig vollzogen, und wird durch die Einrichtung der Verwaltungsrechtspflege und des Verfahrens vor den Verwaltungsgerichten für genügende Garantieen einer der Natur des Rechtsstoffes entsprechenden unpartheiischen und alle Interessen richtig würdigenden Handhabung des nöthigen Rechtschutzes gesorgt, dann wird man bald allgemein einsehen und zugeben, daß dieser Zustand besser sei, als die ältere Mischung von öffentlichem und Privatrecht und die Verbindung beider in den Civilgerichten.

²) Discussion der I. Kammer im Prot.-Heft S. 171—176.

erscheine, die Entscheidung von Streitigkeiten, wobei rechtliche Begriffe maßgebend sind, in die Hände von Männern zu legen, welchen in der Regel die zur Anwendung solcher Begriffe erforderlichen Kenntnisse fehlen.

Hiegegen sei zu bemerken, daß bei Verwaltungsstreitigkeiten die rechtliche Seite der Frage meist sehr einfach liege und jedenfalls immer in Verbindung mit der dem öffentlichen Interesse zugewandten Absicht des Gesetzes aufgefaßt werden müsse, und deßhalb von der natürlichen Einsicht und dem gesunden Gefühl erfahrener Bürger mindestens ebenso gut, häufig sogar richtiger beantwortet werden wird, als von den in einseitiger Auffassung von Rechtsbegriffen befangenen Juristen, welchen überdieß keineswegs das Monopol rechtlicher Kenntnisse zukomme; sodann aber sei in Erwägung zu ziehen, daß die zur richtigen Beurtheilung der thatsächlichen Grundlagen erforderlichen Erfahrungen und Kenntnisse des öffentlichen, namentlich des Gemeindelebens, welche bei Entscheidung von Verwaltungsstreitigkeiten ein sehr bedeutsames Moment bilden, vorzugsweise in den Kreisen zu finden sei, welche hier beigezogen werden sollen.

Die collegialische Behandlung solcher Streitigkeiten gewähre für die unbefangene und allseitige Erwägung der bestrittenen Frage allbekannte Vorzüge; es gehe aber nicht an, das zu solchen Entscheidungen berufene Collegium mit lauter erfahrenen und zugleich rechtlich gebildeten Verwaltungsbeamten zu besetzen, und es führe daher schon die Unausführbarkeit einer andern Einrichtung auf die vorgeschlagene, übrigens auch dem Gebiet der Justiz (Geschwornengerichte, Schöffen- und Handelsgerichte) nicht fremde Mitwirkung bürgerliche Elemente hin, deren große politische Vortheile hier nicht einmal in Anschlag gebracht werden sollen.

In dem Commissionsberichte der Zweiten Kammer ist bemerkt, daß die Befähigung und die Gesetzeskenntnisse der bürgerlichen Elemente, namentlich zum administrativ-richterlichen Wirkungskreise der Bezirksräthe vielleicht in der ersten Zeit da und dort nicht zureichen werden, daß aber unter allen Umständen schon durch das Vorhandensein des Bezirksraths ein großer Gewinn, nämlich die Controle des Bezirksbeamten und damit der kräftigste Sporn zu seiner möglichsten Thätigkeit und Unpartheilichkeit erzielt und deßhalb auch das Vertrauen des Volks zur Bezirksverwaltung, wie zur Staatsregierung mächtig gefördert werde.

Bei der **Discussion der Zweiten Kammer** wurde das Bedenken geäußert, daß die Uebertragung der Verwaltungsrechtspflege an ein bürgerliches Element seine gefährlichen Seiten habe. Einmal erfordere die Verwaltung der letztern nicht schlechthin die Mitwirkung der Bürger, zum andern eigneten sich diese Geschäfte mehr zur Besorgung durch Staatsbeamte, welche unbefangener und unbetheiligter bei deren Erledigung seien, und gegen welche in dieser Beziehung nie Klage erhoben worden sei. Es wurde hierauf die Bemerkung gegründet, daß die Einführung der Bezirksräthe, deren Befugnisse zu weit gehen, noch verschoben werden sollen.

Die Vertreter der Regierung machten hiegegen geltend, daß das Uebertragen von richterlichen Functionen in einem Bezirke an solche Personen, welche zugleich Angehörige des Bezirks sind, allerdings einige Gefahr mit sich führe, weil die Einrichtung Unpartheilichkeit und überhaupt Charaktereigenschaften voraussetze, welche durch die Einrichtung selbst erst recht entwickelt werden. Man dürfe aber die Gefahren doch nicht zu hoch anschlagen, da der Bezirksrath unter der Leitung eines gewissenhaften, unpartheiischen, rechtsgelehrten Beamten stehe, welcher die Mitglieder desselben durch geeignete Aufklärungen auf die richtige Bahn lenken werde. Ueberdieß wurde auch auf das Recursrecht des Beamten aufmerksam gemacht.

So wenig man die möglichen Nachtheile der vorgeschlagenen Einrichtung verkannte, so hielt man doch die schon oben hervorgehobenen Vortheile für überwiegend und glaubte zum mindesten den Versuch machen zu müssen.

Von im Wesentlichen gleichen Anschauungen ging man in der **Ersten Kammer** und der Commission derselben aus. Von einer Stimme wurde bemerkt, daß die verwickelten Fragen der Verwaltungsjustiz von den Bezirksräthen „nach naturalistischen Ansichten oder gar Partheianschauungen behandelt werden würden, und daß die Organisation in diesem Punkte kaum bestehen bleiben könne."

Die Mehrheit glaubte dagegen den, wie einige Redner bemerkten, „gewagten" Versuch machen zu müssen.

Es ist nicht zu läugnen, daß die Uebertragung richterlicher Functionen an die Mitglieder des Bezirksraths unter Umständen zu

ben in den ständischen Verhandlungen hervorgehobenen und oben bezeichneten bedenklichen Folgen führen kann.   Es ist daher eine der wichtigsten Aufgaben des Bezirksbeamten, die Mitglieder des Bezirksraths
bei der Berathung der einzelnen Rechtsfälle über die thatsächlichen und
rechtlichen Fragen auf das genaueste aufzuklären und allen seinen Einfluß aufzubieten, um jede dem Rechte widersprechende Entscheidung ab-
zuwenden.   Die Mitglieder des Bezirksraths ihrerseits müssen Alles
aufbieten, um durch die strengste Unpartheilichkeit das Vertrauen in die
neue Einrichtung zu begründen und ihre Mitbürger nicht zu nöthigen,
ihr Recht mit Zeit= und Geldopfer bei der höheren Instanz zu suchen.

Man darf auch erwarten, daß zwischen dem Bezirksbeamten und
den Mitgliedern des Bezirksraths sich ein solches Verhältniß gegenseitigen Vertrauens bilden werde, daß die letzteren einem wohlbegründeten
Antrag auf Entscheidung einer Streitsache nicht so leicht entgegen treten
werden.

Unter allen Umständen schützt aber das Recursrecht des Beamten
gegen immerhin mögliche Irrthümer der Bezirksräthe.

§. 13.
Fortsetzung.

3) Eine der bemerkenswerthesten Seiten des neuen Verwaltungsgesetzes ist die Trennung der Verwaltungsrechtspflege
von der rein politischen Verwaltung.

In der ersten Instanz konnte der Gedanke begreiflicher Weise nicht
in der Art zur Verwirklichung kommen, daß eigene von den Bezirksämtern und Bezirksräthen getrennte Behörden zur Ausübung der Verwaltungsrechtspflege bestellt wurden; es ist aber doch für die letztere
bei diesen Behörden erster Instanz eine andere Einrichtung und ein
anderes Verfahren eingeführt, als bei den Geschäften der rein politischen
Verwaltung.   Während die letzteren je nach ihrem Gegenstande entweder
von dem Bezirksbeamten allein oder unter obligatorischer oder faculta-
tiver Mitwirkung des Bezirksraths besorgt werden, entscheidet über
Streitigkeiten des öffentlichen Rechts nur der Bezirksrath als collegiale
Behörde unter dem Vorsitze des Beamten; während bei jenen das Verfahren ein geheimes ist, bildet bei diesen die Oeffentlichkeit die Regel.

In der zweiten und letzten Instanz dagegen ist der Grundsatz der Trennung vollständig durchgeführt, indem die Recurse, welche früher von den Kreisregierungen und den betreffenden Ministerien er= ledigt wurden, in den §. 15 des Verwaltungs=Gesetzes bezeichneten Fäl= len an den Verwaltungsgerichtshof übergehen, welcher innerhalb dieser seiner Competenz unabhängig entscheidet.

Die Regierung führte zur Begründung dieser neuen Einrichtung im Wesentlichen an, daß die bisherige Vermischung von administrativ= richterlichen Functionen mit jenen der rein politischen Verwaltung bei deren großen innern Verschiedenheit sich nach allen Seiten hin als nach= theilig gezeigt habe. Während die politische Verwaltung die kräftige Leitung eines von der obersten Staatsbehörde abhängigen und ihr ver= antwortlichen Einzelnbeamten verlange, erfordere dagegen die Anwen= dung des öffentlichen Rechts auf die bei dem Vollzug der Verwaltungs= Gesetze im einzelnen Falle entstehenden Streitigkeiten die reifliche Bera= thung eines Collegiums von rechtsgelehrten Verwaltungsbeamten, deren ausschließliche Beschäftigung mit der Gesetzesanwendung bei gegenüber= stehenden Ansprüchen Einzelner eine wesentliche Garantie für die un= partheiische und nicht von Nebenrücksichten auf Forderungen staatlicher Zweckmäßigkeit geleitete Entscheidung bietet. Denn, wenn auch Gesetz= mäßigkeit und Verwaltung nichts weniger als widersprechende Dinge seien, so sei doch das freie Ermessen der letzteren innerhalb der Schran= ken der Gesetze ein so wichtiges Moment ihrer Thätigkeit, daß die Un= befangenheit des rein politischen Verwaltungsbeamten — nicht nur im einzelnen Falle, wo vielleicht eine von ihm selbst ausgegangene Handlung Veranlassung oder selbst Gegenstand des Streites ist, sondern auch im Allgemeinen vermöge der ihm zur Hauptaufgabe gestellten und zur Ge= wohnheit gewordenen Berücksichtigung staatlicher Interessen — beein= trächtigt und demzufolge das Vertrauen in seine Entscheidung getrübt werde.

Bei dieser Einrichtung zweier collegialer Instanzen könne man die dritte Instanz unbedenklich fallen lassen, und es werde überdieß hieburch für die Einheit in der Anwendung der Grundsätze des öffentlichen Rechts in wünschenswerther Weise gesorgt.

In beiden Kammern war man mit der Trennung der Verwaltungs= rechtspflege von der rein politischen Verwaltung, und insbesondere mit der Errichtung eines eigenen Verwaltungsgerichtshofs einverstanden.

Die Bedenken, welche gegen eine solche Einrichtung erhoben werden könnten, wurden nicht für begründet erachtet.

Als solche wurden aufgeführt, daß:

a. ein so vollständig unabhängig gestellter Gerichtshof im Gefühle seiner Unabhängigkeit bei Auslegung der auf dem öffentlichen Rechte beruhenden Bestimmungen eine starre Praxis bilden könnte, welche mit dem Geiste der herrschenden Verwaltung im directen Widerspruch stünde, ja daß der Gerichtshof sogar absichtlich bei allen seinen Urtheilen, wenn der Wortlaut des Gesetzes verschiedene Deutungen zuließe, immer jene wählen würde, welche der politischen Richtung des Ministeriums und der Kammern widerspräche.

Die Commission der Zweiten Kammer glaubte aber selbst, daß eine derartige Verirrung des Gerichtshofs kaum möglich sein werde, und daß in diesem Falle im Wege authentischer Interpretationen der bestehenden oder durch Schaffung neuer Bestimmung auf dem Wege der Gesetzgebung geholfen werden müsse.

Diese Ansicht ist denn auch wohl vollkommen richtig. Von einer Gegenregierung durch den Verwaltungsgerichtshof oder von einer systematischen Opposition desselben gegen die Regierung kann ja überall nach dem Kreise seiner Zuständigkeit nicht die Rede sein; er bewegt sich in seiner Thätigkeit nicht auf dem politischen Gebiete, denn das ist ja eben der Grundgedanke des Entwurfs, daß von diesem Gebiete die Streitigkeiten über verwaltungsrechtliche Fragen förmlich ausgeschieden wurden, als ein jenem Gebiete fremder Gegenstand. Die Thätigkeit des Gerichtshofs ist eine wesentlich richterliche; daß er hienach unabhängig, d. h. nach seiner innern rechtlichen Ueberzeugung und nicht nach äußerem Machtgebot zu erkennen hat, ist eine ganz selbstverständliche, im Wesen des Richteramts liegende Sache; ja sogar eine heilige Pflicht des Richters. Aus dieser Unabhängigkeit werden für den Staat ebenso wenig nachtheilige Folgen entstehen, als aus der Unabhängigkeit der bürgerlichen und Strafgerichte. Wie diese hat der Verwaltungsgerichtshof zunächst das Gesetz zur Grundlage seiner Entscheidung zu nehmen. Es kann sich nun wohl der Fall ereignen, daß über die Auslegung desselben verschiedene Meinungen bestehen. Allein selbst dieser Fall wird ein sehr seltener sein, weil sich in den dem Verwaltungsgerichtshof zur Entscheidung zugewiesenen Fragen eine ziemlich feststehende

Praxis gebildet hat. Ueberdieß steht der Verwaltungsgerichtshof mit den betreffenden Ministerien durch die von diesen ernannten Vertreter des Staatsinteresses in fortdauernder und richtiger organischer Verbindung, so daß jeder einzelne vorkommende Fall Gelegenheit zum gegenseitigen Meinungsaustausch und zur Berichtigung und Ausgleichung etwaiger Meinungsverschiedenheiten gibt. Bleibt nun deßungeachtet eine solche bestehen, so ist eben gar keine andere Annahme rechtlich möglich, als daß im Gesetze selbst der Fehler liege, der dann verbessert werden muß. Dieß wird aber nicht zum Nachtheil, sondern zum wahren Vortheil des öffentlichen Wesens ausschlagen, weil Gesetze, über deren Auslegung zwei verschiedene, einander entgegengesetzte und — wie man gleichfalls annehmen muß — von beiden Seiten mit guten Gründen unterstützte Meinungen vorgebracht werden können, eben unklar und undeutlich sind und daher der Verbesserung nothwendig bedürfen.

Sollte aber in einem einzelnen Falle ein G e s e t z nicht vorhanden sein, welches die zu entscheidenden Fragen regelt, dann wird sich der Verwaltungsgerichtshof allerdings auch an die gesetzmäßig erlassenen V e r o r d n u n g e n bei seinen Entscheidungen zu halten haben; denn es ist nicht seine Aufgabe, auf dem Gebiete der Verwaltung N o r m e n aufzustellen, — er hat nur die bestehenden in Anwendung zu bringen, wie dieß bei den bürgerlichen Gerichten auch der Fall ist.

Daß der Gerichtshof durch seine wohlerwogenen und gründlich motivirten Entscheidungen auf dem Gebiete des Verwaltungsrechts eine Praxis bilden werde, welche auf die Rechtsprechung nach und nach großen Einfluß üben wird, ist nicht zu bestreiten, noch weniger aber zu beklagen. Darin liegt eben ein großer Vorzug, daß E i n Gerichtshof über eine Reihe von Verwaltungsstreitigkeiten im Recurswege erkennt, welche bisher zunächst v i e r Kreisregierungen zu entscheiden hatten, daß dieser Gerichtshof sich nur mit den Streitigkeiten des öffentlichen Rechts zu befassen hat und dadurch in der Lage ist, auf die Ausbildung unseres Verwaltungsrechts den wohlthätigsten Einfluß zu üben.

b. Die Commission der Zweiten Kammer theilte auch die Befürchtung nicht, daß ein solcher Gerichtshof, welcher in die Lage kommen kann, im einzelnen Falle innerhalb der Schranken des Gesetzes nach Zweckmäßigkeitsgründen zu erkennen, vielleicht rücksichtslos nur nach formalem Recht seine Entscheidungen treffen werde.

9*

Sie glaubte, daß ein Collegium von rechtsgelehrten Verwaltungsbeamten, die in einer längeren Verwaltungspraxis ihre Ausbildung erworben haben, wohl kaum auf einen solchen Abweg verfallen könne.

So wird es wohl auch sein. Wir haben glücklicher Weise die Zeit hinter uns liegen, in welcher sowohl auf dem Gebiete der Justiz als der Verwaltung der Formalismus sich breit machen konnte.

Wissenschaft und Praxis treten gleich entschieden gegen diese Hohlheit auf.

Auf dem Gebiete der Verwaltung darf und wird man sie nicht aufkommen lassen.

Selbstverständlich muß jede zum Schutze des Rechts bestimmte Form beachtet werden, aber immerhin bildet für den Verwaltungsgerichtshof die materielle Seite des öffentlich rechtlichen Streitpunkts die Hauptsache.

C. Die Selbstverwaltung der Kreise und Bezirke.

§. 14.
1) Die Kreisversammlung.

1) Zur Pflege gemeinsamer öffentlicher Interessen wird auf Grundlage derselben das Großherzogthum in Kreisverbände eingetheilt, deren jeder mehrere Amtsbezirke umfassen soll. (V.=G. §. 1, Abs. 2, und §. 24, Abs. 1.)

Diese Verbände genießen körperschaftliche Rechte, können Vermögen erwerben und besitzen, und zur Bestreitung ihrer gesetzlichen Ausgaben Beiträge auf die Kreisgemeinden und Gemarkungen umlegen; sie besorgen ihre Angelegenheiten selbstständig. (V.=G. §. 25, Abs. 1.)

Die Kreisangehörigen werden durch die Kreisversammlung vertreten. (V.=G. §. 26.)

2) Gegenstände der Beschlußfassung derselben sind alle Einrichtungen und Anstalten, welche die Entwickelung, Pflege und Förderung der Interessen des ganzen Kreises betreffen. Auf Kosten desselben können sie jedoch nur so weit beschlossen wer-

ben, als ein Gesetz hiezu im Allgemeinen die Ermächtigung gibt. (B.=G. §. 25, Abs. 2 und 3.)

Der §. 41 erklärt sie ausdrücklich für berechtigt, nicht nur gemeinnützige Anstalten im Interesse des Kreises und sei= ner Bewohner zu gründen, sondern auch zur Förderung der gemeinsamen Kultur, Wirthschaft und Wohlthätigkeit die Ge= meinden zu unterstützen. Insbesondere faßt sie in der §. 41, Ziff. 1 — 7, näher bezeichneten Weise Beschlüsse über Anlegung und Unterhaltung neuer Straßen, Brücken und Kanäle, über Errichtung von Sparkassen, Kreisschulanstalten, Werk=, Waisen=, Armen= und Krankenhäusern, Rettungsanstalten und sonstige gemeinschaftliche Anordnungen zur Fürsorge für die Armen, über die zu Deckung der Kreisausgaben auf die einzelnen Gemeinden zu machenden Umlagen, über die Vorausbeiträge besonders be= theiligter Gemeinden und einige andere auf die öconomischen Ver= hältnisse der Kreisverwaltung sich beziehende Gegenstände. (B.=G. §. 42—44.)

3) Die Kreisversammlung wählt ihren Vorsitzenden für die Sitzungsdauer aus ihrer Mitte durch absolute Stimmenmehrheit. Die Sitzungen derselben sind öffentlich; sie werden jährlich im October oder November abgehalten. (B.=G. §. 45, Abs. 1, §. 46, Abs. 1, §. 47, Abs. 1.)

4) Das Verhältniß der Staatsregierung zu der Kreis= versammlung ist, wie folgt, bestimmt:

a. die Erstere übt das ihr zustehende gesetzliche Aufsichtsrecht in Bezug auf die der Selbstverwaltung der Kreise überlassenen Angelegenheiten aus. (B.=G. §. 25, Abs. 1.)

Zu diesem Behufe ist

b. das Ministerium des Innern ist berechtigt, sich bei der Kreisver= sammlung durch Bevollmächtigte vertreten zu lassen; welche die Staatsinteressen zu wahren berufen sind; sie haben be= rathende Stimme und können jeder Zeit das Wort begehren; an den Abstimmungen nehmen sie nur Theil, wenn sie zu= gleich Mitglieder der Kreisversammlung sind, (B.=G. §. 45, Abs. 2);

c. die Aufnahme von Anlehen auf Rechnung des Kreises kann

      nur mit Genehmigung der Staatsbehörde erfolgen, (V.=G. §. 54, Abf. 2);

d. die Staatsregierung wacht ferner über die Erfüllung der durch Gesetze oder gesetzmäßig ergangene Verordnungen dem Kreis= verband auferlegten Lasten und Verbindlichkeiten, (V.=G. §. 54, Abf. 5, Ziff. 1), und kann

e. einzelne Rechnungen des Kreises der Oberabhör unterziehen (ebendaf. Ziff. 2);

f. das Ministerium des Innern kann auf erhobene Beschwerde das höchste Maß der Vorausbeiträge bestimmen, zu welchem die beschwerdeführenden Gemeinden zu einem bestimmten Unternehmen beigezogen werden dürfen, (V.=G. §. 54, Abf. 3), und ebenso kann es

g. auf Beschwerde einzelner Gemeinden die Ausführung eines Beschlusses von der Erhebung angemessener Vorausbeiträge der besonders betheiligten Gemeinden abhängig machen (ebendaf. Abf. 4);

h. es steht ihm ferner zu, einzelne Beschlüsse der Kreisorgane, welche das Gesetz oder das allgemeine Interesse verletzen, für nichtig zu erklären, vorbehaltlich des Recurses an das Staats= ministerium, (§. 54, Abf. 1);

i. die Staatsregierung kann die Kreisbediensteten (V.=G. §. 42) nach Anhörung des Kreisausschusses im Wege dienstpolizei= lichen Einschreitens entlassen, (V.=G. §. 54, Abf. 5, Ziff. 3), und ist

k. jederzeit befugt, die Kreisversammlung aufzulösen, in welchem Falle sie sofort neue Wahlen anordnet und binnen längstens drei Monaten die Kreisversammlung beruft. (V.=G. §. 40.)

§. 15.

2) Die Kreisausschüsse.

1) Die Kreisversammlung wählt einen Kreisausschuß von fünf Mitgliedern und zwei Ersatzmännern für die Dauer von drei Jahren mit relativer Stimmenmehrheit aus den am Sitze der Kreisverwaltung oder in der Nähe wohnenden, zur Kreis= versammlung wählbaren oder in derselben stimmberechtigten Perso=

nen. Der Kreisausschuß wählt aus seiner Mitte einen Vorstand.
(V.=G. §. 48.)

2) Die Aufgabe des Kreisausschusses besteht in dem Voll=
zug der Beschlüsse der Kreisversammlung und der Verwaltung
des Kreisvermögens und der Kreisanstalten (V.=G. §§. 26, 48,
Abs. 1), in der Wahrung der Interessen des Kreises für die Zeit,
in welcher die Kreisversammlung nicht tagt, in welcher Beziehung
ihm das Recht zusteht, in dringenden Fällen Anträge und Be=
schwerden über Kreisangelegenheiten an die Staatsregierung oder
Ständeversammlung zu richten, ferner in der Vorbereitung der
in der Kreisversammlung zu berathenden Gegenstände. (V.=G.
§. 48, 49.)

Mit Ermächtigung der letzteren kann er die Statuten der von
ihr gegründeten Kreisanstalten festsetzen, sowie die Vorstände und
Verwaltungspfleger dieser Anstalten ernennen und entlassen.
(V.=G. §. 42.)

3) Die Kreisversammlung kann neben dem Kreisausschuß beson=
dere Ausschüsse zur Aufsicht über die Kreisanstalten und zur
Besorgung ihrer Aufträge wählen. Die Wahl geschieht nach
relativer Stimmenmehrheit aus allen Einwohnern des Kreises,
welche in die Kreisversammlung wählbar oder in derselben
stimmberechtigt sind. Der Vorstand des Kreisausschusses kann
den Vorsitz in den Sonderausschüssen einem Mitglied des Kreis=
oder Sonderausschusses selbst dauernd oder für einzelne Fälle
übertragen. (V.=G. §. 48, 50.)

4) Die Mitglieder des Kreisausschusses oder der Sonderausschüsse
können von der Staatsregierung in dringenden Fällen aus den
in den §§. 38 und 39 der Gemeindeordnung angeführten Grün=
den ihres Amtes entlassen werden. (V.=G. §. 52.)

5) Die Mitgliedschaft der Kreisversammlung und der Ausschüsse ist
ein Ehrenamt; für Auslagen und Zeitverlust kann aber die
Kreisversammlung eine Entschädigung bewilligen. (V.=G. §. 53.)

Da die Kreisversammlung in der Regel jährlich nur einmal zu=
sammentritt (V.=G. §. 47), so war es geboten, Organe zu schaffen,
welche in der Zwischenzeit die Verwaltung sämmtlicher Kreisangelegen=
heiten, insbesondere auch des Kreisvermögens besorgen. Hiebei wurde
besonders darauf Bedacht genommen, die Kräfte der Einzelnen nicht

über die Gebühr anzuſpannen. Die Kreisverſammlung iſt daher be=
rechtigt, Sonderausſchüſſe zu wählen, je nach der localen Vertheilung
der Kreisanſtalten und je nach der beſonderen Qualification einzelner
Perſönlichkeiten für die Beſorgung einer gewiſſen Klaſſe von Geſchäften.

Da die Kreisverſammlung hiebei nicht auf ihre Mitglieder be=
ſchränkt, ſondern berechtigt iſt, dieſelben aus allen Einwohnern des Krei=
ſes, welche zur Kreisverſammlung wählbar oder in derſelben ſtimmbe=
rechtigt ſind, zu ernennen, ſo vertheilt ſich die Arbeit unter einer größe=
ren Anzahl von beſonders befähigt erachteten Perſonen.

Neben dieſen Sonderausſchüſſen beſteht der ſtändige Kreisaus=
ſchuß, welcher in gleicher Weiſe, wie die Sonderausſchüſſe gewählt wird.
Seine Mitglieder müſſen der regelmäßig fortlaufenden Geſchäftsbeſor=
gung wegen in der Nähe des Sitzes der Kreisverwaltung wohnen. Er
ſteht auch zu den Sonderausſchüſſen als ſtändiger Verwaltungskörper
in einem gewiſſen Verhältniß der Ueberordnung.

§. 16.
3) Der Kreishauptmann.

1) Das regelmäßige Organ der Staatsregierung in Bezug auf die
der Selbſtverwaltung der Kreiſe überlaſſenen Angelegenheiten iſt
der Verwaltungsbeamte des Bezirks, in welchem die Verwaltung
des Kreiſes ihren Sitz hat. Er führt den Titel „Kreishaupt=
mann." (V.=G. §. 25, Abſ. 4.)

2) Er iſt befugt, den Kreisausſchuß=Sitzungen anzuwohnen und
kann auf Veranlaſſung des Kreisausſchuſſes oder der Kreisver=
ſammlung auch die Bezirksbeamten und andere der Staatsver=
waltung angehörige Beamte innerhalb des Kreiſes zu den Ver=
handlungen einladen, welche aber, ſofern ſie nicht Mitglieder der
Kreisverſammlung ſind, nur berathende Stimme haben. (V.=G.
§. 39, 55.)

3) Er hat bei der Vorbereitung der in der Kreisverſammlung zu
berathenden Gegenſtände durch den Kreisausſchuß mitzuwirken.
(V.=G. §. 49, Ziff. 2.)

4) Von den Beſchlüſſen der Kreisbehörden kann er jederzeit Einſicht
nehmen; er ſtellt in Kreisangelegenheiten die erforderlichen An=
träge an das Miniſterium des Innern. (V.=G. §. 55.)

5) Ueber Streitigkeiten des öffentlichen Rechts, zu welchen die An=
spruche an den Kreisverband und das Beitragsverhältniß zu
dessen Bedürfnissen Anlaß geben, entscheidet der Kreishauptmann
unter Mitwirkung der zwei nächst wohnenden Bezirksbeamten
und je eines von den einzelnen Bezirksräthen des Kreises abzu=
ordnenden Mitgliedes.

Gegen diese Entscheidung ist ein Recurs an den Verwaltungs=
gerichtshof zulässig. (B.=G. §. 56 und 15, Ziff. 1.)

§. 17.
4) Die Bezirksversammlung.

1) Zur Förderung gemeinsamer öffentlicher Interessen und Ange=
legenheiten, die sich nur auf einzelne Gemeinden des Kreis=
verbandes erstrecken und nicht als Kreisangelegenheiten behandelt
werden, können sich innerhalb des Kreisverbandes engere Ver=
bände bilden, welche in der Bezirksversammlung ihre Vertretung
finden.
2) Derselben stehen hinsichtlich der von ihr zu pflegenden Bezirks=
interessen dieselben Befugnisse zu, wie der Kreisversammlung in
Bezug auf die Kreisinteressen.
3) Das von der Bezirksversammlung zu entwerfende Statut, welches
mit den Verpflichtungen gegen den Kreisverband nicht im Wider=
spruch stehen darf, ist von dem Ministerium des Innern zu ge=
nehmigen. (B.=G. §. 57.)
4) Der Bezirksverband besitzt körperschaftliche Berechtigung.
5) Ohne Zustimmung aller betheiligten Gemeinden kann er nur mit
Genehmigung des Ministeriums des Innern und nach Verneh=
mung der Kreisversammlung ganz oder theilweise aufgelöst wer=
den. (B.=G. §. 58.)

§. 18.
5) Bemerkungen über den Kreisverband.

Der Grundgedanke, auf welchem die Schaffung von Kreisverbän=
den ruht, ist schon oben (§. 1, Ziff. 1) angegeben.

Eine Reihe von öffentlichen, theils wirthschaftlichen, theils Cultur=
interessen, verlangen bei dem heutigen Stande der Gesellschaft ihre

bringende Befriedigung.   Sie waren damit bisher entweder an die Ge=
meinde verwiesen, oder an den Staat, oder an Verbände und
Concurrenzen, welche für einzelne Zwecke besonders geschaffen
wurden.

Der engere Verband der Gemeinde konnte sich nur um die Be=
friedigung von Interessen annehmen, die ihn zunächst berührten; Unter=
nehmungen, welche mehrere Gemeinden in Anspruch nahmen und auch
bedeutendere Mittel erforderten, waren in der Regel schwer durchzufüh=
ren.   Es machte sich gegen dieselben eine eigenthümliche Abgeschlossenheit
der Gemeinden geltend, und wenn man auch oft nach vieler Mühe die
Gemeinden für eine derartige Unternehmung günstig zu stimmen ver=
mochte, so vereitelte meist die Frage über die Aufbringung der Mittel
und der Maßstab über die Beitragspflicht zu derselben alle bisherigen
Bemühungen.

Die Anwendung eines administrativen Zwangs, selbst wenn und
wo er als gesetzlich zulässig erschienen wäre, mußte nothwendig stets
mit den größten Bedenken verknüpft sein, weil erzwungene Unterneh=
mungen die Bürgschaft einer geordneten Fortführung nicht in sich tra=
gen.   Daher kam es, daß, wenn derartige Einrichtungen getroffen
werden sollten, in der Regel an die Staatskasse recurrirt wurde und
daß sich auf diese Weise nach und nach eine Praxis bildete, die das
Staatsbudget in sehr erheblicher Weise belastete; es soll hier nur auf
die Straßen= und Flußbauten aufmerksam gemacht werden.

Auf der andern Seite blieben aber auch manche Unternehmungen
ruhen, die für einzelne Landestheile und ihre Bewohner von unberechen=
barem Vortheil gewesen wären, wie z. B. die Correctionen kleinerer Ge=
wässer, die, wenn gehörig regulirt, oft Tausende von Morgen der schön=
sten Wiesengründe zu bewässern vermochten, während sie jetzt in ihrem
regellosen Laufe die schädlichsten Ueberschwemmungen herbeiführen.

Auch die Gesetzgebung hat den Versuch gemacht, einzelne
derartige Unternehmungen durch Zwang und beträchtliche Beiträge aus
Staatsmitteln zu befördern, wie z. B. die Canalisirung der Elz.   Die
Erfahrung hat aber gezeigt, daß die Gesammtheit meist über die Gebühr
in Anspruch genommen wurde.

Je stärker in neuester Zeit bei dem riesenhaften Aufschwung des
Verkehrs die volkswirthschaftlichen Anforderungen an den Staat sich
geltend machten, je stärker die Rückwirkung dieses Aufschwungs auch

auf die Verhältnisse der landwirthschaftlichen Production wirken, und auch deren Anforderungen steigern mußten, um so dringender erschien es, für die Wahrnehmung derartiger bedeutender wirthschaftlicher und damit im Zusammenhang stehender Culturinteressen einen Organis=mus zu schaffen, der die nur durch die Macht der Association zu bewäl=tigende Aufgabe zu lösen im Stande wäre.

Der Kreisverband und die ihn repräsentirende Kreisversammlung bilden diesen Organismus. In ihm sollen die Interessen eines Kreises, dessen wirthschaftliche und Culturverhältnisse möglichst gleichartige sein sollen, ihre Vertretung finden.

Bei Schaffung dieser Einrichtung konnte man nun einen doppelten Weg einschlagen.

Man konnte die Befriedigung und Beförderung gewisser Interessen sogleich dem Kreisverbande obligatorisch überweisen, und die Kreis=lasten von den Staatslasten ausscheiden, wie dieß z. B. in Baiern durch das Gesetz vom 23. Mai 1846 über die Ausscheidung der Kreislasten von den Staatslasten, und die Bildung von Kreisfonds geschehen ist; dadurch erhielt die neue Einrichtung sogleich Leben und Bedeutung. Oder man führte den Kreisverband einstweilen als den Rahmen ein, in welchen durch eine spätere Gesetzgebung erst die Einrichtungen einge=fügt werden, deren Obsorge dem Kreisverbande obliegt.

Unser Gesetz hat den letzteren Weg eingeschlagen und bis jetzt der Kreisversammlung nur die Befugniß eingeräumt, gemeinnützige Anstalten zu gründen. (B.=G. §. 41, vergl. mit §. 25, Abs. 2 u. 3.)

Es wird hienach — wie sich der Commissionsbericht der Ersten Kammer ausdrückt, „wohl manchen Anstoß der Gesetzgebung und der Staatsverwaltung bedürfen, bis sich ein bedeutender Geschäftskreis der Kreise gebildet haben wird", und es dürfte sich die weitere Bemerkung des Berichterstatters [1] bewahrheiten, „daß die Kreisversammlung in der ersten Zeit ihres Bestehens vielleicht kein anderes Geschäft haben werde, als die Liste für die Bezirksräthe aufzustellen".

Auch bisher war eine Mehrheit von Gemeinden oder Amtsbezirken nicht gehindert, gemeinnützige Anstalten der in §. 41 des B.=G. bezeich=neten Art auf ihre Kosten zu gründen; ja, die Staatsverwaltung würde gewiß solchen Unternehmungen in aller Weise Vorschub geleistet haben;

---

[1] Prot.=Heft der I. Kammer von 1863, S. 177.

allein man hat von einer solchen collectiven Thätigkeit bis jetzt wenig gehört.

Unstreitig wird sie durch die Bildung der Kreisverbände eine gewisse Anregung bekommen; aber die Erfahrung wird zeigen müssen, ob diese stark genug ist, den vielen Schwierigkeiten zu begegnen, die sich ihr in den vielleicht widerstrebenden Anschauungen der Zahlungspflichtigen entgegenstellen.

Soll der Grundgedanke der neuen Einrichtung, der ein vollkommen gesunder und entwicklungsfähiger ist, und gegen den bei den Verhandlungen in beiden Kammern auch kein Widerspruch erhoben wurde, seiner Verwirklichung entgegen geführt werden, so bedarf es der balbigen Erlassung mannigfaltiger und wichtiger Gesetze.

D. Die Bildung der Kreisverbände und der Bezirksräthe.

§. 19.

1) Die Kreisversammlung.

Die hier vorliegende Frage war die bestrittenste des ganzen Gesetzes. Abgesehen von dazwischen liegenden Detailfragen machten sich bei der Berathung des Gesetzes **drei** verschiedene Grundansichten geltend, von welchen die eine in dem Regierungsentwurf, die andere in dem Commissionsantrag der zweiten Kammer, und eine dritte in einem Compromißvorschlage ihren Ausbruck fanden.

Der Letztere wurde im Wesentlichen und mit einigen verbessernden Zusätzen der ersten Kammer in das Gesetz aufgenommen.

A. Nach dem **Regierungsentwurfe** zum Gesetze sollte die Kreisversammlung gebildet werden:

1) aus den Abgeordneten der **Gemeinden**, deren Wahl durch einen Wahlkörper geschieht, welcher besteht: aus den Gemeinderäthen und kleinen Ausschüssen, den Vertretern der staatsbürgerlichen Einwohner und Colonien, den Besitzern und Vertretern der abgesonderten Gemarkungen und Stamm- und Familiengütern, sowie den größeren Grundeigenthümern — bei den letzten beiden Gruppen unter Voraussetzung einer bestimmten Größe des Steuercapitals;
2) aus den Mitgliedern des Kreisausschusses;
3) den Abgeordneten der Bezirksräthe;

4) den Besitzern von im Kreise gelegenen Stamm= und Familien=
gütern mit einem nach Abzug des Lastencapitals sich auf 150,000 fl.
belaufenden Steueranschlage.

Wählbar sollten alle 25 Jahre alten, mindestens ein Jahr
im Kreise ansässigen Einwohner des Kreises sein, welche die
in §. 15 und 21 der Gemeinde=Ordnung geforderten Eigenschaf=
ten für die Wählbarkeit in die Gemeinde=Collegien besitzen.

Die Gründe des Entwurfs ruhten auf der Betrachtung, daß der
Kreisverband auf der Vereinigung einer Mehrzahl von Localgemeinden
und Gemarkungen ruhe, und daß er gleichsam einen höheren Gemeinde=
verband darstelle, weßhalb auch seine Vertretung in überwiegender
Zahl aus einer Wahl durch die Ortsgemeinden hervorgehen müsse,
um deren Interessen es sich überdieß zunächst handle.
Der Wahlkörper für die Gemeindeabgeordneten sei so gebildet, daß mög=
lichst alle Interessenkreise der Einwohner einer Gemeinde
nach der ihnen zukommenden Bedeutung vertreten sind. Durch die Mit=
glieder des Kreisausschusses und die Abgeordneten der Bezirksräthe soll
der Kreisversammlung die Mitwirkung von geschäftstüchtigen, mit den
öffentlichen Angelegenheiten und deren Behandlung im weiteren Um=
fang, sowie mit dem Bedürfnisse der besondern Kreisanstalten und dem
Kreishaushalte vertrauten Elementen gesichert werden.

Den Interessen der größeren Grundbesitzer mußte besondere Rech=
nung getragen werden, weil sie in jeder Beziehung bei der Kreis=
verwaltung besonders betheiligt sind, und vermöge ihrer besseren Bil=
dung, ihres einsichtigeren Verständnisses für die Bedürfnisse der länd=
lichen Bevölkerung, ihrer unabhängigen Stellung vorzugsweise geeignet
sind, einen dem allgemeinen Wohl zuträglichen Einfluß bei der Kreis=
verwaltung zu üben.

B. Die Commission der Zweiten Kammer erklärte sich
damit einverstanden, daß die oben A. 2—4 genannten Personen als
Mitglieder zur Kreisversammlung berufen werden, dagegen trat sie dem
weitern Regierungsvorschlage, wonach die Kreisversammlung vorzugs=
weise aus den oben A, Ziff. 1 genannten Abgeordneten der Ge=
meinden gebildet werden sollte, nicht bei. Sie gab zwar zu, daß das
Princip, auf welchem der Vorschlag beruhe, nämlich das der Interes=
senvertretung richtig sei, sie glaubte aber, daß dieselbe besser erreicht
werde durch eine Urwahl der ganzen im Bezirke ansässigen

und mit Staatsbürgerrecht ausgestatteten Bevölkerung. Diesen Urwählern hätten sich anzuschließen die im Bezirke wohnenden Grundeigenthümer, sofern sie ein Grundsteuercapital von 25,000 fl. im Kreise besitzen.

Die Urwähler wählen Vertrauensmänner, und diese in Verbindung mit den eben bezeichneten Grundeigenthümern wählen die Abgeordneten zur Kreisversammlung, welche alsdann bestehen würde aus diesen Abgeordneten und den oben A. 2—4 genannten Personen.

Außer dem oben angeführten Grunde, daß die Interessenvertretung hiedurch auf eine einfachere und gerechtere Weise bewerkstelligt werde als durch den Regierungsvorschlag, wurde für das Princip der Wahl durch Urwähler noch geltend gemacht, daß die aus derselben hervorgehenden Abgeordneten als Männer des öffentlichen Vertrauens angesehen werden könnten.

Die Commission scheint diesen Vorschlag hauptsächlich mit Rücksicht auf die Bildung der Bezirksräthe gemacht zu haben, da sie der Kreisversammlung in dieser Beziehung eine sehr eingreifende Thätigkeit zuwies.

Diese Anträge, in Bezug auf welche ein Einverständniß mit der Regierung bei den Commissionsberathungen nicht erzielt werden konnte, kamen aber in der Zweiten Kammer nicht zur Berathung, da bei dem Beginne der Discussionen die Commission

C. einen weiteren Vorschlag machte, dem sich die Regierung anschloß[1]).

Nach demselben besteht die Kreisversammlung:

1) aus gewählten Mitgliedern, nämlich:
   a. zwei Dritttheile durch allgemeine Wahlen;
   b. ein Dritttheil durch Gemeindewahlen;

2) aus vom Gesetz berufenen, nämlich:
   a. den Mitgliedern des Kreisausschusses, soweit sie nicht schon der Kreisversammlung angehören;
   b. den Besitzern von im Kreise belegenem Grundeigenthum mit einem abzüglich des Lastencapitals wenigstens 150,000 Gulden betragenden Steueranschlage, welcher von den Besitzern oder ihren Familien seit mindestens 5 Jahren versteuert wird — oder deren Vertreter.

---

[1]) Verhandl. der II. Kammer von 1863, 6. Beil.=Heft, S. 593—596.

Die Zweite Kammer trat diesem Vorschlage bei.

Die Erste Kammer schlug die nach Form und Inhalt verbesserte Fassung vor, welche in den §. 27 des Gesetzes übergegangen ist.

Hienach treten zu den nach dem obigen Vorschlag gewählten Mitgliedern noch die Vertreter der größeren Städte (B.-G. §. 35) und zu den durch das Gesetz Berufenen, außer den Mitgliedern des Kreis=ausschusses an die Stelle der unter Ziff. 2 b. genannten Personen, „die größten Grundbesitzer im Kreise", deren Zahl einen Sechstheil der gewählten Mitglieder betragen soll.

Bemerkenswerth ist, daß die Bezirksräthe, welche nach den Vorschlägen der Regierung und der Commission berechtigt waren, je einen Vertreter in die Kreisversammlung zu senden, in dem neuesten Vorschlage und somit auch in dem Gesetze übergangen sind, so daß also jetzt ein organischer Zusammenhang zwischen diesen beiden Körpern nicht mehr besteht. An die Stelle derselben treten nach dem Berichte der Zweiten Kammer (Note 1) die Abgeordneten der Gemeinden gewisser=maßen als Vertreter des corporativen Gemeindevermögens. Man aner=kannte, daß in der Interessenvertretung die Gemeinden als Inhaber eines oft sehr bedeutenden steuerbaren Gemeindevermögens und auch überhaupt als Repräsentanten des ganzen pflichtig werdenden Steuer=capitals einen erheblichen Einfluß auf die Beschlüsse der Kreisversamm=lung, die sich doch größtentheils um den Geldpunkt drehen werden, aus=üben sollen.

Stimmfähig und wählbar zu Kreiswahlmännern sind alle 25 Jahre alten, seit mindestens einem Jahr im Amtsbezirk an=sässigen Staatsbürger. Die Ausschließungsgründe, welche nach der Gemeindeordnung für die Wählbarkeit in den großen Bürger=ausschuß bei den Gemeindebürgern gelten, sind auch hier maßgebend, ebenso sind Dienstboten und diejenigen Personen ausgeschlossen, welche in einem ähnlichen Abhängigkeitsverhältniß stehen. (B.-G. §. 29.)

Wählbar zu Abgeordneten zur Kreisversammlung (B.-G. §. 27, Ziff. 1 — 3) sind alle 25 Jahre alten, seit mindestens einem Jahre im Kreise wohnenden Staatsbürger, welche die für die Kreiswahlmänner vorgeschriebenen Wählbarkeitserfordernisse haben. (B.-G. §. 37.)

§. 20.

2) Der Bezirksrath.

Die Mitglieder des Bezirksraths, denen so wichtige staatliche Func=
tionen übertragen sind, sollen „durch Kenntnisse, Tüchtigkeit
und Gemeinsinn ausgezeichnete Bewohner des Amtsbe=
zirks" sein. (B.=G. §. 2.)

Die Berufung solcher Elemente glaubte

A. der Regierungs=Entwurf dadurch zu sichern, daß all=
jährlich von den Gemeinderäthen und kleinen Ausschüssen je für ihren
Gemeindebezirk eine Liste aller zu diesem Amte sich eignenden,
zur Kreisversammlung wählbaren Einwohner ihres Ge=
meindebezirks und der denselben zugetheilten, abgesonderten Gemarkun=
gen aufgestellt wird, welche von dem Bezirksbeamten mit dem Bezirks=
rathe geprüft und ergänzt und darauf durch den Kreishauptmann der
Kreisversammlung zur weiteren Ergänzung übergeben wird.

Die letztere stellt aus dieser Liste für jeden Amtsbezirk eine engere
Liste auf, welche viermal so viel Namen enthält, als der Bezirksrath
Mitglieder haben soll. Aus der letzteren ernennt das Ministerium
des Innern je für zwei Jahre die Mitglieder des Bezirksraths.

Dieser Vorschlag beruht auf den nachstehenden, in den Motiven [1]
niedergelegten Betrachtungen:

Organe, und so auch die dem bürgerlichen Elemente entnommenen,
welche zu einer umfassenderen Betheiligung an den Regierungs=
handlungen berufen sind, können am wenigsten in einem monarchisch
eingerichteten Staate ausschließlich durch Volkswahl berufen werden;
der Widerspruch, in welchen eine solche Einrichtung mit den Grundlagen
der gesammten Staatsverfassung (insbesondere dem §. 5 der Verfas=
sungsurkunde) kommen müßte, könnte nur die bedenklichsten Gefahren
für das öffentliche Wohl erzeugen. Als Regel muß deßhalb der Grund=
satz der Ernennung durch die Staatsregierung gelten, wobei ein Einfluß
gewählter Vertreter von Verbänden nicht ganz ausgeschlossen zu werden
braucht.

Hienach könne auf das Recht der Ernennung der Bezirksräthe

---

[1] Verhandl. der II. Kammer der Ständeversamml. von 1861/63, 4. Beil.=Heft,
zweite Hälfte, S. 630, 635.

durch die Staatsregierung nicht verzichtet werden, wogegen den Organen der Gemeinden und Kreisverbände durch die Art der Aufstellung der Liste ein sehr wesentlicher Einfluß auf die Auswahl der Persönlichkeiten gewährt sei.

Der Grund, aus welchem die Aufstellung der ersten Liste den Gemeindebehörden und deren Prüfung und Ergänzung dem Bezirks= beamten und Bezirksrath zugedacht war, liegt offenbar darin, weil diese Orts= und Bezirksbehörden die Persönlichkeiten, welche sich zur Be= rufung in den Bezirksrath eignen, am genauesten kennen und daher am ehesten im Stande sind, eine den sachlichen Anforderungen entsprechende Liste aufzustellen.

Die Gemeindebehörden sind sämmtlich aus Wahlen hervorge= gangen; eine partheilose Geschäftsbehandlung ist von ihnen, als öffent= lichen Behörden, zu vermuthen und kann durch die Vollzugsvorschriften über die Form der Vornahme des Geschäfts ausreichend gesichert werden. Die Controle durch eine Staatsbehörde mit einem aus bür= gerlichen Elementen zusammengesetzten Collegium gibt überdieß einen weitern Schutz gegen jede mögliche Willkür, der noch durch die zuletzt eintretende Prüfung und Ergänzung durch die Kreisversammlung eine vermehrte Gewähr erhält.

B. Die Commission der Zweiten Kammer ist auf diesen Vorschlag aber nicht eingegangen.

Nach ihren Anträgen [2]) sollen in jedem Amtsbezirk alle drei Jahre Vertrauensmänner (auf 250 Seelen je einer) gewählt werden, welche 25 Jahre alt, ein Jahr im Amtsbezirk angesessen und im Besitze des Staatsbürgerrechts sind, und zugleich diejenigen Eigen= schaften besitzen, welche §. 15 und 21 für die Wählbar= keit in die Gemeindecollegien vorschreiben.

Die Liste der gewählten Vertrauensmänner wird der Kreisver= sammlung vorgelegt und von ihr alljährlich für jeden Amtsbezirk eine engere Liste aufgestellt, welche dreimal so viel Namen enthält, als Mit= glieder des Bezirksraths ernannt werden sollen. Aus dieser Liste er= nennt alsdann das Ministerium des Innern die Letzteren.

Die Commission erkannte zwei Sätze des Regierungsentwurfs an, nämlich den, daß die Regierung auf die persönliche Zusammensetzung der Bezirksräthe einen wesentlichen Einfluß haben müsse, weil dieselben mit einem Theile der Staatsgewalt bekleidet und mit richterlichen Functionen betraut werden sollen, ebenso den weiteren, daß die Bildung der engeren Liste durch die Kreisversammlung zu geschehen habe, welche einerseits von den Regierungsorganen vollständig unabhängig und aus Wahlen hervorgegangen, andererseits aber doch auch den localen Zerwürfnissen und Partheiungen in den einzelnen Gemeinden und Amtsbezirken ferner stehe, als die Gemeindebehörden und Bezirksräthe, und ihr folglich auch bei der Auswahl aus der größeren Liste wenigstens in normalen Ver= hältnissen mehr Unpartheilichkeit und objectivere Anschauung zugetraut werden dürften.

Mit dem übrigen Theil des Regierungsentwurfs, wonach die erste Liste von den Gemeindebehörden aufgestellt und von dem Bezirksbeamten und Bezirksrathe geprüft und ergänzt werden soll, einem Verfahren, welches jenem der Bildung der Geschworenen ähnlich sei, war sie nicht einverstanden.

Als Grund hievon wird in dem Commissionsberichte angeführt, wie es in hohem Grade wünschenswerth sei, daß die Bezirksräthe nicht nur dem Vertrauen der Regierung und der Kreisversammlung ihre Be= rufung verdanken, sondern daß sie namentlich auch in ihrem Amtsbe= zirke, für welchen ihre Wirksamkeit allein bestimmt sei, das Vertrauen des Volks genießen. Dieses Vertrauen werde aber gewonnen, wenn die erste, eine große Auswahl gestattende, der Kreisversammlung zur Re= duction vorzulegende Liste, aus der Wahl des Volks hervorgehe. Die Volkswahl sei das einzige einigermaßen sichere Mittel, dieses Ver= trauen, so viel als überhaupt möglich, zu constatiren.

Die Commission bemerkt nun weiter, daß gegen das Princip der Urwahl überhaupt, namentlich aber in Beziehung auf die Bildung der Bezirksräthe, die nachstehenden Einwendungen erhoben worden seien:

1) daß bei den Wahlen die persönliche Zu= und Abneigung und bei Zerwürfnissen die Partheistellung mehr maßgebend seien, als die Rücksicht auf die wirkliche Befähigung des zu Wählenden, daß zu= mal in aufgeregten Zeiten die gerade herrschende Parthei ihre Gegner ausschließen werde, wenn dieselben auch besser mit den er= forderlichen Eigenschaften ausgerüstet seien. Personen aber, die

mit richterlichen Functionen bekleidet würden, wie die Bezirks= räthe, dürften am wenigsten aus Partheikämpfen hervorgehen;

2) daß die Mitglieder der Kreisversammlung ihre Candidaten für die engere Liste nur aus der Reihe der Vertrauensmänner, von welchen sie selbst gewählt sind, entnehmen könnten, und daher das Gefühl der Dankbarkeit oder der poli= tischen Sympathie sie stets zur ausschließlichen Wahl Derjenigen führen werde, welche ihnen selbst die Stimme gegeben haben, wo= durch die engere Liste in der Regel die Farbe der gerade herrschen= den Parthei bekäme und die Gewählten diese Farbe auch in ihren Richterberuf mit hinüber nehmen würden;

3) daß alle drei Jahre aufregende Urwahlen veranlaßt würden, während der Regierungsentwurf sie vermeide, die indirecte Wahl in die Kreisversammlung nur durch schon zu anderem Zwecke ge= wählte Behörden vornehmen und ohne alle Wahl die Urliste für die Bezirksräthe aufstellen lasse;

4) daß, wenn das Princip der Wahl bei den Bezirksräthen zur An= wendung komme, es wohl auch für die Geschworenen angenommen werden müßte, was am allerwenigsten wünschenswerth wäre.

Die Commission erklärte sich hierüber dahin, daß sie theilweise die Berechtigung dieser Einwendungen anerkannt, aber nach genauer Ab= wägung der etwa möglichen Nachtheile des Wahlsystems und der ihnen gegenüberstehenden Vorzüge desselben sie zu der Ueberzeugung gekommen sei, daß die Vortheile entschieden im Uebergewichte seien.

Die Gründe, welche die Commission zu diesem Ergebnisse führten, sind in dem Berichte desselben ausführlich entwickelt; es wird aber eine Hinweisung auf denselben [3]) genügen, da die Commission diesen Vor= schlag, in Bezug auf welchen ein Einverständniß mit der Regierung nicht zu erzielen war, zurückzog und vor der Berathung in der Kammer einen neuen Antrag einbrachte.

---

[3]) S. hierüber den Commissionsbericht in Verhandl. der II, Kammer, 6. Beil.=Heft, S. 558—560, Ziff. 1—4.

10 *

§. 21.

Fortsetzung.

C. Dieser zweite Antrag der Commission der Zweiten Kammer erhielt, jedoch nicht ohne Anfechtung, schließlich die Zustimmung der beiden
Kammern, sowie der Regierung, und ging in den §. 2 des Verwaltungs=
gesetzes über.

Nach demselben wird alljährlich von der Kreisversammlung für
jeden Amtsbezirk des Kreises d u r c h   f r e i e   W a h l aus sämmtlichen
25 Jahre alten und ein Jahr im Kreise ansässigen Staatsbürgern eine
Liste aufgestellt, welche dreimal so viel Namen enthält, als Mitglieder
des Bezirksraths ernannt werden sollen. Aus dieser Liste ernennt sodann
das Ministerium des Innern die Bezirksräthe [1]).

D a s   u n t e r s c h e i d e n d e   M e r k m a l dieses Vorschlags von dem
ersten Commissionsantrage liegt darin, daß der B e z i r k   s e l b s t   k e i n e
V e r t r a u e n s m ä n n e r   z u   w ä h l e n   h a t, aus welchen die Kreis=
versammlung die Bezirksräthe wählt, sondern daß die Bezirksräthe aus
der G e s a m m t m a s s e der 25jährigen und ein Jahr angesessenen
Staatsbürger unmittelbar von der K r e i s v e r s a m m l u n g gewählt
werden.

Der G r u n d des zweiten Antrags gegenüber dem ersten liegt vorzugsweise darin, weil man von Seiten der Regierung dem letzteren ent-
gegentrat und ausführte, wie bedenklich es sei, die Bezirksräthe, denen
zugleich die richtigen Functionen als R i c h t e r in Streitigkeiten des
öffentlichen Rechts übertragen sind, aus Wahlen derjenigen Bezirksan=
gehörigen hervorgehen zu lassen, über welche sie richten sollen, so daß der
Richter gewissermaßen als Mandatar seiner Gerichtspflichtigen erscheine,
und seine Selbstständigkeit und Unpartheilichkeit damit wesentlich ge=
fährdet erscheine.

In der Zweiten Kammer wurde, wie dieß auch schon in dem ersten
Commissionsberichte geschah [2]), darauf aufmerksam gemacht, daß die
Kreisversammlung — in deren Hand nach diesem Vorschlage die Wahl
der Bezirksräthe liegt, — oder wenigstens ihre große Majorität mit den

---

[1]) Siehe Beilage zur 83. öffentlichen Sitzung der II. Kammer vom 5. Mai
1863, 6. Beilagenheft Seite 593—596.

[2]) Ebendas. Seite 558.

erforderlichen Eigenschaften der einzelnen Personen im betreffenden Amtsbezirke zu wenig bekannt sei und daß, weil die Kreisversammlung aus Abgeordneten von 4 oder 5 Bezirksämtern zusammengesetzt sei, daher auf jedes derselben ungefähr 5 bis 6 Abgeordnete kommen würden, in den Händen dieser wenigen Mitglieder dann hauptsächlich die Wahlen der Bezirksräthe liegen würden, weil eben sie die genaueste Kenntniß der betreffenden Persönlichkeiten hätten, wodurch der Einfluß directer Wahlen auf den Bezirksrath nicht beseitigt wäre. Von dem Vertreter dieser Ansicht wurde daher ausgesprochen, wie es sich deßhalb empfehlen dürfte, nach dem Regierungsvorschlag die Wahl der Bezirksräthe in die Hände der Gemeindebehörden zu legen [3]).

Es wurde indeß der zweite Commissionsvorschlag, gegen welchen ein anderer Antrag nicht gestellt wurde, angenommen, nachdem noch die Bemerkung gemacht war, daß man sich bei dieser Frage eben einem „großen Versuche" gegenüber befinde.

Die Commission der Ersten Kammer trat diesem Vorschlage bei, weil man erwarten dürfe, daß die Kreisversammlung so viel Personenkenntniß innerhalb der Bezirke des Kreises besitze und so besonnen und verständig verfahren werde, um solche Männer vorzuschlagen, denen man dieses für den Bezirk wichtige Ehrenamt wohl anvertrauen darf. Es werde dadurch sicher besser für diesen Wahlvorschlag gesorgt, als wenn derselbe durch unmittelbare Volkswahlen festgestellt würde, welche mehr von der politischen Partheiströmung bewegt werde.

In der Ersten Kammer wurden gegen die §§. 2 und 27 zwar verschiedene Bedenken geltend gemacht, sie nahm aber schließlich dieselben an [4]).

Es ist unläugbar, daß der zweite Vorschlag der Commission der Zweiten Kammer dem ersten Vorschlage derselben aus den von der Regierung und der Commission der Ersten Kammer angegebenen, oben aufgeführten Gründen weit vorzuziehen ist. Gleichwohl kann man sich mancher Bedenken gegen denselben, wie er jetzt in das Gesetz übergegangen ist, nicht erwehren.

Der Gesetzgebung war offenbar die Aufgabe gestellt, einen solchen Wahlmodus zu finden, welcher die meiste Bürgschaft dafür gewährt, daß

---

[3]) Prot.=Heft (II. Kammer) Seite 427.
[4]) Prot.=Heft der Verhandl. der I. Kammer von 1861/63, S. 171—177, S. 182, 183, 189.

nur solche Männer zu Mitgliedern der Bezirksräthe berufen werden, welche, wie der §. 2 des Verwaltungsgesetzes sich ausdrückt, sich „durch Kenntniß, Tüchtigkeit und Gemeinsinn auszeichnen".

Diese Aufgabe wird nur dann mit Sicherheit gelöst werden können, wenn diejenigen, welche die Wahl und beziehungsweise Berufung der Bezirksräthe vorzunehmen haben, mit den Persönlichkeiten in den einzelnen Amtsbezirken so genau bekannt sind, daß sie mit der möglichsten Sicherheit die Tüchtigsten herausfinden.

Nach dem Regierungsentwurfe (s. oben §. 20 A.) waren es zunächst die Gemeindebehörden, welche je für ihre Gemeinden zunächst die Urlisten der zu dem Amte eines Bezirksraths sich eignenden, zur Kreisversammlung wählbaren Einwohner ihres Gemeindebezirks aufzustellen hatten.

Es war also dafür gesorgt, daß eine mit den Personen genau vertraute, aus der Wahl ihrer Mitbürger hervorgegangene bürgerliche Behörde die Gemeindeurliste aufstelle.

Diese aber mußte von dem Bezirksbeamten und den Bezirksräthen geprüft und ergänzt werden.

Also auch dieser zweite Act sollte unter wesentlicher Mitwirkung des bürgerlichen Elements vorgenommen werden.

Aus dieser geprüften und nöthigenfalls rectificirten Bezirksliste hätte die Kreisversammlung, also eine rein bürgerliche Corporation, der Regierung eine engere Liste vorzulegen gehabt zum Behufe der Ernennung der Mitglieder der Bezirksräthe.

Dieser Wahlmodus hätte gegenüber allen anderen in Vorschlag gebrachten die meiste Sicherheit gewährt, daß die Kreisversammlung ihre Wahl aus geeigneten Persönlichkeiten hätte treffen können; zugleich schloß er sich an den schon bestehenden Organismus der Gemeinden an.

Nach der jetzigen Bestimmung fehlt der Kreisversammlung für ihre Wahl die gewiß sehr gute Grundlage der sorgfältig aufgestellten und geprüften Bezirksliste; sie hat aus der ganzen großen Masse der 25 Jahre alten, ein Jahr im Bezirk ansässigen Staatsbürgern ihre Wahl zu treffen, und es wird dieß für sie ein eben so schwieriges als peinliches Geschäft werden, weil eben die Mitglieder der Kreisversammlung unmöglich mit den einzelnen Persönlichkeiten so vertraut sein können, als es die Gemeindebehörden, der Bezirksbeamte und die Bezirksräthe sind.

Ein Kreis besteht durchschnittlich aus 5 bis 6 Bezirksämtern. Die

Kreisabgeordneten des einen Bezirksamts (z. B. Breisach) werden in dem andern (z. B. Neustadt) nicht so viele persönliche Kenntniß haben, um aus den einzelnen Gemeinden des letzteren Bezirks heraus die tüchtigsten Kräfte zu finden; sie müssen sich daher nothgedrungen an die Meinung der Kreisabgeordneten halten, welche dem betreffenden Bezirksamte angehören. In dem oben angegebenen Beispiele werden wenige Kreisabgeordnete des Bezirks Neustadt den Ausschlag geben für die Wahl der Bezirksräthe für diesen Bezirk.

Man hat also nach den jetzigen Bestimmungen muthmaßlich 5 bis 6 Stimmen, auf welchen die Wahl ruht, während man in der Bezirks-liste, wie sie der Regierungsentwurf vorschlug, das Gutachten sämmt-licher Gemeindebehörden, des Bezirksbeamten und sämmt-licher Mitglieder des Bezirksraths als Grundlage für die Wahl hatte.

Es kann sonach wohl nicht zweifelhaft sein, daß der Regierungs-entwurf mehr Garantien für eine dem Gesetze gemäßen Besetzung der Bezirksrathsstellen bot, als die jetzigen Bestimmungen des Gesetzes.

Auch einer weiteren Aenderung des Regierungsentwurfs mag hier noch gedacht werden.

Sowohl nach demselben, als nach dem ersten Vorschlag der Com-mission der Zweiten Kammer war für die Wählbarkeit in den Bezirksrath nicht nur die Zurücklegung des 25. Jahres und die einjährige Ansässigkeit im Bezirke erforderlich, sondern auch der Besitz aller für die Wählbarkeit in die Gemeinde-collegien vorgeschriebenen allgemeinen Eigenschaften (Gem.-Ordn. §. 15 u. 21).

Danach wären von der Wahl in den Bezirksrath ausgeschlossen ge-wesen:

1) die wegen eines Verbrechens zu einer peinlichen Strafe, oder
2) welche innerhalb der letzten fünf Jahre zu einer Arbeitshausstrafe von wenigstens sechs Monaten, oder durch richterliches Erkennt-niß zur Dienstentlassung oder wegen Diebstahls, Unterschlagung, Fälschung oder Betrugs zu irgend einer anderen Strafe verur-theilt worden sind;
3) die Soldaten im wirklichen Dienste;
4) diejenigen, über deren Vermögen die Gant gerichtlich eröffnet wor-den ist, und zwar während der Dauer des Gantverfahrens und

fünf Jahre nach dem Schluſſe deſſelben, ſofern ſie nicht früher nachweiſen, daß ſie ihre Gläubiger befriedigt haben;

5) diejenigen, welchen die Wählbarkeit durch ein anderes Geſetz ganz oder theilweiſe entzogen iſt. [5]

Dieſe ſo bedeutungsvolle Qualification für das wichtige Ehren= amt eines Bezirksraths, zu welchem nur Männer, ausgezeichnet durch Kenntniſſe, Tüchtigkeit und Gemeinſinn berufen werden ſollen (Verw.= Geſetz §. 2 und 3), iſt in dem zweiten Commiſſionsvorſchlage und auch in dem Geſetze weggelaſſen.

Es iſt dieß um ſo bemerkenswerther als dieſe Qualification für die Kreiswahlmänner (V.=G. §. 29, Abſ. 3), und für die Mitglieder der Kreisverſammlung (V.=G. §. 37) beibehalten iſt, obgleich dieſe Functionen an Wichtigkeit mit dem nach allen Richtungen hin ſo bedeu= tungsvollen Berufe eines Bezirksraths gar nicht zu vergleichen ſind.

Es iſt zwar vorauszuſetzen, daß keine Kreisverſammlung ſich be= ſtimmen laſſen wird, der Regierung einen Mann zu präſentiren, welcher nicht mindeſtens auch die Eigenſchaften hätte, um in den großen oder kleinen Bürgerausſchuß, den Gemeinderath, in die Reihe der Kreiswahl= männer oder die Kreisverſammlung gewählt zu werden, noch viel weni= ger wird die Regierung einen ſolchen ernennen; allein immerhin wäre es wünſchenswerth geweſen, daß das Geſetz ſelbſt im Intereſſe der Auf= rechthaltung der Würde und des öffentlichen Anſehens der Bezirksräthe in Uebereinſtimmung mit den oben angeführten geſetzlichen Beſtim= mungen dieſe Qualification aufrecht erhalten hätte.

Der Schwerpunkt der neuen Verwaltungsorganiſation liegt in dem Inſtitute der Bezirksräthe. Seine zweifache Aufgabe als Verwal= tungs= und als Richtercollegium iſt eine ſehr große, und namentlich auch in der letzteren Beziehung eine ſehr ſchwierige. Es wird der tüch= tigſten und erprobteſten Männer bedürfen, ſie zu löſen. Möge es den Kreisverſammlungen gelingen, durch gewiſſenhafte Wahlen ſolche zu finden, und möge hiebei vor allen Dingen der Partheigeiſt ſich fern hal= ten. Hier, wo es ſich um die Förderung der vielſeitigen Intereſſen der Bezirke und ganz beſonders um die pflichtgetreue Verwaltung des Rich= teramts handelt, iſt nicht der Boden, auf welchem politiſche Partheien für ihre Beſtrebungen Capital zu machen verſuchen dürfen, wenn das

[5] Fröhlich, bad. Gem.=Geſetze. Zuſätze zu §. 15 und 21.

öffentliche Vertrauen in die neue Einrichtung nicht in aller Bälde unter=
graben werden soll. Die Betheiligten verlangen aufmerksame und
sorgfältige Wahrung ihrer Verwaltungsangelegenheiten, und bei Strei=
tigkeiten über Gegenstände des öffentlichen Rechts eine unpartheiische,
gewissenhafte Rechtspflege.

Das Interesse derselben an vollständiger Erfüllung dieser begrün=
deten Anforderungen ist ein so mächtiger Hebel, daß ihre Wachsamkeit
bald dazu greifen würde, die Entschließungen derjenigen Bezirksräthe,
welche von ihnen mehr als politische Partheiorgane denn als unpar=
theiische öffentliche Behörden betrachtet würden, nur als den Durch=
gangspunkt zu den höheren Staatsbehörden zu betrachten, und in den mei=
sten Fällen die Entscheidung von den letzteren einzuholen. Die Verwaltung
auch in localen und Bezirksangelegenheiten würde hieburch in die ober=
sten Verwaltungscollegien verlegt und den Betheiligten große Opfer an
Zeit und Geld aufgebürdet werden.

Sollen die guten Absichten des Gesetzes erreicht werden, so muß das
Amt eines Bezirksraths nur in die Hände der Besten im Volke
gelegt werden. Diese zu finden ist bei der Wahlhandlung die einzige
Aufgabe der Kreisversammlung; alle anderen Rücksichten müssen in den
Hintergrund treten.

Sollte aber die Erfahrung lehren, daß mit der jetzigen Wahlart
dieses Ziel nicht zu erreichen ist, so möge die Gesetzgebung nicht säumen,
die bessernde Hand bald an das wichtige Werk zu legen.

III.

Das Geſetz vom 5. October 1863

über die

Organiſation der innern Verwaltung.

III.

Das Gesetz vom 5. October 1863

über die

Organisation der innern Verwaltung.

(Reg.=Bl. 1863, Nr. 44, S. 399—414 *).

Friedrich von Gottes Gnaden

Großherzog von Baden, Herzog von Zähringen.

Mit Zustimmung Unserer getreuen Stände haben Wir beschlossen und verordnen wie folgt:

I. Allgemeine Bestimmungen.

§. 1.

Ueberficht der Verwaltungsbehörden.

Die innere Verwaltung wird besorgt:

A. für das ganze Land:

> durch das Ministerium des Innern, welches einen Theil seiner Zuständigkeit durch Ministerialbevollmächtigte (Landescommiſſäre) ausüben kann und durch den dem Ministerium untergeordneten Verwaltungshof;

B. in den Bezirken:

> durch die Bezirksämter theils allein, theils in Verbindung mit den Bezirksräthen.

---

*) Bei dem nachfolgenden Texte des Gesetzes vom 5. Oct. 1863 ſind die in der Bekanntmachung des Ministeriums des Innern vom 12. Mai 1864 (Reg.=Bl. Nr. 19, S. 177) aufgeführten Berichtigungen einiger irrigen Verweisungen berückſichtigt.

Die Ueberſchriften der einzelnen Paragraphen des Gesetzes ſind nicht amtlich, ſie wurden von dem Verfaſſer zur Erleichterung bei dem Gebrauche beigefügt.

Zur Pflege gemeinsamer öffentlicher Interessen und Angelegenheiten werden Kreisverbände errichtet, innerhalb derer kleinere (Bezirks=) Verbände sich bilden können.

Die Rechtspflege in bestimmten Streitigkeiten über öffentliches Recht wird in erster Instanz regelmäßig von den Bezirksräthen unter dem Vorsitz der Bezirksbeamten, und in der letzten Instanz von dem Verwaltungsgerichtshof ausgeübt.

Innere Verwaltung. 1) Das Gesetz stellte sich nur die Aufgabe, die Organisation der inneren Verwaltung theilweise zu ändern; der Umfang der Thätigkeit dieses Zweiges der Staatsverwaltung blieb aber durch dasselbe unberührt.

Die innere Verwaltung behält also nach wie vor diejenigen Attribute, welche ihr nach den bisherigen Gesetzen und Verordnungen zukamen, soweit nicht durch neuere Specialgesetze hierin eine Aenderung eingetreten ist, wie z. B. bei der freiwilligen Gerichtsbarkeit und der polizeilichen Strafrechtspflege.

Den Begriff der innern Verwaltung faßt das Gesetz im engsten Sinne des Wortes auf. Danach bleiben von seinen Dispositionen ausgeschlossen: alle auf die Organisation der Justiz=, Finanz= und Militärbehörden sich beziehenden Bestimmungen.

Diejenigen Gegenstände, welche hienach dem Gebiete der innern Verwaltung angehören, sind aber in dem Gesetze nicht in ihrem ganzen Umfang unter die in demselben genannten Verwaltungsbehörden vertheilt, sondern es ist dieß nur in Bezug auf einige derselben geschehen, und das Weitere zum Theil den Vollzugsverordnungen überlassen.

Es wäre nun gewiß wünschenswerth gewesen, wenn die letzteren die Gesammtmasse der Verwaltungsgegenstände unter die einzelnen Behörden nach dem Vorbilde des Organisations=Edicts von 1809, dessen gänzliche Aufhebung für den Geschäftskreis der innern Verwaltung alsdann möglich gewesen wäre, hätten vertheilen können, wodurch ein übersichtliches Bild der Verwaltung und zugleich auch eine sichere Abgrenzung des Zuständigkeitskreises der einzelnen Behörden gewonnen worden wäre. Es mußte aber hierauf, wenigstens vorerst, verzichtet werden, weil sowohl nach §. 59 des Verw.=Ges. als nach §. 28 des Poliz.=Str.=Gesetzb. umfassende Revisionen von Gesetzen und Verordnungen vorgenommen werden müssen, welche auch auf diese Frage von wesentlichem Einflusse sind.

Soweit also nicht das neuere Gesetz und Verordnungen bestimmte Vorschriften enthalten, bleiben die bisherigen Gesetze und Verordnungen, insbesondere auch das Organisations=Edict vom 26. Nov. 1809 in Kraft.

Die neue Eintheilung des Großherzogthums. Kreise.

2) Die neue Gerichtsverfassung machte eine neue Eintheilung des Großherzogthums für die Rechtspflege, insbesondere wegen der Errichtung der Kreisgerichte, das Verwaltungsgesetz dagegen eine solche wegen der Bildung der Kreisverbände nothwendig. (V.=G. S. 1 u. 24.)

Diese ist durch die landesherrliche Verordnung vom 12. Juli 1864 (Reg.=Bl. Nr. 29, S. 299—315) erfolgt. S. Anhang Nr. I.

Die 11 Kreise, in welche hienach das Land eingetheilt ist, fallen vollständig mit den Sprengeln der Kreisgerichte zusammen. Sie sind nach ihrer räumlichen Begrenzung und Seelenzahl sehr verschieden, wie dieses bei der eigenthümlichen Configuration des Landes kaum anders zu erwarten war. Der kleinste Kreis (Villingen) umfaßt 65,093, der größte (Karlsruhe) 211,565 Seelen.

Für die Kreiseintheilung konnte nach dem ganzen Wesen des Kreisverbandes als einer Selbstverwaltung der Interessen auch nur die Gemeinsamkeit oder wenigstens möglichste Gleichartigkeit derselben den Ausschlag geben (V.=G. S. 24); zugleich mußte aber auch darauf Rücksicht genommen werden, dem Kreise eine solche Ausdehnung zu geben, daß dadurch seine Leistungsfähigkeit auf dem Gebiete der materiellen Interessen verbürgt ist.

Im Wesentlichen fällt die jetzige, freilich für andere Zwecke geschaffene Kreiseintheilung mit jener der Organisation von 1809 (s. oben I. S. 16) zusammen. Daß sie bei Beachtung der obigen Rücksichten zugleich mit der Eintheilung in Gerichtssprengel in Uebereinstimmung sich halten konnte, erscheint im Interesse der Bevölkerung als wünschenswerth, aber doch nur als Nebensache.

Zur Zeit hat die Kreiseintheilung keine politische Bedeutung, weil eben den Kreisverbänden eine politische Verwaltung nicht übertragen ist.

Amtsbezirke.

Die Bezirksämter sind bei der neuen Eintheilung im Wesentlichen in ihrem bisherigen Bestande beibehalten. Ihre Zahl wurde von 64 auf 59 herabgesetzt, sowie jene der Amtsgerichte von 73 auf 66.

Die Amtsbezirke treffen mit jenen der Amtsgerichte in der Regel zusammen; eine Abweichung findet nur insofern statt, als einige Bezirksämter nicht nur Ein Amtsgericht, sondern deren mehrere umfassen. (S. die angef. V.=O. v. 12. Juli 1864, S. 2 u. 3 (Reg.=Bl. Nr. 29, S. 299 u. folg.). Ein Amtsbezirk umfaßt jetzt durchschnittlich 24,000 Seelen und 30 Gemeinden.

Die Ansichten darüber, ob nicht die Zahl der Verwaltungsämter noch mehr verringert und dadurch die Bezirke derselben vergrößert werden sollen, sind sehr verschieden. Die Regierung hat sich dafür ausgesprochen, die Verwaltungsbezirke in ihrem seitherigen durchschnittlichen Umfang möglichst zu belassen; die Zweite Kammer hat sich dieser Ansicht bei mehreren Anlässen zugeneigt und es sind Stimmen laut geworden, welche gegen weitere Aufhebungen von Verwaltungsämtern sich ausgesprochen haben, während in der Ersten Kammer sich Stimmen für das Gegentheil erhoben.

Man wird wohl nicht verkennen dürfen, daß die Verwaltung eines Bezirks von durchschnittlich 24,000 Seelen und 30 Gemeinden die Thätigkeit Eines Beamten im vollsten Maße in Anspruch nehmen wird, wenn er den Anforderungen, die man an ihn überhaupt und namentlich nach dem neuen Verwaltungsgesetze macht, genügen will.

Die collegiale Behandlung einer großen Anzahl von Verwaltungsgeschäften, die öffentlich mündliche Verhandlung der Verwaltungsstreitigkeiten wird einen viel größern Aufwand an Zeit erfordern, als die bisherige Behandlungsweise der Geschäfte, das Rechnungswesen der Gemeinden und örtlichen weltlichen Stiftungen wird ihn weit mehr beschäftigen, als dieß jetzt der Fall war; überdieß ist der Zuwachs an Geschäften, veranlaßt durch die Aufhebung der Kreisregierungen, kein unbedeutender. (Landesherrl. V.=O. v. 12. Juli 1864, Reg.=Bl. Nr. 31, S. 6.)

Die Abnahme der Geschäfte der Rechtspolizei, soweit sie noch von den Aemtern besorgt wurden, und jene der Forstfrevelthätigungen fallen hiegegen nicht in's Gewicht, da die letzteren wenig in Betracht kommen konnten, weil sie nach Vollendung der Thätigungen größtentheils dem untergeordneten Personal zufielen.

Auch die Uebertragung der Gerichtsbarkeit in Polizei=Straffachen an die Gerichte erleichtert die Bezirksämter nach den in dem Gesetze v. 28. Mai 1864 (Reg=Bl. Nr. 23, S. 228—233) getroffenen Bestimmungen nicht in besonderem Maße.

Dem Verwaltungsbeamten muß aber nothwendig so viel Zeit erübrigen, daß er stets in lebendigem Verkehre mit seinen Bezirksangehörigen stehen und sich über die Zustände, Wünsche und Beschwerden derselben durch persönliches Zusammenwirken und eigene unmittelbare Anschauung überzeugen kann.

Diese so nothwendige Unmittelbarkeit der Verwaltung ist in einem zu ausgedehnten Bezirke nicht zu erreichen, wenn nicht andere Nachtheile eintreten sollen.

Jedenfalls wäre es gewagt, bei dem Beginne der Wirksamkeit des neuen Verwaltungsgesetzes sehr große Amtsbezirke zu schaffen, während man die Folgen des Gesetzes in allen Einzelnheiten noch nicht zu überschauen vermag.

Nicht unerwähnt dürfen aber auch die Ansprüche der Bevölkerung bleiben, von dem Sitze des Bezirksamts nicht so ferne gehalten zu werden, daß sie nur mit einem unverhältnißmäßig großen Aufwand an Zeit und Kosten ihre Angelegenheiten besorgen können.

Bei der oben bezeichneten durchschnittlichen Größe der Bezirks=
ämter bleibt unter den einzelnen derselben immerhin eine solche
Verschiedenheit, daß, ganz abgesehen von besondern Verhältnissen
(wie z. B. der Polizeiverwaltung in den größeren Städten), meh=
rere derselben mit zwei Beamten besetzt werden können, wodurch
die Möglichkeit gegeben wird, jüngere Kräfte für den Dienst der
innern Verwaltung heranzuziehen.

Ministerium des Innern. 3) Ueber das Ministerium des Innern siehe
Geschichtl. Einleitung §. 17, 25.
Grundlagen §. 5.
Verw.=Gesetz §. 20—23.
Vollzugs=V.=O. v. 12. Juli 1864, §. 13—15 (Reg.=Bl.
Nr. 31, S. 339).

Landescommissäre. 4) Ueber die Landescommissäre siehe
Grundlagen §. 5, Ziff. 2.
Verw.=Gesetz §. 22 u. 23.
Vollz.=V.=O. v. 12. Juli 1864, §. 16—28.

Verwaltungshof. 5) Ueber den Verwaltungshof:
Grundlagen §. 4.
Verw.=Gesetz §. 21.
V.=O. v. 12. Juli 1864, §. 7—12.

Bezirksämter und Bezirksräthe
a) als Verwaltungs-behörden. 6) Ueber die Bezirksämter und Bezirksräthe als Ver=
waltungsbehörden:
Geschichtl. Einl. §. 15, 19—23.
Grundlagen §. 2 u. 3.
Verw.=Gesetz §. 2—14.
V.=O. v. 12. Juli 1864, §. 1—6.

b) als Verwaltungs-gerichte erster In-stanz. 7) Ueber dieselben als Verwaltungsgerichte erster
Instanz:
Grundlagen §. 11—13, 20, 21.
Verw.=Gesetz §. 5, 10, 13.
V.=O. v. 12. Juli 1864, §. 32 u. folg.

Verwaltungsge-richtshof. 8) Ueber den Verwaltungs=Gerichtshof:
Grundlagen §. 11—13.
Verw.=Gesetz §. 15—19.
V.=O. v. 12. Juli 1864, §. 29—31, 99—122.

Kreis- und Bezirks-verbände. 9) Ueber die Kreis= und Bezirksverbände:
Grundlagen §. 14—19.
Verw.=Gesetz §. 24—58.

II. Von den Bezirksämtern und Bezirksräthen.

§. 2.

Zahl, Amtsdauer und Wahl der Bezirksräthe.

(S. oben Geschichtl. Einl. §. 15, 19—23, Grundl. 2, 3, 11—13.)

Den Bezirksämtern steht zur Mitwirkung bei der Entscheidung öffentlich-rechtlicher Streitigkeiten und zur Unterstützung bei der sonstigen staatlichen Verwaltung ein Bezirksrath zur Seite, in welchen 6 bis 9 durch Kenntnisse, Tüchtigkeit und Gemeinsinn ausgezeichnete Bewohner des Amtsbezirks berufen werden.

Die Zahl der Mitglieder der Bezirksräthe wird von dem Ministerium des Innern für jeden Bezirk mit Rücksicht auf dessen Volkszahl nach Vernehmung der Kreisversammlung festgesetzt.

Zum Zwecke der Berufung wird alljährlich von der Kreisversammlung für jeden Amtsbezirk des Kreises durch freie Wahl aus sämmtlichen Staatsbürgern, die in demselben seit mindestens einem Jahre ansässig sind und das 25. Lebensjahr zurückgelegt haben, eine Liste aufgestellt, welche dreimal so viel Namen enthält, als Mitglieder des Bezirksrathes ernannt werden sollen.

Aus dieser Liste ernennt das Ministerium des Innern je für 2 Jahre die Mitglieder des Bezirksrathes und, wenn ein Mitglied wegfällt, den Ersatzmann.

Alljährlich tritt die Hälfte aus.   Ueber den erstmaligen Austritt entscheidet das Loos.

Einrichtung der Bezirksämter.

1) Neben der oben (Grundlagen §. 2) schon dargestellten Umgestaltung in der Einrichtung der Bezirksämter tritt nach §. 4 der V.-O. v. 12. Juli 1864 (Reg.-Bl. Nr. 31, S. 334) noch die weitere sehr bemerkenswerthe Aenderung ein, daß jedem Bezirksamte ein rechnungsverständiger Beamte oder Gehülfe beigegeben wird, welcher alle in das Rechnungswesen einschlagende Gegenstände der Verwaltung, sowie die weiteren Aufträge des Amtsvorstandes zu besorgen hat.   Seine Arbeiten unterstehen der Prüfung des Beamten und können nur unter seiner oder seines Stellvertreters Unterschrift abgelassen werden.

Rechnungsverständige Beamte und Gehülfen.

Die Amtsrevisorate in der Eigenschaft als selbstständige Revisionsbehörden der Bezirke sind aufgehoben.

Die Geschäftsaufgabe des Beamten ist hieburch wesentlich erweitert.   Es geht mit dieser Aenderung nicht blos die Abhör der Gemeinderechnungen und die Erledigung der übrigen auf das Gemeinderechnungswesen sich beziehenden Geschäfte, sondern auch die

Abhör der Kriegskoſten=, Kirchen= und Schulhausbaurechnungen, sowie der Sparkaſſenrechnungen, ſoweit eine Abhör der letzteren durch die Staatsbehörde ſtattfindet, auf die Bezirksämter über, ebenſo die ſeither den Amtsreviſoraten übertragenen Geſchäfte in Bezug auf Ablöſung der Zehnten einſchließlich der Abhör der Zehntrechnungen und die Ermittelung der Entſchädigung für auf= gehobene Beſitzveränderungsabgaben und andere aufgehobene Feu= dalrechte, ferner die Abhör der Rechnungen der weltlichen, nur für den Amtsbezirk oder einzelne Orte deſſelben beſtimmten Stiftungen. (§. 6, Ziff. 4, 5 und 17 der angef. V.=O. v. 12. Juli 1864.)

Dieſe Einrichtung iſt eine Folge der vollſtändigen Durch= führung der Trennung der Rechtspflege von der Verwaltung.

Die Amtsreviſorate hatten bisher theils Rechtsſachen, nämlich die Gegenſtände der freiwilligen Gerichtsbarkeit zu beſorgen, theils Verwaltungsgegenſtände, z. B. die Abhör der Gemeinderechnungen u. dergl.

Es iſt in Bezug auf dieſe neue Einrichtung die Befürchtung ausgeſprochen worden, daß das wichtige Geſchäft der Rechnungs= abhör und der Beaufſichtigung des Gemeindehaushalts von un= ſelbſtſtändigen Revidenten, auch wenn ein Theil derſelben mit Staatsdienereigenſchaft angeſtellt würde, nicht ſo gut werde beſorgt werden können, als von den bisherigen ſelbſtſtändigen Reviſions= ſtellen, welche mit erfahrenen Geſchäftsmännern beſetzt geweſen ſeien, während man jetzt genöthigt ſein werde, dieſe Arbeiten viel= fach in die Hände von noch ungeübten, gering bezahlten und öfter auch noch mit untergeordneten Kanzleiarbeiten belaſteten Aſpiranten zu legen.

Dagegen iſt aber zu bemerken: Es war eine Abnormität, daß in der unterſten Inſtanz der Verwaltung die Reviſionsbehörde eine eigene, von dem Bezirksamt abgelöſte Behörde bildete, während in der mittleren und obern Inſtanz die Reviſionsſtellen den betreffen= den Collegien unbedingt einverleibt und untergeben waren.

In den vielen zwiſchen den Aemtern und Amtsreviſoraten zu Tage getretenen Streitigkeiten, die zu vielfachen Schreibereien und Geſchäftsverſchleppungen führten, hat ſich dieß auch deutlich genug gezeigt.

Der Reviſionsbeamte kann nur der untergebene Gehülfe des Verwaltungsbeamten ſein. Nur wenn dieß der Fall iſt, kann der letztere den erforderlichen Einfluß auf das Reviſionsgeſchäft ge= winnen, und nur dadurch kann der nicht unbegründeten Klage vorgebeugt werden, daß die Reviſion nicht ſelten in einer klein= lichen, die Selbſtſtändigkeit der Gemeinden über Gebühr verletzen= den Weiſe gehandhabt worden ſei.

Die befürchteten Nachtheile werden aber nicht eintreten, wenn

11*

der Beamte das Revisionsgeschäft gehörig überwacht, und wenn er insbesondere es sich angelegen sein läßt, alle unnöthigen formellen Plackereien von vornherein abzuschneiden, die wichtigern und auf die Sache selbst sich beziehenden Revisionserinnerungen mit den Gemeindebehörden mündlich zu erörtern und hieburch auf einen baldigen Abschluß des Abhörgeschäfts durch Erlassung des Bescheides hinzuwirken.

Der Beamte lernt hieburch die finanziellen Zustände der Gemeinden seines Bezirks genauer kennen als bisher, und der gleiche Vortheil erwächst hieburch auch den Gemeindebehörden selbst, welche ihrem eigenen Haushalte oft sehr ferne stunden und die Rechnungen meist durch fremde Personen, statt von dem Gemeinderechner, gestellt erhielten.

Es wird auch eine besondere Aufgabe der Landescommissäre sein, in dieser Beziehung die Dienstleistungen der Beamten eingehend zu überwachen, damit auch künftig die Gemeinden der Segnungen eines wohlgeleiteten Haushaltes sich wie bisher erfreuen.

Und es wird dieß auch bei der neuen Einrichtung nicht ausbleiben, wenn nur alle berufenen Kräfte mit Ernst und Eifer zusammenwirken.

Besetzung der Bezirksämter.   2) Im Uebrigen bleibt die Einrichtung der Bezirksämter dieselbe wie bisher. Sie werden in der Regel mit Einem Beamten besetzt. Werden ausnahmsweise deren mehrere oder Hülfsarbeiter angestellt, so führt der Vorstand des Amts unter seiner Verantwortlichkeit die Aufsicht über ihre Geschäftsbesorgung und bei Meinungsverschiedenheiten entscheidet die Ansicht desselben in allen jenen Verwaltungssachen, in welchen der Bezirksrath nicht mitzuwirken hat. (S. 3 d. V.-O. v. 12. Juli 1864. Anh. Ziff. II.)

Unterordnung derselben.   3) Die Bezirksämter sind unmittelbar dem Ministerium des Innern und den Landescommissären und in ihrer Eigenschaft als Verwaltungsgerichte erster Instanz dem Verwaltungsgerichtshof untergeordnet; auch der Verwaltungshof ist berechtigt, Rügen und Ordnungsstrafen bis zu 25 Gulden innerhalb seines Geschäftskreises gegen die Bezirksbeamten zu erkennen.

Auch die Anordnungen anderer Behörden und Ministerien haben die Bezirksämter zu vollziehen, wenn jenem einzelne Zweige der Verwaltung übertragen sind. Selbst Rügen und Ordnungsstrafen können von den anderen Ministerien unter der obigen Voraussetzung gegen die Bezirksämter erkannt werden, wovon jedoch gleichzeitig das Ministerium des Innern in Kenntniß zu setzen ist, welchem allein die Einleitung und Erledigung förmlicher dienſtpolizeilicher Unterſuchungen gegen die Bezirksämter zuſteht. (§. 3 und 5 der angef. V.=O.)

Erweiterung der Zuſtändigkeit der Bezirksämter. 4) Es iſt ſchon oben (geſchichtl. Einleitung §. 19—23) dar= gethan, wie man nach der Organiſation vom 26. Nov. 1809 mehr und mehr ſich dahin neigte, die allzu kleinen Amtsbezirke zu v e r g r ö ß e r n und die Z u ſ t ä n d i g k e i t der Bezirksämter zu e r w e i t e r n. Dieß iſt auch jetzt wieder, und zwar in ſehr ausge= behnter Weiſe geſchehen. Es ſind nicht nur in den §§. 5 und 6 des Verw.=Geſ. den Bezirksämtern viele bisher von den höheren Verwaltungsbehörden erledigte Gegenſtände zugewieſen, ſondern es iſt dieß insbeſondere auch noch weiter durch den §. 6 der V.=O. v. 12. Juli 1864 (Reg.=Bl. Nr. 31) geſchehen.

Die geſammte Bezirksverwaltung iſt jetzt mit wenigen Aus= nahmen in die Hände der Bezirksämter gelegt, wobei ſie an eine theilweiſe Mitwirkung der Bezirksräthe gebunden ſind.

Der Beamte beſitzt innerhalb der Schranken der Geſetze und Verordnungen die erforderliche Freiheit und Selbſtſtändigkeit, die vielfachen Schreibereien über Kleinigkeiten durch Berichterſtattung an die höheren Behörden ſind beſeitigt, durch die Einführung der Landescommiſſäre iſt für eine einfache wirkſame Controle geſorgt und die Mitwirkung der Bezirksräthe wird dem Staatsbeamten ein vermehrtes Vertrauen zuführen.

Dienſtinſtruction. 5) Es wäre für die Geſchäftsführung der Bezirksämter ſehr förderlich geweſen, wenn für dieſelben eine Dienſtinſtruction, als allgemeiner Leitfaden zur Beſorgung der ihnen zugewieſenen Ge= ſchäfte hätte entworfen werden können, etwa in der Weiſe, wie dieß im Großherzogthum Heſſen durch die vortreffliche Inſtruction für die Kreisräthe vom 20. Sept. 1832 geſchehen iſt.

Der Umbildungsproceß, in welchem ein großer Theil der Ver= waltungsgeſetzgebung zur Zeit begriffen iſt (Zuſ. 1. zu §. 1), macht eine ſolche Arbeit für jetzt nicht möglich.

Zahl der Bezirks= räthe. 6) Der Regierungsentwurf ſetzte dieſelbe auf 5 bis 8 feſt, die Zweite Kammer auf 6 bis 9, weil ſie es für angemeſſen erachtete, daß der Bezirksrath nur dann beſchlußfähig ſein ſolle, wenn außer dem Bezirksbeamten mindeſtens 4 Mitglieder anweſend ſind (ſ. V.=G. §. 4, Abſ. 3), damit bei dem Minimum von 5 Mitglie= bern 3 derſelben zur Beſchlußfähigkeit genügen, in welchem Falle Einſtimmigkeit der Mitglieder des Bezirksraths nöthig wäre, um bei der Abſtimmung dem Beamten nicht zu unterliegen, deſſen Stimme bei Stimmengleichheit doppelt zählt. Die Anzahl der Mitglieder der P .räthe für die einzelnen Amtsbezirke des Landes iſt bur   der V.=O. vom 12. Juli 1864 beigegebene Verzeichniß (R   l. Nr. 31, S. 369) feſtgeſetzt.

Amtsdauer.

7) Die nur zweijährige Amtsdauer der Bezirksräthe fand in der Erſten Kammer erheblichen Widerſpruch; ein ſo ſchneller Wechſel von Richter ſei bedenklich, ſie könnten ſich kaum einarbeiten und entbehrten deßhalb der erforderlichen Selbſtſtändigkeit; in je kürzerer Zeit ſie ſich einer Wiederwahl unterwerfen müßten, um ſo größer ſei ihre Abhängigkeit. Es handle ſich hier mehr um eine Präſentation, als um eine Wahl, und habe man einmal tüchtige Leute gefunden, ſo ſolle man ſie möglichſt lange im Amte zu erhalten ſuchen. Es wurde deßhalb der Antrag geſtellt, die Amtsdauer der Bezirksräthe von zwei auf vier Jahre auszudehnen.

Hiegegen wurde bemerkt, daß die Letzteren die Garantien für Unabhängigkeit nicht bieten, wie die Berufsbeamten, beſonders in Angelegenheiten mehr localer Natur, weßhalb es nicht wünſchenswerth wäre, wenn die Erneuerung erſt nach längerer Zeit geſchehe.

In den Verhandlungen der beiden Kammern wurde mehrfach d... aufmerkſam gemacht, daß es ſchwer ſein werde, in allen Bezirken auch die gehörige Anzahl von Männern zu finden, welche Tüchtigkeit, Gemeinſinn und Opferbereitwilligkeit genug beſitzen, dem keineswegs leichten Beruf eines Bezirksraths zu folgen.

Wenn man auf dieſe Vorausſetzung Gewicht legen wollte, ſo würde es ſich empfehlen, nicht nur die Amtsdauer thunlichſt abzukürzen, ſondern auch die Zahl der Bezirksräthe, wenigſtens in der erſten Zeit der Wirkſamkeit des neuen Geſetzes möglichſt herabzuſetzen (wie dieß auch die Commiſſion der Erſten Kammer vorgeſchlagen hat), um Erfahrungen über dieſe Punkte zu ſammeln und auf deren Grund etwa nöthig erſcheinende Abänderungen des Geſetzes eintreten zu laſſen.

Wahl und Ernennung der Bezirksräthe.

Ueber die Wahl der auf die Liſte für die Bezirksräthe zu ſetzen... Staatsbürger ſ. oben Grundlagen §. 20 und 21.

Die Ernennung derſelben erfolgt nach den Vorſchriften der Beilage zur Verordnung vom 12. Juli 1864 (Reg.-Bl. Nr. 31, S. 367 und 368. Anh. ... 2).

§. 3.

Pflicht zur Annahme und Unentgeldlichkeit des Dienſtes im Bezirksrath.

Der Dienſt eines Mitgliedes des Bezirksrathes iſt ein Ehrenamt; unbegründete Ablehnung zieht eine in die Ortsarmenkaſſe fallende Geldſtrafe von 25 bis 150 fl. nach ſich.

Ueber die Gründe der Ablehnung, ſowie über die Strafe entſcheidet der Bezirksrath.

Niemand ist verpflichtet, den Dienst wieder anzunehmen, nachdem er unmittelbar vorher denselben 2 Jahre lang bekleidet hat.

Die nicht am Amtssitze wohnenden Mitglieder des Bezirksrathes erhalten für die Theilnahme an den Sitzungen eine angemessene Entschädigung für ihre Auslagen.

Zwang zur Annahme des Dienstes. 1) Das Gesetz erklärt es für eine staatsbürgerliche Verpflichtung, den Dienst eines Mitglieds des Bezirksraths anzunehmen, indem es die unbegründete Ablehnung mit einer Geldstrafe von 25 bis 150 fl. bedroht. Man sollte wohl annehmen dürfen, daß die zu einem solchen Ehrenamt ausersehenen Staatsbürger die mit demselben verbundenen Opfer willig bringen werden, und daß es daher nur selten eines indirecten Zwangs bedürfen werde, um die gewählten und beziehungsweise ernannten Staatsbürger zur Annahme des Dienstes eines Bezirksraths-Mitgliedes zu vermögen. Man glaubte aber, wenigstens in der ersten Zeit, des indirecten Zwangmittels der Geldstrafe nicht entbehren zu können.

Die Höhe der Geldstrafe ist nach den Bestimmungen des §. 31 der Gem.-O. festgesetzt.

Ein in der Zweiten Kammer gestellter Antrag, die Geldstrafe bei ungegründeter Ablehnung wegfallen zu lassen, fand keine Unterstützung, da man den Grundsatz anerkannte, daß es staatsbürgerliche Pflicht sei, solche Aemter anzunehmen, der man sich nicht entziehen dürfe. (Prot.-Heft S. 429.)

Orts-Armenkasse. 2) Die Geldstrafe kann wohl nur in die Armenkasse desjenigen Orts fallen, in welchem der Ablehnende das Ortsbürgerrecht genießt, oder in welchem er als staatsbürgerlicher Einwohner seinen Wohnsitz genommen hat.

Austritt. 3) Der unbegründete Austritt aus dem Bezirksrath vor Ablauf der gesetzlichen Zeit wird ebenso zu behandeln sein, wie die unbegründete Ablehnung. (Vergl. Schlußsatz des §. 31 der Gem.-O., und Fröhlich a. a. O. Hft. 6, S. 51.)

Recurs. 4) Der Recurs gegen die Entscheidungen des Bezirksraths (§. 3, Abs. 2) geht an das Ministerium des Innern.

Die Commission der Zweiten Kammer wollte denselben an den Verwaltungsgerichtshof verweisen (s. Entw. d. Commission §. 13, Ziff. 1), was aber die Genehmigung der Kammer mit Recht nicht erhielt, da es sich hier nicht von einer eigentlichen Verwaltungsstreitigkeit handelt. (Prot.-Heft S. 438.)

Unentgeldliche Dienstleistung. 5) Da der Dienst eines Mitglieds des Bezirksraths durch das Gesetz als ein Ehrenamt bezeichnet ist, so folgt daraus, daß er unentgeldlich versehen werden muß.

Es liegt auch in der hiedurch nothwendigen ökonomischen Selbst=

ständigkeit der Mitglieder des Bezirksr··· ··· ·· e Bürgschaft für ihre Unabhängigkeit.

Entschädigung für Theilnahme an den Sitzungen.

Als billig und — mit Rücksicht au| die auch von der Regierung in der Ersten Kam··· geäußerten Besorgniß (Prot.=H. S. 173) wegen Mangels an Persönlichkeiten, die sich diesem Amte willig hingeben — als gerechtfertigt mag es erscheinen, daß die nicht am Amtssitze wohnenden Mitglieder eine angemessene Entschädigung für ihre Auslagen, aber auch diese nur **für die Theilnahme an den Sitzungen** erhalten.

In dem Budget für 1864/65 ist zur Bestreitung dieser Ausgabe ein Betrag von 8000 fl. vorgesehen.

Diese Entschädigung der nicht am Amtssitze wohnenden Mitglieder **für die Theilnahme an den Sitzungen** wird auf täglich 1 fl. 30 kr. für die im Umkreis von zwei Stunden vom Amtssitze Wohnenden, und für die Entfernteren auf 2 fl. 30 kr. festgesetzt, wobei keine weiteren Auslagen für Transportkosten zur Vergütung kommen.

(§. 2, Abs. 2 der landesh. Vollzugsverordnung v. 12. Juli 1864, Reg.=Bl. Nr. 31, Anh. Ziff. 2.)

Amtsverbrechen der Mitglieder der Bezirksräthe.

6) Die Mitglieder der Bezirksräthe müssen wohl als im Dienste des Staats stehende „öffentliche Diener" betrachtet werden.

Ihre Ernennung geht von der Staatsregierung aus (Verw.=Ges. §. 2, Abs. 4), ihre Functionen sind staatlicher Natur (§. 3—9), der §. 3 sagt ausdrücklich: „der Dienst eines Mitglieds des Bezirksraths ist ein „Ehrenamt", und der §. 9 stellt am Schlusse in Aussicht, daß eine „äußere Auszeichnung zur Beglaubigung ihrer amtlichen Stellung" für die Mitglieder der Bezirksräthe bestimmt werden würde.

Wenn letztere also öffentliche Diener sind, so finden auf sie auch die Bestimmungen des 49. Titels des Strafgesetzbuchs über die Verbrechen der öffentlichen Diener Anwendung, namentlich die Bestimmungen über Verletzung der Amtsverschwiegenheit (§. 660 u. 661), über Bestechung (§. 662 u. folg.), über verletzte Richterpflicht (§. 673 u. folg.), über Unterdrückung von Urkunden (§. 679), und über Mißbrauch der richterlichen Gewalt (§. 686).

§. 4.
Einberufung und Berathung des Bezirksraths.

Der Bezirksrath wird durch den Bezirksbeamten einberufen.

Derselbe führt bei den Berathungen den Vorsitz, hat Stimmrecht und bei Stimmengleichheit die Entscheidung.

Der Bezirksrath ist beschlußfähig, wenn außer dem Bezirksbeamten mindestens vier Mitglieder anwesend sind.

Recht zur Einberufung. 1) Das Recht der Einberufung des Bezirksraths steht nur dem Bezirksbeamten zu (Commiss.-Bericht b. II. Kammer zu §. 3a); der erstere kann sich daher ohne eine solche Einberufung nicht versammeln. (S. auch §. 1c, Abs. 1.)

Ein in der Zweiten Kammer gestellter Antrag, wonach die Einberufung des Bezirksraths nicht allein von dem Bezirksbeamten abhänge, sondern auch von allen übrigen Mitgliedern desselben veranlaßt werden könne, wurde nicht unterstützt und der Paragraph in seiner jetzigen Fassung angenommen. (Prot.-H. S. 433.)

Art der Einberufung. 2) Ueber die Art der Einberufung siehe §. 57 b. B.-O. v. 12. Juli 1864, Anh. Ziff. 2.

Beschlußfähigkeit. 3) Der Regierungsentwurf (§. 10, Abs. 2) verlangte zur Beschlußfähigkeit des Bezirksraths die Anwesenheit der Hälfte der Mitglieder desselben außer dem Bezirksbeamten; die Zweite Kammer dagegen die Anwesenheit „mehr als der Hälfte der Mitglieder" (Beschl. ders. §. 3a).

Die Erste Kammer schlug die jetzige Fassung des Gesetzes vor, welche insoferne eine Verbesserung ist, als sie die Minimalzahl der zur gültigen Beschlußfassung nothwendigen Mitglieder bestimmt auf 4, ausschließlich des Beamten, festsetzte, so daß es hienach sowohl für die Behörden als für die Betheiligten viel leichter ist, die formelle Gültigkeit der Beschlüsse des Bezirksraths zu prüfen, als wenn zuerst die wirkliche, möglicherweise wechselnde (B.-G. §. 2, Abs. 1 u. 2) Zahl der Mitglieder hätte erhoben werden müssen.

Sache des Bezirksbeamten ist es, darauf zu sehen, daß die erforderliche Anzahl der Mitglieder bei den Beschlüssen des Bezirksraths mitwirkt, damit keine Nichtigkeiten entstehen; auch wird der Bezirksrath selbst von seiner Strafbefugniß gegen diejenigen Mitglieder, welche ohne genügende Entschuldigung ausbleiben (B.-G. §. 10, Abs. 2), Gebrauch machen müssen, damit Geschäftsunordnungen vermieden werden.

Vorsitz des Landescommissärs. 4) Der Landescommissär ist berechtigt, wenn er es für gut findet, den Vorsitz in den Bezirksrathssitzungen, soweit es sich nicht um Gegenstände der Verwaltungsgerichtsbarkeit handelt, zu übernehmen. (S. 18 der landesh. Vollzugsverordnung v. 12. Juli 1864, Anh. Ziff. 2.)

Die Functionen des Bezirksbeamten als Vorsitzender. 5) Ueber die Functionen des Bezirksbeamten als Vorsitzender des Bezirksraths

a) im Allgemeinen und in Bezug auf die Verwaltungssachen, siehe b. angef. B.-O. §. 58—66;

b) in Bezug auf Verwaltungsstreitigkeiten, Ebendas. §. 67—74.

§. 5.

Zuständigkeit des Bezirksraths als Verwaltungsgericht erster Instanz.

(Siehe oben Grundlagen §. 6—13.)

Der Bezirksrath entscheidet die Streitigkeiten des öffentlichen Rechtes ohne Unterschied, ob Einzelne, Körperschaften oder der Staat dabei betheiligt sind:

1) über den Anspruch auf das Heimathsrecht und das Ortsbürgerrecht und deren gesetzliche Folgen, über den Antritt des angeborenen Bürgerrechts, die Bürgerannahme und die bürgerrechtlichen Voraussetzungen der Verehelichung;

2) über die Bürgernutzungen und sonstige auf dem öffentlichen Rechte beruhende Ansprüche der Einzelnen an die Gemeinde;

3) über die Beiträge und persönlichen Leistungen zu Gemeindezwecken, zu Socialausgaben und zu den Bedürfnissen der abgesonderten Gemarkungen, ferner über das Beitragsverhältniß der Fabrikanten (§. 78 der Gemeindeordnung) bei ausergewöhnlicher Wegbenützung (§. 93 der Gemeindeordnung) und über das der Nebenorte bei zusammengesetzten Gemeinden (§. 171 der Gemeindeordnung);

4) über die Beitragspflicht der einzelnen Steuerpflichtigen zu Kriegskosten, über den Beizug zur Einquartierung und zum Vorspann, sowie über die Vertheilung der dem Bezirke auferlegten Kriegsleistungen unter die Gemeinden;

5) über die Beiträge und persönlichen Leistungen zu den Kosten der Kirchen- und Schulverbände und über die aus der Staatskasse zu leistenden Beiträgen zu den Gehalten der Volksschullehrer;

6) über die Beitragspflicht und das Beitragsverhältniß zur Unterhaltung der Vizinal- und Verbindungsstraßen, über Gemarkungsrechte, Zuweisung von Heimathlosen und sonstige auf dem öffentlichen Rechte beruhende Ansprüche, soweit über eine dieser Fragen unter mehreren Gemeinden oder Gemarkungsinhabern Streit obwaltet;

7) über Angelegenheiten der Bodenkultur, insbesondere der Bewässerungs- und Entwässerungsanlagen, Zusammenlegung und Verlegung von Grundstücken und Anlegung von Feld-

wegen, sofern diese Fragen nicht privatrechtlicher Natur oder
nicht durch die bezüglichen Gesetze besonderen Commissionen
oder dem Staatsministerium zur Entscheidung zugewiesen sind;

8) über die Ausübung der Jagd und Fischerei und die Benützung
des Wassers, soweit nicht die Zuständigkeit des bürgerlichen
Richters begründet ist.

Dem Bezirksrathe steht ferner die Entscheidung zu:

9) über die streitige Stimmberechtigung und Wählbarkeit bei Ge-
meinde=, Bezirks= und Kreiswahlen;

10) über die gesetzlichen Voraussetzungen der Verbringung in die
polizeiliche Verwahrungsanstalt.

Durch Regierungsverordnung können die Bezirksräthe noch für
weitere Streitigkeiten des öffentlichen Rechts als zuständig erklärt
werden.

Begrenzung der Zuständigkeit.   1) Der §. 1, Abs. 3 des Verw.=Ges. bestimmt, daß „die Rechts=
pflege in bestimmten Streitigkeiten über öffentliches Recht" in
erster Instanz regelmäßig von den Bezirksräthen, in der letzten von
dem Verwaltungsgerichtshof ausgeübt wird.

Der §. 5 bezeichnet diese einzelnen, bestimmten Strei=
tigkeiten.

Hieraus folgt, daß, wenn eine Streitigkeit ihrer innern Natur
nach zu jenen des öffentlichen Rechts gehört, sich also hienach zur
Zuständigkeit der Verwaltungsgerichte eignen würde, sie den=
noch nicht vor dieselben zur Entscheidung gebracht werden darf,
wenn sie nicht zu denjenigen gehört, welche durch ausdrückliche
Bestimmung eines Gesetzes oder einer Regierungs=
verordnung den Verwaltungsgerichten zur Entscheidung beson=
ders überwiesen sind.

Das Gesetz stellt nämlich keinen allgemeinen, die einzelnen Fälle
zusammenfassenden Grundsatz als Regel auf, sondern es bestimmt
die einzelnen Fälle, in welchen die Verwaltungsgerichte zuständig
sind.

Es hat damit einen, wenn auch theoretisch bestreitbaren, doch
praktisch viel empfehlenswertheren Weg eingeschlagen. Nur auf
diese Weise konnte das Verhältniß zwischen den Verwaltungsge=
richten und der eigentlichen innern Verwaltung klar gestellt und
öfteren Competenzstreitigkeiten vorgebeugt werden.

Im Allgemeinen geht der Regierungsentwurf von dem Grund=
satze aus, alle streitigen Angelegenheiten des öffentlichen Rechts,
welche eine locale Beziehung haben und bei denen es sich um ein=
ander gegenüberstehende Ansprüche von Privaten oder Körperschaften

(einſchließlich des Staats) handelt, ſoweit dieſelben Vermögens=
oder Gemarkungsrechte, oder Rechte des ortsbürgerlichen Standes
betreffen, den Bezirksräthen zur Entſcheidung zuzuweiſen.

Mögliche Erweite-rung durch Regie-rungsverordnung.
2) Nach dem §. 8 des Regierungsentwurfs ſollten auch noch
„weitere Gegenſtände der Entſcheidung oder Berathung des Bezirksraths" unterworfen werden können.

Die Zweite Kammer ſtrich dieſen Paragraphen, weil ſie das
Gebiet der adminiſtrativ=richterlichen Thätigkeit nicht erweitert ſehen
wollte und befürchtete, daß bei der allgemeinen Faſſung des Regierungsentwurfs auch Gegenſtände des Privatrechts durch Regierungsverordnung den Verwaltungsgerichten zugewieſen werden
könnten. Sie ließ daher eine Erweiterung der Competenz des Bezirksraths nur bei eigentlichen Verwaltungsſachen durch einen am
Schluſſe des jetzigen §. 6 befindlichen Zuſatz zu.

Die Erſte Kammer erachtete es aber für nöthig, daß nicht durch
das Geſetz die Fälle der Zuſtändigkeit der bezirksräthlichen Verwaltungsrechtspflege abſolut abgeſchloſſen ſeien. Gerade weil man in
den erſten Anfängen der Ausbildung des Verwaltungsrechts begriffen ſei, müſſe der Prüfung der Regierung vorerſt anheim gegeben ſein, ob nicht noch andere Streitfragen des öffentlichen Rechts
beſſer dem Rechtsverfahren vor den Verwaltungsgerichten zugewieſen, als definitiv von den Verwaltungsbehörden entſchieden
würden. Sie ſtellte beßhalb den Regierungsentwurf wieder her,
aber in einer Faſſung, welcher jede Möglichkeit eines Uebergriffs
in das Gebiet der bürgerlichen Rechtspflege ausſchloß und der Regierung zugleich die Befugniß wahrte, Streitigkeiten, welche bisher von der Verwaltung entſchieden wurden, wenn ſie
es dem Intereſſe des öffentlichen Rechts und der öffentlichen Wohlfahrt entſprechend erachtet, der Zuſtändigkeit der Verwaltungsgerichte zu überweiſen.

Die Zweite Kammer trat dieſer Anſicht bei der zweiten Berathung ebenfalls bei, da es ſich hier nur um eine Erweiterung
der Competenz der Verwaltungsgerichte, nicht aber um
eine Einſchränkung derſelben zu Gunſten der Verwaltung handle
und daher ein Mißbrauch der Regierungsgewalt nicht denkbar ſei.

Nach dem jetzigen Schlußſatze des §. 5 können alſo durch Regierungsverordnung die Bezirksräthe noch „für weitere Streitigkeiten des öffentlichen Rechts" als zuſtändig erklärt werden. (Siehe
auch Schlußſatz des §. 15 V.=G.)

Art der Bezeichnung der Zuſtändigkeit.
3) In der Begründung zu dem Regierungsentwurfe wird
ausdrücklich darauf aufmerkſam gemacht, daß bei der Bezeichnung
der einzelnen Fälle, in welchen die Zuſtändigkeit des Bezirksraths
eintritt (§. 5 und 6) die Bezugnahme auf beſtehende Geſetze oder
Verordnungen thunlichſt vermieden und eine ſo allgemeine Faſſung

gewählt worden sei, daß sie auch dann noch zur Bestimmung der Zuständigkeit ausreiche, wenn jene Gesetze und Verordnungen, die vielfach einer Revision bedürftig seien, durch neuere Bestimmungen über die bezeichneten Gegenstände ersetzt sein werden.

Begrenzung der Entscheidungsbefugniß nach dem Streitgegenstand und den Partheien.   4) Die Verwaltungsgerichte haben nur die „Streitigkeiten" über die in §. 5 genannten Gegenstände des öffentlichen Rechts zu entscheiden; sie dürfen bei ihren Entscheidungen nicht über den vor sie gebrachten Gegenstand, und nicht über den Kreis der in den Verhandlungen vertretenen Partheien hinausgehen. An die Anträge derselben sind sie nicht gebunden. (Landesherrliche Verordnung vom 12. Juli 1864, §. 44. Anh. Ziff. 2.)

Staatsbürgerrecht.   5) Den Bezirksräthen als Verwaltungsgerichte ist durch die angefügte Verordnung §. 114, Ziff. 3, noch übertragen die Entscheidung erster Instanz über den streitigen Anspruch auf das badische Staatsbürgerrecht (Verw.=Gesetz §. 15, Abs. 4).

Heimathsrecht.   6) Das Bürgerrechtsgesetz gebraucht den Ausdruck „Heimathsrecht" nicht, sondern setzt fest, daß der von einer Gemeinde freiwillig aufgenommene oder ihr zugewiesene „Heimathlose" das „Einsassenrecht" erlange. Diese beiden Begriffe sind gleichbedeutend, und werden in der Geschäftssprache insbesondere als solche behandelt.

Jeder Badener muß in irgend einer Gemeinde des Landes das Heimathsrecht (Einsassenrecht) haben, nicht aber das Bürgerrecht. In diesem ist jenes enthalten. Wer ein Bürgerrecht (angeborenes oder durch Aufnahme erlangtes) oder vermöge seines Standes oder Berufs einen ständigen Wohnsitz nicht besitzt, ist heimathslos, und muß einer Gemeinde, wenn er nicht freiwillig in eine solche aufgenommen wird, als Einsasse zugewiesen werden. Diese Zuweisung haben, soweit über dieselbe Streit unter mehreren Gemeinden obwaltet, die Verwaltungsgerichte auszusprechen. (V.=Ges. §. 5, Ziff. 6.) Liegen die streitenden Gemeinden in verschiedenen Amtsbezirken und können die für jede derselben zuständigen Bezirksräthe sich über die zu erlassende Entscheidung nicht einigen, so entscheidet ein dritter Bezirksrath, welcher durch die betheiligten Gemeinden gewählt, oder wenn sie sich nicht darüber verständigen, durch das Ministerium des Innern bezeichnet wird. (Ebendas. §. 12.) S. über die ganze Frage und insbesondere auch über die „gesetzlichen Folgen" des Heimath= (Einsassen) Rechts=, Bürgerrechtsgesetz §. 74 — 84, und Fröhlich, bad. Gem.=Gesetze zu diesen Paragraphen. Niederlassungsgesetz vom 4. Oct. 1862 (Reg.=Bl. Nr. 48) §. 1 u. 2, und Wieland, Erläuterungen dazu. (Karlsruhe, Bielefeld's Hofbuchhandlung 1863.)

Unterstützungspflicht.   7) Das Einsassen= (Heimath=) Recht gewährt auch den Anspruch an die betreffende Gemeinde auf Unterstützung in Fällen der

Dürftigkeit, ausgenommen, wo der Staat die Verbindlichkeit der Unterstützung hat. (Bürgerrechtsgesetz §. 76.)

Dieser Anspruch ist also eine „gesetzliche Folge" des Heimathrechts, und es haben daher die Verwaltungsgerichte über dieselbe zu erkennen; ihre Gerichtsbarkeit ist aber nur dann begründet, wenn dieser Rechtsanspruch und somit die behauptete Verpflichtung zur Unterstützung bestritten, indem z. B. von einer Gemeinde die Behauptung aufgestellt wird, daß nicht ihr, sondern dem Staate dieselbe obliege. (Bürgerrechtsgesetz §. 59, 62, 82.) Die Frage, ob, bei im Uebrigen unbeanstandeter Unterstützungspflicht das Maß der gewährten Unterstützung ausreichend, oder die Art derselben eine angemessene sei, muß im Falle eines Streites den Verwaltungsbehörden zufallen.

Ortsbürgerrecht. 8) S. das Bürgerrechtsgesetz vom 31. Dec. 1831 (15. Feb. 1851) und Fröhlich a. a. O., S. 273—371.

Niederlassungsgesetz vom 4. Oct. 1862, und Wieland a. a. O., S. 17—40.

Bürgerrechtliche Voraussetzungen der Verehelichung. 9) Den Verwaltungsgerichten sind nur die Streitigkeiten über die bürgerrechtlichen Voraussetzungen der Verehelichung zugewiesen.

Den Trauschein hat nach wie vor die Polizeibehörde, d. h. das Bezirksamt zu ertheilen. Dieses hat daher auch vor Ertheilung desselben zu prüfen, ob keine Staats- oder Privathindernisse vorhanden sind, welche im einzelnen Falle der Verehelichung entgegenstehen. (II. Einf.-Edict zum Landrecht, §. 8, Verordnung vom 29. Mai 1811, §. 12, Reg.-Bl. Nr. 16.) Nur dann, wenn über die bürgerrechtlichen Voraussetzungen zur Eingehung einer Ehe ein Streit entsteht, hat das Bezirksamt die Sache vor den Bezirksrath zu bringen, also nur in denjenigen Fällen, in welchen das Recht zur Verehelichung aus dem Grunde bestritten wird, weil die für den Antritt des angeborenen Bürgerrechts vom Gesetze vorgeschriebenen Erfordernisse bei dem Nachsuchenden fehlen, vorausgesetzt, daß nach den persönlichen Verhältnissen des Letzteren der Besitz des Bürgerrechts zur Verehelichung überhaupt nöthig ist. (S. Fröhlich, Bürgerrechts-Gesetz, §. 1, Zus. 9 u. 10, §. 48, Abs. 2 u. 3, §. 59, Zus. 4 u. 5, §. 85, Zus. 1 a., E. und Wieland a. a. O., Zus. 8 zum Verehelichungsgesetz, S. 47 u. 48.)

Ueber die Streitigkeiten wegen allen anderen Ehehindernissen, z. B. zu nahe Verwandtschaft, Schwägerschaft, Ehegebundenheit, Mangel an Einwilligung der Ahnen u. s. w. haben die Verwaltungsgerichte nicht zu entscheiden.

Bürgernutzungen. 10) Gemeinde-Ordnung §. 104—134, und Fröhlich a. a. O. S. 157—198.

Sonſtige öffentlich rechtliche Anſprüche der Einzelnen an die Gemeinden.

11) Bürgerrechtsgeſetz §. 1, 48—53, und Fröhlich, Seite 273—279, 321—325, Gewerbegeſetz §. 1, Niederlaſſungsgeſetz §. 1, Wieland a. a. O., S. 21, 47 u. 48.

Die Verwaltungsgerichte haben aber nicht blos über ſtreitige öffentlich rechtliche Anſprüche der Gemeindebürger an die Gemeinde zu entſcheiden, ſondern auch über ſolche, welche von anderen Perſonen an die Gemeinde erhoben werden, z. B. wenn Ortsgeiſtliche oder Schullehrer Anſprüche auf den Grund der §§. 124, 130 an die Gemeinde erheben würden.

Es geht dieß aus den Worten: „ſonſtige Anſprüche der Einzelnen an die Gemeinde" hervor.

Gleiche Entſcheidungsbefugniß ſteht den Verwaltungsgerichten auch zu, wenn unter mehreren Gemeinden oder Gemarkungsinhabern Streit über einen auf dem öffentlichen Rechte beruhenden Anſpruch entſteht (Verw.=Geſ. §. 5, Ziff. 6), z. B. über den Erſatz von Koſten außerhalb ihres Heimathorts erkrankter armer Dienſtboten, Handwerker ꝛc. auf den Grund der Verordnung vom 16. Febr. 1838, Reg.=Bl. Nr. 9.

Beiträge zu Gemeindezwecken.

12) S. Gemeindeordnung §. 68—86, und Fröhlich, S. 97 bis 126, Bürgerrechtsgeſetz §. 51 u. 52.

Perſönliche Leiſtungen.

13) Gemeindeordnung §. 87—92, Fröhlich, S. 126—128, Bürgerrechtsgeſetz §. 50 u. 53.

Socialausgaben.

14) Gemeindeordnung §. 97 u. 98, Fröhlich, S. 137—139.

Abgeſouperte Gemarkungen. Kriegskoſten.

15) Gemeindeordnung §. 174—177, Fröhlich, S. 256—262.

16) Rettig, im Archiv für badiſche Rechtspflege und Geſetzgebung, I. S. 563—593.

Verhandlungen der Ständeverſammlung von 1831, II. Kammer. Zweites Beil.=Heft, S. 58—76, 138—155, 171—183. Siebentes Beil.=Heft S. 117—138. Prot.=Heft Nr. II. 101—107. IV. 131—149. XXII. 246—311. XXIV. 234—246.

I. Kammer: Drittes Beil.=Heft, S. 43—56. Prot.=Heft IV. S. 89, 144.

Verhandl. von 1852. Fünftes Beil.=Heft, S. 95—97, 183 bis 185. Prot.=Heft S. 68 u. 69.

v. Rotteck, im Staatslexicon IX. S. 509—537. Das beſtehende Recht ſ. bei Fröhlich, S. 139—142.

Einquartierung und Vorſpann.

17) Geſetz vom 23. Mai 1844 über die Bequartierung und Verpflegung der Großherzogl. Truppen bei den Landesbewohnern im Frieden (Reg.=Bl. 1844, Nr. 11). Vollzugsverordnung dazu vom 21. Dec. 1844 (Reg.=Bl. Nr. 36).

Geſetz vom 11. April 1844 über die Stellung und Vergütung der Militärfuhren (Reg.=Bl. Nr. 8). Vollzugsverordnung dazu vom 10. Aug. 1844 (Reg.=Bl. Nr. 23).

*Kirchen- u. Schul-
verbände.*

18) a. **Kirchen- und Schulhausbauten.**

Fröhlich, S. 142—153. Volksfchulgefeß vom 28. Aug. 1835 (Reg.=Bl. Nr. 45), §. 78—80, und hiezu die Schrift: das badifche Volksfchulwefen, Karlsruhe 1856, Verlag der G. Braun'fchen Hofbuchhandlung 1856, S. 124—132.

b. **Aufbringung der Mittel zur Zahlung der Lehrergehalte.**

Das angef. Gefeß vom 28. Aug. 1835, §. 13—34, und die Erläuterungen hiezu in der angef. Schrift: das badifche Volksfchulwefen S. 76—105.

c. Die Aufbringung der **kirchlichen Lasten** in den einzelnen Gemeinden ist durch ein allgemeines Gefeß noch nicht geregelt. Es wird aber ein folches bei der Stellung, welche die Kirchen und kirchlichen Vereine durch das Gefeß vom 9. Oct. 1860 (Reg.=Bl. Nr. 51) erhalten haben, wohl um fo weniger umgangen werden können, als in einem kirchlichen Gefeße, nämlich der Verfaffung der vereinigten evangelifch=protestantifchen Kirche vom 5. September 1861 (Reg.=Bl. Nr. 43) §. 116 bestimmt ist, daß hierüber ein allgemeines Gefeß baldmöglichst erlaffen werden foll.

Dieß könnte aber einfeitig von der Kirche fchon der Natur der Sache nach, und zu Folge der Bestimmungen des §. 15 u. 16 des Gefeßes vom 9. Oct. 1860 (Reg.=Bl. Nr. 51) nicht erlaffen werden. Es muß hier daher zunächst die Gefeßgebung des Staats eintreten.

*Staatsbeiträge zu
den Gehalten der
Volksfchullehrer.*

19) Volksfchulgefeß vom 28. Aug. 1835, §. 14—29, und Erläuterungen hiezu in der angeführten Schrift: das Volksfchulwefen 2c. S. 84—102.

Die Vertretung der Staatskaffe gegenüber den Gemeinden, rücffichtlich diefer Staatsbeiträge durch Ernennung und Ueberwachung des zu diefem Zwecke aufzustellenden Fiscal=Commiffärs, ist dem Verwaltungshof übertragen, auf deffen Weifung auch die Amtskaffen die Beiträge an die Gemeinden auszahlen. (S. 8, Ziff. 4 der V.=O. vom 12. Juli 1864, Anh. Ziff. 2.) Zur Deckung derfelben ist in das Budget für 1864/65 der jährliche Betrag von 60,000 fl. aufgenommen.

Vicinal- und Verbindungsstraßen.

20) Fröhlich a. a. O., S. 129—133.

Verordnung des Ministerium des Innern vom 1. Nov 1855, Nr. 13,553, über die Unterhaltung der Staatsstraßen und wichtigern Vicinalwege, abgedruckt im Verordnungsblatt für den Mittelrheinkreis von 1855, Nr. 16, S. 49—51.

a) Eine Entfcheidungsbefugniß für die Verwaltungsgerichte ist nur begründet für diejenigen Streitigkeiten, welche fich entweder unter mehreren Gemeinden oder unter mehreren Gemarkungsinhabern über die Beitragspflicht und das Beitragsverhältniß zur Unterhaltung der Vicinal= und Verbindungsstraßen entfpinnen.

Auf die Beiträge, welche der Staat kraft der Verordnung vom 1. Nov. 1855 zur Unterhaltung von Vicinalſtraßen gibt, be= zieht ſich jene Befugniß der Verwaltungsgerichte nicht. Ob und welcher Staatsbeitrag einer Gemeinde gegeben werden will, ſteht in dem Ermeſſen der Verwaltungsbehörden.

Wäre im gegebenen Falle der Staat als „Gemarkungsinhaber" an einem derartigen Streite betheiligt, dann hätte er ſich gleich= falls dem Ausſpruche der Verwaltungsgerichte zu unterwerfen.

b. Das Geſetz ſpricht in §. 5, Abſ. 6 nur von den Streitig= keiten über die Beitragspflicht und das Beitragsverhältniß „zur Unterhaltung" der Vicinal= und Verbindungs= ſtraßen. Wer aber hat zu entſcheiden, wenn die obigen Fragen bei dem Bau einer ſolchen Straße in Streit ge= zogen werden?

Ueber die Nothwendigkeit einer ſolchen Straßenbaute, über die Größe des Bauaufwandes und über die vorſorg= liche Baupflicht hat nach §. 6, Abſ. 1 des Verwaltungsgeſetzes die Verwaltungsbehörde zu erkennen.

Wenn aber alle dieſe Fragen durch Entſcheidungen der Ver= waltungsbehörden feſtgeſtellt ſind, ſo können möglicher Weiſe, beſon= ders wenn mehrere Gemeinden bei einem Straßenbau betheiligt ſind, die Fragen über die definitive Beitragspflicht und noch viel häufiger die über das Beitragsverhältniß zu den Koſten des Neubaues in Streit gezogen werden.

Ueber dieſe Fragen werden im Falle des Streits die Verwaltungs= gerichte zu entſcheiden haben.

Den Verwaltungsbehörden weiſt ſie nämlich der §. 6 des Verwaltungsgeſetzes nicht zu, und offenbar wäre es auch eine Anomalie für die Entſcheidung von Streitigkeiten über die Bei= tragspflicht und das Beitragsverhältniß zur Unterhaltung der Straßen eine andere Behörde aufzuſtellen als für die Entſcheidung ſolcher Streitigkeiten bei einem Neubau derſelben. Man wird daher nach der ganzen vom Geſetze den Verwaltungsgerichten zu= gewieſenen Aufgabe die Beſtimmung des §. 5, Ziff. 6, analog auch auf die Neubauten von Vicinal= und Verbindungsſtraßen an= wenden müſſen.

21) Das Geſetz bezeichnet als zur Entſcheidungsbefugniß der Verwaltungsgerichte gehörig, ſofern dieſe Fragen nicht privatrecht= licher Natur oder nicht durch die bezüglichen Geſetze beſonderen Com= miſſionen oder dem Staatsminiſterium zur Entſcheidung zuge= wieſen ſind, ſpeziell:

Bewäſſerungs= und Entwäſſerungsan= lagen. a. die Streitigkeiten des öffentlichen Rechts über Bewäſſerungs= und Entwäſſerungsanlagen.

Geſetz vom 13. Februar 1851 (Reg.=Bl. Nr. 15). Erläute=

rungen hiezu von Dr. Vogelmann. Karlsruhe, bei G. Braun
1851.

Da dieses Gesetz das Verfahren genau vorschreibt und die zu=
ständigen Behörden bezeichnet, die wichtigern Fragen des öffentlichen
Rechts, z. B. Verbindlichkeit zur Theilnahme an einer solchen
Unternehmung, Abtretung von Eigenthums=, Dienstbarkeits= oder
anderen Benutzungsrechten, Belastung fremden Eigenthums mit
einer Dienstbarkeit, dem Staatsministerium, die privatrechtlichen
Fragen, insbesondere jene über die Entschädigung der Berechtigten
dem Richter und eine Reihe von streitigen Verwaltungsfragen dem
schiedsrichterlichen Austrage zuweist, so werden wohl nur sehr
wenige streitige Fälle übrig bleiben, welche zur Competenz der
Verwaltungs g e r i c h t e sich eignen.

Zusammenlegung der Grundstücke.   b. Jene über Zusammenlegung und Verlegung von Grund=
stücken und Anlegung von Feldwegen.

Gesetz vom 5. Mai 1856 (Reg.=Bl. Nr. 19). Vollzugsver=
ordnung vom 12. Juni 1857 (Reg.=Bl. Nr. 24).

Auch für diese Fragen gilt die obige Bemerkung (Buchst. a).
Soweit sich die, nach der angeführten Vollzugsverordnung an die
Kreisregierungen gewiesenen Recurse auf die zu ertheilende oder zu
versagende S t a a t s g e n e h m i g u n g zu einzelnen Arten derartiger
Unternehmungen (s. z. B. §. 24 des Gesetzes und §. 10 der Voll=
zugsverordnung) bezieht, wird den Verwaltungs g e r i c h t e n eine
Competenz nicht zustehen, weil es sich hier vorzugsweise um die
Erwägung der administrativen Zweckmäßigkeit des Unternehmens
handelt, wogegen ihnen eine solche in Fragen, wo es sich um ein
streitiges öffentliches Recht handelt, zusteht, z. B. §. 19 der Voll=
zugsverordnung.

Außer diesen unter Buchst. a. und b. besonders genannten
sind aber den Verwaltungsgerichten noch im Allgemeinen durch
das Gesetz zugewiesen.

Bodencultur.   c. Die Streitigkeiten des öffentlichen Rechts über „A n g e =
l e g e n h e i t e n d e r B o d e n c u l t u r".

Die nächste Frage, die sich hier aufwirft, ist, ob unter diese
Angelegenheiten auch die streitigen Fragen über die A b l ö s u n g,
beziehungsweise A u f h e b u n g der auf dem Grund und Boden
ruhenden, aus dem gutsherrlichen Nexus herrührenden Rechte und
der den bisher Berechtigten hiefür zu gewährenden E n t s c h ä d i=
g u n g begriffen sei.

Sie wird unbedingt zu v e r n e i n e n sein.

Feudalrechte.   α. Das Gesetz vom 10. April 1848 (Reg.=Bl. Nr. 23) hat
alle diese Berechtigungen, auch wenn sie nicht ausschließlich
auf dem Grund und Boden ruhen, unter dem Namen
„F e u d a l r e c h t e" aufgehoben, und zwar gegen eine nur

aus der Staatskaſſe zu bezahlenden Entſchädigung, ſoweit
eine ſolche Berechtigung nicht einen privatrechtlichen Ent=
ſtehungsgrund hat.

Alle Streitigkeiten über die Ausmittelung und das
Maß der Entſchädigung werden in erſter Inſtanz von einer
beſonderen Miniſterialcommiſſion, und in zweiter Inſtanz
von dem Staatsminiſterium entſchieden.

Geſetz v. 13. Febr. 1851, §. 12 (Reg.=Bl. Nr. 15).
Vollzugsverordnung v. 12. Juli 1851, §. 33 (R.=Bl. Nr. 43).
Geſetz v. 26. März 1852, §. 9 (Reg.=Bl. Nr. 15).
Vollzugsverordnung v. 26. März 1853, §. 12, 13 u. 29
(Reg.=Bl. Nr. 13).

Zehntablöſung.   β. Alle Geſchäfte, welche bisher die Kreisregierungen rückſicht=
lich der Zehntablöſung beſorgten, ſind dem Verwaltungs=
hof überwieſen.

Vollzugsverordnung v. 12. Juli 1864, §. 8, Ziff. ¹⁰
Anh. Ziff. 2.

Die bisher zur Competenz der Bezirksämter gehörigen Fragen
verbleiben denſelben.

Die Recurſe gegen die Verfügungen der letzteren gehen deß=
halb an den Verwaltungshof, und ſoweit ſolche noch als zuläſſig
erſcheinen, von dieſem an das Miniſterium des Innern.

Weiberechte.   γ. Bei der Ablöſung der Weiberechte werden alle ſtreitigen
Fragen durch die Gerichte entſchieden.

Geſetz v. 31. Juli 1848 (Reg.=Bl. Nr. 57).

Andere als die bisher und insbeſondere im Geſetze v. 10. April
1848 über Aufhebung der Feudalrechte bezeichneten, den gleichen
Charakter tragenden Berechtigungen ſind ſchon durch frühere Geſetze
aufgehoben oder abgelöst, z. B. die Herrenfrohnden (Geſetz vom
28. Dez. 1831, Reg.=Bl. 1832, Nr. 1), die Straßenbau=, Militär=
und Gerichtsfrohnden (Geſetz v. 28. Mai 1831, Reg.=Bl. Nr. 9),
Blut= und Neubruchzehnten (Geſetz v. 28. Dec. 1831, Reg.=Bl. 1832,
Nr. 1), Gülten und Zinſe (Geſetz v. 5. Oct. 1820, Reg.=Bl. Nr. 15).

Lehenverband.   δ. Auch mit den Verhandlungen über die Ablöſung der Erb=
und Schupflehen haben ſich die Verwaltungsgerichte nicht
zu befaſſen, da nach dem Geſetze vom 21. April 1849
(Reg.=Bl. Nr. 25) die Entſcheidung aller hiebei entſtehen=
den Streitigkeiten der Zuſtändigkeit der bürgerlichen Ge=
richte unterliegt.

Ebenſowenig ſteht den Verwaltungsgerichten eine Com=
petenz bei der Ablöſung der eigentlichen Lehen (§. 2 des
Lehenedicts v. 12. Aug. 1807) zu, da die Streitigkeiten über
die Lehenbarkeit an ſich oder über den Umfang des Lehens
vor die bürgerlichen Gerichte, jene über die Ausmittelung

12 *

des Werths und die Feſtſetzung und die Art der Berechti=
gung der Abkaufsſumme eine beſondere Miniſterialcommiſ=
ſion in erſter, und das Staatsminiſterium in zweiter In=
ſtanz entſcheidet.

Geſetz v. 9. Aug. 1862, §. 9 (Reg.=Bl. Nr. 47).

Hiernach dürfte das Gebiet derjenigen Streitigkeiten des
öffentlichen Rechts, welche als „Angelegenheiten der Boden=
cultur" erſcheinen, nur noch ein ſehr kleines ſein, was um ſo
wünſchenswerther erſcheint, als die ſehr allgemein gehaltene Aus=
druckweiſe des Geſetzes in der Praxis wohl zu manchen Zweifeln
über die Zuſtändigkeit der Verwaltungsgerichte gegenüber den Ver=
waltungsbehörden führen könnte.

Jagd. 22) Geſetz v. 2. Dec. 1850 (Reg.=Bl. Nr. 58). Vollzugsver=
ordnung v. 21. Dec. 1850 (Reg.=Bl. Nr. 61).

Dr. Biſſing, Centralblatt Jahrgang IV. S. 395, Jahrg. V.
S. 119.

Magazin für bad. Rechtspflege III. S. 475, V. S. 471.

Fiſcherei. 23) Geſetz v. 29. März 1852 (Reg.=Bl. Nr. 15). Vollzugs=
verordnung v. 26. März 1853 (Reg.=Bl. Nr. 13). Vollzugsver=
ordnung zum Verwaltungsgeſetz v. 12. Juli 1864, §. 6, Ziff. 17,
§. 8, Ziff. 18, Anh. Ziff. 2.

Benützung des Waſſers. 24) L.R.S. 523, 538, 556—563, 640—645, 690, 691, 696 bis
704, 706, 714.

Mühlenordnung v. 18. März 1822, §. 11—13.

Gewerbegeſetz v. 20. Sept. 1862, Art. 10 (Reg.=Bl. Nr. 44).
Vollzugsverordnung v. 24. Sept. 1862, §. 13 u. folg. (Reg.=Bl.
Nr. 45), und

Turban, Erläuterungen hiezu. S. 14, 15, 17, 43, 46, 65.
Annalen XI. 115, 379, XXVIII. 141—163, 201.
Hohnhorſt, Jahrb. N. F. VII., S. 169.

Streitige Stimm= berechtigung bei Wahlen. 25) Die Verwaltungsgerichte haben nur zu erkennen, wenn
Streit

a) über Stimmberechtigung und Wählbarkeit,

b) und zwar bei Gemeinde=, Bezirks= und Kreiswahlen
entſteht.

Ueber die angefochtene Giltigkeit derartiger Wahlen
haben die Verwaltungsbehörden zu entſcheiden (Verwaltungsge=
ſetz §. 6, Ziff. 18).

Streitigkeiten der unter a) bezeichneten Art bei Wahlmänner=
wahlen gehören nicht vor die Verwaltungsgerichte.

Verbringung in die polizeiliche Ver= wahrungsanſtalt. 26) Geſetz v. 30. Juli 1840 (Reg.=Bl. Nr. 28).

Die Entſcheidung über Verbringung in die polizeiliche Ver=
wahrungsanſtalt ſtund nach §. 6 dieſes Geſetzes in erſter Inſtanz
der Kreisregierung und in zweiter dem Miniſterium des Innern zu.

Die Verwaltungsgerichte haben nach §. 5, Ziff. 10 künftig nur darüber zu erkennen, ob im gegebenen Falle „die geſetzlichen Vorausſetzungen" zur Verbringung in dieſe Anſtalt vorhanden ſind; die Entſchließung darüber, ob eine Perſon, rückſichtlich welcher durch Ausſpruch des Verwaltungsgerichts das Vorhanden= ſein jener Vorausſetzungen conſtatirt iſt, wirklich in die Anſtalt zu verbringen und ob und wann dieſelbe vor Ablauf der geſetzlichen Zeit wieder zu entlaſſen ſei, ſteht aber, als eine rein polizeiliche Sache, den Verwaltungsbehörden zu.

Wird die Verbringung nicht innerhalb Jahresfriſt vollzogen, ſo kann der Verurtheilte verlangen, daß, bevor die Ablieferung in die Anſtalt erfolgt, von neuem ein Erkenntniß des Bezirksraths darüber ergehe, ob die Vorausſetzungen des Geſetzes auf ihn noch Anwendung finden.

(Vollzugsverordnung v. 12. Juli 1864, §. 47, Anh. Ziff. 2.)

In dem Commiſſionsberichte der Zweiten Kammer zu §. 4 (jetzt §. 5 des Verwaltungsgeſetzes) iſt bemerkt, ·daß dem Verur= theilten „ſelbſtverſtändlich die Zeit von dem Erkenntniß des Bezirks= raths, beziehungsweiſe Verwaltungsgerichtshofs, an bis zum Voll= zug an der zuläſſigen Dauer ſeines Aufenthalts in der Anſtalt ab= gerechnet werde".

„Indem ſo über dem Verurtheilten das drohende· Schwert des Vollzugs hängen bleibt, iſt deſſen Verſchiebung eine Art von Be= gnadigung, welche jeden Augenblick aufhören und in einzelnen Fällen den Zweck einer Beſſerung erfüllen kann.“

Dieſe Anſicht iſt nicht richtig. Nach allgemeinen Grundſätzen und nach den Beſtimmungen des §. 63 des Strafgeſetzbuches, wel= cher auch bei den gewöhnlichen Polizeiſtrafen in Anwendung kommt (Polizei=Strafgeſetzbuch §. 2), wird die Strafzeit von dem Ein= tritt in die Strafanſtalt an gerechnet.

Dieſe Beſtimmungen müſſen auch hier in Anwendung kommen. Denn nicht nur macht das Geſetz vom 30. Juli 1840 von ihnen keine Ausnahme, ſondern der §. 7 deſſelben kann nur dann ſeine richtige Anwendung finden, wenn man die Dauer des Aufenthalts in der Verwahrungsanſtalt von dem Zeitpunkt des wirklichen Ein= tritts in dieſelbe rechnet.

Zur Erlaſſung der Erkenntniſſe über das Vorhandenſein der geſetzlichen Vorausſetzungen zur Verbringung in die polizeiliche Verwahrungsanſtalt iſt der Bezirksrath des Heimathsorts, — bei ſolchen Perſonen dagegen, welche im Inlande keine anerkannte Heimath haben, der Bezirksrath des Orts, wo ſie zuletzt aufge= griffen und zur Unterſuchung gezogen wurden, zuſtändig. (Die angef. Verordn. §. 34.)

§. 6.
Zuständigkeit des Bezirksraths als Verwaltungsbehörde.
(S. oben Grundlagen §. 2 und 3.)

Der Bezirksrath beschließt ferner in folgenden Verwaltungssachen:

1) über die Nothwendigkeit öffentlicher Bauten, zu deren Herstellung eine gesetzliche Verbindlichkeit besteht, über die Größe des Bedürfnisses und über die Verbindlichkeit zur vorsorglichen Baupflicht;

2) über die Frage, ob eine Gemeinde oder ein Gemarkungsinhaber im öffentlichen Interesse eine ihnen von Staatswegen angesonnene, von ihnen abgelehnte Ausgabe zu machen habe, insofern die Verpflichtung zu dieser Ausgabe nicht schon ihrem ganzen Umfange nach durch Gesetz oder Verordnungen fest bestimmt ist;

3) über Ertheilung der Staatsgenehmigung zu Beschlüssen der Gemeinden und ihrer Behörden, oder zum Voranschlag des Gemeindehaushaltes, wenn der Bezirksbeamte Anstand nimmt, diese zu ertheilen;

4) über Beschwerden gegen die Dienstführung der Gemeindebeamten und über deren Entlassung vom Dienste;

5) über das Maß der Theilbarkeit der Liegenschaften und über Bewilligung von Nachsicht in einzelnen Fällen;

6) über Gesuche und Anträge auf Verleihung von Wirthschaftsrechten und anderen Gewerbsconcessionen, soweit nach den bestehenden Gesetzen solche Concessionen nothwendig sind und nicht durch Verordnung einer höhern Verwaltungsbehörde vorbehalten werden;

7) über die Zulässigkeit solcher gewerblichen Anlagen, welche vor ihrer Errichtung bei der Verwaltungsbehörde angezeigt werden müssen, und über die Festsetzung der beßfallsigen Bedingungen, sowie über Beschwerden in Baupolizeisachen;

8) über die angefochtene Giltigkeit von Gemeinde-, Bezirks- und Kreiswahlen.

Im Falle der Ziffer 2 hat ein Antrag auf Entscheidung des Bezirksrathes keine aufschiebende Wirkung.

Durch Regierungsverordnungen können dem Bezirksrathe noch weitere Gegenſtände zur Beſchlußfaſſung überwieſen werben.

Oeffentliche Bauten. 1) Vergl. §. 5, Zuſatz 16.

Staatsgenehmigung zu Gemeindebe= beſchlüſſen. 2) S. Vollzugsverordnung vom 12. Juli 1864 (Anh. Ziff. 2), §. 6, Ziff. 3, §. 13, Ziff. 9.

Dienſtführung der Gemeindebeamten. 3) Durch die angeführte Vollzugsverordnung §. 6, Ziff. 1 iſt ben Bezirksräthen, außer der in §. 6, Ziff. 4 des Verw.=Geſ. ihnen zugewieſenen Beſchlußfaſſung über Beſchwerden gegen die Dienſt= führung der Gemeindebeamten unb über deren Entlaſſung auch noch die einſtweilige Enthebung berſelben vom Dienſte unb die Er= kennung von Warnungsſtrafen (Gemeindeorbnung §. 37—42), ſo= wie die Entſcheidung der Frage übertragen worden, ob die gericht= liche Verfolgung eines Gemeindebeamten ober Bedienſteten wegen Amtsvergehen vor ben Gerichten zugelaſſen, beziehungsweiſe veran= laßt werben ſoll.

Theilbarkeit der Liegenſchaften. 4) Geſetz vom 6. April 1854, Reg.=Bl. Nr. 20.* Vollzugs= verordnung vom 29. Juni 1854. Verordnungsblatt bes Unter= rheinkreiſes 1854, Nr. 19.

Der §. 6, Ziff. 5 bes Verwaltungsgeſetzes „weiſt bem Bezirks= rath nur die Beſchlußfaſſung" über bas Maß der Theilbarkeit der Liegenſchaften unb über Bewilligung von Nachſicht in einzelnen Fällen zu. Die Frage über die Theilbarkeit der geſchloſ= ſenen Hofgüter iſt im Geſetze nicht berührt. (Verhandlungen ber II. Kammer von 1863. Prot.=Heft S. 431.) Dieſe wurde aber burch die angeführte Vollzugsverordnung §. 6, Ziff. 12 gleich= falls ben Bezirksämtern unter Mitwirkung der Bezirksräthe über= wieſen.

Wirthſchaftsrechte. 5) Wirthſchaftsordnung vom 16. Oct. 1834, Reg.=Bl. Nr. 49. Ausgabe mit ben nachgefolgten Erläuterungen. Karlsruhe, bei der G. F. Müller'ſchen Hofbuchhanblung, 1841.

Gewerbsconceſ= ſionen. 6) Gewerbegeſetz v. 20. Sept. 1862 (Reg.=Bl. Nr. 44), Art. 31; Turban a. a. O. Zuſätze zu bieſem Artikel.

Gewerbliche An= lagen. 7) Gewerbegeſetz Art. 10 u. folg.; Vollzugsverordnung vom 24. Sept. 1862 (Reg.=Bl. Nr. 45), §. 13—38. Turban S. 14—22, 42—51.

§. 7.
Bezirkspolizeiliche Vorſchriften.

Bezirkspolizeiliche Vorſchriften, welche eine fortbauernb geltende Anordnung enthalten, kann der Bezirksbeamte nur unter Zuſtimmun bes Bezirksraths giltig erlaſſen, ebenſo polizeiliche Ordnungen über Be nützung bes Waſſers, über Feuerlöſchanſtalten unb Bauſachen.

Im Allgemeinen. 1) Die Erlaffung von bezirkspolizeilichen Vorschriften ist an die Voraussetzungen geknüpft, welche die §§. 1, 22 und folgende des Polizeistrafgesetzbuchs bezeichnen.

Von dieser Befugniß kann der Bezirksbeamte namentlich Gebrauch machen in den Fällen der §§. 57, 59, 69, 75, 89, 108, Ziff. 5, 110, 114, 127, 128, 130, 145, 148, 153 des angeführten Gesetzes.

Sobald eine bezirkspolizeiliche Vorschrift eine **fortdauernd geltende Anordnung** enthält, bedarf sie der **Zustimmung des Bezirksraths**; überdieß kann sie erst in Wirksamkeit treten, nachdem sie von der höheren Verwaltungsstelle für vollziehbar erklärt ist, oder 30 Tage nach der durch Empfangsbescheinigung nachgewiesenen Vorlage ohne Entschließung derselben abgelaufen find.

Verweigert der Bezirksrath seine Zustimmung zu einer solchen bezirkspolizeilichen Anordnung, so steht dem Bezirksbeamten das Recht des Recurses aus Gründen des öffentlichen Interesses an das Ministerium des Innern zu. Will er von diesem Rechte Gebrauch machen, so hat dieß in der Form zu geschehen, daß er die Sache innerhalb 14 Tagen nach der Berathung zur weiteren Entscheidung (Polizeistrafgesetz §. 23, Ziff. 4) an das zuständige Ministerium einsendet. Nach Ablauf dieser Frist muß der Gegenstand zuvor nochmals der Berathung des Bezirksraths unterstellt werden. (Vollzugsverordnung vom 12. Juli 1864, §. 98, Anh. Ziff. 2.)

Vorübergehende, ferner nur für bestimmte Fälle gegebene und solche Anordnungen, die einen sofortigen Vollzug verlangen, können die Bezirksbeamten für sich erlassen, sie sind jedoch selbstverständlich an die Bestimmungen des Polizeistrafgesetzes gebunden, wenn jene Anordnungen unter Strafandrohung geschehen.

Commissionsbericht der II. Kammer (Walli) über §. 22 des Entwurfs zum Polizeistrafgesetzbuch (jetzt §. 23 des Gesetzes).

Wasserbenützung. 2) S. §. 31 des Gesetzes vom 13. Febr. 1851 (Reg.-Bl. Nr. 15), und Polizeistrafgesetz §. 34, Ziff. 5, und §. 130.

Feuerlöschanstalten. 3) Ebendas. §. 114.

Baufachen. 4) Ebendas. §. 116—119.

§. 8.

Der Bezirksrath als berathende Behörde.

Zur Berathung kann der Bezirksrath beigezogen werden: bei allen das Interesse des Bezirks berührenden allgemeinen Maßregeln, insbesondere zur Förderung der Gewerbe, des Handels, der Land- und Forstwirthschaft und Viehzucht, sowie zur Abwendung von Theuerung und Mangel.

Ferner tritt deſſen Berathung ein in allen Fällen, in welchen derſelbe zum Gutachten von der Regierung aufgefordert wird.

1) Im Allgemeinen. In den §§. 5—7 bezeichneten Fällen muß der Bezirksrath
zur Entſcheidung und Beſchlußfaſſung mitwirken, bei den
Fragen des §. 8, Abſ. 1, dagegen kann er, und zwar nicht zur
entſcheidenden, ſondern nur zur berathenden Mitwirkung
zugezogen werden.

In dem Falle des Abſ. 2 des §. 8, muß der Bezirksbeamte und
der Bezirksrath zur Berathung des von ihm verlangten Gut-
achtens einberufen werden.

Ein in der Zweiten Kammer geſtellter Antrag, daß in den
Fällen des §. 8 der Bezirksrath beigezogen werden müſſe, wurde
ebenſo verworfen, wie der weiter geſtellte, „daß er in der Regel
beigezogen werden ſolle". Prot.-Heft S. 431.

Man wollte, wie aus dem Commiſſionsberichte der Zweiten
Kammer hervorgeht, die Regi_ung in ihrer allgemeinen wirth-
ſchaftspolizeilichen Wirkſamkeit nicht allzu ſehr beſchränkt ſehen.

2) Abwendung von
Theuerung und
Mangel. Sehr zweckmäßig wird es ſein, wenn die Bezirksbeamten nicht
nur bei den Fragen über „Abwendung von Theuerung und Mangel",
ſondern auch bei jenen über die Erforſchung der Mittel, wie bei
ſchon eingetretenem Mangel und bei vorhandener Theuerung der
eingetretenen Noth am zweckmäßigſten zu ſteuern ſei, den Bezirksrath beizieht.

. (Vergl. V.-O. vom 21. Jan. 1847, Reg.-Bl. Nr. 3, und
Dietz, die Gewerbe im Großherzogthum Baden, S. 80 u. folg.

§. 9.
Thätigkeit der Bezirksräthe als Einzelne.

Die Mitglieder der Bezirksräthe ſind als Einzelne berufen, die
Staatsverwaltung bei der Löſung ihrer Aufgabe zu unterſtützen. Sie
ſind in dieſer Hinſicht insbeſondere befugt:

1) bei Handhabung der Landespolizei und bei der Aufſicht auf die
Ortspolizei mitzuwirken, mit dem Rechte der fürſorglichen
Feſtnehmung bei Verbrechen und der ſchleunigen Vorkehrung
aller zur Sicherheit der Perſonen und des Eigenthums geeigneten Maßregeln;

2) zur Abhilfe gemeinſchädlicher Mißſtände die geeigneten Anträge bei dem Bezirksbeamten, beziehungsweiſe dem Bezirksrathe zu ſtellen;

3) in einzelnen zur Entſcheidung des Bezirksrathes gehörigen
Streitſachen oder Verwaltungsangelegenheiten auf Antrag der

Partheien oder im Auftrag des Bezirksbeamten die gütliche Vermittelung oder die Vorbereitung zur Entscheidung zu übernehmen.

Von den von ihnen nach Satz 1 getroffenen Anordnungen haben sie sofort dem Bezirksbeamten zur weiteren Verfügung Anzeige zu machen.

Durch Verordnung oder besondern Auftrag können ihnen von der Staatsregierung noch weitere Geschäfte im Gebiet der Bezirksverwaltung übertragen werden.

Der Amtsbezirk soll unter die einzelnen Mitglieder zu vorzugsweiser Thätigkeit vertheilt werden.

Eine Verordnung wird die nach diesem Paragraphen den Mitgliedern des Bezirksraths zustehenden Befugnisse näher bestimmen und festsetzen, welche äußere Auszeichnung zur Beglaubigung ihrer amtlichen Stellung von ihnen zu gebrauchen ist.

Motive. 1) In der Begründung zu dem Gesetzentwurfe ist bemerkt, daß die Regierung die Vorschriften dieses Paragraphen als einen Versuch betrachte, dessen Gelingen wesentlich von dem Gemeinsinn und der Hingebung der Betheiligten abhänge.

Der Vorschlag beruht auf der Erwägung, daß es als ein großer Gewinn für die Handhabung der staatlichen Polizei zu betrachten sei, wenn die Staatsbehörde bei deren Vollzug im Einzelnen und insbesondere auch bei der Beaufsichtigung der Ortspolizei nicht blos auf die untergeordneten militärisch organisirten Vollzugsorgane angewiesen sei, sondern dabei auch durch die Hilfe einsichtiger, das allgemeine Vertrauen genießender, und mit den Verhältnissen des Bezirks und der einzelnen Gemeinden desselben vertrauter Männer unterstützt, und so leichter vor Mißgriffen bewahrt werde, andererseits aber auch auf eine kräftigere Mitwirkung in der Aufrechthaltung der öffentlichen Ordnung durch die Organe des Volks zählen könne.

Auch werde durch diese Einrichtung ermöglicht, die polizeilichen und insbesondere sittlichen Zustände kleinerer, oder in ihren Verhältnissen herabgekommener Gemeinden, einer mehr aus der Nähe geübten, fortlaufenden Aufsicht zu unterwerfen.

Ueberdieß werde den Bezirksräthen hiedurch Gelegenheit und berufsmäßiger Anlaß geboten, zum unmittelbar practischen Eingreifen, zu lebendiger Bethätigung ihres Gemeinsinns und ihrer Erfahrungen, und ihnen zugleich in ihrer äußeren Stellung das für ihre Wirksamkeit förderliche und die Vorzüge ihres Amtes vermehrende Ansehen obrigkeitlicher Personen verliehen.

Die oberſte Leitung in der Verwaltung des Bezirks dürfe na=
türlich dem Staatsverwaltungsbeamten nicht entzogen werden; bei
Meinungsverſchiedenheiten ſteht ihm die entſcheidende Verfügung
zu, und von allen polizeilichen Anordnungen der Bezirksrathsmit=
glieder müſſe ihm Anzeige gemacht werden.

Die **Commiſſion der Zweiten Kammer** trat dem Re=
gierungsentwurfe in allen ſeinen weſentlichen Theilen bei. Sie
befürchtete zwar, daß wenigſtens im Anfange von einzelnen Mit=
gliedern des Bezirksraths weniger eine Ueberſchreitung ihrer Amts=
befugniſſe und ein Competenz=Conflict mit den Bürgermeiſtern ꝛc.,
als vielmehr ein ſcheues und zaghaftes Fernbleiben von dieſem
Felde ihrer Thätigkeit zu Tage treten werde.

Sie zog dagegen aber auch die jetzt obwaltenden Mißſtände in
Erwägung, welche aus der irrigen Anſicht hervorgehen, daß der
Einzelne von der Polizei ſich fern halten ſolle, daß dieſe ein ge=
wiſſermaßen dem Volke feindlich gegenüberſtehendes Inſtitut ſei,
und glaubte, daß dieſen Mißſtänden nur dadurch begegnet werden
könne, wenn das Volk in allen ſeinen Beſtandtheilen und in jedem
dringenden Falle mit allen ſeinen Kräften die abſolute Bedingung
ſeiner Freiheit, die ſtaatliche Ordnung aufrecht zu erhalten be=
reit ſei.

In der Zweiten Kammer wurde bei der Discuſſion der An=
trag geſtellt, die unter Ziff. 1 des §. 9 enthaltene Befugniß zu
ſtreichen, und ſie mit dem Satze zuſammenfallen zu laſſen, wonach
durch beſonderen Auftrag einem einzelnen Mitgliede etwas über=
tragen werden kann.

Es wurde jedoch demſelben entgegengehalten, daß es ſich hier
um einen Verſuch handle, eine der weſentlichſten Mißhelligkeiten
und ſchiefen Auffaſſungen, die über die Polizei beſtunden, zu be=
ſeitigen und dem Volke den Gedanken lebendig vorzuführen, daß
die Polizei nicht zur Chicane vorhanden, daß ſie vielmehr ein wohl=
thätiges Inſtitut ſei und das Volk ſich gewöhnen müſſe, ſie als
etwas Gemeinnütziges und nicht als etwas Gemeinſchädliches zu
betrachten, daher auch der Einzelne völlig ſeine Hilfe, und den
untergeordneten Organen der Polizei ſeinen Beiſtand leihen müſſe,
wenn die Staatsregierung es für nöthig erachtet.

Die **Commiſſion der Erſten Kammer** bemerkte, daß
man Zweifel haben könne, ob dieſe Einrichtung bei uns mehr als
eine geſetzliche Ermächtigung bleiben, ob ſie eine lebendige Wirk=
ſamkeit erhalten und ſich als zweckmäßig erzeigen werde. Dieſe
Zweifel könnten indeß nicht durch die bloße Erörterung erledigt, ſie
könnten nur durch die Erfahrung beſtätigt oder widerlegt werden.
Gelinge es, die Bezirksräthe zu einem thatkräftigen Handeln ſolcher
Art zu erziehen, ſo könnten Ordnung und Freiheit nur dabei ge=
winnen.

Diese Ansicht ist gewiß [auch die vollkommen richtige, weist aber auch zugleich darauf hin, mit welcher großen Sorgfalt bei der Wahl der der Regierung vorzuschlagenden Candidaten für die Stellen im Bezirksrathe zu Werke gegangen werden muß.

Auch bei dieser wichtigen Frage wird die Erfahrung lehren, ob der jetzige Wahlmodus beibehalten oder ein System, welches sich dem des ursprünglichen Regierungsentwurfs nähert, angenommen werden muß.

Bei der Discussion in der Ersten Kammer fanden die Bestimmungen des Entwurfs keinen Anstand.

Verantwortlichkeit. 2) Besondere Bestimmungen über die Verantwortlichkeit der Mitglieder des Bezirksraths für die unter Ziff. 1 des §. 9 genannten Handlungen glaubte man in das Gesetz nicht aufnehmen zu müssen, weil die genannten Personen verpflichtet sind, von den von ihnen nach Ziff. 1 getroffenen Anordnungen sofort dem Bezirksbeamten zur weiteren Verfügung, rücksichtlich welcher er durch das bisherige Vorgehen eines Mitglieds des Bezirksraths in keiner Weise gebunden ist, — Anzeige zu machen. Von dem Zeitpunkte an, als ihm diese gemacht ist, geht aber auch die Verantwortlichkeit auf ihn über.

Für Beschädigungen durch Pflichtverletzung sind aber die Mitglieder des Bezirksraths nach den Bestimmungen des bürgerlichen Rechts haftbar. S. Prot.-Heft der Verhandl. der II. Kammer, S. 432, und Zus. 6 zu §. 2 des Verwaltungsgesetzes.

§. 10.
Geschäftsordnung und Verfahren des Bezirksraths.
(Vergl. Verw.-Ges. §. 4 mit den Zusätzen, und §. 18.)

Der Bezirksrath versammelt sich der Regel nach monatlich einmal an vorher bestimmtem Tage oder in bringenden Fällen auf besondere Berufung zur gemeinsamen Berathung und Beschlußfassung über die von dem Bezirksbeamten vorbereiteten Geschäftsgegenstände.

Gegen die ohne rechtfertigende Entschuldigung Ausgebliebenen kann der Bezirksrath Geldstrafen bis zu 25 fl. verfügen.

In der Ausfertigung der Beschlüsse, bei welchen der Bezirksrath mitgewirkt hat, ist diese Mitwirkung zu erwähnen.

Das Verfahren in Verwaltungsstreitigkeiten wird vorerst durch Regierungsverordnung geregelt, gemäß den Grundsätzen, welche das Gesetz in §. 18 über das Verfahren vor dem Verwaltungsgerichtshof feststellt.

Verfahren.

1) Ueber das Verfahren in Verwaltungsſachen und Verwal=
tungsſtreitigkeiten, ſ. die landesh. Verordnung vom 12. Juli 1864
(Reg.=Bl. Nr. 31, Anh. Ziff. 2), und zwar :

A. Allgemeine Beſtimmungen
  a. für alle Verwaltungsgegenſtände §. 32—47 ;
  b. für Verwaltungsſtreitigkeiten insbeſondere §. 48—57.
B. Verfahren vor den Bezirksräthen
  a. im Allgemeinen, §. 57—66 ;
  b. für Verwaltungsſtreitigkeiten insbeſondere §. 67—74.

Der Regierungsentwurf enthielt in §. 10, Abſ. 5 die Be=
ſtimmung, daß der Bezirksrath die Partheien oder deren Bevoll=
mächtigte zur Erörterung ihrer rechtlichen Anſprüche zulaſſen,
auch Zeugen und Sachverſtändige dazu vorladen könne, in welchem
Falle die Sitzung öffentlich ſei.

Der §. 19 deſſelben Entwurfs ſchrieb für den Verwaltungs=
gerichtshof, bis andere geſetzliche Beſtimmungen getroffen ſind, das
Verfahren vor, wie es in der Recursordnung vom 17. März
1833 feſtgeſetzt iſt.

Die Zweite Kammer trat den Anträgen ihrer mit dem Regie=
rungsentwurfe einverſtandenen Commiſſion bei (ſ. Commiſions=
bericht der II. Kammer zu §. 10 und 16).

Die Erſte Kammer dagegen machte zu den beiden Paragraphen
diejenigen abändernden Vorſchläge, welche jetzt in die §§. 10 und
18 des Geſetzes übergangen ſind.

Danach ſoll das Verfahren in Verwaltungsſtreitig=
keiten vorerſt durch Regierungsverordnung geregelt werden,
bis längere Erfahrungen über dieſen, ziemlich ſchwierigen Gegen=
ſtand gemacht worden ſein werden, worauf dieſe Frage im Wege
der Geſetzgebung — auf welchen ſie auch der Natur der Sache
nach unſtreitig gehört — ihre endliche Erledigung finden ſoll.

Vorbereitung der Geſchäfte durch den Bezirksbeamten.

2) Die zur gemeinſamen Berathung und Beſchlußfaſſung vor
den Bezirksrath gehörigen Gegenſtände hat der Bezirksbeamte vor=
zubereiten, da (wie der Commiſſionsbericht der Erſten Kammer
ſich ausſpricht) er vorzugsweiſe als befähigt erſcheint, die geſchäft=
liche Leitung zu übernehmen.

S. die angeführte Vollzugsverordnung §. 60, 64, 69.

Oeffentlichkeit und Mündlichkeit in Verwaltungsſtrei-tigkeiten.

3) Nach dem Entwurfe der Regierung und der Zweiten
Kammer war die Oeffentlichkeit der Verhandlungen nur in ſehr
beſchränkter Weiſe, nämlich nur dann zugelaſſen, wenn der Be=
zirksrath die Partheien oder ihre Bevollmächtigte zur Erörterung
ihrer rechtlichen Anſprüche, wozu auch Zeugen und Sachverſtändige
beigezogen werden konnten, vorgeladen hatte.

Die Erſte Kammer dagegen beſchloß, daß die Oeffentlichkeit
und Mündlichkeit vor den Verwaltungsgerichten, alſo nur

in streitigen Verwaltungssachen sowohl in erster (Bezirksrath), als in zweiter Instanz (Verwaltungsgerichtshof) als Regel gelten solle, da dieselben für die Verwaltungsrechtspflege ebenso wichtige Garantien seien, als für die Civilrechtspflege (s. oben Grundlagen §. 12, Note 1, Ziff. 6).

Die Zweite Kammer trat diesem Beschlusse, welcher unstreitig eine wesentliche Verbesserung des Regierungsentwurfs enthielt, in der Fassung des jetzigen Abs. 4. des §. 10 des Verwaltungsge= setzes bei, bemerkte aber in ihrem zweiten Commissionsberichte, daß sie dem Entwurfe der Regierung sich deßhalb angeschlossen habe,

„um nicht die Partheien in Streitigkeiten, wo es sich nur um unbedeutende Dinge handelt, oder wo der Thatbestand ganz klar und einfach vorliegt, durch die Nothwendigkeit des persönlichen Erscheinens oder die Aufstellung eines Bevoll= mächtigten zu belästigen.“

„Es wird (fährt der Bericht fort) diese Last zwar bei den Verhandlungen vor den Bezirksräthen meistens keine allzu= große seyn; sie wird aber sehr häufig auf dem Wege der Berufung an den Verwaltungsgerichtshof, der seinen Sitz in der Residenz und also oft sehr entfernt von dem Aufent= haltsort der Betheiligten hat, außer Verhältniß zu dem Werth des Streitobjects stehen und es wird in nicht seltenen Fällen eher eine Verzichtleistung auf die Erzielung des fraglichen Rechts, z. B. eines kleinen Bürgernutzens und mancher ähn= licher Ansprüche, als die mit so großem Aufwand an Zeit und Geld verbundene weitere Verfolgung des gerichtlichen Weges eintreten.“

„Ihre Commission hält deßhalb den Beschluß der hohen Ersten Kammer zwar für principiell richtiger, aber den Ent= wurf der Regierung und dieses Hauses für durchaus prac= tischer. Sie würde deßhalb den Antrag stellen, auf dem letzteren zu beharren, wenn sie nicht unterstellen könnte, daß die das Verfahren regelnde Regierungsverordnung diesen Verhältnissen Rechnung tragen und der in den §§. 10 und 16 (im Gesetz §. 18) aufgestellten Regel durch die Schaffung eines zweckmäßigen Ausnahmegebiets ihre gewiß nicht im Interesse des rechtsuchenden Publikums liegende Härte ent= ziehen werde.“

Bei der Berathung dieses Berichts in der Zweiten Kammer (113. öffentliche Sitzung vom 20. Juli 1863, Prot.=Heft S. 702) wurde auf einen deßfallsigen Wunsch des Berichterstatters von der Regierungsbank erklärt, daß die Regierung darauf Bedacht nehmen werde, daß dieses Verfahren ein wohlfeiles und einfaches sei.

Nach §. 52 der angeführten Vollzugsverordnung sind alle Ver=

handlungen von Verwaltungsstreitigkeiten vor den Bezirksräthen „und vor dem Verwaltungsgerichtshofe öffentlich, das Verfahren ist mündlich; die Streitsache soll aber von den Verwaltungsgerichten nach §. 53 dieser Verordnung auch dann entschieden werden, wenn die Partheien in der zur öffentlichen Verhandlung anberaumten Sitzung nicht erscheinen, weil ihr Ausbleiben nur als Verzicht auf den Vortrag mündlicher Ausführung vor dem erkennenden Verwaltungsgericht erscheint.

Wenn daher die Partheien, sei es wegen der Unbedeutenheit des Streitobjects oder der Einfachheit der Sache, oder zur Ersparung von Zeit und Kosten der öffentlich mündlichen Verhandlung nicht anwohnen wollen und auch keine Bevollmächtigte ernennen, so sind sie gewiß, daß ihre Streitigkeit gleichwohl ihre Erledigung nach Lage des Streits und des Ergebnisses der Verhandlung, welcher jedenfalls der Vertreter des öffentlichen Interesses anwohnt, erhält.

Da dieser Fall wohl häufig bei Recursverhandlungen vor dem Verwaltungsgerichtshof vorkommen wird, so kömmt es wesentlich darauf an, daß die Verhandlungen gehörig vorbereitet sind.

Die Erfahrung muß lehren, ob es nicht vielleicht zweckmäßiger gewesen wäre, gleich von vornherein ein zweckmäßiges, auf die unbedeutenderen aber doch häufigen Fälle begrenztes Ausnahmegebiet nach den Ansichten der Commission der Zweiten Kammer zu schaffen. Jedenfalls ist es nothwendig, daß die Bezirksbeamten die Partheien, insbesondere bei einem Streitgegenstande, dessen Bedeutung in keinem Verhältnisse zu dem Aufwand an Geld und Zeit steht, der mit dem persönlichen Erscheinen verbunden ist, darauf aufmerksam machen, daß auch im Falle ihres Nichterscheinens die Verhandlung von dem Gerichte vorgenommen und das Erkenntniß erlassen wird. §. 91, Abs. 3 der V.-O. vom 12. Juli 1864 (Anh. Ziff. 2), vergl. mit §. 111 daf.

Rechtliches Gehör u. Vertretung durch Bevollmächtigte.   4) Für die Sicherung rechtlichen Gehörs sorgen die Bestimmungen der §§. 61, 68 und 69, und für die der Möglichkeit der Vertretung durch Anwälte die des §. 40 der angef. Vollzugsverordnung.

Für die Vertretung vor dem Verwaltungsgerichtshof müssen die Partheien Anwälte aufstellen. (S. 103 der angeführten Vollzugsverordnung in Verbindung mit §. 994 der bürgerlichen Proceßordnung.)

Informativ-Verfahren.   5) Für alle Verwaltungsgegenstände, also auch für Verwaltungsstreitigkeiten, gilt der Grundsatz, daß die Verwaltungsbehörden und Gerichte auch von Amtswegen die Thatsachen, welche für die Entscheidung oder Anordnung erheblich sind, zu erforschen und festzustellen, so wie die desfallsigen Beweise zu erheben haben.

§. 11.

Unfähigkeit zur Theilnahme an den Verhandlungen des Bezirksraths.

Betrifft der Gegenſtand der Verhandlung einzelne Mitglieder des Bezirksraths oder deſſen Verwandte und Verſchwägerte in auf= oder ab= ſteigender Linie oder bis zum dritten Grad der Seitenlinie, ſo dürfen dieſelben an der Berathung oder Entſcheidung keinen Antheil nehmen.

Ebenſowenig dürfen die Mitglieder des Bezirksrathes hinſichtlich derjenigen Gegenſtände, in welchen ſie in anderer Eigenſchaft ein Gut= achten gegeben, oder als Geſchäftsführer, Beauftragte, oder in ſonſtiger Weiſe mitgewirkt haben, bei der Berathung oder Entſcheidung ſich be= theiligen.

Wird dadurch der Bezirksrath beſchlußunfähig, ſo tritt der Bezirks= rath des nächſtgelegenen Amtsſitzes an ſeine Stelle.

        Dieſer Paragraph wurde durch einen in der Zweiten Kammer eingebrachten Antrag in das Geſetz eingeſchaltet und dadurch eine nicht unweſentliche Lücke ausgefüllt, da es bei den Bezirksräthen oft vorkommen dürfte, daß ſie theils wegen verwandtſchaftlicher Verhältniſſe, theils wegen Betheiligung von der Berathung und Entſcheidung einer Sache ausgeſchloſſen ſind, z. B. in einem Ver= waltungsſtreit einer Gemeinde mit einem Dritten kann der Bür= germeiſter der ſtreitenden Gemeinde, wenn er zugleich Mitglied des Bezirksraths iſt, und in der im Geſetze bezeichneten Weiſe im In= tereſſe der Gemeinde früher gehandelt hat, bei den verwaltungsge= richtlichen Verhandlungen nicht mitwirken.

        Der Paragraph iſt dem §. 56 der Gemeindeordnung und den §§. 67 und 71 der Proceßordnung nachgebildet.

        Ständiſche Verhandlung der Zweiten Kammer von 1863, Prot.= Heft S. 426, 431, 446.

        Es wird kaum der Bemerkung bedürfen, daß, wenn ein Fall ſolcher Unfähigkeit zur Theilnahme an den Beſchlußfaſſungen des Bezirksraths vorliegt, der letztere von Amts wegen das Ausſcheiden des unfähigen Mitglieds für den gegebenen Fall zu veranlaſſen hat, ohne ein Ablehnungsgeſuch eines etwaigen Betheiligten abzuwarten.

        Ueber die Ablehnung der Mitglieder des Verwaltungsgerichts= hofs ſiehe §. 99 der Vollzugsverordnung vom 12. Juli 1864 (Anh. Ziff. 2).

§. 12.

Zuständigkeit eines dritten Bezirksraths in den Fällen des §. 5, Ziffer 6.

Wenn in den Fällen der Ziffer 6 des §. 5 die unter einander ſtrei= tenden Gemeinden, beziehungsweiſe Gemarkungen, in verſchiedenen

Amtsbezirken liegen und die für jede derselben zuständigen Bezirksräthe sich über die zu erlassende Entscheidung nicht einigen können, so entscheidet ein dritter Bezirksrath, welcher durch die betheiligten Gemeinden gewählt, oder wenn sie sich nicht darüber verständigen, durch das Ministerium des Innern bezeichnet wird.

§. 13.
Recurse.

Gegen Erkenntnisse des Bezirksrathes in Verwaltungsstreitigkeiten steht sowohl den Partheien die Berufung, als dem Bezirksbeamten, aus Gründen des öffentlichen Interesses, das Recht des Recurses an den Verwaltungsgerichtshof zu.

Gegen andere Beschlüsse des Bezirksrathes können sowohl die Betheiligten, als im öffentlichen Interesse der Bezirksbeamte, Recurs an je die vorgesetzte Behörde ergreifen.

(S. oben Grundlagen §. 3, Ziff. IV, und die angef. Vollzugsverordnung (Anh. Ziff. 2.)

1) Ueber Recurse im Allgemeinen §. 75—82.
2) In Verwaltungs= und Polizeisachen §. 83—88.
3) In Verwaltungsstreitigkeiten §. 89—94.
4) Der Bezirksbeamten im öffentlichen Interesse §. 95—98.

§. 14.
Abhör der Gemeinderechnungen.

Die Abhör der Gemeinderechnungen geschieht durch das Bezirksamt.

Der Entwurf des Abhörbescheids wird in einer Sitzung des Bezirksraths zur Prüfung und Beifügung etwaiger Anträge und Bedenken in Betreff des Gemeindehaushalts vorgelegt.

Motive.   1) Die Commission der Zweiten Kammer sprach in ihrem Berichte die Hoffnung aus, daß durch die Mittheilung des vom Amtsvorstande zu fertigenden Entwurfs des Abhörbescheids unnütze Kleinlichkeiten und Chicanen der Revidenten in formeller Beziehung, sowie die Einmischung in ganz unbedeutende materielle Fragen des Gemeindehaushalts entfernt bleiben werden.

Die Prüfung des Abhörbescheides durch den Bezirksrath werde schon wegen Mangel an Zeit in der Praxis eine ziemlich

summarische werden. Wo jedoch bedeutende Verletzungen der Ge-
meindeinteressen sich zeigten, werde die Kenntnißnahme des Bezirksraths und seine Beifügung etwaiger Bedenken dem Abhörbe-
scheid einen bedeutend erhöhten Nachdruck verleihen.

In der 85. Sitzung der Zweiten Kammer vom 7. Mai 1863
(Prot.-Heft S. 434—436), wurden über diesen Paragraphen ausführliche Berathungen gepflogen, deren Ergebniß im Wesentlichen
folgendes ist:

a. Das Abhörverfahren richtet sich nach den oben angeführten
Bestimmungen; erst wenn die mündliche Verhandlung zwischen dem Revidenten und der Gemeindebehörde erledigt,
und der Entwurf des Abhörbescheides gefertigt ist, wird
derselbe dem Bezirksrathe von dem Beamten vorgelegt.

b. Nur die Abhörbescheide, nicht auch die Rechnungen
selbst, sollen von dem Bezirksrathe geprüft werden. Seine
Befugniß beschränkt sich darauf, von dem Gange des Re-
visionsgeschäfts im Ganzen, wie es sich im Abhörbescheide darstellt, Kenntniß zu nehmen und sich davon zu
überzeugen, daß die bestehenden Grundsätze nicht verletzt,
insbesondere alle Kleinlichkeit im Revisionswesen möglichst
vermieden werde.

c. Der Bezirksrath kann Anträge und Bedenken in Betreff
des Gemeindehaushalts, insbesondere obwaltende Mißstände
zur Kenntniß des Bezirksbeamten bringen, die Entscheidung hierüber bleibt aber dem Letzteren vorbehalten.

Rechnungsverstän-
dige Beamte oder
Gehilfen.

2) Ueber die bei den Bezirksämtern anzustellenden rechnungsverständigen Beamten oder Gehilfen s. S. 4, Ziff. 1 der V.-O.
vom 12. Juli 1864 (Anh. Ziff. 2), Zus. 1 zu S. 2 des Verwaltungsgesetzes.

Der Bezirksbeamte ist berechtigt, diese Rechnungsverständigen
zu den Sitzungen des Bezirksraths zur Ertheilung von Auskunft
mit berathender Stimme beizuziehen. S. 64 der angef. Verordnung.

Verfahren bei Abhör
der Gemeinderech-
nungen.

3) Vergl. V.-O. des Ministeriums des Innern vom 26. Jan.
1849, S. 35 (Reg.-Bl. Nr. 4). V.-O. desselben vom 28. Juni
1861, Nr. 6730 (Centralverordnungsblatt 1861, Nr. 7). V.-O.
desselben vom 18. Juni 1862, Nr. 7456. (Ebendas. 1862, Nr. 8.)
V.-O. desselben vom 12. Juli 1864, S. 6, Ziff. 4, und S. 8, Ziff. 21
(im Anh. Ziff. 2).

III. Von dem Verwaltungsgerichtshof.

§. 15.

Zuſtändigkeit.

S. oben Grundlagen §. 11—13, Vollzugsverordnung vom 12. Juli 1864, Anh. Ziff. 2), §. 29—31, 32—56, 75—82, 89 - 94, 95—98, 99 - 122. Zuſatz 1 und 4 zu §. 5 des Verwaltungsgeſetzes.

Der Verwaltungsgerichtshof entſcheidet in letzter Inſtanz:

1) in den Fällen der §§. 5 und 56 dieſes Geſetzes;

2) über die Verpflichtung und Fähigkeit zur Theilnahme an den unter Vermittelung des Staats für öffentliche Diener gegrün= deten Wittwen= und Penſionskaſſen;

3) über die Schuldigkeit zu Staatsabgaben und deren Größe und über den Anſpruch auf Zurückerſtattung zur Ungebühr be= zahlter Staatsabgaben, mit Ausnahme jedoch der Beſchwerden über Anwendung des Vereinszolltarifs, hinſichtlich deren es bei den betreffenden Beſtimmungen ſein Bewenden behält;

4) über den ſtreitigen Anſpruch auf das badiſche Staats= bürgerrecht;

5) über den Erſatz der Koſten in den Fällen der §§. 30 und 31 a des Polizeiſtrafgeſetzbuchs.

Die Staatsregierung iſt befugt, auch in andern als den hier be= zeichneten Fällen ſtreitige Fragen des öffentlichen Rechts der Ent= ſcheidung des Verwaltungsgerichtshofs zu unterſtellen.

Beſchränkung auf die Entſcheidung der Streitigkeiten des §. 15 und keine Ordinationsbefug= niß.
1) Der Verwaltungsgerichtshof entſcheidet nur über die von den Partheien nach Maßgabe des §. 15 vor ihn gebrachten Streit= punkte. Adminiſtrative Anordnungen in Bezug auf den Gegen= ſtand des Streits im Allgemeinen kann er nicht erlaſſen.

Hält er eine ſolche für nothwendig oder angemeſſen, ſo über= mittelt er ſeine beßfallſigen Anträge dem zuſtändigen Miniſterium. (Vollzugsverordnung Anh. Ziff. 2, §. 29 u. §. 88, Abſ. 3.)

Dienſtpolizei.
2) Er übt die Dienſtpolizei über die bei ihm angeſtellten Un= terbeamten und das zu ſeiner Kanzlei gehörige niedere Dienſtper= ſonal aus. (Ebendaſ. §. 30.)

Unterordnung der Bezirksämter.
3) Die Bezirksämter ſind ihm in ihrer Eigenſchaft als Ver= waltungsgerichte erſter Inſtanz untergeordnet, und er kann gegen

13*

bie Bezirksbeamten und die Mitglieder der Bezirksräthe mit Rücksicht auf ihre Amtsthätigkeit Ordnungsstrafen bis zu 25 Gulden erkennen. (Ebendas. §. 57, vergl. mit §. 5, Abs. 1.)

Staatspensions-fond. 4) In der Zweiten Kammer wurde von Seiten der Regierungsbank auf eine an sie gestellte Anfrage erklärt, daß der Abs. 2 des §. 15 auf den Staatspensionsfond sich nicht beziehe. (Prot.-Heft S. 438.)

Staatsabgaben. 5) Die Erledigung der unter §. 15, Ziff. 3 genannten Recurse stund bisher ausschließlich den Finanzbehörden zu. Man hielt es für einen Fortschritt in der Gewährung des Rechtsschutzes, wenn dem Steuerpflichtigen die Berufung an den Verwaltungsgerichtshof eröffnet wird, weil dadurch der definitive Entscheid doch nicht den Finanzbehörden überlassen wird, welche schon nach ihrer amtlichen Stellung zur Wahrung der fiscalischen Interessen berufen sind, und daher wenigstens in den Augen ihres Gegners nie das Vertrauen in die Unpartheilichkeit ihrer Entschließungen genießen werden, wie ein in aller Hinsicht unbetheiligter Gerichtshof.

In der ersten Instanz urtheilen, wie bisher, die nach den einschlagenden Steuergesetzen zuständigen unteren und mittleren Finanzbehörden.

Im Uebrigen ist das Verfahren durch die §§. 111—122 der angef. Vollzugsverordnung in einfacher, zweckmäßiger Weise geregelt.

Zu den §. 15, Ziff. 3 des Verwaltungsgesetzes aufgeführten Staatsabgaben gehören auch die Fluß- und Dammbaubeiträge. Ueber die Verpflichtung zur Zahlung derselben in bestrittenen Fällen hat daher der Verwaltungsgerichtshof zu entscheiden, während die übrigen hierauf bezüglichen Geschäfte der Kreisregierungen auf die Oberdirection des Wasser- und Straßenbaues übergegangen sind. V.-O. vom 12. Juli 1864, §. 12 (Anh. Ziff. 2).

Staatsbürgerrecht. 6) Der Verwaltungsgerichtshof hat über den Anspruch auf das badische Staatsbürgerrecht nur zu entscheiden, wenn ein solcher aus Rechtsgründen erhoben und von irgend einer Seite streitig gemacht wird.

In erster Instanz haben über derartige Streitigkeiten zu erkennen der Bezirksrath des Amtsbezirks, in welchem Derjenige, der das badische Staatsbürgerrecht in Anspruch nimmt, seinen Wohnsitz oder ständigen Aufenthalt hat, oder, wo ein solcher nicht vorhanden ist, ein von dem Ministerium des Innern zu bezeichnender Bezirksrath. §. 117, Ziff. 3 der angef. Vollzugsverordnung.

Fälle des §. 30 u. 31 des Polizeistraf-gesetzbuchs. 7) Der §. 30 des Polizeistrafgesetzbuchs sagt:

„Neben den Bestimmungen des gegenwärtigen Gesetzbuchs bleibt den Polizeibehörden die Befugniß vorbehalten, auch unabhängig von der strafgerichtlichen Verfolgung rechts- und ordnungswidrige Zuſtände innerhalb ihrer Zuſtändigkeit zu beſeitigen und beren Entſtehung oder Fortſetzung zu hindern.

Anordnungen dieſer Art ſind nur inſoweit zu treffen, als ſie im öffentlichen Intereſſe geboten erſcheinen.

Perſönlicher Zwang kann nur angewendet werden, wenn die zu treffenden Maßregeln ohne ſolchen unburchführbar ſind; ein Gewahrſam darf in ſolchem Falle die Dauer von 48 Stunden nicht überſteigen.

Ueber den Erſatz der durch ſolche Maßregeln entſtandenen Koſten hat in allen Fällen vorbehaltlich der Berufung an ein Verwaltungsgericht die Polizeibehörde zu erkennen und das Erkenntniß nach den Beſtimmungen über die Beitreibung der auf dem öffentlichen Recht beruhenden Forderungen der Amts=kaſſen vollziehen zu laſſen."

Der §. 31 ebendaſelbſt beſtimmt:

„Ebenſo bleibt den mit Polizeigewalt betrauten Verwal=tungsbehörden die Befugniß aufrecht erhalten, die Erfüllung ſolcher Verbindlichkeiten des öffentlichen Rechts, für deren zwangsweiſen Vollzug ein beſonderes Verfahren nicht vorge=ſchrieben iſt, auch durch Anbrohung und Ausſpruch von Geldſtrafen gegen beſtimmte Perſonen zu erzwingen, und zwar:

1. den Bürgermeiſtern in den Landgemeinden durch Geld=ſtrafen bis zu 2 Gulden, in den Städten bis zu 5 Gulden,

2. den Staatsverwaltungsbehörden durch Geldſtrafen bis zu 25 Gulden.

Wird die Erfüllung ſolcher Verbindlichkeiten durch Geld=ſtrafen nicht erzwungen, ſo finden auch die Beſtimmungen des §. 30, Abſatz 3 und 4 Anwendung."

Zur Erläuterung dieſer Paragraphen vergl. Commiſſionsbe=richt der Zweiten Kammer über das Polizeiſtrafgeſetzbuch zu §. 29 (Verhandlungen von 1863, 6. Beilagenheft S. 333).

Commiſſionsbericht der Erſten Kammer zu demſelben Para=graphen (3. Beilagenheft S. 228 u. 229, 231 u. 232).

Begründung des Geſetzentwurfs §. 16, Ziff. 6 (im Geſetz §. 15, Ziff. 5) über die Organiſation der innern Verwaltung (4. Bei=lagenheft, zweite Hälfte, Seite 638 u. 639).

Wenn eine Polizeibehörde von dem ihr nach obigen Geſetzes=ſtellen zuſtehenden Rechte zur Beſeitigung rechts= und ordnungs=widriger Zuſtände innerhalb ihrer Zuſtändigkeit und im öffentlichen Intereſſe Gebrauch gemacht hat, ſo hat ſie ſelbſt über den Erſatz der Koſten, welche durch die von ihr getroffene Maßregel ent=ſtanden ſind, in erſter Inſtanz zu erkennen. (Polizeiſtrafgeſetzbuch

§. 30, Abs. 4, Vollzugsverordnung zum Verwaltungsgesetz, Anh. Ziff. 2, §. 117, Ziff. 4.)

Dieses Recht steht ihr zu, auch unabhängig von der strafgerichtlichen Verfolgung.

Ist nämlich der rechts- und ordnungswidrige Zustand nicht eine Folge einer Polizeiübertretung, sondern etwa eines Naturereignisses oder höherer Gewalt, oder einer mit keiner Strafe ausdrücklich bedrohten Handlung, oder ist, im entgegengesetzten Falle, ein freisprechendes polizeigerichtliches Erkenntniß erfolgt, so kann die Polizeibehörde gleichwohl unter den Voraussetzungen der §§. 30 und 31 des Polizeistrafgesetzbuches dessen Beseitigung veranlassen und ein Erkenntniß über die Tragung der hieburch entstandenen Kosten geben.

Gegen ein solches Erkenntniß ist der Recurs an den Verwaltungsgerichtshof zugelassen, einmal wegen der vermögensrechtlichen Natur der hier in Streit liegenden Fragen, zum anderen wegen der leicht möglichen einseitigen Beurtheilung derselben von Seiten der anordnenden Behörde.

Das Erkenntniß des Verwaltungsgerichtshofs kann sich übrigens nur über die Nothwendigkeit und Zweckmäßigkeit der angeordneten Maßregeln und über die Pflicht zum Ersatz und das Maß der durch dieselben entstandenen Kosten aussprechen.

Würden dagegen von einem Betheiligten Entschädigungsansprüche an die Polizeibehörde wegen der von ihr getroffenen Maßregeln erhoben werden, so hätte hierüber das bürgerliche Gericht zu entscheiden.

§. 16.
Einrichtung des Verwaltungsgerichtshofs.

Der Verwaltungsgerichtshof urtheilt in Versammlungen von 5 Mitgliedern. Die Staatsregierung wird die etwa erforderlichen Ersatzrichter aus Rechtsgelehrten ernennen, welchen keine Verwaltungsämter übertragen sind.

Der Verwaltungsgerichtshof besteht aus einem Präsidenten und 6 Räthen. Da er einschließlich des Präsidenten in Versammlungen von fünf Mitgliedern urtheilt, so treten die einzelnen Mitglieder nach einer zum voraus bestimmten Reihenfolge ein.

Vorbereitende Verfügungen können in Versammlungen von drei Mitgliedern berathen werden.

Für andere Fragen, wobei der Verwaltungsgerichtshof nicht als Gericht zu urtheilen hat, versammelt er sich als Plenum. (Vollzugsverordnung Anh. Ziff. 2, §. 100.)

Die Gutachten in Rechnungsſachen, deren derſelbe bedarf, hat ihm auf Anſtehen der Verwaltungshof zu erſtatten. (Ebendaſelbſt §. 11.)

§. 17.
Vertreter des Staatsintereſſes.

(Vollzugsverordnung Anh. Ziff. 2, §. 53, 106, 107, 114.)

Der Verwaltungsgerichtshof iſt verpflichtet, vor ſeiner Entſcheidung einen Vertreter des Staatsintereſſes zu hören, der in der Sitzung des Gerichts ſeine Anträge ſtellt und begründet. Demſelben ſind vorher die Akten zuzuſtellen oder deren Einſicht zu ermöglichen.

Die Miniſterien werden für ihren Geſchäftskreis den oder die Stellvertreter des Staatsintereſſes dem Verwaltungsgerichtshof be= zeichnen. Es ſteht ihnen frei, für den einzelnen Fall einen beſonders beauftragten Beamten abzuſenden.

Verordnungen.   Der Regierungsentwurf (§. 18) enthielt als Eingang den Satz:

„Das Recursgericht (Verwaltungsgerichtshof) hat bei ſeinen Entſcheidungen die Geſetze und die zu deren Vollzug erlaſ= ſenen Verordnungen zu beobachten.“

In den Motiven iſt hierüber bemerkt:

„Der Verwaltungsgerichtshof muß, wenn anders der Geiſt der Verwaltung von der oberſten Staatsbehörde ausgehen ſoll, die über den Vollzug und die Anwendung der Verwal= tungsgeſetze von dieſer erlaſſenen Verordnungen zu beobachten verpflichtet ſein, und damit bei den Entſcheidungen das In= tereſſe der Verwaltung nicht unberückſichtigt bleibe, iſt die Zulaſſung eines Vertreters dieſes Intereſſes bei den Ver= handlungen nothwendig.“

Die Commiſſion der Zweiten Kammer hat in ihrem Entwurfe (§. 15) den obigen Satz aus dem Grunde geſtrichen, weil er, wenn er nicht als ſelbſtverſtändlich entbehrlich ſei, leicht eine weiter= gehende Auslegung finden könne, als der Geſetzentwurf beabſichtige.

Ein Antrag auf Wiederherſtellung des Regierungsentwurfs wurde bei der Discuſſion von der Zweiten Kammer verworfen, weil der letztere zu dem Mißverſtändniß führen könnte, als ob nur der Verwaltungsgerichtshof und nicht auch der Bezirksrath nur nach Geſetzen und Verordnungen entſcheiden ſolle.

Der Antrag wurde hierauf zurückgezogen und von dem Re= gierungscommiſſär noch bemerkt, daß auch Verordnungen und Ver= fügungen des Miniſteriums berückſichtigt werden müſſen. (Prot.= Heft, II. Kammer, S. 439.)

Verwaltungsgesetz S. 17.

In der Ersten Kammer wurde über diesen Gegenstand keine Bemerkung gemacht.

Es ist schon oben (Grundlagen S. 13) ausgeführt, daß der Verwaltungsgerichtshof bei seinen Entscheidungen auch an die zum Vollzug der Gesetze erlassenen Verordnungen, oder wenn eine oder die andere Verwaltungsfrage nur durch Verordnungen geregelt ist, an die letzteren gebunden sei.

Die Frage, wer die Gesetzmäßigkeit einer solchen Verordnung zu beurtheilen habe und ob insbesondere der Richter im einzelnen Falle deren Anwendung verweigern könne, ist in neuester Zeit sehr streitig geworden. Sie kam insbesondere auch bei Berathung des S. 24 des Polizeistrafgesetzbuchs (im Regierungs= und Commissions= entwurfe S. 23 und 24) zur Sprache. S. die Commissionsbe= richte der Ersten und Zweiten Kammer zu diesen Paragraphen und die Discussionen, letztere im Prot.=Heft, II. Kammer, S. 360, 645, 695—697, und Prot.=Heft, I. Kammer, S. 156—158, 185.

Es bedarf kaum der Bemerkung, daß die Bestimmung in S. 24, Abs. 2 des Polizeistrafgesetzbuchs sich nur auf die Verord= nungen und Vorschriften bezieht, welche auf den Grund einer Be= stimmung dieses Gesetzbuchs gleichsam als Ergänzungsvorschriften desselben auf dem Gebiete des Polizeistrafrechts erlassen werden.

Die bedeutsame, dem Verfassungsrechte angehörige Frage, ob der Richter unbedingt befugt sei, die Verfassungsmäßigkeit einer Verordnung zu prüfen und je nach seiner Ueberzeugung die An= wendung derselben zu verweigern, ist damit natürlich noch nicht entschieden, was auch von der Zweiten Kammer dadurch anerkannt wurde, daß sie in der 103. Sitzung den Wunsch zu Protocoll nie= berlegte:

> „Es möge die großh. Regierung in möglichster Bälde den Ständen einen Gesetzentwurf vorlegen, durch welchen die richterliche Befugniß zur Prüfung der Giltigkeit der Verord= nungen auf allen Gebieten des Rechts verfassungsmäßig ge= regelt wird."

(Prot.=Heft der II. Kammer, S. 646, 695—697.)

Bis im Wege neuer gesetzlicher Bestimmungen diese Frage entschieden ist, müssen auf allen anderen Gebieten des Rechts als dem des Polizeistrafrechts, die SS. 66 und 67 der Verfassung zur Anwendung kommen.

Ueber die Auslegung derselben s. Stabel Vorträge über franz. und bad. Civilrecht, S. 23—29, und Begründung zu S. 1 der neuen bürgerlichen Proceßordnung (Prot.=Heft der II. Kammer von 1863, S. 728—730.)

- - -

§. 18.
Verfahren.

Vergl. Verwaltungsgesetz §. 4, und die Zuf. 1—5, §. 10, Zuf. 1—5.
Vollzugsverordnung vom 12. Juli 1864 (Anh. Ziff. 2), §. 32—56, 75—82, 89—94,
95—98, 99—122.

Die Verhandlung der Verwaltungsstreitigkeiten vor dem Verwaltungsgerichtshof geschieht in der Regel öffentlich und mündlich. Die Partheien können sich durch Bevollmächtigte vertreten lassen und es können je nach Bedürfniß Zeugen einvernommen und Sachverständige zugezogen werden. Dem Erkenntniß sind Entscheidungsgründe beizufügen.

Das Verfahren in Verwaltungsstreitigkeiten wird vorerst durch eine Regierungsverordnung geregelt, welche vor oder mit der Einführung der neuen Organisation für Verwaltungsrechtspflege erlassen wird.

§. 19.
Dienstliche Aufsicht.

Vergl. Grundlagen §. 13.   Gerichtsverfassung §. 11 (Reg.-Bl. 1864, Nr. 18).

Die dienstliche Aufsicht über den Verwaltungsgerichtshof und dessen Mitglieder steht dem Ministerium des Innern zu.

Unabhängigkeit. 1) Der Verwaltungsgerichtshof urtheilt innerhalb der Grenzen seiner Zuständigkeit eben so unabhängig, wie jedes andere bürgerliche Gericht.

Dieser Grundsatz wurde nicht nur in den Berichten der Commissionen beider Kammern, sondern auch in den Discussionen und insbesondere von den Vertretern der großh. Regierung anerkannt, von denen geäußert wurde, daß der §. 19 (nach dem Commissionsentwurf §. 17) nicht den Sinn habe, die Unabhängigkeit des Gerichtshof zu gefährden, derselbe vielmehr nur aus dem Grunde aufgenommen worden sei, weil eine dienstliche Aufsicht bestehen müsse und die dienstlichen Interessen von dem Ministerium wahrgenommen werden müßten.

Auch die bürgerlichen Gerichte stünden unter der Aufsicht des Justizministeriums. (II. Kammer, Prot.-Heft S. 436—438.)

Rechtsverhältnisse der Mitglieder. 2) Bei den Discussionen in der Zweiten Kammer wurde auch zur Sprache gebracht, ob das Gesetz über die Rechtsverhältnisse der Richter nicht auch auf die Mitglieder des Verwaltungsgerichtshofs ausgedehnt werden soll. Die Regierung bemerkte, daß diese Frage in Erwägung gezogen werden solle. (Prot.-Heft, II. Kammer von 1863, S. 440, 701.)

Dienstrang derselben.　3) Den Collegialmitgliedern des Verwaltungsgerichtshofs kommt der gleiche Dienstrang mit den Collegialmitgliedern der Ministerien zu. (Bekanntmachung des Ministeriums des Innern vom 19. Juli 1864, Reg.-Bl. Nr. 29, S. 326.)

IV. Von dem Ministerium des Innern und dem Verwaltungshofe.

§. 20.

Ministerium des Innern.

Vergl. oben geschichtliche Einleitung §. 17, 25, Grundlagen §. 5, Ziff. I. Landesh. Vollzugsverordnung vom 12. Juli 1864 (Anh. Ziff. 2), §. 13 und 14.

Die oberste Leitung und Aufsicht über die innere Verwaltung bleibt dem Ministerium des Innern.

§. 21.

Verwaltungshof.

Vergl. Grundlagen §. 4. Landesh. Vollzugsverordnung vom 12. Juli 1864, Anh. Ziff. 2, S. 7—12.

Die der Zuständigkeit der Kreisregierungen bisher überwiesenen Verwaltungssachen, welche in diesem oder andern Gesetzen nicht besonders genannt sind und durch Regierungsverordnung nicht einem Ministerium oder den Bezirksämtern zugetheilt werden, sollen dem Verwaltungshof überwiesen werden.

Einrichtung.　1) Derselbe ist als Centralmittelstelle dem Ministerium des Innern untergeordnet.

Er übt die Dienstpolizei über alle ihm unterstehenden Beamten, niederen Diener und entlaßbaren Angestellten aus mit Ausnahme jener der Strafanstalten, über welche die Dienstpolizei dem Justizministerium vorbehalten bleibt.

In dem §. 8 der oben angeführten Vollzugsverordnung ist der sehr bedeutende Geschäftskreis dieser Behörde näher bezeichnet.

Sie soll bestehen aus einem Director, fünf Räthen und einem der Geschäftsaufgabe entsprechenden größeren Revisionspersonal.

Sitz.　2) Der Verwaltungshof hat seinen Sitz einstweilen in Bruchsal zu nehmen. (Bekanntmachung des Ministeriums des Innern vom 15. Juli 1864, Reg.-Bl. Nr. 31, S. 371.)

§. 22.
Landescommissäre.

Vergl. Grundlagen §. 5, Ziff. II. Landesh. Vollzugsverordnung vom 12. Juli 1864 (Anh. Ziff. 2) §. 16—28.

Das Ministerium des Innern kann Bevollmächtigte aus seiner Mitte als Landescommissäre verwenden, welche in dem Ministerium Sitz und Stimme behalten. Dieselben führen über die Amt= und Kreis= verwaltung und über deren Beamte die unmittelbare Aufsicht und es kann ihnen ihr Wohnsitz auswärts angewiesen werden.

Diese Landescommissäre sind insbesondere beauftragt:

1) die Dienstführung der Beamten der Staatsverwaltung, der Kreis= und Bezirksverbände und der Gemeinden zu beobachten und zu überwachen, auch die Zustände der Verwaltung an Ort und Stelle eingehend zu prüfen;

2) Beschwerden gegen die Amtsführung der Beamten oder sonst wahrgenommene Mängel der Amtsführung zu untersuchen, fürsorglich die nöthigen Anordnungen zur Abhilfe von Be= schwerden und Mißständen sofort zu erlassen, in bringenden Fällen vorläufige Enthebungen vom Dienst zu verfügen und dem Ministerium des Innern Vortrag hierüber zu erstatten;

3) überhaupt anregend und fördernd einzugreifen, wo sie Vernach= lässigung in der Pflege der Interessen der Kreise oder Bezirke wahrnehmen, oder wo diese Interessen ihrer Wichtigkeit und ihres räumlichen Umfangs halber die Fürsorge der Staats= regierung besonders in Anspruch nehmen;

4) nach Gutfinden den Sitzungen der Kreisversammlungen, der Kreisausschüsse und der Bezirksräthe anzuwohnen;

5) in außerordentlichen Fällen sofortige Maßregeln, insbeson= dere bei Nothständen und erheblichen Störungen der öffentlichen Ordnung zu treffen.

Nach dem Budget für 1864 und 65 sollen 4 Landescommissäre angestellt und jedem derselben ein Secretär nebst einem Kanzleige= hilfen beigegeben werden, was bei dem ausgedehnten Geschäftskreise, der diesen Beamten durch das Gesetz und die oben angeführte Ver= ordnung zugewiesen ist, durchaus als nothwendig erscheint.

Die letztere enthält nicht bloß eine genaue Bezeichnung der Zuständigkeit der Landescommissäre, sondern auch eine Instruction über ihre Geschäftsführung im Allgemeinen.

Als Wohnſitze für die Landescommiſſäre ſind die Städte Konſtanz, Freiburg, Karlsruhe und Mannheim beſtimmt.

Jedem derſelben ſind mehrere Kreiſe zugetheilt, nämlich jenem in Konſtanz die Kreiſe Konſtanz und Villingen, in Freiburg die Kreiſe Waldshut, Freiburg und Lörrach, in Karlsruhe die Kreiſe Offenburg, Baden und Karlsruhe, in Mannheim die Kreiſe Mannheim, Heidelberg und Mosbach. (Reg.-Bl. 1864, S. 322 und 323.)

§. 23.
Fortſetzung.

Den Landescommiſſären können beſondere Befugniſſe in Bezug auf die Beaufſichtigung der Kreisverbände, der Bezirksverbände und des Gemeindeweſens oder in Bezug auf andere zum Geſchäftskreiſe des Miniſteriums des Innern gehörige Gegenſtände durch Verordnung zugewieſen werden. Sie üben dieſelben gleichfalls im Namen des Miniſteriums des Innern und in Unterordnung unter daſſelbe aus.

V. Von den Kreisverbänden und den Bezirksverbänden.
Vergl. Grundlagen §. 14—21.

§. 24.
Kreiseintheilung.

Siehe landesh. Verordnung vom 12. Juli 1864. Die Eintheilung des Großherzogthums für die Einführung der neuen Gerichtsverfaſſung und der neuen Organiſation der innern Verwaltung betr. Reg.-Bl. Nr. 29, S. 299 u. folg. Anh. Ziff. 1.

Das Großherzogthum wird auf Grundlage gemeinſamer Intereſſen (§. 1) in Kreisverbände eingetheilt, deren jeder mehrere Amtsbezirke umfaſſen ſoll.

Die Beſtimmung darüber, welche Amtsbezirke in einen Kreis zuſammengefaßt werden ſollen, bleibt der Regierungsverordnung vorbehalten.

Die durch Verordnung endgiltig feſtgeſetzten Kreisverbände können gegen den Willen der betheiligten Kreiſe und Gemeinden nur im Wege der Geſetzgebung geändert werden.

Abänderung derſelben. Die hienach feſtgeſetzten Kreisverbände können nur abgeändert werden:

a. durch Uebereinſtimmung der betheiligten Gemeinden u n d
der Kreisverſammlung, o d e r

b. wenn eine ſolche nicht vorliegt, durch ein Geſetz.

Dieſe Beſtimmung findet Anwendung ſowohl bei der Frage
um gänzliche Auflöſung des Kreisverbands als auch bei jener um
die Lostrennung e i n z e l n e r Gemeinden von denſelben.

Dieſe bedeutende Erſchwerung der Abänderung der Kreisein=
theilung ruht auf dem Gedanken, daß, wenn einmal der körper=
ſchaftliche Verband geſchaffen iſt, an ihn ſich mit der Zeit mehr
und mehr wirthſchaftliche und andere Intereſſen anlehnen, welche
nur dadurch richtig gepflegt werden können, wenn der Verband
möglichſt feſt und ſtabil geſchaffen wird. Es muß deßhalb beſon=
dere Vorſorge gegen Verletzung dieſer Rückſichten durch allzu raſche
Aenderung in der Kreiseintheilung getroffen werden.

Wenn aber die Kreisverſammlung und die betheiligten Ge=
meinden einverſtanden ſind, ſo wird auf Vorlage an die Regierung
die Erlaſſung eines Geſetzes mit keinen Schwierigkeiten verknüpft
ſein.

§. 25.
Selbſtverwaltung.

Die Kreiſe bilden körperſchaftliche Verbände. Sie beſorgen ihre An=
gelegenheiten ſelbſtſtändig, vorbehaltlich der geſetzlichen Aufſichtsrechte des
Staats; ſie können Vermögen erwerben und beſitzen, und zur Be=
ſtreitung ihrer geſetzlichen Ausgaben Beiträge auf die Kreisgemeinden
und Gemarkungen umlegen.

Gegenſtände ihrer Beſchlußfaſſung ſind alle Einrichtungen und
Anſtalten, welche die Entwickelung, Pflege und Förderung der Intereſſen
des ganzen Kreiſes betreffen.

Einrichtungen und Anſtalten, welche einen Koſtenaufwand er=
fordern, können auf Rechnung des Kreiſes nur ſo weit beſchloſſen wer=
den, als ein Geſetz hiezu im Allgemeinen die Ermächtigung gibt.

Das regelmäßige Organ der Staatsregierung in Bezug auf die
der Selbſtverwaltung der Kreiſe überlaſſenen Angelegenheiten iſt der
Verwaltungsbeamte des Bezirks, in welchem die Verwaltung des Kreiſes
ihren Sitz hat (Kreishauptmann).

Beſteuerungsrecht. 1) Das Beſteuerungsrecht der Kreiſe iſt dahin beſchränkt, daß
ſie nur „zur Beſtreitung ihrer g e ſ e tz l i ch e n. Ausgaben“ Um=
lagen zu machen berechtigt ſind.

Als ſolche können nur diejenigen betrachtet werden, welche

durch solche Einrichtungen und Anstalten entstehen, zu deren Beschaffung ein Gesetz im Allgemeinen die Ermächtigung gibt.
(Vergl. §. 41 des Verwaltungsgesetzes.)

Sollte eine Kreisversammlung diese Vorschrift verletzen, so ist
nach §. 54 des Verwaltungsgesetzes das Ministerium des Innern
befugt, die beßfallsigen Beschlüsse für nichtig zu erklären.

Den Landescommissären liegt es ob, darüber zu wachen, daß
die Stellung der erforderlichen Anträge nicht unterbleibt, wenn es
im öffentlichen Interesse geboten erscheint, von dem oben bezeichneten oder dem Rechte des §. 40 des Verwaltungsgesetzes Gebrauch
zu machen. (Landesh. Vollzugsverordnung vom 12. Juli 1864,
§. 24 und 25, Reg.-Bl. Nr. 31, Anh. Ziff. 2.)

Der Kreishaupt-
mann.   2) Vergl. §. 25, Abs. 4, 39, 55, 56 des Verwaltungsgesetzes,
Grundlagen §. 16, die angeführte Vollzugsverordnung §. 18, 24
und 25.

§. 26.
Vertretung der Kreisangehörigen.

Die Kreisangehörigen werden vertreten durch die Kreisversammlung. Zur Verwaltung der Kreisangelegenheiten besteht ein Kreisausschuß.

Der Kreisausschuß. (S. Verw.-Gesetz §. 42, 48, 49, 50, 52, 53. Grundlagen §. 15.)

§. 27.
Zusammensetzung der Kreisversammlung.
(Vergl. Grundlagen §. 19.)

Die Kreisversammlung wird gebildet:

1) aus den von den Kreiswahlmännern gewählten Mitgliedern;
2) aus den in den Amtsbezirken gewählten Abgeordneten der Gemeinden;
3) aus den Vertretern der größern Städte;
4) aus den Mitgliedern des Kreisausschusses, soweit sie nicht schon
   der Kreisversammlung angehören;
5) aus den größten Grundbesitzern im Kreise.

Die Zahl der von den Kreiswahlmännern gewählten Mitglieder
(1) soll doppelt so groß sein, als die durch Gemeindewahlen berufenen
(2) und die Zahl der größten Grundbesitzer (5) soll einen Sechstheil
der gewählten Mitglieder (1, 2 und 3) betragen.

Grundsatz.

1) Der leitende Gedanke bei der wichtigen Frage über die Zusammensetzung der Kreisversammlung war darauf gerichtet, allen den verschiedenen Interessenkreisen der Bevölkerung eines Kreisverbandes möglichst einen gebührenden Antheil an der Vertretung zu sichern.

Die Frage wäre leichter und vielleicht richtiger zu lösen gewesen, wenn nicht hiebei wesentlich darauf Rücksicht genommen worden wäre, daß die Kreisversammlung zugleich der Wahlkörper für die Bezirksräthe ist, ungeachtet sie mit denselben — nachdem sogar gegen den Regierungs- und ursprünglichen Commissionsvorschlag nicht einmal Vertreter derselben in der Kreisversammlung zugelassen sind — in gar keinem organischen Zusammenhang mehr steht, so wünschenswerth dieß auch gewesen wäre.

Vertreter der größeren Städte.

2) Den größeren Städten (Verw.-Gesetz §. 35) wurde nach den Vorschlägen der Ersten Kammer eine besondere Vertretung eingeräumt, weil sonst möglicher Weise eine solche ganz ausgeschlossen gewesen wäre, da nach der Wahlart der Gemeindevertreter die Städte von den Wahlmännern der Landgemeinden, welche mit ihnen zu demselben Wahldistrict gehören, überstimmt worden wären. Zudem glaubte man, und gewiß mit vollem Recht, daß diese Städte als größere Körperschaften für den betreffenden Kreis schon eine solche Bedeutung haben, um ihnen eine besondere Vertretung zu geben, besonders da auch durch sie der Kreisversammlung sehr intelligente Kräfte zugeführt würden.

Vertreter des großen Grundbesitzes.

3) Auch die so nothwendige Vertretung des großen Grundbesitzes wurde durch die Vorschläge der Ersten Kammer in sehr angemessener Weise dadurch geregelt, daß sie nicht nach einer festbestimmten, sondern nach einer Verhältnißzahl zur Theilnahme berufen sind, und daß der nächstfolgende größere Grundbesitzer an die Stelle seines Vormanns tritt, wenn dieser an den Sitzungen keinen Theil zu nehmen erklärt hat. (Vergl. Prot.-Heft der I. Kammer von 1863, S. 181, 182, 188, 189.)

Die Zweite Kammer trat diesen Abänderungsvorschlägen bei. (Vergl. zweiter Commissionsbericht zu den §§. 24, 30 c, 31, 31b, und Prot.-Heft S. 700 u. folg.)

§. 28.

Wahlbezirke für die von Kreiswahlmännern zu wählenden Abgeordneten.

Die von den Kreiswahlmännern zu ernennenden Abgeordneten werden in Wahlbezirken gewählt, welche endgiltig durch die Kreisversammlung festgestellt werden. Die so festgesetzte Eintheilung der Wahlbezirke kann vor Ablauf von 10 Jahren nicht wieder geändert werden.

Der Wahlbezirk kann eine oder mehrere Gemeinden umfaſſen und im erſteren Falle mehrere Abgeordnete zu wählen berechtigt ſein.

Die Wahlbezirke ſind ſo zu bilden, daß eine möglichſt gleiche Aus= theilung der Abgeordneten nach der Bevölkerungszahl eintritt.

Die Eintheilung der Wahlbezirke wird für das erſte Mal durch Regierungsverordnung feſtgeſetzt. (Verwaltungsgeſetz §. 60.)

Die endgiltige Feſtſtellung erfolgt durch die Kreisverſammlung, welche dieſelbe aber nicht ſchon bei ihrem erſten Zuſammentritt vor= nehmen muß, ſondern, wenn ſie vorzieht, darüber Erfahrungen zu ſammeln, es auch bei einem ſpäteren Zuſammentritt thun kann. (S. Commiſſionsbericht der II. Kammer zu §. 25 und 26 des Commiſſionsentwurfs.)

§. 29.
Die Kreiswahlen.

Die Kreiswahlmänner werden alle drei Jahre im Monat Sep= tember gewählt.

Stimmfähig und wählbar ſind alle Staatsbürger, welche das 25. Lebensjahr zurückgelegt haben und ſeit mindeſtens einem Jahre im Amtsbezirke anſäſſig ſind.

Die Ausſchließungsgründe, welche nach der Gemeindeordnung für die Wählbarkeit in den großen Bürgerausſchuß bei den Gemeinde= bürgern gelten, ſind auch hier maßgebend.

Ebenſo ſind die Dienſtboten und diejenigen Perſonen ausgeſchloſſen, welche in einem ähnlichen Abhängigkeitsverhältniß ſtehen.

Gemeinden von 250 bis 3000 Einwohnern bilden je einen Wahl= diſtrict. Kleinere Gemeinden, Colonien und Hofgüter werden zu einem Wahldiſtrict von mindeſtens 250 Seelen vereinigt. Gemeinden von mehr als 3000 Seelen bilden zwei oder mehrere Wahldiſtricte.

Auf je 250 Seelen wird ein Wahlmann gewählt.

Die Wahl geſchieht mittelſt geheimer Stimmgebung.

Die Form derſelben wird durch Verordnung der Regierung beſtimmt.

1) Die jetzige Faſſung dieſes Paragraphen beruht im Weſent= lichen auf den oben ſchon näher dargelegten (ſ. Grundlagen §. 19) Vorſchlägen der Zweiten Kammer (Beil.=Heft 6, S. 593—96), wodurch ſie ihre urſprünglichen Anträge, rückſichtlich deren ein Ein= verſtändniß mit der Regierung nicht zu erzielen war, modifizirte.

Die verſchiedenen Beſtandtheile, aus welchen die Kreisver=

sammlung zusammengesetzt ist (Verw.=Gesetz §. 27) werden auch
der Natur der Sache nach auf verschiedene Weise gebildet und be=
ziehungsweise gewählt.

Der numerisch stärkste Theil der Versammlung besteht aus den
von den Kreiswahlmännern gewählten Mitgliedern (Verw.=Gesetz
§. 27, Ziff. 1).

Urwähler und deren Eigenschaften. Die Wahlmänner selbst werden in den nach §. 28 gebildeten
Wahlbezirken von Urwählern gewählt.

Zu solchen sind nur diejenigen Staatsbürger vereigen=
schaftet, welche

   a. das 25. Lebensjahr zurückgelegt haben,
   b. seit mindestens einem Jahr im Amtsbezirk ansässig
      sind,
          (Verw.=Gesetz §. 29, Abs. 2).

Ausgeschlossen von dem Rechte als Urwähler bei der Wahl
der Kreiswahlmänner mitzuwirken, sind:

   a. die wegen eines Verbrechens zu peinlicher Strafe oder
   b. innerhalb der letzten fünf Jahre zu einer Arbeitshausstrafe
      von wenigstens sechs Monaten, oder durch richterliches Er=
      kenntniß zur Dienstentlassung, oder wegen Diebstahls, Un=
      terschlagung, Fälschung oder Betrugs zu irgend einer anderen
      Strafe verurtheilt worden sind,
   c. diejenigen, welchen die Wahlberechtigung durch ein
      anderes Gesetz ganz oder theilweise entzogen ist,
   d. die als Soldaten im wirklichen Dienste stehen,
   e. über deren Vermögen die Gant gerichtlich eröffnet worden
      ist, und zwar während der Dauer des Gantverfahrens und
      fünf Jahre nach dem Schlusse desselben, sofern sie nicht
      früher nachweisen, daß sie ihre Gläubiger befriedigt haben,
   f. diejenigen, denen die Wählbarkeit durch ein anderes
      Gesetz ganz oder zeitweise entzogen ist,
          (Verw.=Gesetz §. 29, Abs. 3. Gem.=Ordn. §. 15 u. 21,
          u. Zus. v. Fröhlich, S. 28—31 u. 33—35);
   g. die Dienstboten und diejenigen Personen, welche in einem
      ähnlichen Abhängigkeitsverhältniß stehen,
          (Verw.=Gesetz §. 29, Abs. 4).

Gemeindebürger=recht, keine noth=wendige Eigen=schaft. Der Abs. 3 des §. 29 erhielt die jetzige Fassung, um im Ge=
gensatz zu einer früheren, von der Commission vorgeschlagenen ge=
nau anzudeuten, daß die §§. 15 und 21 der Gem.=Ordn. nicht in
der Weise rücksichtlich der stimmfähigen und wählbaren Staats=
bürger zur Anwendung kommen können, daß diese, weil ihnen
die Eigenschaft als Gemeindebürger abgeht, als von den Kreis=
wahlen ausgeschlossen betrachtet werden sollen (Prot.=Heft der II.
Kammer, S. 428). Das Gemeindebürgerrecht ist durchaus nicht

erforderlich, um Mitglied der Kreisverſammlung oder des Bezirks=
raths zu werden, weil es ſich hier eben nicht um gemeindebürger=
liche, ſondern um allgemeine Intereſſen handelt, bei welchen die
zahlreiche Klaſſe der nicht mit Gemeindebürgerrecht verſehenen
Staatsbürger ebenſo betheiligt ſind, wie die Gemeindebürger, die
überdieß noch ihre beſondere Vertretung in der Kreisverſammlung
haben. (Verw.=Geſetz §. 27, Ziff. 2 u. 3, und §. 32, 33 u. 35.)

Gewerbegehilfen.   Der Abſ. 4 des §. 29 erhielt ſeine jetzige Faſſung durch die
Vorſchläge der Erſten Kammer. Nach der früheren Faſſung ſollten
Alle ausgeſchloſſen ſein, welche zu der Claſſe von Gewerbege=
hilfen, Bedienten und Geſinde gehören. Man zog aber in Be=
tracht, daß man möglicher Weiſe den Ausdruck „Gewerbegehilfen“ ſo
allgemein auffaſſen könne, daß unter demſelben eine ſehr intelligente
Claſſe von Staatsbürgern, z. B. Commis und Techniker in einer
Fabrik begriffen wären, wodurch dieſen Perſonen in gewiß ganz
ungerechtfertigter Weiſe ihr Wahlrecht entzogen würde. Die Faſ=
ſung des Geſetzes, obgleich immer der Auslegung noch einigen
Spielraum laſſend, ſchließt doch ſolche exorbitante Annahmen, wie
die oben angeführte, aus und bezeichnet im Allgemeinen den Ge=
danken ſo richtig, daß die Praxis ſich bald zurecht finden wird.

Entſteht über die Stimmberechtigung oder Wählbarkeit ſolcher
Perſonen bei den Kreiswahlen Streit, ſo hat hierüber zunächſt der
Bezirksrath, und in zweiter Inſtanz der Verwaltungsgerichtshof zu
entſcheiden. (Verw.=Geſetz §. 5 u. 15, Ziff. 1.)

Kreiswahlmänner und deren Eigen=ſchaften.   2) Die Urwähler wählen die Kreiswahlmänner. Zu
ſolchen können nur Perſonen gewählt werden, welche die gleichen
Eigenſchaften wie die Urwähler haben. (Vergl. oben Ziff. 1.)

§. 30.
Weitere Wahlberechtigte.

Dieſen Kreiswahlmännern treten zum Zweck der Wahl der Abge=
ordneten in die Kreisverſammlung als Wahlberechtigte bei:

1) die im Wahlbezirke wohnenden Grundeigenthümer oder deren
   geſetzliche Vertreter, ſofern ſie in dem Kreiſe an Liegenſchaften
   ein Grundſteuerkapital von mindeſtens 25,000 Gulden beſitzen,
   welches ſeit 5 Jahren von ihnen oder ihren Familienvorfahren
   verſteuert wird;
2) Diejenigen, welche unter derſelben Bedingung Gewerbekapi=
   talien im Betrag von mindeſtens 50,000 Gulden verſteuern.

Der Fiscus und andere Körperſchaften — die Actiengeſellſchaften
inbegriffen, aber mit Ausſchluß der Gemeinden — nehmen, wenn ſie

mit Rücksicht auf ihren Alleinbesitz von Grundeigenthum oder Gewerbs=
kapitalien wahlberechtigt sind, durch Stellvertreter an der Wahl Theil.

Grundsatz. 1) Daß man den aus Urwahlen hervorgegangenen Kreiswahl=
männern eine Anzahl von wohlhabenden Grundbesitzern und Ge=
werbetreibenden beiordnete, welchen kraft des Besitzes von Steuer=
kapitalien von gewisser Größe das Wahlrecht zur Kreisversamm=
lung gleich den Kreiswahlmännern zusteht, ist eine von der Ge=
rechtigkeit verlangte nothwendige Einrichtung.

Die wohlhabenderen Einwohner des Kreises sind es, welche
vorzugsweise die Kreissteuern zu tragen haben, sie haben das größte
Interesse daran, daß die Geschäfte auf der Kreisversammlung in
angemessener Weise geführt werden, sie bieten auch zugleich die
Garantie, daß die Wahlen mit den wichtigsten Wirthschafts= und
Kulturinteressen des Volks in Einklang bleiben.

Die Zweite Kammer hatte bei ihren in der Sitzung vom
5. Mai 1863 eingebrachten Abänderungsanträgen zu ihrem früheren
Entwurf (6. Beil.=Heft S. 593—596) als §. 27 a. den jetzigen
§. 30 in seinen wesentlichen Bestimmungen aufgenommen, densel=
ben aber nur auf die Besitzer von Grundsteuerkapitalien beschränkt.
Die Erste Kammer war der Ansicht, daß man dem beweglichen
Kapitale, insbesondere dem Gewerbsteuerkapitale ebenfalls gebührende
Rechnung tragen müsse. Während — ihrer Ansicht gemäß — die
größeren Landwirthe eher ein Element des Beharrens in den her=
gebrachten Sitten darstellen und daher verhältnißmäßig schwer zu
neuen Kreisanstalten mitwirken werden, stellen die größeren In=
dustriellen eher ein Element der Bewegung dar und werden leichter
Verbesserungen anstreben, obschon auch sie gleich jenen zu den
Kosten derselben beitragen müssen.

Die Zweite Kammer trat später dieser Auffassung ebenfalls bei.

Grundsteuerkapital. 2) Die Commission der Ersten Kammer verlangte in ihrem
Entwurfe, daß das Grundsteuerkapital ein „lastenfreies" sei.
Dieser Ausdruck rief bei der Discussion verschiedene Zweifel hervor;
schließlich einigten sich die Ansichten dahin, daß auf den Liegen=
schaften ruhende Pfandschulden bei der Berechnung des Werths
nicht in Abzug kommen könnten, wohl aber solche Lasten, welche
bei der Ermittelung des Steuerkapitals an dem Werthe der Liegen=
schaften in Abzug gebracht werden, z. B. Beholzigungsrechte, welche
auf einem Walde ruhen.

Das Wort „lastenfrei" wurde sodann aus dem Entwurfe ent=
fernt, weil eben schlechthin das Steuerkapital maßgebend sein sollte.

Häusersteuerkapital. 3) Die Commission der Ersten Kammer hatte beantragt, auch
die Besitzer von Häusersteuerkapitalien im Betrag von 30,000 fl.
als Wahlberechtigte aufzunehmen. Man überzeugte sich jedoch, daß
der Vorschlag sehr gewichtigen Bedenken unterliege. Bei der Größe

des Werths der Häuser würden sehr viele mit 30,000 fl. in die Steuer aufgenommen werden müssen, wodurch die Zahl der Wahlberechtigten leicht sehr groß werden und ein Mißverhältniß zwischen den durch Besitz zur Wahl Berechtigten und den gewählten Wahlmännern entstehen könnte.

Auch habe der größere landwirthschaftliche Grundbesitzer, der mit seiner ganzen Wirthschaft auf die Kreisanstalten, z. B. Straßen, Brücken u. dgl. angewiesen sei, ein viel größeres Interesse als der Häuserbesitzer, der meistens Vermiether, also im Grunde nur Kapitalbesitzer sein werde.

Man ließ deßhalb den Vorschlag fallen.

Gewerbesteuerkapital. 4) Die Summe des Gewerbsteuerkapitals ist doppelt so hoch gegriffen, als jene des Grundsteuerkapitals, weil das Gewerbekapital nicht so sicher ist, als das im landwirthschaftlichen Grundbesitz liegende.

Actiengesellschaften. 5) Die Actiengesellschaften wurden von der Ersten Kammer in den Schlußsatz des Paragraphen aufgenommen (Prot.H. S. 189), weil sie, wenn sie sich im Besitze des geforderten Steuerkapitals befinden, meist zu den größeren industriellen Unternehmungen zu zählen seien, welche an den Kreisanstalten dasselbe Interesse hätten, wie die größeren Landwirthe.

Die Commission der Zweiten Kammer erklärte sich hiemit aus den weiteren Gründen einverstanden, weil es eine streitige Rechtsfrage sei, ob nicht unter den im Paragraphen genannten „Körperschaften" die Actiengesellschaften begriffen seien und weil die Vertreter derselben in der Regel ein erwünschter Bestandtheil der Kreisversammlung sein werden (siehe zweiter Commissionsbericht zu §. 27 a.).

Fünfjähriger Besitz des Steuerkapitals. 6) Bei der Discussion in der Zweiten Kammer wurde die Frage angeregt, ob die Nothwendigkeit eines fünfjährigen Besitzes eines Steuerkapitals sich auch auf den Fiscus und die Körperschaften beziehen.

Sowohl von Seiten der Regierung als der Commission wurde diese Frage bejaht (Prot.Heft der II. Kammer S. 449).

Das Gleiche gilt nun auch von den Actiengesellschaften, welche später in den letzten Absatz dieses Paragraphen aufgenommen wurden.

§. 31.

Verfahren für die Wahl der von den Kreiswahlmännern zu wählenden Mitglieder.

Die Wahl dieser Abgeordneten (§. 27, Ziffer 1) geschieht durch geheime Stimmgebung und relative Stimmenmehrheit nach den für die Wahlen in den Gemeinderath geltenden Vorschriften.

Der Wahlort wird jeweils durch die Staatsbehörde bestimmt. Zur giltigen Wahl genügt die Theilnahme der Hälfte der Wahlberechtigten. Für jeden Kreisabgeordneten wird ein Ersatzmann gewählt. Dieser tritt ein, wenn der Kreisabgeordnete die Wahl ablehnt, austritt oder dauernd am Erscheinen verhindert ist, oder wenn bei ihm die Bedingungen der Wählbarkeit aufhören.

Beschränkung der Wahl der Kreiswahlmänner auf die §. 27. Ziff. 1 genannten Mitglieder.

1) Die in §. 29 und 30 aufgeführten beiden Kategorien von Kreiswahlmännern wählen nur die in §. 27, Ziff. 1 bezeichneten Mitglieder der Kreisversammlung, die übrigen durch Wahl in dieselbe zu berufenden Mitglieder, nämlich die §. 27, Ziff. 2 und 3 genannten Abgeordneten der Gemeinden und Vertreter der größeren Städte werden, und zwar jene nach den Vorschriften des §. 32 und 33, diese nach §. 35 gewählt.

Wahlvorschriften.

2) Die Wahl der Abgeordneten, welche von den Kreiswahlmännern auszugehen hat (§. 27, Ziff. 1), geschieht nach den für die Wahlen in den Gemeinderath geltenden Vorschriften.

Hierüber vergl. Gem.=Ordn. §. 27 und folg., Gem.=Wahlordn. §. 45 und folg., Fröhlich, S. 38 und folg., und S. 394 u. folg.

§. 32.
Verfahren für die Wahl der Abgeordneten der Gemeinden.

Die Abgeordneten der Gemeinden werden in jedem Amtsbezirk durch eine Versammlung von Gemeindevertretern erwählt. Der Wahlort wird durch die Staatsbehörde bestimmt.

Diese Wahlversammlung wird in der Art gebildet, daß in jeder Gemeinde der Gemeinderath aus seiner Mitte die Wahlberechtigten abordnet. In Gemeinden bis zu 2000 Einwohnern wird je ein Mitglied, von 2001 bis 5000 Einwohnern werden zwei, und in größeren Gemeinden drei Mitglieder abgeordnet.

Die Wahl geschieht durch geheime Stimmgebung und relative Stimmenmehrheit. Zur Giltigkeit der Wahl genügt die Theilnahme der Hälfte der Wahlberechtigten.

Nachdem durch den zweiten Vorschlag der Commission der Zweiten Kammer (s. oben Grundlagen §. 19 C.) der ursprüngliche Regierungsvorschlag im Wesentlichen verlassen war, so war es von großer Bedeutung, daß den Gemeinden wenigstens noch ein Rest der ihnen im Regierungsentwurf zugedachten Mitgliedschaft an der Kreisversammlung in der Art eingeräumt wurde, daß die Zahl der durch Gemeindewahlen berufenen Mitglieder (§. 27, Ziff. 2) der

Hälfte der von den Kreiswahlmännern zu Wählenden gleich kom=
men ſoll. Die §§. 32 und 33 regeln das Verfahren für die Wahl
der von den Gemeinden der Amtsbezirke des Kreiſes zu berufenden
Mitglieder (§. 27, Ziff. 2) in einfacher Weiſe.

§. 33.
Zahl der Abgeordneten der Gemeinden.

Dieſe Wahlverſammlung wählt in Amtsbezirken bis zu 20,000
Seelen einen, von 20,001 bis zu 40,000 zwei, und bei einer größeren
Einwohnerzahl drei Abgeordnete zur Kreisverſammlung.

§. 34.
Geſammtzahl der gewählten Mitglieder.

Beträgt die Geſammtzahl der gewählten Mitglieder (§. 27, 1, 2,
3) weniger als vierundzwanzig, ſo iſt dieſelbe unter Beachtung des im
§. 27, Schlußſatz, beſtimmten Verhältniſſes durch die erſte Verſammlung
zu erhöhen.

§. 35.
Verfahren für die Wahl der Abgeordneten der Städte.

Die Städte mit einer Bevölkerung von mehr als 7000 Seelen
haben einen Vertreter in die Kreisverſammlung zu ernennen, welcher
von dem Gemeinderathe und dem kleinen Bürgerausſchuſſe gewählt wird.

> Zu den größeren Städten, denen nach §. 27, Ziff. 3 ein ſelbſt=
> ſtändiges Vertretungsrecht in der Kreisverſammlung zuſteht, gehö=
> ren, nachdem man in Bezug auf die Seelenzahl von 8000 auf
> 7000 herabging, auf den Grund der Volkszählung von 1861 (Bei=
> träge zur Statiſtik der inneren Verwaltung, 13. Heft, S. VII. der
> Einleitung): Karlsruhe, Mannheim, Freiburg, Heidelberg, Pforz=
> heim, Bruchſal, Conſtanz, Baden, Raſtatt, Lahr.

§. 36.
Amtsdauer der Kreisabgeordneten.

Die Wahl der Abgeordneten (§. 27, Ziff. 1 u. 2) gilt auf ſechs Jahre;
alle drei Jahre tritt die Hälfte aus. Ueber den Austritt entſcheidet nach
jeder Geſammtwahl das Loos.

Die Vertreter der Städte werden auf drei Jahre gewählt.

§. 37.
Erfordernisse zur Wählbarkeit in die Kreisversammlung.

Wählbar sind alle Staatsbürger, welche das 25. Lebensjahr zurückgelegt haben, mindestens seit einem Jahre innerhalb des Kreises
wohnen und im Uebrigen die Wählbarkeitserfordernisse haben, welche
für die Kreiswahlmänner bestimmt sind.

Gemeindebürger-
recht nicht nothwen-
dig.

1) Dieser Paragraph entspricht seinem Inhalte nach dem §. 29
des Regierungsentwurfs.

Seine jetzige Fassung wurde aber gewählt, um ganz deutlich
auszudrücken, daß die Wählbarkeit in die Kreisversammlung vom
Gemeindebürgerrecht nicht abhänge.

2) Rücksichtlich der übrigen Wählbarkeitserfordernisse f. §. 29,
Abs. 3, und die Zusätze zu diesem Paragraphen.

§. 38.
Wählbarkeitserfordernisse für die größten Grundbesitzer im Kreise.

Für die größten Grundbesitzer im Kreise (§. 27, Ziff. 5) gelten dieselben Wählbarkeitserfordernisse, wie für alle anderen Mitglieder
(§. 37), mit Ausnahme des Wohnsitzes innerhalb des Kreises. Ueber-
dem muß ihr Grundsteuerkapital mindestens seit 5 Jahren von ihnen
oder von ihren Familienvorfahren versteuert worden sein.

Erklärt einer der zunächst berufenen größten Grundbesitzer, an der
Sitzung keinen Theil zu nehmen, so tritt der nächstfolgende größte
Grundbesitzer ein.

Dieser Paragraph wurde von der Commission der Ersten Kammer vorgeschlagen. (Prot.-Heft S. 190.)

Man hielt, und gewiß mit vollem Recht, die Vertretung des
großen Grundbesitzes in der Kreisversammlung (§. 27, Ziff. 5)
für so wichtig, daß bei dem Vorhandensein der für die übrigen
Mitglieder geltenden Wählbarkeitserfordernisse (§. 37, vergl. mit
§. 29, Abs. 3) der Wohnsitz innerhalb des Kreises für den einzelnen großen Grundbesitzer als weiteres Erforderniß nicht gefordert
wurde, da er schon vermöge des Umfangs seines Grundbesitzes ein
ausreichendes Interesse an den Kreisangelegenheiten habe, ob er
im Kreise wohne oder nicht. (Prot.-Heft der I. Kammer, S. 189.)

§. 39.
Zuzug von Verwaltungsbeamten zur Kreisversammlung.

Der Kreishauptmann kann auf Veranlassung des Kreisausschusses
oder der Kreisversammlung auch die Bezirksbeamten und andere der

Staatsverwaltung angehörige Beamte innerhalb des Kreises zu der Verhandlung einladen. Dieselben haben, wenn sie nicht Mitglieder der Kreisversammlung sind, nur berathende Stimme.

Die jetzi... ung wurde von beiden Kammern gewählt, um möglichst genu. ...zudrücken, daß von der Einladung zu den Verhandlungen der Kreisversammlung die Bezirks-Justiz-Beamten. und ebenso die Bezirksräthe ausgeschlossen sein sollen, dagegen andere der Staatsverwaltung angehörige Beamten, z. B. Techniker, zur Berathung zugezogen werden können. (Commissionsbericht der I. u. II. Kammer zu §. 32.)

§. 40.
Auflösungsrecht der Staatsregierung.

Die Staatsregierung ist jederzeit befugt, die Kreisversammlung aufzulösen. Sie ordnet in diesem Fall sofort die neuen Wahlen an und beruft die Kreisversammlung binnen längstens 3 Monaten.

Das Auflösungsrecht der Regierung soll nach den Motiven zum Regierungsentwurf keineswegs die Bedeutung haben, welche der gleichen Maßregel bei politischen Staatskörpern beigelegt wird. Es wurde hauptsächlich verlangt, weil Fälle denkbar sind, wo die Anordnung einer Integralerneuerung der Kreisvertretung allein im Stande ist, bedenkliche Widersprüche zu beseitigen und das öffentliche Vertrauen wieder herzustellen.

Die Commission der Zweiten Kammer war mit dem Regierungsentwurf einverstanden, und glaubte ebenfalls, daß wohl kaum eine Auflösung blos aus allgemein politischen Gründen, sondern immer nur dann erfolgen werde, wenn nach der Ansicht der Regierung die Kreisversammlung gegen das Interesse des Kreises fortdauernd handelt, und alle gesetzlichen Mittel zur Leitung auf andere Wege erfolglos angewendet worden sind.

Die Landescommissäre haben sich mit dem Kreishauptmann nach §. 25, Abs. 2 der landesherrlichen Vollzugsverordnung vom 12. Juli 1864 (Reg.-Bl. N . 31, Anh. Ziff. 2) in's Benehmen zu setzen, um sich zu vergen ..n, daß die Stellung der erforderlichen Anträge nicht unterbl ... wenn es im öffentlichen Interesse geboten erscheint, von dem oben bezeichneten Rechte Gebrauch zu machen. Die Befugniß der Auflösung steht dem Ministerium des Innern zu. (S. 14, Ziff. 1 der angef. Vollzugsverordnung.)

Ueber die rechtliche Stellung der Staatsregierung zur Kreisversammlung im Allgemeinen s. oben Grundlagen §. 14, Ziff. 4.

§. 41.
Gegenſtände der Beſchlußfaſſung der Kreisverſammlung.
(Vergl. Verw.=Geſetz §. 25, Abſ. 2 und 3, Grundlagen §. 18.)

Die Kreisverſammlung iſt berechtigt, im Intereſſe des Kreiſes und ſeiner Bewohner gemeinnützige Anſtalten zu gründen und zur Förderung der gemeinſamen Kultur, Wirthſchaft und Wohlthätigkeit die Gemeinden zu unterſtützen. Insbeſondere faßt ſie Beſchlüſſe:

1) über die Anlegung, Richtung und Unterhaltung neuer Straßen oder Uebernahme bereits vorhandener Straßen auf Koſten des Kreisverbandes;

2) ebenſo über Anlegung und Unterhaltung von Brücken und Kanälen;

3) über die Errichtung von Sparkaſſen, von Kreisſchulanſtalten, von Werkhäuſern, Waiſenhäuſern, Armenhäuſern, Kranken= häuſern, Rettungsanſtalten;

4) über ſonſtige gemeinſchaftliche Anordnungen zur Fürſorge für die Armen;

5) darüber, ob und welche bisherige Gemeindelaſten in Zukunft ganz oder theilweiſe von dem Kreisverbande übernommen wer= den ſollen;

6) über die Aufnahme von Anlehen auf Rechnung des Kreisver= bandes;

7) über die Kreisausgaben und Einnahmen, beziehungsweiſe über die zur Deckung der Ausgaben des Kreisverbandes auf die ein= zelnen Gemeinden zu machenden Umlagen, und über die Vor= ausbeiträge beſonders betheiligter Gemeinden nach dem von dem Kreisausſchuß aufzuſtellenden Entwurfe des Voranſchlags.

Koſten der Kreis=
anſtalten und Ein=
richtungen.
1) Bei der Discuſſion in der Zweiten Kammer wurde von Seiten der Regierung bemerkt, daß zunächſt alle der Kreisverſamm= lung überwieſenen Anſtalten und Einrichtungen auf Koſten des Kreisverbands übernommen werden müßten, ſo lange er von der Regierung keinen Zuſchuß erhalten könne. (Prot.=Heft der II. Kam= mer S. 451.)

Nach der der Kreisverſammlung zuſtehenden Autonomie und den Beſtimmungen des §. 25, Abſ. 2 und 3, §. 41, Ziff. 7, §. 43 kann es keinem Zweifel unterliegen, daß der Kreisverband auch die Koſten der von ihm innerhalb ſeiner Zuſtändigkeit geſchaffenen An= ſtalten und Einrichtungen zu tragen hat.

Umlagen auf die
Gemeinden.

2) Die zur Deckung der Kreisausgaben nöthigen Umlagen werden nicht auf die einzelnen Steuerpflichtigen, ſondern der Einfachheit wegen auf die Gemeinden gemacht.

§. 42.
Verwaltung der Kreisanſtalten.

Die Kreisverſammlung ſetzt die Statuten der von ihr gegründeten Kreisanſtalten feſt, ernennt und entläßt die Vorſtände und Verwaltungspfleger dieſer Anſtalten, oder ermächtigt den Kreisausſchuß dazu, erwählt die erforderlichen beſonderen Ausſchüſſe zur Aufſicht über die Kreisanſtalten und zur Beſorgung ihrer Aufträge, beſtellt einen Kreiskaſſier und Reviſor der Kreisrechnung und das für die Kreisverwaltung nöthige Perſonal, und prüft und genehmigt die ihr vorgelegten Statuten für die Bezirksverbände.

Grundſatz. Die Beſtimmungen dieſes Paragraphen beruhen auf dem Grundſatze, daß die zum Vollzug der Beſchlüſſe der Kreisverſammlung im Einzelnen nöthigen Geſchäfte, insbeſondere die Detailverwaltung aller dem Kreiſe gehörigen Anſtalten und beſonderen Einrichtungen unmittelbar und ſelbſtſtändig von den Kreisbehörden beſorgt werden ſollen.

„Der Grundſatz der Selbſtverwaltung (bemerken die Motive zum Regierungsentwurf) kann nur dann fruchtbringend wirken, wenn man, ſoweit als möglich, die Geſchäftsbeſorgung unabhängig von ſtaatlicher Anleitung in die Hände der Bürger gibt, und dieſe ſo zu eigenem Schaffen und ſelbſtthätigen Handeln veranlaßt und nöthigt; überdieß aber würde, wenn man für alle jene Vollzugsgeſchäfte die Geſchäftsleitung einem Staatsbeamten übertragen wollte, mit der zunehmenden Entwickelung eines regeren Kreislebens die Aufſtellung eigener Beamten, und damit eine neue Belaſtung der Staatskaſſe wohl unvermeidlich werden. Die geſetzlichen Aufſichtsrechte des Staats gewähren hier genügenden Schutz gegen Uebergriffe und Verfolgung einſeitiger, unberechtigter Intereſſen.“

§. 43.
Umlagen für die Kreisbedürfniſſe.

Vergl. §. 25 und Zuſ. 1, §. 41, Ziff. 7 und Zuſ. 1 und 2.

Die Umlagen für die Kreisbedürfniſſe werden, wenn nicht beſondere Geſetze etwas Anderes beſtimmen, nach dem Verhältniß der der Ge-

meinbebesteuerung unterliegenden Steuerkapitalien, einschließlich derje=
nigen der Gemeinde selbst gemacht.

**Der Gemeindebe-
steuerung unter-
liegende Kapi-
talien.**
1) Ueber die der Gemeindebesteuerung unterliegenden Kapitalien
siehe Gem.=Ordn. §. 75, und Fröhlich S. 109—112.

Die Commission der Zweiten Kammer bemerkte hiebei, daß
die Frage, ob es gerecht und auch in Zukunft festzuhalten sei, daß
das Classen= und Kapitalsteuer=Kapital von den Gemeinde=, und
also künftig auch von den Kreisumlagen befreit sein und bleiben
solle, wohl einer Erwägung der gesetzgebenden Factoren würdig sein
dürfte, da in dem Maße, als Lasten des Gesammtstaates in Folge
der Besteuerung der Kreisverbände auf diese übergehen, auch die
Classen= und Kapitalsteuerpflichtigen in irgend einer Weise erleichtert
und die übrigen Steuergattungen mehr beschwert werden.

Zunächst dürften aber doch durch Zuwarten Erfahrungen dar=
über zu sammeln sein, ob diese Unterstellungen auch wirklich ein=
treten.

**Steuerkapitalien
der Gemeinden.**
2) Die Steuerkapitalien der Gemeinden, welche begreiflicher
Weise bei den Gemeindeumlagen außer Berechnung bleiben (Gem.=
Ordn. §. 84, Ziff. 1), werden dagegen zu den Kreisumlagen bei=
gezogen, da es unbillig wäre, die Gemeinden nicht auch im Ver=
hältniß ihres körperschaftlichen Besitzes hiezu beitragen zu lassen.

§. 44.
Recht zur Antragstellung und Beschwerdeführung in Kreisangelegenheiten.

Es steht der Kreisversammlung das Recht zu, Anträge und Be=
schwerden über solche Angelegenheiten, welche in unmittelbarer Beziehung
zu der Aufgabe des Kreisverbandes stehen, an die Staatsregierung oder
die Ständeversammlung zu richten.

Sie kann zur Abgabe von Gutachten über wichtige Fragen der
Kreis=, Amts= und Gemeindeverwaltung aufgefordert werden.

§. 45.
Wahl des Vorsitzenden und Vertretung der Regierung.

Die Kreisversammlung wählt ihren Vorsitzenden für die Sitzungs=
dauer durch absolute Stimmenmehrheit aus ihrer Mitte.

Das Ministerium des Innern ist berechtigt, sich bei der Kreisver=
sammlung durch Bevollmächtigte vertreten zu lassen, welche die Staats=
interessen zu wahren berufen sind. Dieselben, sowie der Kreishaupt=

mann haben eine berathende Stimme und können jederzeit das Wort be=
gehren, aber sie nehmen an den Abstimmungen der Versammlung nur
Theil, wenn sie zugleich Mitglieder der Kreisversammlung sind.

Nach dem Regierungsentwurf (§. 36) hatte den Vorsitz in der
Kreisversammlung ein Ministerialbevollmächtigter oder der Kreis=
hauptmann, und bei dessen vorübergehender Verhinderung der Vor=
stand des Kreisausschusses zu führen.

Durch diese Einrichtung sollte sowohl der nothwendige Zu=
sammenhang der Kreiseinrichtung mit der Wirksamkeit der Central=
staatsgewalt erhalten und dieser der gebührende Einfluß auf den
Gang der Kreisverwaltung gesichert, als auch eine geordnete und
rasche Berathung in der Kreisversammlung gesichert werden.

Die Zweite Kammer trat dem Regierungsentwurfe bei.

Die Commission der Ersten Kammer machte jedoch den Vor=
schlag, daß nicht ein Staatsbeamter von der Regierung zum Vor=
sitzenden der Kreisversammlung ernannt werden solle, sondern daß
diese denselben aus ihrer Mitte selbst wähle.

Die Commission glaubte, daß erst hiedurch die Selbstständigkeit
der Kreisversammlung ihren vollen unzweideutigen Ausdruck er=
halte und daß die Freiheit dieser Wahl auch den Grundsätzen der
Repräsentativregierung entspreche.

Die Commission schlug die Schwierigkeit, daß sich die Ver=
sammlung in der Wahl irren und vielleicht einen zur Leitung der=
selben nicht fähigen Mann wählen könne, nicht hoch an, da auch
der Regierungsentwurf gegen diese Gefahr nicht sichere und die zu
Präsidialgeschäften befähigten Männer von den Versammlungen
am besten herausgefunden werden können. Ein etwaiger Mißgriff
lasse sich auch bald wieder verbessern.

Ergänzend schlug dagegen die Commission der Ersten Kammer
vor, daß die Repräsentanten der Staatsregierung innerhalb der
Kreisversammlung eine ähnliche Stellung erhalten sollen, wie die
Minister in den Kammern.

Ein bei der Discussion in der Ersten Kammer auf Wieder=
herstellung des Regierungsentwurfs gerichteter Antrag wurde ver=
worfen und der Commissionsantrag angenommen (Prot.=H. S. 184).

Die Commission der Zweiten Kammer bemerkte hierüber in
ihrem zweiten Berichte, daß die Wahl des Präsidenten durch die
Versammlung dem Prinzip der Selbstverwaltung und der freiheit=
lichen Richtung mehr zu entsprechen scheine und die Vergebung
einer solchen Ehrenstelle durch freie Wahl auch für die Mitglieder
selbst etwas Anerkennendes und Einladendes habe.

Sie glaubte aber, daß, namentlich im Anfang, es in manchen
Kreisen an vollständig zum Vorsitz befähigten Abgeordneten um
so eher fehlen könnte, als der Vorsitzende vor dem Zusammentritt

der Kreisverſammlung, welche ihn erſt zu wählen hat, ſich über die Berathungsgegenſtände nicht genauer informiren kann, während der Kreishauptmann die Vorbereitungen zu treffen hat und beßhalb mit dem ganzen Detail des zu berathenden Materials vollſtändig vertraut und auch ſonſt berufsmäßig an das öffentliche Auftreten gewöhnt iſt.

Die Commiſſion hält demnach den Regierungsentwurf für durchaus praktiſcher, wollte aber dem Beſchluſſe der andern Kammer nicht entgegentreten, in der Hoffnung, daß das neu erwachende öffentliche Leben die tüchtigſten Männer aus dem Volke bald zur Geltung bringen und mit der nothwendigen Gewandtheit aus= rüſten werde.

Die Zweite Kammer trat den Beſchlüſſen der Erſten ohne weitere Discuſſion bei (Prot.=H. S. 705).

Es kann wohl keinem Zweifel unterliegen, daß der in das Geſetz übergegangene Beſchluß der Erſten Kammer dem Grundſatz der Selbſtverwaltung weit mehr entſpricht, als der Regierungsent= wurf. Allein auch vom praktiſchen Standpunkte aus möchten die Bedenken, welche die Commiſſion der Zweiten Kammer dagegen er= hoben hat, nicht als begründet erſcheinen.

Ein Kreisverband beſteht durchſchnittlich aus 5 Amtsbezirken.

Die Kreiswahlmänner, die Gemeinden und die größeren Städte (S. 27, Ziff. 1—3) ſind in der Wahl der Mitglieder zur Kreis= verſammlung (§. 37) auf keine Weiſe beſchränkt, da das paſſive Wahlrecht ſehr ausgedehnt und insbeſondere nicht an den Beſitz des Gemeindebürgerrechts von Seiten der Wählbaren gebunden iſt.

Sie können ihre Wahl auf einen großen Kreis von Perſonen aus gebildeten Ständen ausdehnen, z. B. Staatsbeamte, Profeſſo= ren, Geiſtliche, Anwälte, Kaufleute u. ſ. w.

Ueberdieß werden als Vertreter des größten Grundbeſitzes die Standesherren und Mitglieder des grundherrlichen Adels in den Kreisverſammlungen erſcheinen, und es iſt daher anzunehmen, daß viele ſehr tüchtige Kräfte für die Präſidentenſtelle vorhanden ſein werden, wenn anders die W a h l e n, durch welche nach den jetzigen Beſtimmungen des Geſetzes die größere Wahl der Mitglieder in die Kreisverſammlung geſtellt wird, in einem der Wichtigkeit der Sache entſprechenden Sinne ausfallen.

Sollten aber die Wahlen ſo ausfallen, daß man zu befürchten hätte, aus der Mitte der Verſammlung nicht einen einzigen, zur Führung der Präſidialgeſchäfte tüchtigen Mann auswählen zu können, dann dürfte es mit der ganzen Selbſtverwaltung durch eine ſolche Verſammlung nicht zum beſten beſtellt ſein, und man müßte eine andere Zuſammenſetzung abwarten, ehe wichtigere und ſchwierigere Fragen von ihr in die Hand genommen werden.

So wird es aber nicht kommen, wenn die Wähler, insbeſondere die Kreiswahlmänner (§. 27, Ziff. 1), ſtets vor Augen
haben, daß es ſich hier von ſtaatsbürgerlichen Wahlen handelt, bei
welchen das gemeindebürgerliche Element nicht ausſchließlich zur
Vertretung berufen iſt.

§. 46.
Verfahren.

Die Sitzungen der Kreisverſammlung ſind öffentlich.

Zur Giltigkeit eines Beſchluſſes wird die Stimmgebung der Hälfte
der zur Kreisverſammlung berufenen Mitglieder erfordert. Die abſolute Mehrheit der Abſtimmenden entſcheidet, wo nicht geſetzlich eine
größere Stimmenzahl erfordert wird. Die Stimme des Vorſitzenden
wird nur bei Stimmengleichheit gerechnet.

Die Geſchäftsordnung wird durch Regierungsverordnung feſtgeſtellt.

§. 47.
Einberufung und Ort der Kreisverſammlung.

Die Kreisverſammlung wird durch den Kreishauptmann jährlich
im October oder November berufen und eröffnet. Eine außerordentliche
Einberufung findet ſtatt auf Anordnung der Regierung oder auf Verlangen des Kreisausſchuſſes.

Ausnahmsweiſe kann von dem Kreishauptmann mit Zuſtimmung
des Kreisausſchuſſes die Kreisverſammlung an einen anderen Ort, als
den Sitz der Verwaltung, einberufen werden.

Die Ausſchreiben, in welchen die zur Verhandlung kommenden
Gegenſtände zu bezeichnen ſind, müſſen mindeſtens 14 Tage vor der Eröffnung der Sitzungen den Mitgliedern zugeſtellt werden. Ueber Anträge, die nicht im Ausſchreiben bezeichnet ſind, kann die Kreisverſammlung zwar ſofort berathen, ohne Zuſtimmung der Vertreter der
Staatsregierung und des Kreisausſchuſſes darf aber erſt in der nächſten
Sitzungsperiode darüber Beſchluß gefaßt werden.

§. 48.
Kreisausſchuß.
Vergl. Grundlagen §. 15.

Für den Vollzug der Beſchlüſſe der Kreisverſammlung, für die
Verwaltung des Kreisvermögens und der Kreisanſtalten beſteht, ſo weit

nicht Sonderausſchüſſe aufgeſtellt ſind, ein Kreisausſchuß von 5 Mit=
gliedern und 2 Erſatzmännern. Letztere werden im Falle des Austritts
oder dauernder Verhinderung eines Mitglieds nach der Stimmenzahl,
die ſie erhielten, oder bei Stimmengleichheit nach dem Looſe in den Kreis=
ausſchuß berufen. Die Zahl der Mitglieder des Kreisausſchuſſes kann
durch Beſchluß der Kreisverſammlung und mit Zuſtimmung der Re=
gierung abweichend von der obigen Beſtimmung feſtgeſetzt werden.

Die Kreisverſammlung wählt die Mitglieder des Kreisausſchuſſes
und die Erſatzmänner für die Dauer von 3 Jahren mit relativer Stim=
menmehrheit aus den am Sitze der Kreisverwaltung oder in der Nähe
wohnenden, zur Kreisverſammlung wählbaren oder in derſelben ſtimm=
berechtigten Perſonen Der Kreisausſchuß wählt aus ſeiner Mitte
einen Vorſtand. Er iſt beſchlußfähig, wenn mehr als die Hälfte ſeiner
Mitglieder anweſend ſind.

Wahl der Mitglie=
der des Kreisaus=
ſchuſſes.
1) Es iſt von großer Bedeutung, daß die Mitglieder des Kreis=
ausſchuſſes nicht blos aus der Kreisverſammlung, ſondern aus
allen zur letzteren wählbaren, und in derſelben ſtimmfähigen Ein=
wohnern des Kreiſes, ſofern ſie nur am Sitze der Kreisver=
waltung oder in der Nähe wohnen, gewählt werden können, weil
dadurch eine größere Auswahl tüchtiger Kräfte geſichert iſt, und
auch die Laſt der Geſchäftsverwaltung für den Einzelnen nicht zu
groß wird.

Die größeren Grundbeſitzer ſind natürlich in den Ausſchuß
ebenfalls wählbar, da, wenn ſie auch zum Theil durch das Ge=
ſetz in die Kreisverſammlung berufen ſind (S. 27, Ziff. 5), ſie
jedenfalls als „ſtimmberechtigte Perſonen“ betrachtet werden müß=
ten, abgeſehen davon, daß die Wählbarkeitserforderniſſe ihnen in
der Regel nicht fehlen werden.

Wahl des Vor=
ſitzenden.
2) Auch der Kreisausſchuß ſoll ſeinen Präſidenten ſich ſelbſt
wählen. Einmal ſollte hiedurch einem eventuellen Bedürfniß wei=
terer Staatsbeamten wegen der durch Leitung des Kreisausſchuſſes
entſtehenden Geſchäftsvermehrung vorgebeugt werden, zum anderen
ſoll, dem Prinzipe der Selbſtverwaltung entſprechend, die Geſchäfts=
beſorgung den an derſelben zunächſt betheiligten Perſonen in die
Hände gelegt, und ſie hiedurch zu ſelbſtthätigem, von der ſtaatlichen
Anleitung unabhängigen Handeln veranlaßt werden.

§. 49.
Weitere Geſchäftsaufgaben.

Dem Kreisausſchuß ſteht außer den bezeichneten Aufgaben zu:
1) Für die Zeit, in welcher die Kreisverſammlung nicht tagt, die

Interessen des Kreises wahrzunehmen, auch in bringenden Fällen Anträge und Beschwerden der im §. 44 bezeichneten Art an die Staatsregierung oder die Ständeversammlung zu richten.

2) Die in der Kreisversammlung zu berathenden Gegenstände unter Zuziehung des Kreishauptmanns und der besonderen Ausschüsse vorzubereiten.

§. 50.
Sonderausschüsse.
Vergl. Grundlagen §. 43.

Die Wahl besonderer Ausschüsse durch die Kreisversammlung ge=schieht nach relativer Stimmenmehrheit aus allen Einwohnern des Kreises, welche in die Kreisversammlung wählbar oder in derselben stimmberechtigt sind. Fällt ein Mitglied weg, so wählt der Kreisaus=schuß den Ersatzmann. Der Vorstand des Kreisausschusses kann den Vorsitz in den Sonderausschüssen einem Mitgliede des Kreisausschusses oder des Sonderausschusses selbst dauernd oder für einzelne Fälle über=tragen.

Dauer ihrer Func-tionen.   Das Gesetz bestimmt nichts darüber, wie lange die Functionen der Sonderausschüsse dauern sollen.

Nach den Ansichten der Commission der Zweiten Kammer soll für sie die gleiche Dauer gelten, wie für den Kreisausschuß selbst (Prot.=Heft S. 453), also eine solche von drei Jahren (§. 48, Abs. 2).

Diese Ansicht ist wohl auch die richtige; denn der Kreisaus=schuß ist das gewählte Organ der Kreisversammlung, und die Sonderausschüsse stehen in einer gewissen Unterordnung zum Kreis=ausschusse, sie sind für den besondern Geschäftsgegenstand, für dessen Verwaltung sie bestellt wurden, an die Stelle des Kreisaus=schusses gesetzt, und nehmen daher, wo das Gesetz nicht eine aus=drückliche Ausnahme macht, auch dessen rechtliches Wesen an.

§. 51.
Neuwahl des Ausschusses nach Auflösung der Kreisversammlung.

Die Neuwahl der Kreisversammlung nach ihrer Auflösung (§. 40) hat auch eine Neuwahl des Ausschusses zur Folge; bis diese stattge=funden, bleibt der bisherige Ausschuß in Wirksamkeit.

§. 52.

Entlassung der Mitglieder der Ausschüsse.

Die Mitglieder des Kreisausschusses oder der Sonderausschüsse können von der Staatsregierung in bringenden Fällen aus den in den §§. 38 und 39 der Gemeindeordnung angeführten Gründen ihres Amtes entlassen werden.

Nach dem Regierungsentwurf (§. 41) konnten die Mitglieder des Kreisausschusses oder der Sonderausschüsse von der Staatsregierung in bringenden Fällen aus denselben Gründen ihres Amts entlassen werden, aus welchen sie diese Maßregel gegen Mitglieder der Gemeinderäthe zu treffen befugt ist.

Nach dieser Fassung wäre in solchen Fällen nicht blos der §. 38 und 39, sondern auch der §. 40 der Gemeindeordnung anwendbar gewesen.

Diese Befugniß der Regierung schien der Commission der Zweiten Kammer jedenfalls gegen die Mitglieder der Kreisausschüsse zu weit zu gehen, und sie schränkte sie daher durch die von ihr vorgeschlagene, auch in das Gesetz übergegangene Fassung auf die in den §§. 38 und 39 vorgesehenen Fälle ein.

Die Befugniß zur Entlassung der Mitglieder des Kreisausschusses oder der Sonderausschüsse steht dem Ministerium des Innern zu. (Vollzugsverordnung vom 12. Juli 1864, §. 14, Ziff. 2, im Anh. Ziff. 2.)

§. 53.

Pflicht zur Annahme der Mitgliedschaft der Kreisversammlung.

Die Mitgliedschaft der Kreisversammlung, des Kreisausschusses und der Sonderausschüsse ist ein Ehrenamt, doch kann die Kreisversammlung eine Entschädigung für Auslagen und Zeitverlust bewilligen. Die Verweigerung der Annahme zieht bei den Mitgliedern der Ausschüsse eine von dem Kreisausschuß zu bestimmende Geldstrafe von 25 bis 150 fl. nach sich. Ueber die Gründe der Ablehnung und die Strafe entscheidet der Kreisausschuß. Die Geldstrafen wegen unbegründeter Ablehnung der Amtsübernahme fließen in die Kasse des Kreisverbandes.

Entschädigung für Auslagen und Zeitverlust. 1) Nach den Bestimmungen dieses Paragraphen steht es in dem freien Ermessen der Kreisversammlung, ob sie den Mitgliedern derselben, oder nur denen der Kreisausschüsse oder einzelnen derselben eine Entschädigung für Auslagen und Zeitverlust oder nur für das eine oder andere bewilligen will.

Bei der Discussion in der Zweiten Kammer (Prot.=Heft S. 454) wurden Anträge dahin gestellt,

daß den Mitgliedern der Kreisversammlung Entschä= bigung nur für ihre Auslagen bewilligt, die letztere da= gegen ermächtigt werden sollte, den Mitgliedern der Ausschüsse auch eine Entschädigung für den Zeitverlust zu gewähren.

Sie wurden aber, gleich ähnlichen abgelehnt, weil man es mit dem Regierungsentwurf für das Zweckmäßigste hielt, in dieser Frage der Kreisversammlung völlig freie Hand zu lassen.

Verweigerung der Annahme.   2) Die Verweigerung der Annahme zieht nur in Bezug auf die Wahl in die Ausschüsse eine Geldstrafe nach sich. Die Wahl, beziehungsweise der Eintritt in die Kreisversammlung kann abge= lehnt werden. (§. 31, Abs. 2, §. 38, Abs. 2.)

§. 54.

Verhältniß des Kreisverbandes zur Staatsregierung.

(Vergl. Grundlagen §. 14, Ziff. 4.)

Das Ministerium des Innern ist befugt, einzelne Beschlüsse der Kreisorgane, welche das Gesetz oder das allgemeine Interesse verletzen, für nichtig zu erklären, es steht jedoch dem Kreisausschuß der Recurs an das Staatsministerium zu.

Die Aufnahme von Anlehen auf Rechnung des Kreises kann nur mit Genehmigung der Staatsbehörde erfolgen.

Auf Beschwerden der Gemeinden, welchen die Kreisversammlung Vorausbeiträge (§. 41, Ziff. 7) auferlegt hat, kann das Ministerium des Innern unter Einstellung des Beschlusses der Kreisversammlung das höchste Maß der Vorausbeiträge bestimmen, zu welchem jene Ge= meinden für das fragliche Unternehmen beigezogen werden dürfen.

Ebenso kann auf Beschwerde einzelner Gemeinden die Ausführung eines Beschlusses von der Erhebung angemessener Vorausbeiträge der besonders betheiligten Gemeinden abhängig gemacht werden.

Der Staatsregierung bleibt ferner vorbehalten:

1) darüber zu wachen, daß die durch Gesetze oder gesetzmäßig er= gangene Verordnungen dem Kreisverband auferlegten Lasten und Verbindlichkeiten in dem dem Gesetze entsprechenden Um= fange erfüllt werden;

2) einzelne Rechnungen des Kreises der Oberabhör zu unterziehen;

3) die Entlaſſung der Kreisbedienſteten, insbeſondere des Rechners, nach Anhörung des Kreisausſchuſſes im Wege des dienſtpoli=
zeilichen Einſchreitens zu verfügen.

Grundſatz. 1) Die Kreisverbände ſind körperſchaftliche Inſtitute, denen in Bezug auf die Verwaltung ihrer Angelegenheiten autonome Selbſt=
ſtändigkeit zuſteht (§. 25). Sie ſtehen rückſichtlich der ihnen an=
gewieſenen Thätigkeitsſphäre auf dem Gebiete der Intereſſenver=
waltung zwiſchen der Gemeinde und der Staatsverwaltung.

Es hat daher das Geſetz die Grenzſcheide genau bezeichnet, da=
mit dieſe Verbände weder in das Rechtsgebiet des Einzelnen oder der Gemeinde, noch in jenes der Allgemeinheit, der Staatsverwal=
tung und der Ständeverſammlung eingreifen.

Von beſonderer Wichtigkeit iſt es, daß die geſammte Thätigkeit der Kreisverbände ſtets in voller Uebereinſtimmung mit den Ein=
richtungen der Staatsverwaltung bleibe.

Deßhalb mußten die Aufſichtsrechte des Staats genau feſtge=
ſtellt und in einer ſolchen Weiſe geregelt werden, daß ihm der er=
forderliche Einfluß auf den Gang der Beſchlußnahmen geſichert bleibt.

Die beiden Kammern waren mit dieſem Grundſatze und auch mit der Art, wie er im Einzelnen durchgeführt wurde, einver=
ſtanden.

Nichtigkeitserklä-
rung der Beſchlüſſe
der Kreisorgane. 2) Nach dem Geſetze ſind die Beſchlüſſe der Kreisorgane in der Regel nicht an eine vorgängige Genehmigung der Staats=
regierung gebunden (ſiehe unten Zuf. 3).

Je ſelbſtſtändiger und unabhängiger alſo die Kreisverbände in dieſer Beziehung ſind, je mehr der Staat auf präventives Ein=
ſchreiten in Bezug auf die Beſchlußnahmen derſelben verzichtet, um ſo nothwendiger iſt es, dem Staate, um die Einheit und Harmonie der in ſeinen Organismus verflochtenen, körperſchaftlichen Verbände mit der geſammten Staatsverwaltung zu erhalten, ein wirkſames, einfaches Repreſſivmittel in die Hand zu geben, und dieſes liegt in der Befugniß, ſolche Beſchlüſſe der Kreisorgane für nichtig zu er=
klären, welche das Geſetz oder das allgemeine Intereſſe verletzen.

Wo es ſich nur um verletzte Privatintereſſen handelt, mag der Einzelne ſeine Rechtszuſtändigkeiten entweder vor dem bürgerlichen Richter oder den Verwaltungsbehörden geltend machen.

Den Landescommiſſären liegt es ob, darüber zu wachen, daß die Stellung der erforderlichen Anträge nicht unterbleibe, wenn es im öffentlichen Intereſſe geboten erſcheint, von der oben bezeichneten Befugniß Gebrauch zu machen. (§. 25 der landesh. Vollzugsver=
ordnung vom 12. Juli 1864 im Anh. Ziff. 2.)

15 *

Genehmigung von
Anlehen.

3) Von der ſoeben (Zuſ. 2) bezeichneten Regel beſteht nur
Eine Ausnahme.

Es iſt nämlich die Aufnahme von Anlehen auf Rechnung des
Kreiſes an eine vorgängige Genehmigung der Staatsbehörde (als ſolche iſt durch §. 14 der Vollzugsverordnung v. 12. Juli
1864 im Anh. Ziff. 2 das Miniſterium des Innern beſtimmt) gebunden, weil — wie die Motive zum Regierungsentwurfe bemerken
— ein ſolcher Act die Steuerkräfte nicht nur der lebenden, ſondern
auch nachfolgenden Generationen oft auf lange Zeit hinaus zum
Vortheil der Gegenwart dergeſtalt in Anſpruch nimmt, daß, wenn
dabei nicht ſorgfältig alle Intereſſen erwogen werden, ein unwiederbringlicher Schaden für die Entwickelung des Wohlſtands und für
die Förderung anderer, vielleicht wichtigerer Zwecke und Unternehmungen der Staatsgeſammtheit verurſacht werden kann.

Beſchwerden wegen
der Vorausbei-
träge.

4) Bei Beſchwerden der Gemeinden wegen ihnen auferlegten,
oder bei Beſchwerden derſelben wegen Unterlaſſung der Feſtſetzung
von Vorausbeiträgen für einzelne beſonders betheiligte Gemeinden
tritt für das Miniſterium die Befugniß ein, im erſten Fall: die
Beſchlüſſe der Kreisverſammlung einzuſtellen und das höchſte Maß
der Vorausbeiträge zu beſtimmen; — im anderen Falle die Ausführung eines Beſchluſſes von der Erhebung von Vorausbeiträgen
abhängig zu machen.

Man erachtete hiedurch die Rechte der Gemeinden für genügend
und zweckmäßiger gewahrt, als wenn man die der Kreisverſammlung zuſtehende Beſchlußfaſſung über die Vorausbeiträge an eine
vorgängige Staatsgenehmigung gebunden hätte.

Prüfung der Vor-
anſchläge der
Kreiſe.

5) Zum Zwecke der Ausübung der der Staatsregierung nach
§. 54, Abſ. 5, Ziff. 1 vorbehaltenen Befugniß ſteht dem Miniſterium des Innern die Prüfung der Voranſchläge der
Kreiſe zu. (§. 14, Ziff. 3 der landesh. Vollzugsverordnung vom
12. Juli 1864 im Anh. Ziff. 2.)

Oberabhör der
Rechnungen.

6) Die Oberabhör einzelner Rechnungen des Kreiſes geſchieht
durch das Miniſterium des Innern. (§. 14, Ziff. 5 ebendaſ.)

Entlaſſung der
Kreisbedienſteten.

7) In §. 54, Abſ. 5, Ziff. 5 wird der Staatsregierung die
Befugniß zur Entlaſſung der Kreisbedienſteten, insbeſondere des Rechners gegeben.

Es iſt ſelbſtverſtändlich, daß derſelben damit auch das Recht
zuſteht, gegen Kreisbedienſtete wegen Geſetzwidrigkeiten und Nach-
läſſigkeiten Rügen auszuſprechen und für Abſtellung der Mängel
zu ſorgen. (Vergl. auch §. 22, Abſ. 1 und 2, Ziff. 1 und 2.)

Unter dem Ausdruck „Kreisbedienſtete" ſind aber nicht die
Mitglieder der Kreisausſchüſſe zu verſtehen, rückſichtlich deren Entlaſſung der §. 52 des Verwaltungsgeſetzes die maßgebende Beſtimmung enthält.

Die Entlassung dieser Bediensteten steht nach §. 28, Ziff. 7, der Vollzugsverordnung vom 12. Juli 1864 (Anh. Ziff. 2) dem Landescommissär im Wege dienstpolizeilichen Einschreitens zu.

§. 55.

Uebung der Staatsaufsicht durch den Kreishauptmann.

Vergl. Grundlagen §. 16.   Verwaltungsgesetz §. 25, Abs. 4 u. Zus. 2 hiezu. Vollzugsverordnung v. 12. Juli 1864 (im Anh. Ziff. 2) §. 18, 24 u. 25.

Der Kreishauptmann ist befugt, den Kreisausschußsitzungen anzuwohnen und jederzeit von den Beschlüssen der Kreisbehörden Einsicht zu nehmen. Er stellt in Kreisangelegenheiten die erforderlichen Anträge an das Ministerium des Innern.

Die Bestimmungen dieses Paragraphen sind ein Ausfluß der im Zus. 1 zu §. 54 näher bezeichneten Stellung der Staatsregierung zu den Kreisverbänden.

Wie die letzteren in den Ausschüssen ein ständiges Organ zur Führung der Kreisgeschäfte haben, so ist der Kreishauptmann das ständige Organ der Regierung, durch welches sie gegenüber den Kreisverbänden und insbesondere auch dem Kreisausschuß das Staatsaufsichtsrecht ausüben läßt.

§. 56.

Streitigkeiten über Ansprüche an den Kreisverband und das Beitragsverhältniß zu dessen Bedürfnissen.

Ueber Streitigkeiten des öffentlichen Rechtes, zu welchen die Ansprüche an den Kreisverband und das Beitragsverhältniß zu dessen Bedürfnissen Anlaß geben, entscheidet der Kreishauptmann unter Mitwirkung der zwei nächstwohnenden Bezirksbeamten und je eines von den einzelnen Bezirksräthen des Kreises abzuordnenden Mitgliedes.

Grundsatz. Das Gesetz mußte für die in dem Paragraphen vorgesehenen Fälle eine besondere Bestimmung treffen, weil ohne solche leicht Unsicherheit in Bezug auf die Competenzverhältnisse entstanden und bei der Möglichkeit, daß solche Streitigkeiten bald von dem einen, bald von dem anderen Bezirksrath des Kreises zu entscheiden waren, zu befürchten stund, daß die möglichst einheitliche Entscheidung solcher gemeinsamen Angelegenheiten Noth leide.

In zweiter Instanz entscheidet über Recurse in Streitigkeiten solcher Art der Verwaltungsgerichtshof (§. 15, Ziff. 1).

§. 57.

Bezirksverbände.

Vergl. Grundlagen §. 45.

Innerhalb des Kreisverbandes können sich zur Förderung gemein=
samer öffentlicher Interessen und Angelegenheiten, die sich nur auf ein=
zelne Gemeinden des Kreisverbandes erstrecken und nicht als Kreisan=
gelegenheiten behandelt werden, engere Verbände (Bezirksverbände) bil=
den, welche in einer besonderen Versammlung (Bezirksversammlung)
ihre Vertretung finden.

Dieser Versammlung stehen hinsichtlich des Bezirkes, welche diese
Gemeinden bilden, und der speciellen Interessen, deren Pflege den Be=
zirksverband hervorgerufen, die nämlichen Befugnisse zu, wie der Kreis=
versammlung hinsichtlich des Kreises.

Das von der Bezirksversammlung zu entwerfende Statut darf
keine Bestimmungen enthalten, welche im Widerstreit mit den Verpflich=
tungen gegen den Kreisverband stehen. Das Statut ist mit der Be=
gutachtung des Kreisausschusses und den Anträgen der Kreisversamm=
lung dem Ministerium des Innern zur Genehmigung vorzulegen.

Grundsatz.   Die Bezirksverbände sind freie Vereinigungen, welche sich nur
durch freiwillige Zustimmung derjenigen Gemeinden bilden können,
welche an denselben Theil nehmen wollen.

Die Bezirksverbände sind an die Begrenzung eines Amtsbe=
zirks nicht gebunden; sie müssen nicht nothwendig auf den
ganzen Amtsbezirk ausgedehnt, aber auch nicht auf ihn be=
schränkt sein.

Es kommt hier zunächst auf die Wünsche der Gemeinden an,
in welchem Umfange sie einen solchen Verband gründen wollen,
der aber an die Begrenzung des Kreises gebunden ist.

§. 58.

Fortsetzung.

Der genehmigte Bezirksverband besitzt, wie der Kreisverband, die
körperschaftliche Berechtigung. Er kann ohne Zustimmung aller bethei=
ligten Gemeinden nur mit Genehmigung des Ministeriums des Innern
und nach Vernehmung der Anträge der Kreisversammlung ganz oder
theilweise wieder aufgelöst werden.

IV. Schlußbeſtimmungen.

§. 59.
Reviſion der Geſetze und Verordnungen.

Eine Reviſion der beſtehenden Geſetze und Verordnungen wird dieſe mit der vorſtehenden Organiſation in Einklang bringen.

§. 60.
Proviſoriſche Ernennung der Bezirksräthe.

Vergl. Vollzugsverordnung des Miniſteriums des Innern vom 18. Juli 1864, Reg.=Bl. Nr. 31, S. 370 (Anh. Ziff. 3).

So lange, bis die Bezirksräthe auf den Wahlvorſchlag der Kreis= verſammlung ernannt ſind, werden dieſelben aus einer von der Ver= ſammlung ſämmtlicher Bürgermeiſter des Amtsbezirkes unter Vorſitz des Bezirksbeamten aufgeſtellten Wahlliſte ernannt.

Die Eintheilung der Wahlbezirke wird für das erſte Mal durch Regierungsverordnung feſtgeſetzt.

§. 61.
Vollzug.

Das Miniſterium des Innern und, ſo weit es dieſelben betrifft, die übrigen Miniſterien ſind mit dem Vollzug dieſes Geſetzes beauftragt.

Siehe landesh. Verordnung vom 15. Juli 1864 (Reg.=Bl. Nr. 29, S. 316), wonach dieſes Geſetz am 1. October 1864 in Wirkſamkeit tritt.

Gegeben zu Karlsruhe in Unſerem Staatsminiſterium, den 5. October 1863.

Friedrich.

A. Lamey.

Auf Sr. Königlichen Hoheit höchſten Befehl.
Schunggart.

IV.

Die Vollzugsverordnungen

zu dem Geſetze vom 5. October 1863 über die Organiſation
der innern Verwaltung

mit

dem Geſetze vom 29. Juli 1864 über die Stempel, Sporteln
und Taxen in Civilſtaatsverwaltungs= und Polizeiſachen.

(Anhang.)

1. Verordnung,

die Eintheilung des Großherzogthums für die Einführung der neuen Gerichts-verfassung und der neuen Organisation der inneren Verwaltung betreffend.

(Reg.-Bl. 1864, Nr. 29.)

Friedrich von Gottes Gnaden
Großherzog von Baden, Herzog von Zähringen.

Nach Ansicht des §. 6 des Gesetzes vom 29. Mai 1864 über die Gerichtsverfassung (Regierungsblatt Nr. XVIII.), sowie der §§. 1 und 24 des Gesetzes vom 5. October 1863, die Organisation der inneren Verwaltung betreffend (Regierungsblatt 1863, Nr. XLIV.), haben Wir auf den Antrag Unseres Staatsministeriums beschlossen und verord-nen, wie folgt:

§. 1.

Das Großheizogthum wird für die Rechtspflege und die Ver-waltung der freiwilligen Gerichtsbarkeit in nachstehender Weise eingetheilt:

I. Bezirke der Kreis- und Hofgerichte.

1. Das Kreis- und Hofgericht Constanz umfaßt:

A. als Appellationsgericht, Schwurgerichtshof, Straf-, Raths- und Anklagekammer

die Amtsgerichte:

1. Constanz, 2. Engen, 3. Meersburg, 4. Meßkirch, 5. Pful-lendorf, 6. Radolphzell, 7. Stockach, 8. Ueberlingen, 9. Do-naueschingen, 10. Triberg, 11. Villingen, 12. Bonndorf, 13. Jestetten, 14. Säckingen, 15. St. Blasien, 16. Waldshut;

B. als Recurskammer und als Civilkammer erster In=
stanz von den ebenerwähnten Amtsgerichten

die Amtsgerichte:

> Constanz, Engen, Meersburg, Meßkirch, Pfullendorf, Ra=
> dolphzell, Stockach, Ueberlingen.

2. Das Kreis- und Hofgericht Freiburg umfaßt:

A. als Appellationsgericht, Schwurgerichtshof, Straf=
Raths= und Anklagekammer

die Amtsgerichte:

> 17. Breisach, 18. Emmendingen, 19. Ettenheim, 20. Freiburg,
> 21. Kenzingen, 22. Neustadt, 23. Staufen, 24. Waldkirch,
> 25. Lörrach, 26. Müllheim, 27. Schönau, 28. Schopfheim;

B. als Recurskammer und als Civilkammer erster
Instanz von den ebenerwähnten Amtsgerichten

die Amtsgerichte:

> Breisach, Emmendingen, Ettenheim, Freiburg, Kenzingen,
> Neustadt, Staufen, Waldkirch.

3. Das Kreis- und Hofgericht Offenburg umfaßt:

A. als Appellationsgericht, Schwurgerichtshof, Straf=,
Raths= und Anklagekammer

die Amtsgerichte:

> 29. Gengenbach, 30. Haslach, 31. Kork, 32. Lahr, 33. Ober=
> kirch, 34. Offenburg, 35. Wolfach, 36. Achern, 37. Baden,
> 38. Bühl, 39. Gernsbach, 40. Rastatt;

B. als Recurskammer und als Civilkammer erster
Instanz von den eben aufgeführten Amtsgerichten

die Amtsgerichte:

> Gengenbach, Haslach, Kork, Lahr, Oberkirch, Offenburg,
> Wolfach.

4. Das Kreis- und Hofgericht Karlsruhe umfaßt
in allen seinen Abtheilungen
die Amtsgerichte:

41. Bretten, 42. Bruchsal, 43. Durlach, 44. Ettlingen, 45. Karlsruhe, 46. Philippsburg, 47. Pforzheim.

5. Das Kreis- und Hofgericht Mannheim umfaßt:

A. als Appellationsgericht, Schwurgerichtshof, Straf= Raths= und Anklagekammer
die Amtsgerichte:

48. Ladenburg, 49. Mannheim, 50. Schwetzingen, 51. Wein= heim, 52. Eppingen, 53. Heidelberg, 54. Neckarbischofsheim, 55. Neckargemünd, 56. Sinsheim, 57. Wiesloch, 58. Abels= heim, 59. Boxberg, 60. Buchen, 61. Eberbach, 62. Gerlachs= heim, 63. Mosbach, 64. Tauberbischofsheim, 65. Wallbürn, 66. Wertheim;

B. als Recurskammer und als Civilkammer erster Instanz von den eben angeführten Amtsgerichten
die Amtsgerichte:
Ladenburg, Mannheim, Schwetzingen, Weinheim.

II. Bezirke der Kreisgerichte.

1. Das Kreisgericht Villingen umfaßt die Amtsgerichte: Donaueschingen, Triberg, Villingen;
2. das Kreisgericht Waldshut umfaßt die Amtsgerichte: Bonndorf, Jestetten, Säckingen, St. Blasien, Waldshut;
3. das Kreisgericht Lörrach umfaßt die Amtsgerichte: Lörrach, Müllheim, Schönau, Schopfheim;
4. das Kreisgericht Baden umfaßt die Amtsgerichte: Achern, Baden, Bühl, Gernsbach, Rastatt;
5. das Kreisgericht Heidelberg umfaßt die Amtsgerichte: Eppingen, Heidelberg, Neckarbischofsheim, Neckargemünd, Sinsheim, Wiesloch;

6. das **Kreisgericht Mosbach** umfaßt die Amtsgerichte:
Adelsheim, Boxberg, Buchen, Eberbach, Gerlachsheim, Mos=
bach, Tauberbischofsheim, Wallbürn, Wertheim.

§. 2.

Für die **innere Verwaltung** wird das Großherzogthum ein=
getheilt in **11 Kreisverbände** und **59 Amtsbezirke**. Die Bezirke und
Verwaltungssitze der Kreisverbände werden übereinstimmend mit den
11 Kreisgerichtsbezirken festgesetzt, wie folgt:

I. **Kreis Constanz**, umfassend die Amtsbezirke:
1. Constanz, 2. Engen, 3. Meßkirch, 4. Pfullendorf, 5. Ra=
dolphzell, 6. Stockach, 7. Ueberlingen;

II. **Kreis Villingen**, umfassend die Amtsbezirke:
8. Donaueschingen, 9. Triberg, 10. Villingen;

III. **Kreis Waldshut**, umfassend die Amtsbezirke:
11. Bonndorf, 12. Jestetten, 13. Säckingen, 14. St. Blasien,
15. Waldshut;

IV. **Kreis Freiburg**, umfassend die Amtsbezirke:
16. Breisach, 17. Emmendingen, 18. Ettenheim, 19. Frei=
burg, 20. Kenzingen, 21. Neustadt, 22. Staufen, 23. Wald=
kirch;

V. **Kreis Lörrach**, umfassend die Amtsbezirke:
24. Lörrach, 25. Müllheim, 26. Schönau, 27. Schopfheim;

VI. **Kreis Offenburg**, umfassend die Amtsbezirke:
28. Gengenbach, 29. Kork, 30. Lahr, 31. Oberkirch, 32. Offen=
burg, 33. Wolfach;

VII. **Kreis Baden**, umfassend die Amtsbezirke:
34. Achern, 35. Baden, 36. Bühl, 37. Gernsbach, 38. Rastatt;

VIII. **Kreis Karlsruhe**, umfassend die Amtsbezirke:
39. Bretten, 40. Bruchsal, 41. Durlach, 42. Ettlingen,
43. Karlsruhe, 44. Pforzheim;

IX. **Kreis Mannheim**, umfassend die Amtsbezirke:
45. Mannheim, 46. Schwetzingen, 47. Weinheim;

X. **Kreis Heidelberg**, umfassend die Amtsbezirke:
48. Eppingen, 49. Heidelberg, 50. Sinsheim, 51. Wiesloch;

XI. **Kreis Mosbach, umfassend die Amtsbezirke:**
52. Adelsheim, 53. Boxberg, 54. Buchen, 55. Eberbach,
56. Mosbach, 57. Tauberbischofsheim, 58. Wallbürn,
59. Wertheim.

§. 3.

Die Bezirke der Amtsgerichte und jene der Bezirksämter werden in der Weise gebildet, wie in der anliegenden tabellarischen Darstellung bezeichnet ist.

Die Amtsgerichte Blumenfeld, Salem, Stühlingen, Hornberg und Rheinbischofsheim, sowie die Bezirksämter Gerlachsheim, Ladenburg, Neckarbischofsheim und Philippsburg werden aufgehoben. Die Bezirke der Stadtamtsgerichte und Landamtsgerichte und der Stadtämter und Landämter Freiburg und Karlsruhe werden zu je einem Amtsgerichtsbezirke und zu je einem Amtsbezirke vereinigt. Das frühere Bezirksamt Jestetten wird wieder hergestellt, der Amtssitz für den seitherigen Amtsbezirk Krautheim nach Boxberg verlegt.

§. 4.

Gegenwärtige Verordnung tritt gleichzeitig mit den Gesetzen über die Gerichtsverfassung und über die Organisation der inneren Verwaltung in Wirksamkeit.

§. 5.

Unsere Ministerien der Justiz und des Innern sind mit dem Vollzug beauftragt.

Gegeben zu Karlsruhe in Unserem Staatsministerium, den 12. Juli 1864.

Friedrich.

Stabel. A. Lamey.

Auf Seiner Königlichen Hoheit höchsten Befehl:
Schunggart.

Rechtspflege.

D.-Zahl in der Verordnung.	Künftige Amtsgerichte.	Künftiger Bestand.
		I. Kreis- und Hofgericht Constanz.
1.	Constanz	bisheriger Gerichtsbezirk.
2.	Engen	Vereinigung a. des bisherigen Gerichtsbezirks Engen und b. des Bezirks des aufzuhebenden Amtsgerichts Blumenfeld nach Lostrennung von Viethingen.
4.	Meßkirch	bisheriger Gerichtsbezirk.
5.	Pfullendorf	„ „
6.	Radolphzell	bisheriger Gerichtsbezirk mit Zutheilung der Gemeinde Viethingen vom aufzuhebenden Amtsgericht Blumenfeld.
7.	Stockach	bisheriger Gerichtsbezirk.
3.	Meersburg	a. bisheriger Gerichtsbezirk, b. mit Zutheilung von Bermatingen, Deggenhausen, Homberg, Roggenbeuren, Untersiggingen, Urnau und Wittenhofen vom aufzuhebenden Amtsgericht Salem.
8.	Ueberlingen	a. bisheriger Gerichtsbezirk, b. mit Zutheilung der nicht dem Amtsgericht Meersburg zugewiesenen Orte des aufzuhebenden Amtsgerichts Salem.
		II. Kreisgericht Villingen.
9.	Donaueschingen	bisheriger Amtsbezirk.
10.	Triberg	a. bisheriger Gerichtsbezirk Triberg, b. mit Zutheilung des bisherigen Bezirks des aufzuhebenden Amtsgerichts Hornberg, nach Lostrennung der Gemeinden Brigach, Buchenberg, Gutach, Peterzell und St. Georgen.
11.	Villingen	a. bisheriger Gerichtsbezirk, b. mit Zutheilung der Gemeinden Brigach, Buchenberg, Peterzell und St. Georgen vom aufzuhebenden Amtsgericht Hornberg.

Verwaltung.

D. Zahl in der Berordnung.	Künftige Aemter.	Künftiger Bestand.
		I. Kreis Constanz.
1.	Constanz	wie der Gerichtsbezirk, somit bisheriger Amtsbezirk.
2.	Engen	wie der Gerichtsbezirk, somit bisheriger Amtsbezirk nach Los=trennung von Biethingen.
3.	Meßkirch	wie der Gerichtsbezirk, somit bisheriger Amtsbezirk.
4.	Pfullendorf	„ „ „ „ „ „
5.	Radolphzell	wie der Gerichtsbezirk, somit bisheriger Amtsbezirk, mit Zu=theilung der Gemeinde Biethingen vom Amt Engen.
6.	Stockach	wie der Gerichtsbezirk, somit bisheriger Amtsbezirk.
7.	Ueberlingen	bisheriger Amtsbezirk, die künftigen Gerichtsbezirke Meersburg und Ueberlingen umfassend.
		II. Kreis Villingen.
8.	Donaueschingen	wie der Gerichtsbezirk, somit bisheriger Amtsbezirk.
9.	Triberg	wie der Gerichtsbezirk, somit bisheriger Amtsbezirk, nach Los=trennung der Gemeinden Brigach, Buchenberg, Gutach, Peterzell und St. Georgen.
10.	Villingen	wie der Gerichtsbezirk, somit bisheriger Amtsbezirk, mit Zu=theilung der Gemeinden Brigach, Buchenberg, Peterzell und St. Georgen vom Amt Triberg.

Rechtspflege.

D. Zahl in der Verordnung.	Künftige Amtsgerichte.	Künftiger Bestand.
		III. Kreisgericht Waldshut.
12.	Bonndorf	a. bisheriger Gerichtsbezirk Bonndorf, nach Lostrennung der Gemeinde Detzeln,
		b. mit Zutheilung von Lembach, Mauchen, Oberwangen, Schwaningen, Stühlingen, Unterwangen, Weizen, vom aufzuhebenden Amtsgericht Stühlingen.
13.	Jestetten	bisheriger Gerichtsbezirk.
14.	Säckingen	bisheriger Gerichtsbezirk, nach Lostrennung von Wehr.
15.	St. Blasien	bisheriger Gerichtsbezirk.
16.	Waldshut	a. bisheriger Gerichtsbezirk,
		b. mit Zutheilung der Gemeinde Detzeln vom Amtsgericht Bonndorf und der Gemeinden Eberfingen, Endermettingen, Horheim, Löhningen, Obereggingen, Obermettingen, Ofteringen, Untereggingen, Untermettingen, vom aufzuhebenden Amtsgericht Stühlingen.
		IV. Kreis- und Hofgericht Freiburg.
17.	Breisach	bisheriger Gerichtsbezirk, nach Lostrennung der Gemeinden Hartheim und Hausen an der Möhlin.
18.	Emmendingen	bisheriger Gerichtsbezirk.
19.	Ettenheim	„ „
20.	Freiburg	Vereinigung a. des Stadtamtsgerichts Freiburg und b. des Landamtsgerichts Freiburg, nach Lostrennung von Hinterzarten und Walbau.
21.	Kenzingen	bisheriger Gerichtsbezirk.
22.	Neustadt	bisheriger Gerichtsbezirk mit Zutheilung von Hinterzarten und Walbau vom Landamtsgericht Freiburg.
23.	Staufen	bisheriger Gerichtsbezirk mit Zutheilung der Gemeinden Hartheim und Hausen an der Möhlin vom Amtsgericht Breisach.
24.	Waldkirch	bisheriger Gerichtsbezirk.

Verwaltung.

O. Zahl in der Berordnung.	Künftige Aemter.	Künftiger Bestand.
		III. Kreis Waldshut.
11.	Bonndorf	wie der Gerichtsbezirk, somit bisheriger Amtsbezirk, nach Lostrennung der Gemeinden Detzeln, Eberfingen, Endermettingen, Horheim, Löhningen, Obereggingen, Obermettingen, Ofteringen, Untereggingen, Untermettingen.
12.	Jestetten	wie der Gerichtsbezirk, unter Wiederherstellung des Amts daselbst.
13.	Säckingen	wie der Gerichtsbezirk, somit bisheriger Amtsbezirk, nach Lostrennung von Wehr.
14.	St. Blasien	wie der Gerichtsbezirk, somit bisheriger Amtsbezirk.
15.	Waldshut	wie der Gerichtsbezirk, somit a. bisheriger Amtsbezirk Waldshut, nach Lostrennung der zum Amtsgericht Jestetten gehörigen Gemeinden; b. Zutheilung der Gemeinden Detzeln, Eberfingen, Endermettingen, Horheim, Löhningen, Obereggingen, Obermettingen, Ofteringen, Untereggingen, Untermettingen, vom Amt Bonndorf.
		IV. Kreis Freiburg.
16.	Breisach	wie der Gerichtsbezirk, somit bisheriger Amtsbezirk, nach Lostrennung der Gemeinden Hartheim und Hausen an der Möhlin.
17.	Emmendingen	wie der Gerichtsbezirk, somit bisheriger Amtsbezirk.
18.	Ettenheim	" " " " " "
19.	Freiburg	wie der Gerichtsbezirk, somit Vereinigung des a. Stadtamts Freiburg mit dem b. Landamt Freiburg, nach Lostrennung von Hinterzarten und Waldau.
20.	Kenzingen	wie der Gerichtsbezirk, somit bisheriger Amtsbezirk.
21.	Neustadt	wie der Gerichtsbezirk, somit bisheriger Amtsbezirk, mit Zutheilung der Gemeinden Hinterzarten und Waldau vom Landamt Freiburg.
22.	Staufen	wie der Gerichtsbezirk, somit bisheriger Amtsbezirk, mit Zutheilung der Gemeinden Hartheim und Hausen a. d. Möhlin vom Amt Breisach.
23.	Waldkirch	wie der Gerichtsbezirk, somit bisheriger Amtsbezirk.

16*

Rechtspflege.

D.-Zahl in der Verordnung.	Künftige Amtsgerichte.	Künftiger Bestand.
		V. Kreisgericht Lörrach.
25.	Lörrach	bisheriger Gerichtsbezirk.
26.	Müllheim	„ „
27.	Schönau	„ „
28.	Schopfheim	bisheriger Gerichtsbezirk, mit Zutheilung von Wehr vom Amtsgericht Säckingen.
		VI. Kreis= und Hofgericht Offenburg.
29.	Gengenbach	bisheriger Gerichtsbezirk.
31.	Kork	Vereinigung des a. Amtsgerichts Kork, b. und des Amtsgerichts Rheinbischofsheim.
32.	Lahr	bisheriger Gerichtsbezirk.
33.	Oberkirch	„ „
34.	Offenburg	„ „
35.	Wolfach	bisheriger Gerichtsbezirk, mit Zutheilung der Gemeinde Gutach vom aufzuhebenden Amtsgericht Hornberg.
30.	Haslach	bisheriger Gerichtsbezirk.
		VII. Kreisgericht Baden.
36.	Achern	bisheriger Gerichtsbezirk.
37.	Baden	„ „
38.	Bühl	„ „
39.	Gernsbach	„ „
40.	Rastatt	„ „
		VIII. Kreis= und Hofgericht Karlsruhe.
41.	Bretten	bisheriger Gerichtsbezirk.
42.	Bruchsal	„ „
46.	Philippsburg	bisheriger Gerichtsbezirk, nach Lostrennung von Roth und St. Leon.
43.	Durlach	bisheriger Gerichtsbezirk.
44.	Ettlingen	„ „
45.	Karlsruhe	Vereinigung des a. Stadtamtsgerichts und b. des Landamtsgerichts Karlsruhe.
47.	Pforzheim	bisheriger Gerichtsbezirk.

Verwaltung.

D. Zahl in der Berechnung.	Künftige Aemter.	Künftiger Bestand.
		V. Kreis Lörrach.
24.	Lörrach	wie der Gerichtsbezirk, somit bisheriger Amtsbezirk.
25.	Müllheim	„ „ „ „ „ „
26.	Schönau	„ „ „ „ „ „
27.	Schopfheim	wie der Gerichtsbezirk, somit bisheriger Amtsbezirk mit Zutheilung der Gemeinde Wehr vom Amt Säckingen.
		VI. Kreis Offenburg.
28.	Gengenbach	wie der Gerichtsbezirk, somit bisheriger Amtsbezirk.
29.	Kork	„ „ „ „ „ „
30.	Lahr	„ „ „ „ „ „
31.	Oberkirch	„ „ „ „ „ „
32.	Offenburg	„ „ „ „ „ „
33.	Wolfach	bisheriger Amtsbezirk, die Amtsgerichte Wolfach und Haslach umfassend, mit Zutheilung der Gemeinde Gutach vom Amt Triberg.
		VII. Kreis Baden.
34.	Achern	wie der Gerichtsbezirk, somit bisheriger Amtsbezirk.
35.	Baden	„ „ „ „ „ „
36.	Bühl	„ „ „ „ „ „
37.	Gernsbach	„ „ „ „ „ „
38.	Rastatt	„ „ „ „ „ „
		VIII. Kreis Karlsruhe.
39.	Bretten	wie der Gerichtsbezirk, somit bisheriger Amtsbezirk.
40.	Bruchsal	a. bisheriger Amtsbezirk, b. mit Zutheilung des Bezirks des aufzuhebenden Amts Philippsburg, nach Lostrennung von Roth und St. Leon.
41.	Durlach	wie der Gerichtsbezirk, somit bisheriger Amtsbezirk.
42.	Ettlingen	„ „ „ „ „ „
43.	Karlsruhe	wie der Gerichtsbezirk, somit Vereinigung a. des Stadtamts und b. des Landamts Karlsruhe.
44.	Pforzheim	wie der Gerichtsbezirk, somit bisheriger Amtsbezirk.

Rechtspflege.

D. Zahl in der Berordnung.	Künftige Amtsgerichte.	Künftiger Bestand.
		IX. Kreis- und Hofgericht Mannheim.
48.	Ladenburg	bisheriger Gerichtsbezirk, nach Lostrennung der Gemeinde Hebbesheim mit den Kolonien Mukensturm und Straßenheim.
49.	Mannheim	bisheriger Gerichtsbezirk.
50.	Schwetzingen	" "
51.	Weinheim	bisheriger Gerichtsbezirk mit Zutheilung der Gemeinde Hebbesheim mit den Kolonien Mukensturm und Straßenheim.
		X. Kreisgericht Heidelberg.
52.	Eppingen	bisheriger Gerichtsbezirk.
53.	Heidelberg	" "
55.	Neckargemünd	" "
54.	Neckarbischofsheim	bisheriger Gerichtsbezirk, nach Lostrennung von Hüffenhardt.
56.	Sinsheim	bisheriger Gerichtsbezirk.
57.	Wiesloch	bisheriger Gerichtsbezirk, mit Zutheilung von Roth und St. Leon vom Amtsgericht Philippsburg.
		XI. Kreisgericht Mosbach.
58.	Adelsheim	bisheriger Gerichtsbezirk.
59.	Boxberg	" "
60.	Buchen	" "
61.	Eberbach	" "
62.	Gerlachsheim	" "
64.	Tauberbischofsheim	bisheriger Gerichtsbezirk, nach Lostrennung von Külsheim.
63.	Mosbach	bisheriger Gerichtsbezirk, mit Zutheilung von Hüffenhardt vom Amtsgericht Neckarbischofsheim.
65.	Wallbürn	bisheriger Gerichtsbezirk.
66.	Wertheim	bisheriger Gerichtsbezirk, mit Zutheilung von Külsheim vom Amtsgericht Tauberbischofsheim.

Verwaltung.

D. Zahl in der Verordnung.	Künftige Aemter.	Künftiger Bestand.
		IX. Kreis Mannheim.
45.	Mannheim	a. bisheriges Stadtamt Mannheim, b. mit Zutheilung des Bezirks des aufzuhebenden Amts Ladenburg nach Lostrennung der Gemeinde Hebbesheim mit den Kolonien Mukensturm und Straßenheim.
46.	Schwetzingen	wie der Gerichtsbezirk, somit bisheriger Amtsbezirk.
47.	Weinheim	wie der Gerichtsbezirk, somit bisheriger Amtsbezirk, mit Zutheilung der Gemeinde Hebbesheim mit den Kolonien Mukensturm und Straßenheim.
		X. Kreis Heidelberg.
48.	Eppingen	wie der Gerichtsbezirk, somit bisheriger Amtsbezirk.
49.	Heidelberg	a. bisheriger Amtsbezirk, mit Zutheilung b. der seither z. Amt Eberbach gehörigen Gemeinden des Amtsgerichts Neckargemünd.
50.	Sinsheim	Vereinigung a. des bisherigen Amts Sinsheim und b. des aufzuhebenden Amts Neckarbischofsheim nach Lostrennung von Hüffenhardt.
51.	Wiesloch	wie der Gerichtsbezirk, somit bisheriger Amtsbezirk, mit Zutheilung der Gemeinden Roth und St. Leon vom aufzuhebenden Amt Philippsburg.
		XI. Kreis Mosbach.
52.	Adelsheim	wie der Gerichtsbezirk, somit bisheriger Amtsbezirk.
53.	Boxberg	wie der Gerichtsbezirk, somit bisheriger Amtsbezirk Krautheim, unter Verlegung des Amtssitzes nach Boxberg.
54.	Buchen	wie der Gerichtsbezirk, somit bisheriger Amtsbezirk.
55.	Eberbach	wie der Gerichtsbezirk, somit bisheriger Amtsbezirk, nach Lostrennung der zum Amtsgerichtsbezirk Neckargemünd gehörigen Gemeinden.
57.	Tauberbischofsheim	a. Vereinigung des bisherigen Amtsbezirks Tauberbischofsheim, nach Lostrennung von Külsheim, b. mit dem Bezirk des aufzuhebenden Amts Gerlachsheim.
56.	Mosbach	wie der Gerichtsbezirk, somit bish. Amtsbezirk, mit Zutheilung der Gemeinde Hüffenhardt vom aufzuhebenden Amt Neckarbischofsheim.
58.	Wallbürn	wie der Gerichtsbezirk, somit bisheriger Amtsbezirk.
59.	Wertheim	wie der Gerichtsbezirk, somit bisheriger Amtsbezirk, mit Zutheilung von Külsheim vom Amt Tauberbischofsheim.

2. Vollzugsverordnung

zum Gesetze über die Organisation der inneren Verwaltung; insbesondere die Einrichtung und Zuständigkeit der Behörden und das Verfahren betreffend. *)

(Reg.=Blatt 1864, Nr. 31.)

~~~~~~~~~

Friedrich, von Gottes Gnaden
Großherzog von Baden, Herzog von Zähringen.

Zum Vollzuge des Gesetzes vom 5. October 1863 über die Orga=nisation der innern Verwaltung haben Wir nach Anhörung Unseres Staatsministeriums beschlossen und verordnen, wie folgt:

Erster Abschnitt.

Von der Einrichtung und Zuständigkeit der Verwaltungsbehörden und Verwaltungsgerichte.

I. Von den Bezirksämtern und Bezirksräthen.

§. 1.
Geschäftskreis der Bezirksämter im Allgemeinen.

Die Bezirksämter besorgen innerhalb ihrer Bezirke die gesammte innere Staatsverwaltung und Polizei nach den darüber bestehenden Ge=setzen, Verordnungen und Instructionen, und zwar als Einzelbeamte, soweit nicht durch das Verwaltungsgesetz vom 5. October 1863 oder durch spätere Verordnungen die Entscheidung oder Mitwirkung des Be=zirksrathes vorgeschrieben ist.

----

*) Die Ueberschriften der einzelnen Paragraphen sind nicht Bestandtheil des amtlichen Textes der Verordnung; sie wurden vom Verfasser zum leichteren Ge=brauche beigefügt.

Auch in denjenigen Gegenständen, welche sich zur Erledigung im Bezirksrathe eignen, sind alle Eingaben an die Bezirksämter zu richten. Vergl. Verw.=Gesetz §. 1 und die Zusätze 6 und 7, §. 2, Zus. 1—5.

Umfang der Zuständigkeit der Bezirksämter. Der Paragraph spricht den sehr wichtigen Grundsatz aus, daß „die gesammte innere Staatsverwaltung und Polizei" von den Bezirksämtern innerhalb ihrer Bezirke nach den darüber bestehenden Gesetzen und Verordnungen besorgt wird.

Wenn daher im einzelnen Falle Zweifel darüber entstehen sollten, ob die Zuständigkeit des Bezirksamts oder einer höheren Verwaltungsbehörde begründet ist, so wird man für die bezirks= amtliche Zuständigkeit sich aussprechen müssen, weil diese für alle Gegenstände der Bezirksverwaltung die Regel bildet, und nur ausnahmsweise die Competenz einer höheren Stelle aus besonderen Gründen für einzelne wenige Fälle noch vorbehalten ist; z. B. §. 13, Ziff. 7 -- 9 dieselbe V.=O.

§. 2.
Ernennung der Bezirksräthe.

Die Ernennung der Mitglieder der Bezirksräthe geschieht in der durch die Beilage zu gegenwärtiger Verordnung vom Heutigen zu §. 2 des Verwaltungsgesetzes vorgeschriebenen Weise.

Die Entschädigung der nicht am Amtssitze wohnenden Mitglieder des Bezirksrathes für die Theilnahme an den Sitzungen (§. 3, Absatz 4 des Verwaltungsgesetzes) wird auf täglich 1 fl. 30 kr. für die im Um= kreis von zwei Stunden Wohnenden, für die entfernter Wohnenden auf 2 fl. 30 kr. festgesetzt, wobei keine weiteren Auslagen für Transport= kosten zur Vergütung kommen. Vergl. Verw.=Gesetz §. 2 und Zus. 8.   Grundlagen §. 20 und 21.

§. 3.
Besetzung der Bezirksämter und Geschäftsbesorgung bei denselben.

Die Bezirksämter werden in der Regel mit einem, nach Bedürfniß auch mit zwei oder mehr Beamten oder Hilfsarbeitern besetzt.

Die letzteren werden von dem Ministerium des Innern ernannt.

Der Vorstand des Amtes (der Bezirksamtmann) führt unter seiner Verantwortlichkeit die Aufsicht über die Geschäftsbesorgung der anderen bei dem Amte angestellten Beamten und Hilfsarbeiter.

Wo mehrere Beamte bei einem Amte angestellt sind, ist, so lange das Ministerium des Innern keine andere Verfügung trifft, der zweite Beamte, und nach ihm der dritte Beamte der Stellvertreter des Amtsvorstandes in Verhinderungsfällen.

Die Geschäftsabtheilung unter denselben ist von dem Landescommissär zu genehmigen.

Bei Meinungsverschiedenheiten über die zu erlassende Verfügung entscheidet in solchen Verwaltungssachen, welche ohne den Bezirksrath zu erledigen sind, die Meinung des Amtsvorstandes.

Genehmigung der Geschäftsabtheilung durch den Landescommissär.   Vergl. §. 28, Ziff. 1 dieser Verordnung.

Geschäftsformen.   S. Zus. 1—3 zu §. 12 der Rec.-O. bei Fröhlich a. a. O., S. 490—492.

§. 4.
Fortsetzung.

An weiterem Personal wird jedem Bezirksamte beigegeben:

1) ein rechnungsverständiger Beamte oder Gehilfe (Amtsrevident), welcher alle in das Rechnungswesen einschlagenden Gegenstände der Verwaltung, sowie die weiteren Aufträge des Amtsvorstandes zu besorgen hat.

Je nach dem Geschäftsumfange können ihm auch noch andere Kanzleigeschäfte, z. B. die Besorgung des Sportelwesens, der Registratur und die Führung der Protocolle der Sitzungen des Bezirksrathes übertragen werden.

Soweit nicht einzelne Amtsrevidenten mit Staatsdienereigenschaft angestellt werden, sind dieselben von dem Ministerium des Innern zu ernennen. Ihre Arbeiten unterstehen der Prüfung des Beamten und können nur unter seiner oder seines Stellvertreters Unterschrift abgelassen werden.

Ferner wird in der Regel für jedes Amt von dem Ministerium des Innern ernannt:

2) ein Registrator, welchem von dem Amtsvorstande neben Besorgung der Registratur auch andere Kanzleigeschäfte übertragen werden können;

3) ein Amtsdiener, mit den Rechten der niederen Diener.

Das sonst erforderliche Kanzlei= oder niedere Dienstpersonal wird von dem Amtsvorstande auf Kündigung angestellt und entlassen.

Rechnungsverstän-
dige Beamte oder
Gehilfen.   Vergl. Verw.=Ges. §. 2, Zus. 1, §. 14, Zus. 1—3, und §. 64 dieser B.=O.

§. 5.
Unterordnung der Bezirksämter.

Die Bezirksämter sind dem Ministerium des Innern und den von demselben ernannten Landescommissären in dienstlicher Hinsicht unmit= telbar untergeordnet, vorbehaltlich der Bestimmungen in den §§. 10 und 31.

Soweit einzelne Zweige der Verwaltung anderen Behörden über= tragen sind, oder anderen Ministerien unterstehen, haben die Bezirks= ämter innerhalb ihres Geschäftskreises die Anordnungen und Ersuchen dieser Behörden, beziehungsweise Ministerien zu vollziehen.

Rügen und Ordnungsstrafen, welche mit Bezug hierauf von letzteren gegen Bezirksbeamte ergehen, werden gleichzeitig zur Kenntniß des Ministeriums des Innern gebracht. Diesem verbleibt die Einleitung und Erledigung förmlicher dienstpolizeilicher Untersuchungen gegen die Bezirksbeamten.

Vergl. unten §. 13, Ziff. 1 und 3.

§. 6.
Ausdehnung des Geschäftskreises der Bezirksämter.

Den Bezirksämtern werden zu ihrem bisherigen Geschäftskreise noch weiter folgende Gegenstände zugewiesen:

1) die einstweilige Enthebung der Gemeindebeamten vom Dienste, die Erkennung von Warnungen gegen dieselben und deren Dienstentlassung (§§. 37—42 der Gem.=Ordn.);

2) die Entscheidung darüber, ob die gerichtliche Verfolgung eines Gemeindebeamten oder Bediensteten wegen Amtsvergehen vor den bürgerlichen oder Strafgerichten zugelassen, beziehungs= weise veranlaßt werden soll;

3) die Ertheilung, beziehungsweise Versagung der Staatsgeneh= migung in nachbenannten Fällen:

a) wenn eine Gemeinde eine Freigebigkeitshandlung anders

als mittelst Verwendung einmaliger Ueberschüsse vorneh=
men will (§. 102 der Gem.-Ord.);

b. wenn sie ein Kapital zu einem andern Zwecke, als zur Til=
gung von Kapitalschulben aufnehmen ober überhaupt
Grundstocksvermögen zu laufenden Bedürfnissen verwenden
will bis zum Betrage von 3000 fl. (§§. 66, 101, 102
vergl. mit §. 171, I. Ziff. 2, 3 der Gem.-Ord.);

c. wenn Walbausstockungen ober außerordentliche Holzhiebe
vorgenommen werden sollen (§. 137 vergl. mit §. 172, I.
Ziff. 6 der Gem.-Ord.);

4) die Abhör der Gemeinberechnungen (§. 14 des Verwaltungs=
gesetzes) unb die sonstigen auf das Gemeinberechnungswesen
bezüglichen Geschäfte einschließlich der Abhör der Kriegskosten=,
Kirchen= und Schulhausbau=Rechnungen, sowie der Spar=
kassenrechnungen, so weit eine Abhör der letztern burch die
Staatsbehörde stattfindet;

5) die Abhör der Rechnungen der weltlichen nur für den Amts=
bezirk oder einzelne Orte besselben bestimmten Stiftungen;

6) die Feststellung der Baupläne für Kirchen und Schulhäuser
einschließlich der baupolizeilichen Genehmigung;

7) die Besetzung der Kaminfegerbienste;

8) die Entscheidung über die Gesuche um

a. Nachsichtsertheilung bei Verwendung der Branbentschäbi=
gungsgelber;

b. Erlaubniß zur Veräußerung der Baustellen abgebrannter
Gebäube nebst der barauf haftenden Entschäbigung an
Dritte;

c. Gestattung der Verlegung der Baupläze abgebrannter Ge=
bäube auf andere Stellen, ober von Veränderungen im
Wesen, Bestanb und Zweck berselben, so weit die Verfügung
hierüber burch das Feuerversicherungsgesetz nicht dem Mi=
nisterium des Innern vorbehalten ist;

9) die im §. 3 des Gesetzes vom 30. Juli 1840 über die Fahr=
nißversicherung vorbehaltene Gestattung der Versicherung bei
fremben, mit Staatsgenehmigung nicht versehenen Gesell=
schaften;

10) die in der Beilage IV. zu §. 6 der Vollzugsverordnung vom

2. August 1852 zum Gesetz über die Gebäudeversicherung den Amtsrevisoraten zugewiesenen Functionen ;

11) die Ertheilung der Erlaubniß zur Errichtung von Bauten und sonstigen Anlagen an schiff= und floßbaren Flüssen und in der Nähe von Landstraßen oder Eisenbahnen, sowie zur Errichtung von Fischwehren und sonstigen Anlagen zum Behuf der Aus= übung der Fischerei in öffentlichen Gewässern — vorbehaltlich der Entscheidung des Ministeriums des Innern bei Meinungs= verschiedenheiten zwischen dem Bezirksamt und der betreffenden technischen Behörde;

12) die polizeiliche Genehmigung zur Theilung geschlossener Hof= güter und Loslösung, beziehungsweise Einverleibung einzelner Bestandtheile solcher Güter ;

13) die nachträgliche Zulassung einer im Ausland ohne Staats= genehmigung geschlossenen Ehe;

14) die in der Wirthschaftsordnung vom 16. October 1834 der Kreisregierung zugewiesenen Zuständigkeiten, mit Ausnahme der Verleihung von Realwirthschaftsrechten, welche dem Mini= sterium des Innern vorbehalten bleibt;

15) die Bestätigung der Auswanderungsagenten ;

16) die Nachsichtsertheilung :

    a. von forstpolizeilichen Vorschriften (§. 71 des Forstgesetzes vom 15. November 1833);

    b. von den Vorschriften über die Anlegung und Einrichtung der Begräbnißplätze ;

    c. vom fehlenden Heirathsalter ;

    d. vom zweiten Eheaufgebot ;

17) die seither den Amtsrevisoraten in Bezug auf Ablösung der Zehnten einschließlich der Abhör der Zehntrechnungen und die Ermittlung der Entschädigung für aufgehobene Besitzverände= rungsabgaben und andere aufgehobene Feudalrechte übertrage= nen Geschäfte.

Die unter Ziffer 1, 2 und 12 angeführten Entschließungen sind immer, die unter Ziffer 3 bezeichneten in den gesetzlich dazu geeigneten Fällen (§. 6, Ziffer 3 und 4 des Verwaltungsgesetzes) durch Beschluß im Bezirksrath zu erledigen.

Stellung der Gemeindebeamten vor Gericht.

1) Vergl. §. 9 des Einführungsgesetzes zum Strafgesetzbuch 2c. vom 5. Februar 1851 (Reg.=Bl. Nr. 9, S. 73), welche gesetzliche Bestimmung noch fortbesteht, da durch Art. II. des Einführungs= gesetzes zur Strafproceßordnung vom 28. Mai 1864 (Reg.=Bl. Nr. 23, S. 225) nur der zweite Theil des Einführungsgesetzes vom 5. Febr. 1851 aufgehoben ist.

Landesherrl. B.=O. vom 11. Jan. 1856 (Reg.=Bl. Nr. 3, S. 13).

Fröhlich a. a. O. Zus. 4 und 5 zu §. 42 der Gem.=O.

Spohn im bad. Magazin V, S. 48, 272, 456.

Der §. 10 des Einführungsgesetzes vom 5. Febr. 1851, wo= nach die Entscheidung über civilrechtliche Ansprüche eines Beschädigten wegen widerrechtlicher Handlungen eines öffentlichen Dieners insofern in die Hände der vorgesetzten Dienstbehörde ge= legt war, als diese die Genehmigung zur gerichtlichen Verfolgung desselben zu geben hatte, ist durch Art. IV. der Schlußbestim= mungen der bürgerlichen Proceßordnung von 1864 aufgehoben, vorbehaltlich des Rechts zur Einleitung eines Competenzconflicts im geeigneten Falle.

Derartige Rechtsstreitigkeiten sind aber gewöhnlich sehr schwie= riger Natur; sie sind deßhalb ohne Rücksicht auf die Streitsumme durch §. 10 der bürgerlichen Proceßordnung schon in erster Instanz den Kreisgerichten zugewiesen worden.

Abhör der Gemeinderechnung.

2) Vergl. Zus. 1—3 zu §. 14 des Verw.=Ges.

Feuerversicherung.

3) Ueber die unter Ziff. 8 genannten Gegenstände s. Feuerver= sicherungsgesetz v. 29. März 1852 (Reg.=Bl. Nr. 85), S. 51, 53 und 56, und §. 4 der Instruction VI.

Erlaubnißertheilung zu baulichen Anlagen an Flüssen.

4) Vergl. §. 3 des Gesetzes v. 29. März 1852 (Reg.=Bl. Nr. 15), und §. 3 der Vollzugsverordnung v. 26. März 1853 (Reg.=Bl. Nr. 13).

Nachsichtsertheilung.

5) Vom fehlenden Heirathsalter, vergl. L.R.S. 144, 144a, Verordnung v. 17. Jan. 1822 I. 4a, II. a—c.

Vom zweiten Eheaufgebot, Verordnung v. 22. Jan. 1811 (Reg.=Bl. Nr. 3).

Entschädigung für aufgehobene Feudalrechte.

6) Besitzveränderungsabgaben: Gesetz v. 13. Febr. 1851 (Reg.=Bl. Nr. 15), Vollzugsverordnung v. 12. Juli 1851, S. 3, 26, 27 (Reg.=Bl. Nr. 43).

Bannrechte, Abzugsrechte, Bürgereinkaufs=, Annahms= oder Einzugsgelder: Gesetz vom 26. März 1852 (Reg.=Bl. Nr. 15), Vollzugsverordnung v. 26. März 1853, S. 10, 11, 13, 18 (Reg.=Bl. Nr. 13).

Fischereirechte: Gesetz v. 29. März 1852 (Reg.=Bl. Nr. 15), Vollzugsverordnung v. 26. März 1853, S. 7, 15 und 16 (Reg.=Bl. Nr. 13).

II. Vom Verwaltungshofe.

§. 7.
Unterordnung unter das Ministerium des Innern.

Der Verwaltungshof (Verwaltungsgesetz §. 1 und 21) ist als Centralmittelstelle dem Ministerium des Innern untergeordnet.

Vergl. Grundlagen §. 4.

§. 8.
Geschäftskreis des Verwaltungshofs.

Zum Geschäftskreis des Verwaltungshofes gehören:

1) die unmittelbare Aufsicht und Verwaltung der allgemeinen und der sich nicht auf einen Amtsbezirk beschränkenden Stiftungen, die weder einer Kirche gehören noch für Schulen bestimmt sind, nebst der Abhör der Rechnungen dieser Stiftungen;

2) die obere Aufsicht über die weltlichen nicht für Schulen bestimmten Ortsstiftungen und Stiftungen für Amtsbezirke, einschließlich der Oberabhör der Rechnungen dieser Stiftungen;

3) die Leitung und Ueberwachung der Bezirksverwaltungs= und Gerichtskassen (Amtskassen), mit der Befugniß, auf diese Kassen zu becretiren und über die aus denselben zu leistenden Ausgaben zu entscheiden, so weit diese Befugniß nicht den Bezirksämtern oder den Gerichten eingeräumt wird, und mit der Abhör sämmtlicher Rechnungen;

4) die Vertretung der Staatskasse gegenüber den Gemeinden rücksichtlich der Beiträge zu den Lehrergehalten, durch Ernennung und Ueberwachung des zu diesem Zweck aufzustellenden Fiscalcommissärs;

5) die Aufsicht über die vom Staat geleiteten Heil= und Pflegeanstalten und über die polizeiliche Verwahrungsanstalt, sowie über das Armenbad in Baden;

6) die Anstellung, Versetzung, Pensionirung und Entlassung der bei diesen Anstalten angestellten Unterbeamten und niederen Diener;

7) die Entscheidung über die Aufnahme in die erwähnten Heil=

und Pflegeanstalten, sowie über die Aufnahme armer Kranken in die vom Staate errichteten Badanstalten;

8) die Leitung und Ueberwachung der Oeconomie und des Gewerbe⸗betriebs sämmtlicher Strafanstalten;

9) die Abhör der Rechnungen der unter Ziffer 5 und 8 genannten Anstalten;

10) die Abhör der Rechnungen des adeligen Damenstifts zu Karls⸗ruhe und der weiblichen Lehrinstitute;

11) die Beaufsichtigung und obere Leitung der Stulz'schen Waisen⸗anstalt zu Lichtenthal, insbesondere die in den §§. 17, 19 lit. a. und 21 der Instruction für den Verwaltungsrath dieser An⸗stalt aufgeführten Functionen;

12) die Bestimmung über die Größe der von der Brandversiche⸗rungsanstalt für Gebäude zu leistenden Vergütung für Brand⸗schäden (§. 48 des Feuerversicherungsgesetzes);

13) die Erledigung der Beschwerden wegen zur Ungebühr aufer⸗legter Beitragspflicht zur Feuerversicherungsanstalt;

14) die Prüfung der Gebührenzettel der Bauschätzer bei Einschätzung der Gebäude zur Brandversicherung;

15) die Prüfung und Berichtigung der Konscriptionsarbeiten der Aemter und der Auszüge aus den Ziehungslisten, sowie die Vorlage der letztern an das Ministerium des Innern;

16) die Erledigung des Rechnungswesens der noch in einzelnen Landestheilen vorhandenen alten Landschafts⸗ und Bezirks⸗schulden;

17) die Vertheilung der Mittel des Gratialfonds;

18) die Geschäfte, welche seither den Kreisregierungen rücksichtlich der Zehntablösung und der Ermittelung der Entschädigung für aufgehobene Besitzveränderungsabgaben und andere Feudal⸗lasten oblagen;

19) die Verwilligung von Staatsbeiträgen zur Beförderung von Auswanderungen;

20) die Erledigung der das Tax⸗, Sportel⸗ und Stempelwesen bei den Bezirksämtern betreffenden Fragen;

21) die Erledigung der Beschwerden der Gemeinderäthe und Rech⸗ner gegen die Rechnungsbescheide der Abhörbehörden, so weit sie Rechnungsfragen betreffen;

22) die Prüfung und Genehmigung der aus den Gemeindekassen zu bestreitenden Diäten und Gebühren der Bezirksbeamten.

§. 9.

Umfang der von den Kreisregierungen dem Verwaltungshofe überwiesenen Geschäfte.

Die aus dem Geschäftskreis der seitherigen Kreisregierungen auf den Verwaltungshof übergehenden Geschäfte werden von diesem, so weit nicht etwas Anderes bestimmt ist, in demselben Umfang besorgt, wie früher von den Kreisregierungen.

Die obere Leitung bezüglich der dem Verwaltungshof übertragenen Gegenstände steht dem Ministerium des Innern zu, mit Ausnahme der Strafanstalten und der die Justiz betreffenden Einnahmen und Aus= gaben der Amtskassen, welche der oberen Aufsicht des Justizministeriums unterstehen, sowie des Tax=, Sportel= und Stempelwesens, welches vorbehaltlich der allgemeinen Leitung des Finanzministeriums, von jedem Ministerium für seinen Geschäftskreis beaufsichtigt wird.

Vergl. Verw.=Gesetz §. 21.

§. 10.

Dienstpolizei-Gewalt des Verwaltungshofs.

Der Verwaltungshof übt die Dienstpolizei über alle ihm unter= stehenden Beamten, niedern Diener und entlaßbaren Angestellten, mit Ausnahme jedoch der Beamten und Angestellten der Strafanstalten, über welche die Dienstpolizei dem großherzoglichen Justizministerium vorbe= halten bleibt.

Er ist berechtigt, innerhalb seines Geschäftskreises gegen die Be= zirksbeamten Rügen und Ordnungsstrafen bis zu 25 Gulden zu er= kennen.

Vergl. Ver.=Gesetz §. 5.

§. 11.

Erledigung besonderer Aufträge des Ministeriums des Innern, und Gutachten für den Verwaltungsgerichtshof in Rechnungssachen.

Der Verwaltungshof hat den besonderen Aufträgen des Ministe= riums des Innern zu entsprechen und dem Verwaltungsgerichtshof auf dessen Ansehen Gutachten in Rechnungssachen zu erstatten.

§. 12.
Fluß- und Dammbau-Beiträge.

Die seither von den Kreisregierungen in Bezug auf die Beitrags=
pflicht zu den der Staatskasse zu leistenden Fluß= und Dammbaubei=
trägen besorgten Geschäfte werden vorbehaltlich der endgiltigen Ent=
scheidung durch den Verwaltungsgerichtshof in bestrittenen Fällen
(§. 15, Ziffer 3 des Verwaltungsgesetzes) der Oberdirection des Was=
ser= und Straßenbaues übertragen.

III. Von dem Ministerium des Innern.

§. 13.
Erweiterter Geschäftskreis des Ministeriums des Innern.

Von den Geschäften der aufgehobenen Kreisregierungen werden dem
Ministerium des Innern vorbehalten:

1) Die Dienstpolizei über sämmtliche bei den Bezirksämtern an=
gestellten Beamten, Hilfspersonen und niederen Diener, sowie
über die Amtsärzte, soweit damit nicht die Landescommissäre
betraut werden.

   Eine besondere Verordnung wird die Handhabung der Dienst=
polizei über das höhere Sanitätspersonal regeln;

2) die Aufsicht auf die ordnungsmäßige Einrichtung und Fort=
führung der Amtsregistraturen;

3) die Anstellung und Entlassung der Amtsrevidenten, Amtsre=
gistratoren, sowie der niedern Diener bei den Bezirksämtern,
insbesondere der Amts= und Polizeidiener;

4) die Anordnung der Prüfung und die Aufnahme, sowie der
Strich der nicht wissenschaftlich gebildeten Hilfsarbeiter der
Bezirksämter, so weit sie nicht in der Rechtspolizei oder im
Staatsrechnungswesen die Prüfung bestanden haben;

5) die Erledigung der Fragen über die staatsrechtlichen Verhält=
nisse der Standes= und Grundherren;

6) die Ertheilung des Staatsbürgerrechts;

7) die Versagung der Bestätigung der Wahl der Bürgermeister;

8) die Ernennung des Bürgermeisters in den Fällen des §. 27,
Absatz 9 der Gemeindeordnung;

9) die Ertheilung, beziehungsweise Versagung der Staatsgeneh=
   migung:

a. wenn Waldungen, einzelne Höfe oder andere Güter, welche
   seither eine eigene Gemarkung bildeten, unter Einwilligung
   der Betheiligten mit anstoßenden Gemarkungen oder Gemein=
   den verbunden werden sollen (§§. 3, 5 der Gemeindeordnung);

b. wenn eine Gemeinde zu einem andern Zweck als zur Schul=
   dentilgung ein Kapital von mehr als 3000 Gulden aufnehmen
   oder Grundstocksvermögen in diesem Betrage zu laufenden
   Bedürfnissen verwenden will;

c. wenn die Gemeindeumlagen nach einem andern als dem ge=
   setzlichen Umlagefuß erhoben werden sollen (§. 95 der Ge=
   meindeordnung);

10) die obere Aufsicht auf den Gemeindehaushalt, soweit dieselbe
    nicht den Landescommissären übertragen wird, einschließlich der
    Oberabhör einzelner Gemeinderechnungen;

11) die Ertheilung der Staatsgenehmigung zu Schenkungen und
    Vermächtnissen zu Gunsten bereits bestehender Stiftungen ohne
    Unterschied des Betrags;

12) die Verleihung von Realwirthschaftsgerechtigkeiten;

13) die Ertheilung der allgemeinen Concession zu Theatervorstel=
    lungen an eine Schauspielergesellschaft;

14) die Verfügung über die beantragte Entlassung eines Pfleglings
    aus der polizeilichen Verwahrungsanstalt vor Ablauf der De=
    tentionszeit wegen erprobter Besserung;

15) die in den §§. 11, 17 und 19 des Expropriationsgesetzes vom
    28. August 1835 der Kreisregierung zugewiesenen Obliegen=
    heiten;

16) die Entscheidung über die aus Anlaß der Catastervermessung
    beantragte Verlegung einer Gemarkungsgrenze, wenn diese, so
    weit sie eine Abänderung erleiden soll, zugleich Grenze eines
    Amtsbezirkes ist;

17) die Ernennung der Mitglieder der Kreisrecrutirungsbehörde,
    welche an die Stelle des im §. 4 des Gesetzes vom 26. Mai
    1835 bezeichneten Mitgliedes der Kreisregierung, beziehungs=
    weise des dort genannten Medizinalreferenten der Kreisregie=
    rung treten sollen, sowie die Bezeichnung der zur Aushebungs=

17 *

behörbe (§. 16 bes Conscriptionsgesetzes von 1825) zuzuziehen=
ben Civilärzte;

18) bie Oberabhör der Rechnungen ber von dem Verwaltungshofe
unb dem Oberschulrathe unmittelbar verwalteten Stiftungen
unb Schulfonds.

Vergl. geschichtl. Einleitung §. 17, 25, Grunblagen §. 5.
Verw.=Ges. §. 20—23.

§. 14.

Fortsetzung.

Dem Ministerium bes Innern steht ferner zu:

1) bie Ausübung ber im §. 40 bes Verwaltungsgesetzes der Staats=
regierung vorbehaltenen Befugniß;

2) bie Entlassung der Mitglieder des Kreisausschusses ober ber
Sonderausschüsse in Gemäßheit bes §. 52 bes Verwaltungs=
gesetzes;

3) bie Prüfung der Voranschläge ber Kreise zum Zweck ber Aus=
übung ber nach §. 54, Absatz 5, Ziff. 1 bes Verwaltungsge=
setzes ber Staatsregierung vorbehaltenen Befugniß;

4) bie Ertheilung ober Versagung der Genehmigung zur Auf=
nahme von Anlehen auf Rechnung ber Kreise (§. 54, Abs. 2
bes Verwaltungsgesetzes);

5) bie Oberabhör einzelner Rechnungen ber Kreise.

§. 15.

Ueberweisung der Geschäfte in Bezug auf Maß und Gewicht, Schifffahrt und Flößerei an das Handelsministerium.

Das Handelsministerium übernimmt bie Geschäfte, welche den
Kreisregierungen in Bezug auf Maß unb Gewicht, sowie bie Schiff=
fahrt unb Flößerei oblagen, in letzterer Beziehung jedoch mit Ausnahme
ber gewerblichen Concessionen, welche nach §. 6, Ziff. 6 des Verwal=
tungsgesetzes zur Zuständigkeit der Bezirksräthe gehören.

IV. Von den Landescommiffären.

§. 16.
Wirkungskreis im Allgemeinen.

Der in §. 22 des Verwaltungsgefetzes bezeichnete Wirkungskreis der Landescommiffäre wird in Folgendem noch näher beftimmt.

Vergl. Verw.-Gefetz §. 1, 22 und 23, Grundlagen §. 5, Ziff. II.

Ueber die Recurfe und Befchwerden gegen die Verfügungen der Landes=commiffäre entfcheidet das zuftändige Minifterium, f. unten §. 84, Abf. 2.

§. 17.
Ueberwachung des Vollzugs der Verwaltungsgefetze und Erledigung der Aufträge des Minifteriums des Innern.

Es ift vorzugsweife Aufgabe der Landescommiffäre, den Vollzug der Verwaltungsgefetze und der Verwaltungseinrichtungen im Geifte der Landesverfaffung und des Gefetzes vom 5. October 1863 zu überwachen und das Minifterium des Innern — und fo weit es fie betrifft auch die andern Minifterien — von den hierauf bezüglichen Zuftänden der ihnen angewiefenen Bezirke in fteter Kenntniß zu erhalten.

Sie haben die ihnen zugehenden Aufträge des Minifteriums des Innern zu vollziehen, an daffelbe Vortrag zu erftatten und den Ver=handlungen des Minifteriums anzuwohnen, fo oft fie dazu einberufen werden, oder es fonft im Intereffe der Sache nothwendig erfcheint.

§. 18.
Auffiht über die Bezirksämter.

Den Landescommiffären fteht die Auffiht auf die Thätigkeit und Verwaltung der Bezirksämter und auf die Gefchäftsbeforgung des Kreis=hauptmanns in dem Maße zu, daß diefelben überall, wo fie perfönlich anwefend find, in politifchen und reinen Verwaltungsangelegenheiten befugt find, nach Gutfinden die Leitung einzelner wichtigerer Gefchäfte unmittelbar felbft in die Hand zu nehmen. In fo weit und in fo lange fie fich hiezu veranlaßt fehen, ift der Bezirksbeamte, beziehungsweife der Kreishauptmann, zur Mitwirkung verpflichtet.

Insbefondere find fie berechtigt, den Vorfitz in den Bezirksraths=

fizungen, so weit es sich nicht um Gegenstände der Verwaltungsgerichts=
barkeit handelt, zu übernehmen.

Vergl. §. 5, 19—21 dieser Verordnung.

§. 19.
Untersuchung der Verwaltungszustände der Bezirksämter.

Die Landescommissäre werden, wo sie es für sachdienlich erachten,
nach eigenem Ermessen oder in Folge besondern Auftrages des Ministe=
riums des Innern periodische Untersuchungen der Verwaltungszustände
der ihnen unterstellten Bezirksämter vornehmen und darüber je nach
den Umständen besonderen Vortrag an das Ministerium des Innern
erstatten.

Bei wahrgenommenen Mängeln oder Mißständen in der Amts=
führung eines Bezirksbeamten oder bei beßfalls erhobenen Beschwerden
haben sie nach gepflogener Untersuchung fürsorglich die nöthigen An=
ordnungen zur Abhilfe sofort zu erlassen.

Im Uebrigen werden dieselben bei dem Ministerium des Innern
oder dem zuständigen andern Ministerium die geeigneten Entschließun=
gen veranlassen und sodann für deren ordnungsmäßigen Vollzug, nö=
thigenfalls bei wichtigeren Gegenständen durch Nachschau an Ort und
Stelle, Sorge tragen.

§. 20.
Disciplinargewalt.

Den Landescommissären steht als Disciplinargewalt über das bei
den Bezirksämtern beschäftigte Personal zu:

1) gegen alle Beamten, Angestellten und niedern Diener der Aem=
ter, sowie gegen die Amtsärzte die Befugniß, Rügen und Ord=
nungsstrafen bis zum Betrage von 25 Gulden zu erkennen;

2) bezüglich der mit Staatsdienereigenschaft angestellten Beamten
die Befugniß, nach vorgängiger Vernehmung der Betheiligten
den Antrag auf Einschreiten nach Maßgabe des Dieneredicts
vom 30. Januar 1819 zu stellen;

3) rücksichtlich der Revidenten, des Kanzleipersonals und der nie=
dern Diener die Befugniß, die Entlassung, beziehungsweise den
Strich aus der Liste anzudrohen.

In dringenden Fällen können sie gegen alle die erwähnten Beamten und Diener Enthebungen vom Dienste verfügen, worüber zur endlichen Entschließung dem Ministerium des Innern ungesäumt Vortrag zu erstatten ist.

§. 21.
Ueberwachung der Polizeiverwaltung.

Die Polizeiverwaltung der Aemter und Gemeinden ist von den Landescommissären besonders zu überwachen, und namentlich auch zu prüfen, ob die erlassenen bezirks= oder ortspolizeilichen Vorschriften den Bestimmungen der §§. 1, 23 und 24 des Polizeistrafgesetzbuchs entsprechen und nach §. 27 eben daselbst gehörig bekannt gemacht und in mtlich beglaubigter Form dem Gerichte mitgetheilt worden sind.

Erachten sie dafür, daß eine bezirks= oder ortspolizeiliche Vorschrift nach §. 25 des Polizeistrafgesetzbuchs außer Kraft zu setzen sei, so haben sie nach ihrer Zuständigkeit das Geeignete zu verfügen.

§. 22.
Verfahren in außerordentlichen Fällen.

In außerordentlichen Fällen, insbesondere bei Nothständen, erheblichen Störungen der öffentlichen Ordnung, schweren Bedrohungen der Sicherheit der Personen und des Eigenthums haben die Landescommissäre nach ihrer Zuständigkeit sofort die geeigneten gesetzlich zulässigen Maßregeln zu treffen oder dem Bezirksamte aufzutragen, das etwa weiter Erforderliche aber bei dem Ministerium des Innern zu beantragen.

Das gesammte Polizeipersonal und insbesondere die Gendarmerie hat den Anordnungen, zu welchen sich der Landescommissär veranlaßt sieht, allenthalben Folge zu leisten.

§. 23.
Dispositionsbefugniß über die Amtskassen zu bestimmten Zwecken.

Es wird den Landescommissären alljährlich eine bestimmte Summe aus den budgetmäßigen Mitteln der Amtskasse zur Verfügung gestellt werden, aus welcher sie Anforderungen für die Ausstattung der Amthäuser, für Anschaffung von Kanzleirequisiten der Aemter, Remunerationen und Belohnungen, sowie Unterstützungen an arme Gemeinden bewilligen können.

Die Anweisung einzelner Ausgaben auf die obige Summe ge=
schieht auf Anzeige der Landescommissäre durch den Verwaltungshof.

§. 24.
Pflege der Interessen der Kreise und Bezirke.

Bei Ausübung der den Landescommissären in Bezug auf die Pflege
der Interessen der Kreise und Bezirke zugewiesenen Obliegenheiten
(§. 22, Ziffer 3 des Verwaltungsgesetzes) werden dieselben namentlich
auf die im §. 1 des Verwaltungsgesetzes bezeichneten Gegenstände Rück=
sicht nehmen, ihr Augenmerk aber auch auf andere Fragen ausdehnen
und darüber je nach Umständen entweder die erforderlichen Verhandlun=
gen dem Bezirksamte auftragen, oder Vortrag an das zuständige Mini=
sterium erstatten.

§. 25.
Vertretung des Staatsinteresses bei den Kreisversammlungen.

Zu dem im §. 24 angegebenen Zweck, sowie zur Beobachtung und
Ueberwachung der Dienstführung der Kreisverbände werden die Landes=
commissäre — so fern nicht ein anderer Bevollmächtigter von dem Mi=
nisterium des Innern ernannt wird — den Sitzungen der Kreisver=
sammlungen, so weit thunlich, regelmäßig anwohnen und hierbei in Ge=
meinschaft mit dem Kreishauptmann die Vertretung des Staatsinteresses
übernehmen.

Sie haben sich mit dem Kreishauptmann in's Benehmen zu setzen,
um sich zu vergewissern, daß die Vorschriften des Verwaltungsgesetzes
über die Wahlen und die Zusammensetzung der Kreisversammlung und
des Kreisausschusses, sowie über die Befugnisse dieser Collegien gehörig
beobachtet werden, auch daß die Stellung der erforderlichen Anträge nicht
unterbleibe, wenn es im öffentlichen Interesse geboten erscheint, von den
in den §§. 40 und 54, Absatz 1 des Verwaltungsgesetzes der Staats=
regierung vorbehaltenen Befugnissen Gebrauch zu machen.
Vergl. Verw.⸗Gesetz §. 45.

§. 26.
Ueberwachung der Thätigkeit der Bezirksräthe und Gemeindebehörden.

Zu den Aufgaben der Landescommissäre gehört es ferner, die
Thätigkeit der Bezirksräthe, sowie der Gemeinderäthe und Gemeinde=

ausschüsse, und die regelmäßige und dem Gesetze entsprechende Besetzung der Stellen in diesen Collegien zu überwachen.

Verw.=Gesetz §. 22, Ziff. 1.

§. 27.
Prüfung und Verbescheidung der Gemeindevisitationen. Jahresberichte.

Die Bezirksämter haben den Landescommissären die Acten über die von ihnen vorgenommenen Gemeindevisitationen zur Prüfung und Verbescheidung vorzulegen. Die Jahresberichte über die Ergebnisse ihrer Amtsführung werden dieselben ebenfalls dem Landescommissär einsenden, welcher dieselben sammelt und mit seinem eigenen Bericht über die Verwaltungszustände des ihm anvertrauten Bezirks während des letztabgelaufenen Jahres dem Ministerium des Innern vorlegt.

§. 28.
Zuständnisse in einzelnen Verwaltungsgegenständen.

Den Landescommissären werden noch ferner nachstehende einzelne Zuständnisse übertragen:

1) die Genehmigung der Geschäftsabtheilung unter mehreren bei einem Bezirksamte angestellten Beamten;

2) die Prüfung der Vorlagen der Bezirksämter in Betreff des Nachweises über den regelmäßigen Gang des Gemeindehaus= haltes und Stellung deßfallsiger Anträge bei dem Ministerium des Innern;

3) die Ertheilung der Bestätigung der Bürgermeisterwahlen;

4) die Ertheilung der Staatsnachsicht, wenn ein zum Bürger= meister Gewählter das Wirthschaftsgewerbe treibt und dasselbe nicht niederlegen will (§. 29, Ziffer 4 der Gem.=Ord.);

5) die Ertheilung der Staatsgenehmigung bei der Ablehnung der Wahl oder dem freiwilligen Austritt eines Bürgermeisters in den Fällen des §. 31, Ziffer 6 der Gemeindeordnung, sowie die Recursentscheidung in den gleichen Fällen, wenn es sich um die Ablehnung oder den Dienstaustritt eines anderen Gemeinde= beamten handelt;

6) die Aufsicht auf die bei den Bezirksämtern beschäftigten Refe= rendäre und Vorlage der amtlichen Berichte über deren Be= tragen, Fleiß und Befähigung;

das persönliche Erscheinen und die Auskunftsertheilung von Seiten der Partheien und Betheiligten, wenn es zur Aufklärung der Sache nöthig ist, verlangt werden.

Informativ=Verfahren.

1) Das hier vorgeschriebene Informativ=Verfahren (Zus. 5, zu §. 10 des Verw.=Gesetzes) war schon bisher auf den Grund der Bestimmung des §. 8, D. des Org.=Edicts v. 26. Nov. 1809, und der §§. 11 und 12 der Recursordnung v. 14 März 1833 (Reg.=Bl. Nr. 13), sowie nach der Natur der Sache bei allen Verwaltungs=beh oen in Uebung. Es ist auch für das Verfahren bei den Gerichten in den Geschäften der freiwilligen Gerichtsbarkeit durch den §. 8 des Gesetzes v. 28. Mai 1864 (Reg.=Bl. Nr. 21) vorgeschrieben. Vergl. unten §§. 52, 60, 61, 69.

Zwang zum Erscheinen der Betheiligten, Zeugen und Sachverständigen.

2) Der hier für maßgebend erklärte §. 30, Abs. 3 und 4, und §. 31 des Polizeistrafgesetzbuchs sind abgedruckt oben Zusatz 7 zu §. 15 des Verw.=Gesetzes, S. 196 und 197.

Vergl. auch bürgerliche Proceßordnung §. 474, Strafproceß=ordnung §. 104.

Geschäftsformen.

3) Die Vorschriften der Verordnung vom 20. Febr. 1829 (Reg.=Bl. Nr. 5) über die Geschäftsformen bei den Untergerichten, insbesondere die §§. 10, 11 und 40 derselben sollen nach Erlaß des Ministeriums des Innern v. 1. Oct. 1840, Nr. 10,746, auch auf die Einrichtung der Verwaltungsacten angewendet werden.

Die hier einschlagenden Bestimmungen dieser Verordnung sind folgende:

Allen bei Amt einkommenden Actenstücken muß der Beamte das Präsentatum (Jahr, Monat und Tag) eigenhändig beisetzen (§. 1.)

Sie werden unter fortlaufenden Nummern in ein sogenanntes Exhibiten= oder Präsentationsprotocoll eingetragen, welches am 1. Januar angefangen und am 31. Dezember jeden Jahres geschlossen wird. Dasselbe muß, in tabellarischer Form, den Tag der Einreichung, die allgemeine Bezeichnung des Actenstückes, sowie der darauf gefaßten Beschlüsse, und den Tag ihrer Ausfertigung, endlich die Sportelansätze enthalten. (§. 2.)

Die amtlichen Protocolle müssen, ohne Ausnahme, im directen Stil verfaßt, auch deutlich und durchaus von dem beurkundenden Actuar geschrieben sein. Der Gebrauch von Wörtern aus fremden Sprachen ist möglichst zu vermeiden. (§. 3.)

Jedes Protocoll muß im Eingang Ort, Tag und Jahr, ohne Abkürzung, sodann die Amtswürde und die Namen der dabei fungirenden Beamten, oder ihrer Stellvertreter, enthalten, und am Schlusse von dem das Protocoll führenden Actuar unterzeichnet sein.

Nur ein verpflichteter Actuar darf ein amtliches Protocoll führen, und muß dieser Eigenschaft bei seiner Unterschrift namentlich gedenken. (§. 4.)

Jedes amtliche Protocoll soll Denjenigen, deren Erklärung es enthält, gleichbald deutlich vorgelesen, auch, nachdem der Actuar die geschehene Vorlesung, die hierauf erfolgte unbedingte Genehmigung, oder die gegen den Inhalt des Protocolls etwa vorgebrachten Erinnerungen, unter dasselbe bemerkt, zur Unterschrift vorgelegt werden. Unterschreiben sie dem ungeachtet nicht, so sind die Gründe, weßhalb es unterbleibt, dem Protocoll ausdrücklich anzufügen. (§. 5.)

Hätte der Beamte, oder dessen Stellvertreter, das Protocoll, in Ermangelung eines Actuars, selbst geschrieben, so muß solches in bürgerlichen Streitsachen von der eben gehörten Parthie, in Untersuchungssachen wenigstens von den alsdann zuzuziehenden Urkundspersonen mit unterschrieben sein. (§. 6.)

Abänderungen durch Rasuren, oder Ausstreichungen in irgend wesentlichen Punkten sind untersagt. Verbesserungen können zwar auch am Rande beigeschrieben, müssen aber dann in gleicher Art, wie das Protocoll selbst, besonders beurkundet werden. (§. 7.)

Die Beschlüsse auf eine Eingabe, oder ein Protocoll, dürfen nicht auf den Rand, noch so geschrieben werden, daß die Schrift nicht ohne Unterbrechung fortgeht. Sie sind von dem Beamten, der sie gefaßt hat, zu unterzeichnen, auch ist unter dem Beschluß der Tag der Ausfertigung desselben zu bemerken. (§. 8.)

In allen Protocollen und Beschlüssen müssen die vernommenen oder betheiligten Personen mit ihren Vor= und Geschlechts= namen genau bezeichnet werden.

Die von dem Richter gestellten Fragen sind unter fortlaufen= den Ziffern, und ebenso wie die gefaßten Beschlüsse, über die ganze Blattseite, die Antworten und Vorträge der Parthien aber auf die äußere Seite des gebrochenen Blattes niederzuschreiben. (§. 9.)

Alle auf einen Gegenstand Bezug habenden Protocolle, Acten= stücke und Beilagen sind nach der Zeitfolge zu ordnen und zu stechen. Jeder Actenband ist mit Rothstift besonders zu paginiren, und mit einer Decke (Pallium) zu versehen, auf deren äußere Seite die Rubrik der Sache zu setzen ist. (§. 10.)

Die zusammengehörigen Actenbände selbst sind mit fortlaufen= den römischen Ziffern zu bezeichnen und zu unterbinden.

Werden mit den Hauptacten andere einschlägige eingesendet, so sind diese, wie sie unter sich zusammen gehören, besonders zu unterbinden.

In den Einsendungsberichten ist jedesmal die Zahl der Acten= bände zu bemerken. (§. 11.)

Die amtlichen Berichte müssen im Eingang das Datum und die Nummer der veranlassenden höheren Verfügung und die vollständige Rubrik des Gegenstandes enthalten, auf welchen sie sich beziehen. Ist die Rubrik weitläufig, so darf sie in wiederholten Berichten, unter Beziehung auf Datum und Nummer des früheren Berichts, der sie vollständig enthält, abgekürzt werden. (§. 12.)

Die Berichte müssen in der vorgeschriebenen Form abgefaßt, mit dem Datum versehen und von dem Beamten selbst unterzeichnet sein. Nur im Falle einer augenblicklichen Verhinderung des Beamten, oder aus besonderem Auftrag der höheren Behörde, darf ein Bericht von einem Rechtspracticanten, oder Actuar, unterzeichnet werden. (§. 13.)

Diese Vorschriften sind, bei Vermeidung von Ordnungsstrafen, welche für jede Verletzung der hierdurch vorgezeichneten Formen eintreten, genau zu befolgen. Insbesondere soll das unterbliebene Paginiren und Numeriren sowohl der Acten, als der Fragen und Beilagen, auf Kosten des lässigen Amtes besorgt werden. (§. 40.)

Form der Berichte.

4) Die zu erstattenden Berichte haben:

    a. die Thatsachen, um welche es sich handelt, in den wesentlichen Punkten vollständig darzustellen,

    b. rücksichtlich derselben auf die Seiten und Ziffern der Acten zurückzuweisen,

    c. das Rechtsverhältniß kurz und bündig zu bezeichnen.

Ministerium des Innern 13. Nov. 1840, Nr. 12,448.

Aufbewahrung der Recursverhandlungen.

5) Die über einen Gegenstand erwachsenen Recursverhandlungen und Schriften sind bei dem Bezirksamt aufzubewahren, den amtlichen Acten sind sämmtliche an die höheren Stellen gerichtete Berufungschriften, sowie etwa nachträglich angeordnete Ergänzungsverhandlungen anzuheften.

Ministerium des Innern 13. Nov. 1840, Nr. 12,448.

Die obigen, Zus. 4 und 5 enthaltenen Vorschriften wurden den Bezirksämtern zur genauen Nachachtung durch Erlaß Ministeriums des Innern vom 21. Aug. 1858, Nr. 9992 (Centralverordnungsblatt Nr. 13, S. 60) in Erinnerung gebracht.

Amtsregistratur-Ordnung.

6) S. besondern Abdruck derselben und einen Auszug in: Handbuch für bad. Juristen (Mannheim bei J. Bensheimer). S. 588 u. ff.

§. 33.

Zuständigkeit im Allgemeinen.

In den Sachen, welche vor die Bezirksbehörden gehören, ist biejenige zur Entscheidung berufen, in deren Bezirk diese zu vollziehen oder das in Anspruch genommene Recht auszuüben ist.

Bei Streitigkeiten unter mehreren Gemeinden oder Gemarkungen, welche in verschiedenen Amtsbezirken liegen, ist der §. 12 des Verwaltungsgesetzes maßgebend.

Freiwillige Unterwerfung der Partheien unter die Entscheidung eines hiernach nicht zuständigen Bezirksrathes findet nicht statt.

Doch kann eine von einem unzuständigen Bezirksrathe erlassene Entscheidung, wenn sie vollzogen ist, von den in der Sache aufgetretenen Privatbetheiligten nicht mehr angefochten werden.

§. 34.

Zuständigkeit bei Erkenntnissen über Verbringung in die polizeiliche Verwahrungsanstalt.

Zur Erlassung des Erkenntnisses über die gesetzlichen Voraussetzungen der Verbringung in die polizeiliche Verwahrungsanstalt (§. 5, Ziff. 10 des Verwaltungsgesetzes) ist der Bezirksrath des Heimathortes, bei solchen Personen, welche im Inland keine anerkannte Heimath haben, der Bezirksrath des Ortes, wo sie zuletzt aufgegriffen und zur Untersuchung gezogen wurden, zuständig.

§. 35.

Entscheidungsgründe.

Erkenntnisse müssen in gedrängter Fassung die Gründe unter Angabe der Gesetze oder Verordnungen enthalten, auf welchen die Entscheidung beruht.

Eine bestätigende Entscheidung der höheren Instanz kann sich auf diejenigen Gründe beziehen, welche schon in der bestätigten enthalten sind.

Eine kurze Angabe der Gründe soll in der Regel auch den Verfügungen und Entschließungen in einzelnen Verwaltungs- und Beschwerdesachen beigefügt werden. Doch kann hievon im öffentlichen Interesse, und namentlich dann immer Umgang genommen werden, wenn keine gesetzliche Befugniß von Privaten in Frage steht.

Nothwendigkeit der Entscheidungsgründe. 1) Das Verwaltungsgesetz schreibt in §. 18 nur für die Erkenntnisse in Verwaltungsstreitigkeiten die Abfassung von Entscheidungsgründen vor.

Die Vollzugsverordnung geht in Uebereinstimmung mit der durch §. 1 der bisherigen Recursordnung begründeten Praxis mit Recht weiter und dehnt jene Vorschrift nicht nur auf die „Erkenntnisse", sondern auch auf die Verfügungen und Entschließungen in den reinen Verwaltungs- und Beschwerdesachen aus.

Eine Ausnahme von dieser Regel k a n n bei den zuletzt genannten Gegenständen nur dann gemacht werden, wenn es

    a. im öffentlichen Interesse liegt, und

    b. keine g e s e t z l i c h e B e f u g n i ß von Privaten in Frage steht.

Auch diese Ausnahmen entsprechen der auf Entscheidungen der höchsten Verwaltungsbehörden beruhenden bisherigen Uebung und der Natur der Sache. Der unter Lit. b genannte Fall tritt namentlich dann ein, wenn es sich um Bewilligungen und Ge= nehmigungen handelt, welche auf Gesuche, Bitten und Gnaden= sachen zu erlassen sind, ebenso bei Bestätigungen und Versagungen, da hier von einer „gesetzlichen Befugniß" der Bittsteller überall nicht die Rede sein kann, sondern die Regierung nach ihrem freien Ermessen im öffentlichen Interesse verfügt.

Form der Entschei-
dungsgründe.
2) Ueber die Form der Entscheidungsgründe besteht nur die Vorschrift, daß

    a. die Gesetze oder Verordnungen, auf welchen die Ent= scheidung ruht, in denselben angeführt werden m ü s s e n (§. 35. Abs. 1), und im Uebrigen

    b. es dem Ermessen der Behörden anheim gegeben ist, die Gründe dem Erkenntnisse vorauszuschicken oder als An= hang beizugeben (§. 72, Abs. 3).

Vergl. bürgerliche Proceßordnung §. 368 und 1008.

§. 36.
Eröffnung und Zustellung der Verfügungen und Entscheidungen.

Alle Verfügungen und Entscheidungen der Verwaltungsstellen sind a l l e n Betheiligten alsbald entweder mündlich zu Protocoll oder schrift= lich gegen Bescheinigung zu eröffnen.

Die Zustellung der Beschlüsse der Verwaltungsgerichte geschieht in der Regel durch die Gerichtsboten, nach den für gerichtliche Zustellungen geltenden Vorschriften.

In Verwaltungssachen sind die Verfügungen der höhern Behörden durch die Bezirksämter zu eröffnen, beziehungsweise eröffnen zu lassen, so weit nicht hiefür andere Vollzugsorgane vorhanden sind.

Wo von den Betheiligten Anwälte aufgestellt sind, geschieht die Zustellung an diese. Endentscheidungen und solche Verfügungen, welche einen Rechtsnachtheil aussprechen, sind immer den Betheiligten selbst zu= zustellen, sofern sie nicht auch für solche Zustellungen einen Gewalt= haber ausdrücklich aufgestellt haben.

An Betheiligte, welche sich im Auslande aufhalten und keinen Ge=
walthaber im Inland aufgestellt haben, geschehen die Zustellungen durch
Zusendung auf der Post mit Erhebung einer Bescheinigung hierüber.
Jedoch bleibt der Behörde in den Fällen, wo die Zustellung nur im
Interesse des im Auslande sich Aufhaltenden zu erfolgen hat, die Be=
fugniß vorbehalten, von diesem die Aufstellung eines Gewalthabers im
Inlande zu verlangen.

Sind mehrere Betheiligte gemeinsam aufgetreten, ohne einen ge=
meinschaftlichen Gewalthaber aufgestellt zu haben, so wird die Zustel=
lung an Einen derselben Namens Aller nach der Wahl der Behörde be=
wirkt.

Eröffnung an die Betheiligten.

1) Dieser Paragraph enthält theils Abänderungen, theils Er=
weiterungen der bisher über die Eröffnung der Verfügungen und
Entscheidungen bestandenen Vorschriften.

Da nach §. 40 dieser Verordnung den Partheien das Recht, sich
durch Anwälte und Bevollmächtigte in Verwaltungssachen vertreten
zu lassen, eingeräumt ist, so wurde

    a. als Regel aufgestellt, daß, wenn die Partheien von
       diesem Rechte Gebrauch gemacht haben, die Zustellung der
       Verfügungen an die Anwälte zu geschehen hat.

        (Vergl. bürgerliche Proceßordnung §. 231.)

Nur die Endentscheidungen und solche Verfügungen, welche
einen Rechtsnachtheil aussprechen, sind immer den Betheiligten
selbst zuzustellen, sofern sie nicht auch für solche Zustellungen
einen „Gewalthaber" aufgestellt haben. (Vergl. bürgerliche Proceß=
ordnung §. 361.)

Dieser Satz wird in Uebereinstimmung mit der bürgerlichen
Proceßordnung §. 231 dahin auszulegen sein, daß auch in den
Fällen, in welchen die Zustellung an die Betheiligten selbst zu ge=
schehen hat, gleichwohl auch an den Anwalt hievon Eröffnung
zu machen ist, weil hiedurch wesentlich für den richtigen Gang des
Verfahrens durch Einhaltung der Fristen gesorgt wird.

    b. Im Gegensatz zu §. 366 der bürgerlichen Proceßordnung
       wird die Zustellung der Verfügungen, wo Streitgenossen
       vorhanden sind, nur an Einen derselben nach der Wahl
       der Behörde bewirkt, wenn kein gemeinschaftlicher Ge=
       walthaber aufgestellt wurde.

    c. Die Zustellung der Beschlüsse der Verwaltungsgerichte,
       also sowohl der Bezirksräthe, als Verwaltungsgerichte
       erster Instanz als des Verwaltungsgerichtshofs hat in der
       Regel durch die Gerichtsboten, also nach den Vorschriften

der Verordnung v. 21. Nov. 1851 (Reg.-Bl. Nr. 67, S. 711) zu erfolgen.

Bescheinigung der Eröffnung.

2) Die Eröffnung der Verfügungen oder Entscheidungen der Verwaltungsbehörden hat **gegen Bescheinigung** zu erfolgen.

Das Ministerium des Innern hat durch die Verfügungen vom 1. Juli 1847, Nr. 10,442, und vom 13. Juni 1856, Nr. 7264, (Centralverordnungsblatt v. 1856, Nr. 8, S. 79 und 80), wiederholt die Bezirksämter angewiesen, daß, sofern die Eröffnung der Beschlüsse an die Betheiligten nicht zu Protocoll geschah, über den Tag der Zustellung derselben eine gehörige Beurkundung zu den Acten gebracht werde.

Die genaue Befolgung dieser Vorschrift ist bringend nothwendig, weil hievon wesentlich ein rascher und geordneter Geschäftsgang abhängt.

§. 37.
Oeffentliche Verkündigung der Verfügungen oder Entscheidungen.

Die öffentliche Verkündigung der beabsichtigten Errichtung von Wasserwerken und andern Gewerbsanlagen und von Bauten an öffentlichen Flüssen, sowie der auf solche Gesuche ergangenen Entschließungen richtet sich nach den §§. 16, 17, 21, 22 der Vollzugsverordnung vom 24. September 1863 zum Gewerbegesetz und nach den §§. 3, 4 der Verordnung vom 10. April 1840, Regierungsblatt Nr. IX.

In andern Fällen findet eine öffentliche Bekanntmachung der Verfügungen oder Entscheidungen der Verwaltungsbehörden und Gerichte nicht statt, ausgenommen wenn im öffentlichen Interesse eine Eröffnung an flüchtige oder unstät herumziehende Personen erfolgen muß.

§. 38.
Eröffnung durch die Betheiligten.

Außerdem bleibt Jedem, welcher ein Interesse an der Aufrechthaltung einer Verfügung oder Entscheidung hat, die Sorge überlassen, solche Denen, welche dadurch betheiligt sein können, eröffnen zu lassen. Im Versäumnißfalle hat er sich die Folge selbst zuzuschreiben.

§. 39.
Rechtsnachfolger im Liegenschaftsbesitz.

Wenn das Interesse einer Parthei unmittelbar und ausschließlich auf dem Besitze einer bestimmten Liegenschaft beruht, so kann der Nach-

folger im Besitze dieser Liegenschaft die in Betreff dieser letztern gepflo=
genen Verhandlungen und ergangenen Entscheidungen nicht auf den
Grund des Mangels der an ihn erfolgten Zustellung anfechten.

§. 40.
Vertretung durch Anwälte und Bevollmächtigte.

Die Partheien können sich durch Anwälte und Bevollmächtigte ver=
treten lassen, so weit nicht ihr persönliches Erscheinen zur Auskunfts=
ertheilung gefordert wird.

Bei ihrem persönlichen Erscheinen können sie sich stets durch einen
Anwalt begleiten lassen.

Bürgerliche Proceßordnung §. 128 und ff.   Verw.=Gesetz §. 10,
Abf. 4, §. 18, Abf. 1.

Die Bestimmungen über die Anwaltstaxen in Verwaltungssachen und
Streitigkeiten werden, nachdem der Grundsatz der Vertretung durch Anwälte an=
genommen ist, einer Revision unterworfen werden müssen.

§. 41.
Acteneinsicht.

Jedem Betheiligten oder seinem Bevollmächtigten steht jederzeit die
vollständige Einsicht der Acten frei.   In Verwaltungs= und Polizei=
sachen hängt es jedoch von dem Ermessen der Behörden ab, ob einzelne
Vorträge oder Berichte von der Einsicht auszunehmen sind.

Vergl. bürgerliche Proceßordnung §. 698.

Einsicht der Acten
öffentl. Behörden.

Landesherrl. Verordnung über die Vorlegung und Mitthei=
lung der von öffentlichen Behörden aufbewahrten Acten und Ur=
kunden vom 27. Oct. 1836 (Reg.=Bl. Nr. 53).

Fröhlich, Zus. 6 zu §. 57 der Gem.=Ordnung, S. 83.

Ueber die Einsicht der Acten bei dem Verwaltungsgerichts=
hof §. 104 unten.

§. 42.
Berechnung der Fristen.

Bei Berechnung der processualischen Fristen wird in allen Verwal=
tungsgegenständen der Tag, an welchem die Verfügung mündlich eröff=
net oder schriftlich zugestellt wird, nicht mitgerechnet, und ebenso wenig

18 *

der Tag des Ablaufes derselben, sondern es gilt als der letzte der auf den Tag des Ablaufs unmittelbar folgende Tag.

Fällt dieser auf einen Sonntag oder gebotenen Feiertag, so wird der nächste Werktag als der letzte Tag der Frist betrachtet.

Vergl. bürgerliche Proceßordnung §. 192.

§. 43.

Anberaumung der Tagfahrten und Fristen; Versäumung derselben.

Bei Anberaumung der Fristen und Tagfahrten ist stets die Rück=sicht auf möglichste Beschleunigung des Verfahrens zu beobachten.

Mit unbenutztem Ablauf der Frist, beziehungsweise Tagfahrt, gilt stets die Handlung, wofür sie anberaumt war, kraft Gesetzes für ver=säumt.

So lange das Erkenntniß nicht ergangen ist, hängt es indessen vom Ermessen der Behörde ab, das nachträglich Vorgebrachte noch zu berück=sichtigen, so weit es für die Entscheidung von Erheblichkeit ist und vor=behaltlich der besondern Vorschriften über Versäumung der Recurs=fristen.

Unerstrecklichkeit der Fristen. Von besonderer Wichtigkeit ist der Absatz 2 des Paragraphen, wonach mit unbenutztem Ablauf der Frist, beziehungsweise Tag=fahrt „stets" die Handlung, wofür sie anberaumt war, kraft Gesetzes für versäumt gilt.

Hienach hat also die Verwaltungsbehörde wohl das Recht, die=jenigen Fristen, welche nicht, wie z. B. die Recurs= und Wieder=herstellungsfristen, schon durch das Gesetz oder die Verord=nung bestimmt sind, nach eigenem Ermessen (Abs. 1) festzusetzen; sie kann aber dieselben nicht verlängern, weil sie sämmtlich für unerstrecklich erklärt sind.

Es wird daher angemessen sein, wenn die Behörden in den geeigneten Fällen die Betheiligten auf den sie bedrohenden Rechts=nachtheil besonders aufmerksam machen. (Vergl. noch unten §. 53, 54, 77, 79, 90.)

§. 44.

Beweismittel in Verwaltungssachen.

In Verwaltungssachen sind alle Beweismittel zulässig, mit Aus=nahme des Haupt= und Ndotheides, jedoch vorbehaltlich der besonderen

Gesetze, welche für gewisse Fälle die eidliche oder handgelübbliche Bestätigung der Angaben der Partheien zulaffen oder vorschreiben.

Die Zeugen werden nur auf Verlangen der Betheiligten, oder wenn es zur Ermittelung der Wahrheit aus besondern Gründen dienlich erscheint, verpflichtet. Regel ist die handgelübbliche Verpflichtung; in wichtigeren Sachen kann nach dem Ermessen der Behörde, und wo es gesetzlich vorgeschrieben ist, muß eidliche Vernehmung stattfinden. In dienstpolizeilichen Untersuchungen findet die Verpflichtung der Zeugen regelmäßig statt.

Sachverständige werden nur dann verpflichtet, wenn es von einer Parthei ausdrücklich verlangt wird, ausgenommen Solche, welche vermöge ihres Dienstes oder sonst im voraus für Begutachtungen der fraglichen Art im Allgemeinen verpflichtet sind.

Vergl. Gesetz vom 20. Dezember 1848 über das Verfahren bei Eideserhebungen (Reg.=Bl. Nr. 81). Vollzugsverordnung vom 18. Sept. 1852 (Verordnungsblatt des Unterrheinkreises Nr. 30). Verordnung vom 13. Oct. 1849 (ebendaselbst Nr. 24.)
Ueber Beeidigung und Vergelübbung
a. der Zeugen: bürgerliche Proceßordnung §. 450 u. ff.,
b. der Sachverständigen: ebendaselbst §. 499.

§. 45.
Vollzug der Verwaltungsentscheidungen.

Der Vollzug der in Verwaltungssachen und Verwaltungsstreitigkeiten ergangenen Entscheidungen und Erkenntniffe geschieht durch die Bezirksämter, so weit nicht für einzelne Gegenstände der Vollzug durch Gesetz oder Verordnung andern Behörden übertragen ist.

Wegen Geldforderungen, welche auf öffentlichem Rechte beruhen, können die Bezirksämter auf Antrag der Forderungsberechtigten bedingte Zahlungsbefehle und Liquiderkenntniffe erlaffen und die Pfändung vollziehen laffen, vorbehaltlich der Entscheidung des bürgerlichen Richters über die nicht unmittelbar mit der Vollstreckung des öffentlich rechtlichen Anspruchs zusammenhängenden privatrechtlichen Streitpunkte.

Ueber bedingte Zahlungsbefehle und Liquiderkenntniffe: s. §. 638 und ff. der bürgerlichen Proceßordnung. Ueber das Vollstreckungsverfahren: ebendaselbst §. 837 und ff.

§. 46.
Beschwerden gegen den Vollzug.

Ueber Beschwerden gegen den Vollzug von Verwaltungsentschei=
dungen und Verfügungen, sofern sie darin bestehen, daß der Vollzug
nicht mit dem Inhalte der ergangenen Entscheidung oder Verfügung
übereinstimme, entscheidet die Stelle, welche diese erlassen hat.   Solche
Beschwerden müssen längstens innerhalb 14 Tagen nach beendigtem
Vollzuge vorgetragen werden.

§. 47.
Verbringung in die polizeiliche Verwahrungsanstalt.

Wenn der Bezirksrath nach §. 5, Ziff. 10 des Verwaltungsgesetzes
ausgesprochen hat, daß die gesetzlichen Voraussetzungen der Verbringung
einer Person in die polizeiliche Verwahrungsanstalt vorhanden sind, so
steht der weitere Vollzug der Polizeibehörde zu.

Ist die Verbringung nicht innerhalb Jahresfrist vollzogen, so kann
der Verurtheilte verlangen, daß, bevor die Ablieferung in die Anstalt
erfolgt, von neuem ein Erkenntniß des Bezirksrathes darüber ergehe,
ob die Voraussetzungen des Gesetzes auf ihn noch Anwendung finden.
Vergl. Verw.=Gesetz §. 5, Ziff. 10 und Zus. 26.

2) Für Verwaltungsstreitigkeiten insbesondere.

§. 48.
Beschränkung des Erkenntnisses auf den Streitgegenstand und die vertretenen Partheien. Beiladung.

Die Verwaltungsgerichte dürfen bei ihren Erkenntnissen nicht über
den zur Entscheidung vor sie gebrachten Gegenstand und nicht über den
Kreis der in den Verhandlungen vertretenen Partheien hinausgehen.
Im Uebrigen sind sie an die Anträge der Partheien nicht gebunden.

Die Beiladung solcher Betheiligter, deren Interesse durch die zu
erlassende Entscheidung berührt wird, findet von Amtswegen statt.   In
diesem Falle gilt die Entscheidung auch gegenüber den Beigeladenen.
Vergl. §. 29 dieser Verordnung und Zusatz.

Beiladung dritter Betheiligter.   Die Beiladung dritter Betheiligter findet nicht blos in Ver=
waltungsstreitigkeiten, sondern, wie dieß aus §. 78, Abs. 1 dieser
Verordnung hervorgeht, auch bei reinen Verwaltungssachen statt.

Sie folgt schon aus dem oben §. 32 aufgestellten Grundsatze, wonach von den Verwaltungsbehörden das persönliche Erscheinen und die Auskunftertheilung von Seiten der Partheien und Betheiligten, wenn es zur Aufklärung der Sache nöthig ist, verlangt werden kann.

Daß die hier besprochene verwaltungsrechtliche Beiladung von civilprocessualischen (s. bürgerliche Proceßordnung §. 122 und 123) gänzlich verschieden ist, bedarf kaum der Bemerkung.

§. 49.
Erkenntniß auf Antrag der Vertreter des öffentlichen Interesses.

Auch wenn die unmittelbar Betheiligten nicht selbst mit ihrem Anspruch vor den Verwaltungsgerichten auftreten, kann, sofern die Regelung des streitigen Verhältnisses durch das gemeine Interesse geboten ist, die Entscheidung der bezüglichen Streitfrage des Verwaltungsrechts auf Antrag der mit der Vertretung des öffentlichen Interesses beauftragten Beamten bei den Verwaltungsgerichten herbeigeführt werden.

§. 50.
Entscheidung administrativer Vorfragen.

Die Verwaltungsgerichte sind verpflichtet, solche Streitigkeiten des öffentlichen Rechtes, welche eine Vorfrage für die Entscheidung einer anhängigen bürgerlichen Streitsache bilden, auf Antrag des einen oder andern Betheiligten auch dann zu entscheiden, wenn diese Entscheidung zu keinem andern Zwecke nachgesucht wird, als um dieselbe bei dem bürgerlichen Gerichte zur Vorlage zu bringen.

Vergl. Grundlagen §. 9, Ziff. 5 zu Note 2.

§. 51.
Ausschluß schiedsrichterlichen Verfahrens.

Schiedsrichterliches Verfahren findet in Verwaltungsstreitsachen nicht statt.

§. 52.
Oeffentlichkeit und Mündlichkeit des Verfahrens.

Alle Verhandlungen von Verwaltungsrechtsstreitigkeiten vor den Bezirksräthen und vor dem Verwaltungsgerichtshofe sind öffentlich.

Das Verfahren ist mündlich. Die Feststellung des thatsächlichen Verhältnisses und die Erhebung der Beweise findet in der Regel in der ersten Instanz bei den Bezirksämtern, beziehungsweise Bezirksräthen, statt, und hat, so weit es als Grundlage für die Recursentscheidung erforderlich ist, entweder bei den Vorerhebungen oder bei der öffentlichen Schlußverhandlung schriftlich, beziehungsweise zu Protocoll, zu geschehen. Schriftliche Rechtsausführungen sind in diesem Verfahren ausgeschlossen und werden auch in das Protocoll nicht aufgenommen, vorbehaltlich jedoch einer kurzen Begründung der Anträge der Partheien unter Hinweisung auf die zur Anwendung kommenden Gesetze und Verordnungen.

Vergl. Verw.=Gesetz §. 10, Zuf. 3, §. 18 und Zuf.

Ueber Feststellung des thatsächlichen Verhältnisses und Vorbereitung zur Entscheidung s. §. 32, 60, 61 und 69 dieser Verordnung.

§. 53.

Ausbleiben der Partheien.

Das Ausbleiben der Partheien in der zur öffentlichen Verhandlung von Verwaltungsstreitigkeiten anberaumten Sitzung gilt nur als Verzicht auf den Vortrag mündlicher Ausführungen vor dem erkennenden Verwaltungsgericht. Die Verhandlung ist daher auch in Abwesenheit der Partheien vorzunehmen und nach deren Ergebniß die Entscheidung zu erlassen.

Der Vertreter des öffentlichen Interesses (bei den Bezirksräthen der Bezirksamtsvorstand) kann stets auf Erledigung einer anhängigen Sache bringen, auch wenn die Privatpartheien übereinstimmend erklären, daß sie dieselbe beruhen lassen wollen.

Erklärt nur diejenige Parthei, welche einen Anspruch erhoben hat, daß sie die Sache beruhen lassen wolle, so wird mit Zustimmung des Vertreters des öffentlichen Interesses die Verhandlung ausgesetzt, bis etwa der Gegentheil, dem hievon Mittheilung zu machen ist, auf Erledigung bringt.

Vergl. unten §. 81, 91, und Zuf. 2, 111 und 113. Verw.=Gesetz §. 10, Zuf. 3, S. 189—191.

§. 54.
Verlegung der Tagfahrten und öffentlichen Sitzungen.

Verlegung der zur öffentlichen Verhandlung von Verwaltungs=
streitigkeiten anberaumten Sitzungen findet nur aus dringenden Grün=
den, und namentlich dann statt, wenn die Erhebung neuer Beweise oder
die Erörterung neuer Thatsachen im öffentlichen Interesse geboten er=
scheint.

Wird die Verlegung der Tagfahrt durch das verspätete Vorbringen
einer Parthei nothwendig, so hat diese die Kosten der vereitelten Tagfahrt
zu tragen.

§. 55.
Wiederherstellung gegen auf Ausbleiben erlassene Erkenntnisse.

Ist nach Maßgabe des §. 53 das Erkenntniß auf Ausbleiben einer
Parthei erlassen, so kann diese, sofern sie nicht bereits in der Vorver=
handlung vollständiges Gehör gefunden hat, innerhalb Frist von 14 Ta=
gen und unter den Voraussetzungen, bei welchen Nachsicht gegen die
versäumte Recursfrist stattfindet (§. 79), Wiederherstellung nachsuchen.
Sie hat in diesem Falle stets die Kosten der zweiten Tagfahrt zu tragen.

§. 56.
Zulassung zum Armenrecht und Ersatz der Kosten.

Ueber die Zulassung zum Armenrechte und die Pflicht zum Ersatz
der Kosten gelten in Verwaltungsstreitsachen die Bestimmungen der
bürgerlichen Proceßordnung.

Alle Entscheidungen müssen zugleich über die Kostentragung er=
kennen.

Ueber Zulassung zum Armenrecht s. bürgerliche Proceßordnung
§. 160—168.

Ueber die Pflicht zum Kostenersatz s. ebendaselbst §. 169 und ff.

II. Verfahren vor den Bezirksräthen.
1) Im Allgemeinen.

§. 57.
Bestimmung der Sitzungstage.

Der Bezirksbeamte hat den Tag, an welchem in jedem Monat der
Bezirksrath regelmäßig sich versammelt, zu bestimmen und im Amts

verkündigungsblatt bekannt zu machen, sowie auch hievon jedes Mitglied des Bezirksrathes alsbald nach dessen Ernennung besonders in Kenntniß zu setzen.

Jede Aenderung der regelmäßigen Sitzungstage ist in gleicher Weise bekannt zu machen.

Tritt ausnahmsweise eine Verlegung des regelmäßigen Sitzungs= tages ein, so ist dies mindestens drei Tage vorher durch öffentlichen An= schlag am Amthause bekannt zu machen und den Mitgliedern des Be= zirksrathes besonders zu eröffnen.

Wenn in einem Amtsbezirk die vom Bezirksrath zu erledigenden Geschäfte besonders zahlreich sind, können die regelmäßigen Sitzungstage auch in kürzeren als monatlichen Zwischenräumen bestimmt werden.

Vergl. Verw.=Ges. §. 4 und Zus. 1 und 2. §. 10.

§. 58.
Tagesordnung der Sitzungen.

An den regelmäßigen Sitzungstagen sind stets zuerst die zur öffent= lichen Verhandlung ausgesetzten Verwaltungsstreitsachen vorzunehmen, und dann erst die übrigen Geschäfte.

Reicht ein Sitzungstag nicht zur Erledigung aller vorbereiteten Geschäfte aus, so ist damit gleich am folgenden Tage fortzufahren.

In dringenden Fällen kann der Bezirksbeamte in der Zwischenzeit von einem zum andern regelmäßigen Sitzungstag eine außerordentliche Sitzung des Bezirksrathes berufen.

Durch die vorstehenden Bestimmungen, welche auf §. 10, Abs. 1 des Verw.=Gesetzes ruhen, sind dem Beamten hinreichend Mittel in die Hand gegeben, jeder Geschäftsstockung vorzubeugen.

Es ist im Interesse einer möglichst raschen Geschäftsbesorgung sehr zu wünschen, daß von diesen Mitteln auch der entsprechende Gebrauch gemacht werde.

§. 59.
Einsicht des Verzeichnisses der Berathungsgegenstände und der Acten für die Betheiligten und Bezirksräthe.

Das Verzeichniß der Gegenstände, welche in der Sitzung zur Be= rathung gebracht werden sollen, nebst den dazu gehörigen Actenstücken, ist jeweils drei Tage vor dem regelmäßigen Sitzungstag zur Einsicht der Betheiligten und der Mitglieder des Bezirksrathes auf der Kanzlei des Bezirksamtes aufzulegen.   Wegen Dringlichkeit können auch andere Gegenstände nach dem Ermessen des Bezirksbeamten zur Berathung ge-bracht werden.

Bei außerordentlichen Sitzungen sind die Mitglieder des Bezirks-rathes von den zur Berathung gelangenden Gegenständen bei der Ein-ladung besonders in Kenntniß zu setzen.

§. 60.
Vorbereitung der Geschäfte durch den Bezirksbeamten.

Der Bezirksbeamte bereitet selbst oder durch seine Hilfsbeamten die zur Zuständigkeit des Bezirksrathes gehörigen Gegenstände (§§. 5—8 des Verwaltungsgesetzes) zur Beschlußfassung und Entscheidung vor, insoweit nicht diese Vorbereitung auf Antrag der Partheien oder im Auftrag des Bezirksbeamten von einem anderen Mitgliede des Bezirks-rathes übernommen wird.

Die Correspondenz mit andern Behörden, sowie die protocollarische Einvernahme von Zeugen und Sachverständigen kann nur von dem Bezirksamt geschehen.

Bevor der Bezirksbeamte die von Andern vorbereiteten Geschäfts-gegenstände auf die Liste der zu verhandelnden Gegenstände setzt, hat er dieselben zu prüfen, und nach Erforderniß das Mangelnde zu ergänzen.

Verw.-Ges. §. 10 und Zus. 2, vergl. mit §. 9, Abs. 3, S. 32, 52, 61, 64, 68, 69 und 91 dieser Verordnung.

§. 61.
Gehör der Partheien.

In Verwaltungssachen müssen die Betheiligten schon in der Vor-verhandlung gehört, oder es muß ihnen Gelegenheit gegeben werden, auf das Vorbringen etwaiger Gegenbetheiligter sich zu erklären.

Zur Verhandlung vor dem Bezirksrath werden dieselben in solchen Sachen nicht geladen; doch steht es ihnen frei, dabei selbst oder durch einen Bevollmächtigten zu erscheinen, um mit ihrer mündlichen Ausfüh-rung gehört zu werden.

§. 62.
Anwohnung des Amtsvorstandes in den Sitzungen.

Der Bezirksamtsvorstand hat in der Regel allen Sitzungen des Bezirksrathes in Person anzuwohnen.

Bei seiner Verhinderung tritt sein Stellvertreter ein.

§. 63.
Geschäftsbehandlung in geheimer Sitzung.

In Sachen, bei welchen eine öffentliche mündliche Verhandlung nicht stattfindet, wird die Berathung durch einen Vortrag über das Thatsächliche des Falles und die einschlagenden Gesetze und Verordnungen eingeleitet.

Der Vortrag wird in der Regel vom Bezirksamtsvorstand erstattet, welcher jedenfalls verpflichtet bleibt, den Mitgliedern des Bezirksrathes auf Verlangen Auskunft über einzelne ihnen zweifelhaft erscheinende Fragen zu ertheilen, und überhaupt dafür Sorge zu tragen, daß dieselben von dem Sach= und Rechtsbestand des einzelnen Falles möglichst genau unterrichtet werden.

§. 64.
Beizug der übrigen Beamten des Bezirksamts zu den Sitzungen.

Der Bezirksbeamte ist befugt, zu den Sitzungen des Bezirksrathes die übrigen bei dem Bezirksamte angestellten Beamten und Hilfsarbeiter, sowie den Rechnungsverständigen und andere Sachverständige zur Ertheilung von Auskunft mit berathender Stimme beizuziehen.

Er kann die Vortragserstattung in einzelnen Fällen einem andern Mitgliede des Bezirksrathes oder einem der zur Berathung beigezogenen Beamten oder Gehilfen übertragen. Dieses hat namentlich dann zu geschehen, wenn einem Solchen die Vorbereitung der Sache übertragen war, ausgenommen wo besondere Gründe den Bezirksbeamten zu einer andern Anordnung bestimmen.

Das Stimmrecht in den Sachen, worüber der Vortrag von einem nicht zu den Mitgliedern des Bezirksrathes gehörigen Beamten oder Hilfsarbeiter erstattet worden, verbleibt dem vorsitzenden Bezirksbeamten.

§. 65.
Verhandlung und Beschlußfassung in der Sitzung.

Der Vortragende hat einen bestimmten Antrag zu stellen. Jedem Mitgliede des Bezirksrathes steht es frei, einen Gegenantrag zu stellen und zu begründen.

Erachtet der Vorsitzende die Sache für vollständig erörtert, so schließt er die Berathung und läßt über die gestellten Anträge abstimmen.

Der Bezirksrath beschließt durch einfache Stimmenmehrheit. Bei Stimmengleichheit hat der Vorsitzende die Entscheidung.

Vergl. Verw.-Gesetz §. 4 und die Zusätze 3 und 5.

§. 66.
Protocoll über die Sitzung.

Den Sitzungen des Bezirksrathes hat zur Beurkundung der Beschlüsse ein Protocollführer anzuwohnen. In dem Protocolle ist zu bemerken: Die Benennung der anwesenden Mitglieder des Bezirksrathes und das Ergebniß der Abstimmung über die gestellten Anträge.

2. Verwaltungsstreitigkeiten insbesondere.

§. 67.
Vorprüfung der Gesuche in Bezug auf Zuständigkeit und rechtliche Begründung.

Bei den auf Verwaltungsstreitigkeiten bezüglichen Gesuchen und Anträgen hat der Bezirksbeamte zunächst zu prüfen:

1) ob die Zuständigkeit des Bezirksrathes begründet sei,
2) ob das gestellte Gesuch nicht einer bestimmten durch ein Gesetz oder eine Verordnung ausgesprochenen Vorschrift unzweifelhaft widerspreche.

Hält er die Zuständigkeit nicht für begründet oder dafür, daß ein solcher Widerspruch vorliege, so erstattet er in der nächsten Sitzung des Bezirksrathes Vortrag und veranlaßt dessen Entscheidung darüber, ob das Gesuch sofort zurückzuweisen oder Verhandlung darüber einzuleiten sei.

Die hier gegebenen Bestimmungen entsprechen den §§. 260 und 262 der bürgerlichen Proceßordnung.

§. 68.
Summarisches Verfahren in einfacheren Fällen.

Wird Verhandlung eingeleitet, so können in einfacheren Fällen, und namentlich dann, wenn das thatsächliche Verhältniß durch frühere amtliche Acten oder Urkunden sofort festgestellt werden kann oder sonst keiner näheren Vorerörterung bedarf, gleich oder nach Vernehmung des Gegentheils die Partheien zur mündlichen Verhandlung in die öffentliche Sitzung des Bezirksrathes vorgeladen werden.

Ist der Gegentheil nicht bereits vernommen, so wird ihm eine Abschrift der Eingabe, welche das gegen ihn gerichtete Gesuch enthält, mitgetheilt.

In der Zwischenzeit bis zur öffentlichen Verhandlung hat der Bezirksbeamte von Amtswegen die zur Entscheidung der Sache etwa erforderlichen Materialien zu sammeln.

§. 69.
Ordentliches Verfahren.

In andern Fällen wird nach Vernehmung des Gegentheils, Feststellung der Thatsachen und Erhebung der Beweise von dem Bezirksbeamten Tagfahrt zur Eröffnung des Ergebnisses der Vorverhandlung anberaumt. Die Betheiligten sind hiezu gegen Bescheinigung mit dem Bemerken zu laden, daß sie in dieser Tagfahrt ihre etwaigen weiteren Vertheidigungsmittel und Beweise vorzubringen haben.

Von dieser Tagfahrt kann Umgang genommen werden, wenn mit Sicherheit anzunehmen ist, daß durch das Vorbringen der Partheien keine nachträglichen Erhebungen veranlaßt werden können.

Nach Beendigung der Vorverhandlungen bestimmt der Bezirksbeamte den Tag, an welchem die Sache in der Sitzung des Bezirksrathes zur Verhandlung und Entscheidung gebracht werden soll.

Vergl. §. 32, 52, 60, 61, 64, 68 dieser Verordnung.

§. 70.
Bekanntmachung der Tagesordnung der öffentlichen Sitzung und Vorladung der Betheiligten.

Die Tagesordnung der zur öffentlichen Verhandlung von dem Bezirksrath ausgesetzten Gegenstände ist jeweils durch öffentlichen Anschlag am Amthause bekannt zu machen.

Die Betheiligten werden überdies zu der Verhandlung gegen Be=
scheinigung noch besonders mit dem Anfügen geladen, daß in der öffent=
lichen Sitzung neue Thatsachen und Beweise nicht mehr vorgebracht
werden dürfen, und daß ein solches Vorbringen nur dann Berücksichti=
gung finden kann, wenn dasselbe spätestens 8 Tage vor der Sitzung bei
dem Bezirksamte eingereicht wird.

Die Frist zwischen der Zustellung der Ladung und der öffentlichen
Sitzung muß mindestens 14 Tage betragen. Nur mit Zustimmung
der Betheiligten kann sie abgekürzt werden.

Sind von den Betheiligten schon in der Vorverhandlung Bevoll=
mächtigte aufgestellt worden, so sind diese vom Sitzungstag gleichfalls
in Kenntniß zu setzen.

§. 71.
Verhandlung in der öffentlichen Sitzung.

Der Bezirksbeamte eröffnet und leitet die Verhandlung und ertheilt
das Wort zum Vortrag.

Zunächst trägt er eine kurze Zusammenstellung der thatsächlichen
Streitpunkte und der bisherigen Erhebungen vor und erhebt die Beweise,
beziehungsweise läßt aus den Acten die erheblichen Beweisstellen vor=
lesen. Hierauf werden die Betheiligten oder ihre Bevollmächtigten ver=
anlaßt, ihre Erklärungen mündlich abzugeben.

Der Vorsitzende, sowie die Mitglieder des Bezirksrathes können zur
näheren Feststellung der Thatsachen Fragen an die Partheien richten.

Ergibt sich durch die mündliche Verhandlung eine Aenderung an
dem Sachbestand des Streites gegenüber den Erhebungen in der Vor=
verhandlung, oder sind in der Sitzung neue Thatsachen oder Beweise er=
hoben worden, so wird das Wesentliche hierüber zu Protocoll genommen.

§. 72.
Erkenntniß.

Erachtet der Vorsitzende die Sache für hinlänglich erörtert, so
schließt er die Verhandlung und es wird hierauf vom Bezirksrath in
geheimer Berathung die Entscheidung gegeben.

Die Fassung der Erkenntnisse hat zu lauten:

Erkenntniß.

„In der Sache u. ſ. w. entſcheidet der Bezirksrath zu N. als Ver=
waltungsgericht.“

Die Entſcheidung iſt in directem Style zu erlaſſen, und hat alle
Streitpunkte zu umfaſſen.

Die Entſcheidungsgründe können vorausgeſchickt oder als Anhang
beigegeben werden.

Die Ausfertigung des Erkenntniſſes wird von dem Vorſitzenden
und dem Protocollführer beurkundet.

§. 73.

Verkündung des Erkenntniſſes.

Das Erkenntniß wird entweder ſogleich in der öffentlichen Sitzung
oder längſtens innerhalb 14 Tagen nachher in beſonderer Tagfahrt durch
den Bezirksbeamten verkündet.

Der ausbleibenden Parthei wird Abſchrift des Erkenntniſſes auf
ihre Koſten gegen Beſcheinigung behändigt.

§. 74.

Belehrung der Betheiligten über Recursrecht, Friſten und deren Verſäumung.

Die Betheiligten ſind bei Eröffnung der Erkenntniſſe in Verwal=
tungsſtreitſachen über das Recursrecht, die Recursfriſten und die Fol=
gen der Verſäumniß ausdrücklich zu belehren.

Zur Giltigkeit der Eröffnung gehört dieſe Belehrung nicht.

III. Von dem Recurſe und andern Rechtsmitteln.

1) Im Allgemeinen.

§. 75.

Recht zum Recurſe.

Jeder, deſſen rechtliches Intereſſe durch eine Entſcheidung oder Ver=
fügung der Verwaltungsbehörden und Gerichte beeinträchtigt ſein kann
und der daſſelbe für verletzt hält, iſt dagegen zu recurriren befugt, aus=
genommen wenn ihm das Recht des Recurſes durch beſondere Geſetze
entzogen iſt.

Bei Streitigkeiten über Beiträge zu öffentlichen Lasten gilt nur der Verband, welcher den Beitrag anfordert, sowie die einzelnen Steuerpflichtigen, um deren Beiträge es sich handelt, nicht aber die übrigen Steuerpflichtigen als rechtlich interessirt.

Voraussetzungen des Recursrechts. 1) Das Recht zum Recurse ist an die nachfolgenden Voraussetzungen gebunden:

Nur Denjenigen, dessen rechtliches Interesse durch eine Entscheidung oder Verfügung beeinträchtigt sein kann und der dasselbe für verletzt hält, kann recuriren.

Daraus folgt, daß

Kein Recurs der öffentlichen Anzeiger. a. den öffentlichen Dienern, z. B. Gendarmen, Polizeidienern ein Recursrecht nicht zusteht, wenn einer von ihnen gemachten dienstlichen Anzeige die von ihnen beabsichtigte Folge nicht gegeben wird; denn hier liegt kein eigenes persönliches Interesse vor, welches durch die Verwaltungsbehörde beeinträchtigt werden könnte.

Ebenso können aus dem gleichen Grunde

Der Einzelnen bei Entscheidungen von Untersuchungen gegen Gemeindebeamte. b. die einzelnen Gemeindebürger, selbst wenn sie als Anzeiger aufgetreten sind, gegen die Entscheidungen der Staatsbehörden nicht recuriren, welche über den Antrag auf Einleitung einer dienstpolizeilichen Untersuchung gegen Gemeindebeamte oder über das Ergebniß einer solchen Untersuchung ergangen sind.

Auch ein Anklageverfahren [Einzelner mit Erbieten zum Kostenersatz finden in solchen Beschwerdesachen nicht statt, s. unten §. 85.

Gegen proceßleitende Verfügungen. c. gegen solche Verfügungen, welche blos die Leitung des Verfahrens bezwecken und keine Entscheidung in einer vorliegenden Verwaltungssache treffen, ist ein Recurs gleichfalls nicht zulässig, weil eben eine Beeinträchtigung rechtlicher Interessen durch solche proceßleitende Verfügungen nicht möglich ist.

In Bezug auf Verwaltungsstreitigkeiten geht dieß noch überdieß aus der Wortfassung des §. 13 des Verw.-Gesetzes hervor, da hier das Recht des Recurses nur „gegen Erkenntnisse des Bezirksrathes gegeben ist.

Unzulässigkeit des Recurses einzelner Steuerpflichtigen bei Erkenntnissen gegen einen Verband. 2) Der zweite Absatz dieses Paragraphen verfügt die schon durch Erlaß des Ministeriums des Innern vom 20. Sept. 1854, Nr. 13,695, ausgesprochene und in der Natur der Sache liegende Unzulässigkeit des Recurses der einzelnen, nicht speciell betheiligten Steuerpflichtigen gegen Erkenntnisse, welche über Streitigkeiten wegen Beiträgen zu den öffentlichen Lasten einem Verbande], z. B.

einer Gemeinde gegenüber, erlassen wurden. Vergl. Fröhlich a. a. O. Zuſ. c. zu §. 3 b. Rec.=O., S. 485.

§. 76.
Beschwerde gegen Verfügungen der Bürgermeiſter und Gemeinderäthe.

Als Recurs im Sinne dieser Verordnung iſt nur die Beschwerde gegen das Erkenntniß einer Staatsbehörde zu betrachten.

Recurſe und Beschwerden gegen Verfügungen und Anordnungen der Bürgermeiſter und Gemeinderäthe nach §. 173 der Gemeindeordnung ſind an keine beſondern Friſten und Förmlichkeiten gebunden. Doch iſt, wenn ſeit dem Vollzug der angeblich beschwerenden Anordnung schon länger als ein Jahr verfloſſen iſt, die Staatsbehörde befugt, die nähere Prüfung der Beschwerde von der Hand zu weiſen.

Solche Beschwerden und Recurſe müſſen immer bei der zunächſt vorgeſetzten Bezirksſtelle angezeigt und ausgeführt werden.

§. 77.
Friſt zur Anzeige und Ausführung des Recurſes.

Die Friſt zur Anzeige und Ausführung des Recurſes beträgt, ſo weit nicht beſondere Geſetze etwas Anderes beſtimmen, in Verwaltungsſachen, ſowie in Bürgerannahmsſachen 21 Tage, in andern Verwaltungsſtreitſachen 42 Tage.

Die Recurſe gegen Verfügungen der Bezirksämter in Polizeiſtrafſachen, inſoweit dieſelben im Verwaltungswege zu erledigen ſind, müſſen innerhalb 10 Tagen angezeigt und ausgeführt werden.

Die Recursfriſt läuft von der Eröffnung der angefochtenen Entſcheidung an.

Friſt zur Anzeige und Ausführung. 1) Die Friſt zur Anzeige iſt von jener zur Ausführung des Recurſes nicht mehr — wie dieß in §. 4 der Recursordnung vom 14. März 1833 der Fall war — getrennt. Das Recursrecht iſt daher gewahrt, wenn nur innerhalb der Friſt von 21 und beziehungsweiſe 42 Tagen die Recursausführung eingebracht wird. Doch muß darauf aufmerkſam gemacht werden, daß der Recurs in der Regel eine aufschiebende Wirkung nur dann hat, wenn die Anzeige deſſelben innerhalb 8 Tagen nach Eröffnung der Entscheidung erfolgt, §. 80, Abſ. 1.

Ueber Berechnung der Friſten, ſ. §. 42 oben.

Besondere Gesetze. 2) Die bestehenden Verordnungen, welche andere Recurs=
fristen als die hier festgesetzten, vorschreiben, werden auch künftig in
Kraft bleiben, z. B. §. 64, 67, 101 der Gemeindewahlordnung.

**Recurse in Polizei-
strafsachen.** 3) Vergl. §. 44 und 61 der Strafproceßordnung mit §. 2
des Gesetzes über die Gerichtsbarkeit und das Verfahren in Poli=
zeistrafsachen vom 28. Mai 1864 (Reg.=Bl. Nr. 31).

Die Recurse gegen die Verfügungen der Bezirksämter, wonach
die Anträge von Verletzten auf Einleitung eines polizeilichen Ver=
fahrens zurückgewiesen werden, sind von den Landescommif=
fären zu erledigen, §. 28, Ziff. 10 dieser B.=O.

Anschließungsrecht. 4) Die bisherige Praxis hat dem Gegner des Recurrenten in
den reinen Verwaltungs= und Polizeisachen ein Anschließungsrecht
nicht eingeräumt, wohl aber in den Verwaltungsstreitigkeiten.
S. hierüber Fröhlich a. a. O., Zus. 6 zu §. 4 der R.=O. S. 486 und 487.

Dieser Anschauung folgt auch die neue Verordnung. Sie be=
stimmt in §. 94 ausdrücklich, daß in Verwaltungsstreit=
sachen jedem Gegenbetheiligten das Recht zur Anschließung an
ein ergriffenes Rechtsmittel zustehe.

Bei den Recursen in den gewöhnlichen Verwaltungs= und
Polizeisachen ist einer solchen Befugniß nicht erwähnt, und sie muß
daher hienach und nach den Bestimmungen über die Einhaltung
der Fristen (§. 43, vergl. mit §. 79), wie dieß auch aus der Natur
der Sache folgt, für unstatthaft erklärt werden.

§. 78.
Recht dritter Betheiligter zur Wiederherstellung.

Dritte Betheiligte, welche in den der Entscheidung vorhergegange=
nen Verhandlungen nicht als Parthei aufgetreten oder beigeladen waren,
können innerhalb der Recursfrist bei der erkennenden Verwaltungsstelle
um Wiederherstellung nachsuchen.

Diese Frist läuft, wenn solchen Betheiligten das Erkenntniß beson=
ders eröffnet wurde, von der Eröffnung, andernfalls von dem Zeitpunkte
an, an welchem vier Wochen verflossen waren, seitdem solchen Bethei=
ligten nachweislich das Bestehen des anzufechtenden Erkenntnisses auf
irgend einem Wege bekannt geworden war, oder dasselbe an deren Wohn=
sitze öffentlich bekannt gemacht wurde, oder zu dessen Vollzug offene An=
stalten getroffen worden sind.

Vergl. §. 48 oben und Zusatz.

§. 79.

Folgen der Versäumung der Recursfristen.   Wiederherstellung dagegen.

Die Recursfristen sind unerstrecklich. Die Versäumung derselben zieht den Verlust des Recursrechtes nach sich.

Wiederherstellung oder Nachsicht gegen deren Versäumniß ist von der Recursstelle nur in dem Falle unverschuldeter Verhinderung zu ge= währen. Das Wiederherstellungsgesuch ist längstens innerhalb 10 Ta= gen nach Beseitigung des Hindernisses zugleich mit den deßfallsigen Nachweisen und der Recursausführung in der Hauptsache einzureichen. In dem Enderkenntniß entscheidet alsdann die Recursstelle zugleich dar= über, ob und in welcher Weise dem unterliegenden Gegentheil wegen bereits aufgewendeter Kosten Schadloshaltung gebühre.

Die Nachsicht muß stets verweigert werden, wenn zur Ausübung einer Befugniß, deren gesetzmäßige Ertheilung der Recurrent bestreitet, bereits offene Anstalten getroffen und seit dem ersten Beginne solcher Anstalten schon drei Monate abgelaufen sind.

Vergl. §. 43 oben und Zusatz.

§. 80.

Aufschiebende Wirkung des Recurses.

Die Einlegung des Recurses hat aufschiebende Wirkung, wenn die Anzeige innerhalb 8 Tagen nach Eröffnung der Entscheidung erfolgt.

Wegen besonders dringenden Umständen kann jedoch der Vollzug, falls hierdurch kein unwiderbringlicher Nachtheil für eine Parthei ent= steht, auch bei rechtzeitig erfolgter Recursanzeige gestattet oder befohlen werden. Zu dieser Anordnung ist sowohl die entscheidende Behörde als die Recursstelle befugt, welche letztere indessen den Vollzug jederzeit wie= der einstellen kann.

Auch kann bei verspäteter Anzeige des Recurses, soferne entweder die Fristen des §. 77 noch im Laufe, oder die Voraussetzungen des §. 79, Abs. 2, vorhanden sind, Einhalt mit dem Vollzug des angefochtenen Erkenntnisses bewilligt werden; der Einhalt muß unter der eben er= wähnten Voraussetzung alsdann immer bewilligt werden, wenn mit dem Vollzug ein unwiederbringlicher Nachtheil für eine Parthei verbun= den ist.

§. 81.
Behörde zur Anzeige und Ausführung des Recurses.

Die Anzeige und Ausführung des Recurses hat bei dem das Er=
kenntniß eröffnenden Bezirksamte mündlich oder schriftlich zu geschehen.

Der Recurrent kann statt der Ausführung des Recurses einfach
höheres Erkenntniß nach Lage der Acten verlangen.

Belehrung über den Inhalt des §. 53. In den Fällen des Absatzes 2 dieses Paragraphen ist es von
besonderer Wichtigkeit, daß die Bezirksämter die Vorschrift des
§. 91, Abf. 3, wonach Partheien über den Inhalt des §. 53 dieser
Verordnung (vergl. mit §. 111) zu belehren sind, um einem un=
nöthigen Zeit= und Kostenaufwand zu entgehen, genau befolgen.

Recursausführung. Vergl. §. 91, Zuf. 1.

§. 82.
Erklärung auf die Recursausführung.

Zum Vortheil des Recurrenten kann die Recursstelle die Entschei=
dung nur abändern, nachdem zuvor dem Gegner desselben Gelegenheit
gegeben worden ist, sich schriftlich oder mündlich über den Inhalt der
Recursausführung zu erklären.

Vergl. §. 61, 68, 69.

2) In Verwaltungs= und Polizeisachen.

§. 83.
Instanzen bei Recursen.

Für Verwaltungs= und Polizeisachen bilden die Ministerien in der
Regel die letzte Instanz. Ausgenommen sind die Fälle:

1) in welchen von einem Ministerium zuerst entschieden wor=
den ist;
2) in welchen es sich um Kränkung verfassungsmäßiger Gerecht=
same handelt;
3) für welche eine untergeordnete Behörde durch besondere Gesetze
oder Verordnungen als letzte Instanz bezeichnet ist.

In den beiden ersten Fällen kann die Beschwerde bis an das Staats=
ministerium verfolgt werden.

Ueber verfassungsmäßige Rechte vergl. Fröblich a. a. O. Zuf. 5 zu §. 21 der
Rec.=O., S. 499.

§. 84.

Entscheidende Behörden.

Die Recurse gegen Entscheidungen und Verfügungen der Bezirks= ämter und Bezirksräthe in Verwaltungs= und Polizeisachen gehen — vorbehaltlich der den Landescommissären oder dem Verwaltungshof zur Erledigung zugewiesenen Beschwerden — an das Ministerium des Jn= nern, beziehungsweise das für den betreffenden Gegenstand zuständige andere Ministerium.

In so weit den Landescommissären ein selbstständiges Verfügungs= recht für gewisse Verwaltungsgegenstände eingeräumt ist, entscheidet über die beßfallsigen Recurse und Beschwerden das zuständige Ministerium.

§. 85.

Kein Recursrecht der Einzelnen bei Entscheidungen über Einleitung von Unter= suchungen gegen Gemeindebeamten.

Gegen die Entscheidungen der Staatsbehörden über den Antrag auf Einleitung einer dienstpolizeilichen Untersuchung gegen Gemeinde= beamte oder über das Ergebniß einer solchen Untersuchung steht den einzelnen Gemeindebürgern, auch wenn sie als Anzeiger aufgetreten sind, nach dem im §. 75 aufgestellten Grundsatze kein Recursrecht zu. Nur die Gemeindeversammlung, wenn sie nach §. 12, Ziff. 6 der Ge= meindeordnung die Beschwerden gegen die Amtsführung der Gemeinde= beamten als Gemeindesache erklärt hat, sowie diese letzteren, sind zu recurriren befugt.

Ein Anklageverfahren Einzelner mit Erbieten zum Kostenersatz findet in solchen Beschwerdesachen nicht statt.

Beschwerden Einzelner gegen bestimmte Amtshandlungen der Ge= meindebeamten, wodurch sie ihr rechtliches Interesse beeinträchtigt hal= ten, sind stets abgesondert zu behandeln und einzeln zu erledigen.

Vergl. §. 75. Zus. 1.

§. 86.

Beschwerden in, dem Ermessen der Regierung überlassenen, Verwaltungssachen.

Gegen Verfügungen in Verwaltungs= und Polizeisachen, deren Regelung gesetzlich dem freien Ermessen der Staatsgewalt als solcher anheim gegeben ist, kann zwar jeder Betheiligte bei der höheren Behörde

Beschwerde führen. Diese ist jedoch nicht verbunden, der Beschwerde eine weitere Folge zu geben, als sie im öffentlichen Interesse für geboten hält.

Solche Beschwerdesachen sind an keine Fristen und Formen des Verfahrens gebunden.

§. 87.
Beschwerden gegen ertheilte Bewilligungen.

Beschwerden gegen ertheilte Bewilligungen oder Genehmigungen sind nur in den Fristen und Formen des Recurses zulässig.

Nach Ablauf der Recursfrist ist eine Zurückziehung der Bewilligung oder Genehmigung nur wegen Unzuständigkeit oder Gewaltsüberschreitung der verfügenden Behörde oder dann zulässig, wenn die Bewilligung oder Genehmigung erschlichen oder im Widerspruch mit einer bestimmten Vorschrift eines Gesetzes oder einer Verordnung ertheilt wurde.

Wird gegen eine obrigkeitlich ertheilte Bewilligung oder Genehmigung recurrirt, so ist von der Recursanzeige dem Gegentheil des Recurrenten unverweilt Nachricht zu geben.

§. 88.
Abänderung einer Verfügung durch die Behörde selbst und allgemeine Weisungen.

Die Behörde, von welcher eine Verfügung oder Entscheidung in Verwaltungs= und Polizeisachen erlassen ist, oder die ihr vorgesetzte höhere Behörde, kann solche auf ergriffenen Recurs oder sonst auf Ansuchen einer Parthei — auch wenn ein weiterer Recurs nach den Bestimmungen der gegenwärtigen Verordnung nicht mehr zulässig ist — abändern oder ganz aufheben:

1) wenn durch die Verfügung oder Entscheidung nicht eine Parthei einen gesetzmäßigen Anspruch bereits erworben hat — und in diesem Falle schon wegen geänderter Ansicht — oder
2) wenn durch spätere Verhandlungen das thatsächliche Verhältniß in wesentlicher Beziehung sich abweichend gestaltet.

Ist die Verfügung schon Gegenstand einer höheren Entscheidung geworden, so steht dieses Recht nur der höheren Behörde zu, welche zuletzt materiell entschieden hat.

Hievon abgesehen ist es der vorgesetzten Behörde jederzeit unbenommen, solche Weisungen, Anordnungen oder Belehrungen zu erlassen, welche sich auf den Gegenstand der Verfügung oder Entscheidung im Allgemeinen beziehen.

Rechtskraft. 1) Die vorstehenden Bestimmungen sind mit dem bisherigen Rechte im Einklang.

(Vergl. Recursordnung von 1833, §. 13, 14 und 18; Fröhlich a. a. O., Zus. zu §. 13, S. 492 und 493, und Christ a. a. O., Zus. zu §. 13, 14 und 18, S. 407—412.)

Hienach gibt es in reinen Verwaltungs= und Polizeisachen, wie es auch aus der Natur der Sache folgt, in der Regel keine Rechtskraft. Es kann vielmehr die Verwaltungsbehörde ihre Verfügungen in solchen Sachen selbst auf einfaches Ansuchen wegen geänderter Ansicht zurücknehmen, sofern nicht durch die erlassene Verfügung eine Parthei bereits einen gesetzmäßigen Anspruch erworben hat, z. B. eine Baubewilligung, Genehmigung eines Gemeindebeschlusses 2c.

Ebenso kann die Abänderung oder Zurücknahme erfolgen, wenn durch spätere Verhandlungen das thatsächliche Verhältniß in wesentlicher Beziehung sich abweichend gestaltet.

In Verwaltungsstreitigkeiten dagegen erkennt der §. 93 mit ausdrücklichen Worten die Rechtskraft der Erkenntnisse der Verwaltungsgerichte an und läßt eine Abänderung derselben nur auf den Grund neu aufgefundener Thatsachen oder Beweise während der Dauer von vier Jahren im Wege eines Wiederherstellungsgesuchs zu.

Weisungen und Belehrungen. 2) Vergl. oben §. 29 und Grundlagen §. 13, S. 130 und 131.

3) In Verwaltungsstreitsachen.

§. 89.
Instanzen in Verwaltungsstreitigkeiten.

Für Verwaltungsstreitigkeiten bestehen nur zwei Instanzen (§. 15 des Verwaltungsgesetzes).

Vergl. geschichtliche Einleitung §. 23, Ziff. 2. Grundlage §. 3, Ziff. IV.

§. 90.
Recursausführung.

Die Recursausführung hat, so fern nicht einfach höheres Erkenntniß nach Lage der Acten begehrt wird, zu enthalten: die Nachweisung

der Beobachtung der Fristen, die Aufstellung der Beschwerden, die Be=
zeichnung etwaiger neuer Thatsachen und Beweise, und einen bestimmten
Antrag.   Das spätere Vorbringen neuer Thatsachen ist unstatthaft,
vorbehaltlich der Bestimmungen in §. 43.

Vergl. §. 79 und 81.

§. 91.

Verhandlungen über die Recursausführung.

Die Recursausführung wird, wenn keine neuen Thatsachen oder
Beweise darin vorgetragen sind, dem Gegentheil mit dem Anfügen mit=
getheilt, daß er sich darauf spätestens in der zur Recursverhandlung vor
dem Verwaltungsgerichtshof anzuberaumenden Tagfahrt zu erklären
habe.

Sind neue Thatsachen und Beweise vorgebracht worden, so wird
Tagfahrt zur Verhandlung hierüber vor dem Bezirksbeamten anbe=
raumt; in derselben Tagfahrt werden auch die vorgebrachten neuen
Beweise, so weit sie von Erheblichkeit sind, erhoben.   Beschwerden gegen
die Zurückweisung einzelner neuer Beweise wegen Unerheblichkeit ent=
scheidet der Verwaltungsgerichtshof.

Nach Beendigung der Recursverhandlungen sind die Partheien stets
auf die Bestimmungen der §§. 53 und 103 dieser Verordnung beson=
ders aufmerksam zu machen und über deren Inhalt zu belehren.   Zu=
gleich werden dieselben davon in Kenntniß gesetzt, daß die Acten nach
Ablauf von 10 Tagen an den Verwaltungsgerichtshof abgesendet werden.

Mittheilung der Re-cursausführung an den Gegentheil.   1) Nach §. 81 muß die Recursausführung bei dem das Er=
kenntniß eröffnenden Bezirksamte nach der Wahl des Recur=
renten mündlich oder schriftlich geschehen.

Das Bezirksamt ist daher nicht berechtigt, die Protocollirung
einer mündlichen Recursausführung abzulehnen.

In keinem Falle darf aber dieselbe dem Gegentheil in Ur=
schrift, sondern sie muß ihm in Abschrift oder im Falle schriftlicher
Einreichung in einer zu erhebenden Doppelschrift mitgetheilt wer=
den, damit die Acten vollständig erhalten werden und nicht durch
Zurückbehaltung der Recursausführung von Seiten des Gegners
der Recurrenten Weiterungen in dem späteren Verfahren ent=
stehen.   (Vergl. Verordnung des Ministeriums des Innern vom
7. Oct. 1837, Reg.-Bl. Nr. 44.)

Belehrung über §. 53 und 103.   2) Von großer Bedeutung ist die Vorschrift in Abs. 3 des §. 91,
wonach am Schlusse der Recursverhandlungen die Partheien stets

auf die Bestimmungen der §§. 53 und 103 dieser Verordnung
a u f m e r k s a m z u m a c h e n u n d ü b e r d e r e n I n h a l t z u
b e l e h r e n s i n d.

Der Zweck dieser Bestimmung geht offenbar dahin, die Par=
theien darüber aufzuklären, daß, wenn sie, sei es wegen Unbe=
deutendheit des Streitgegenstandes, oder zur Ersparung von Zeit
und Kosten oder, weil sie die Aufstellung eines Anwaltes, welche
für das Verfahren vor dem Verwaltungsgerichtshof vorgeschrieben
ist (§. 103 unten), umgehen wollen, die Verhandlung vor dem
Verwaltungsgerichtshof gleichwohl in der §. 113 vorgeschriebenen
Form vor sich gehen, und daß daher das persönliche Erscheinen
bei der Tagfahrt zur öffentlich mündlichen Verhandlung keine ab=
solute Nothwendigkeit ist, wodurch die Härte, welche möglicher
Weise in dem §. 52 der Vollzugsverordnung vom 12. Juli 1864
liegt (vergl. Verw.=Gesetz §. 10, Zuf. 3, S. 189 191) einiger=
maßen ausgeglichen wird.

Da hienach diese Bestimmung für die Partheien und ihr Ver=
halten während der Recursverhandlungen von großem Belang ist,
so müssen auch die Bezirksämter die genaue Befolgung derselben
durch protocollarische Beurkundung oder durch anderweite genügende
urkundliche Bescheinigung feststellen.

§. 92.
Nichtigkeitsbeschwerde.

In Verwaltungsstreitsachen kann wegen wesentlicher formeller
Mängel des Verfahrens, insbesondere wegen Unzuständigkeit oder Ge=
waltsüberschreitung des erkennenden Verwaltungsgerichts, Mangel an
rechtlichem Gehör der Partheien, Gründung des Erkenntnisses auf That=
sachen, die nicht in den Acten liegen, die Nichtigkeitsbeschwerde in den
Formen des Recurses binnen eines Jahres von Eröffnung des anzu=
fechtenden Erkenntnisses an, erhoben werden.

Gegen Erkenntnisse des Verwaltungsgerichtshofes ist die Nichtigkeits=
beschwerde nur zulässig wegen Unzuständigkeit oder Gewaltsüberschrei=
tung des erkennenden Gerichts. Ueber diese Nichtigkeitsbeschwerden
entscheidet das Staatsministerium in seiner zur Entscheidung von Com=
petenzconflicten vorgeschriebenen Zusammensetzung.

*Form der Anfech-
tung.*   Auch nach der bürgerlichen Proceßordnung §. 6 findet die
Anfechtung von Nichtigkeiten in der Form der ordentlichen Rechts=
mittel statt.

*Erkenntnisse des Ver-
waltungsgerichts-
hofs.*   S. Verordnung vom 20. Oct. 1849 (Reg.=Bl. Nr. 68), ge=
schichtl. Einleitung §. 27, Grundlagen §. 10.

§. 93.

Wiederherstellung wegen neuer Thatsachen oder Beweise.

Auf den Grund neu aufgefundener Thatsachen oder Beweise kann während der Dauer von vier Jahren von dem Tage an gerechnet, wo ein Erkenntniß die Rechtskraft erlangt hat, Wiederherstellung dagegen nach= gesucht werden.

Das Gesuch muß bei Verlust des Rechtsmittels innerhalb 42 Ta= gen von der Zeit an eingereicht werden, wo die Parthei Kenntniß von den Beweisen oder Thatsachen, auf welche das Gesuch gegründet wird, erhalten hat.

Ueber solche Wiederherstellungsgesuche entscheidet das Verwaltungs= gericht, von welchem das letzte materielle Erkenntniß mit den Bestimmun= gen erlassen worden ist, gegen die Wiederherstellung gesucht wird.

Vergl. bürgerliche Proceßordnung S. 1167.

§. 94.

Anschließungsrecht.

Bei jedem in Verwaltungsstreitsachen ergriffenen Rechtsmittel steht im Wege der Anschließung allen Gegenbetheiligten, auch wenn sie nicht selbstständig von einem Rechtsmittel Gebrauch gemacht haben, die Be= fugniß zu, ihre eigenen Beschwerden gegen das angefochtene Erkenntniß geltend zu machen.

Vergl. Zus. 4 zu S. 77.

4. Recurs des Bezirksbeamten aus Gründen des öffentlichen Interesses.

§. 95.

Vorbehalt des Recurses.

Wenn der Bezirksbeamte gegen den Inhalt eines entscheidenden Beschlusses des Bezirksrathes (S. 5—7 des Verwaltungsgesetzes) aus Gründen des öffentlichen Interesses erhebliche Bedenken hegt, so hat er dieß sofort in der Sitzung, in welcher der Beschluß gefaßt wurde, den Mitgliedern des Bezirksrathes zu eröffnen und sich die Ausführung des Recurses nach S. 13 des Verwaltungsgesetzes vorzubehalten.

Vergl. Verw.=Gesetz S. 13, Grundlagen S. 3, Ziff. IV.

§. 96.

Verfahren bei eingelegtem Recurse.

Handelt es sich in einem solchen Falle (§. 95) um eine Entscheidung, bei welcher Privatpartheien betheiligt sind, so wird deren Verkündung an die Partheien ausgesetzt.

Die Verkündung muß indessen längstens innerhalb 14 Tagen nach Erlassung der Entscheidung geschehen, und zwar — soferne der Beamte die Einsprache aufrecht erhalten will — gleichzeitig mit der Eröffnung, daß gegen die Entscheidung im öffentlichen Interesse Recurs eingelegt sei. Dieser Eröffnung ist eine kurze Angabe der Gründe beizufügen.

Gleiche Eröffnung hat innerhalb derselben Frist an die Mitglieder des Bezirksrathes, welche bei der Fassung des Erkenntnisses mitgewirkt haben, zu geschehen, insofern der Bezirksbeamte nicht gleich nach der Berathung die Begründung seines Recurses im Bezirksrath eröffnet hat.

Nach Ablauf der 14tägigen Frist, sowie wenn die bezirksräthliche Entscheidung schon vorher ohne die Eröffnung über einen im öffentlichen Interesse eingelegten Recurs verkündet wird, gilt diese Befugniß des Bezirksbeamten als verfallen.

§. 97.

Einsendung der Acten.

Der Bezirksbeamte hat vor der Verkündung der Entscheidung an die Partheien die Bedenken, welche er gegen deren Inhalt hat, in den Acten niederzulegen und zu begründen.

Nach Ablauf der den Partheien für die Recursanzeige ihrerseits zustehenden Frist, beziehungsweise nach Beendigung der Verhandlungen über einen etwaigen Recurs oder eine Anschließung der Partheien, legt er die Acten der Recursstelle (Ministerium oder Verwaltungsgerichts= hof) vor.

In Verwaltungsstreitsachen findet auch über den Recurs des Be= zirksbeamten stets eine öffentliche Verhandlung statt.

§. 98.
Verfahren bei bezirkspolizeilichen Vorschriften.

Wenn in einem der Fälle des §. 7 des Verwaltungsgesetzes der Bezirksrath seine Zustimmung verweigert, so muß der Bezirksbeamte, wenn er im öffentlichen Interesse von seinem Recursrechte Gebrauch machen will, die Sache innerhalb 14 Tagen nach der Berathung zur weiteren Entscheidung (§. 23, Ziffer 4 des Polizeistrafgesetzbuchs) an das zuständige Ministerium einsenden. Nach Ablauf dieser Frist muß der Gegenstand zuvor nochmals der Berathung des Bezirksrathes unter= stellt werden.

IV. Von dem Verfahren vor dem Verwaltungsge= richtshofe.

§. 99.
Ablehnung der Gerichtsmitglieder.

Für die Ablehnung der Mitglieder des Verwaltungsgerichtshofes wegen rechtlicher Unfähigkeit oder besorgter Befangenheit gelten die be= züglichen Bestimmungen der bürgerlichen Proceßordnung.

Wird die Mehrzahl der Mitglieder oder der Präsident des Verwal= tungsgerichtshofes abgelehnt, so entscheidet das Ministerium des Innern über das Ablehnungsgesuch und ernennt, wenn der Ablehnung stattge= geben wird, für den einzelnen Fall die erforderlichen Ersatzrichter nach §. 16 des Verwaltungsgesetzes.

Vergl. bürgerliche Proceßordnung §. 66 und ff.

§. 100.
Zahl der Stimmführer.

Für alle Endentscheidungen tritt der Verwaltungsgerichtshof in Versammlungen von fünf Mitgliedern — den Vorsitzenden mit einge= rechnet, zusammen. Die einzelnen Mitglieder treten nach einer zum Voraus bestimmten Reihenfolge ein. Vorbereitende Verfügungen können in Versammlungen von 3 Mitgliedern berathen werden.

Für andere Fragen, wobei der Verwaltungsgerichtshof nicht als Gericht Erkenntnisse zu fällen hat, versammelt er sich im vollen Rath.

§. 101.
Geheime Berathung. Form der Ausfertigungen.

Die Erkenntnisse des Verwaltungsgerichtshofes werden in geheimer Berathung gefaßt, welcher nur die Mitglieder des Gerichts und der Protocollführer anwohnen. Für die in dem Erkenntnisse ausgesprochene Entscheidung müssen mindestens drei Stimmen vorhanden sein.

Die Erkenntnisse und sonstigen Beschlüsse des Verwaltungsgerichtshofes werden im Concept von dem Präsidenten und zwei Mitgliedern unterzeichnet. Die Ausfertigungen der Erkenntnisse unterzeichnet der Präsident und der Referent, alle übrigen Ausfertigungen der Präsident allein.

§. 102.
Sitzungsprotocolle.

Ueber die Verhandlung in den öffentlichen Sitzungen werden Protocolle geführt, welche die Benennung der anwesenden Gerichtsmitglieder, der erschienenen Vertreter des Staatsinteresses, der Betheiligten und ihrer Anwälte, die Bemerkung über die gehaltenen Vorträge und gestellten Anträge und die Aufzeichnung aller derjenigen Punkte enthalten, deren schriftliche Feststellung entweder von den Betheiligten verlangt oder von dem Gerichte angeordnet wurde.

Eben so wird in demselben die gefaßte Entscheidung beurkundet.

§. 103.
Vertretung der Partheien.

Die Bestimmungen der bürgerlichen Proceßordnung über die Vertretung der Partheien durch Bevollmächtigte vor den Collegialgerichten gelten auch für die Vertretung vor dem Verwaltungsgerichtshof.

Rechtsgelehrte Mitglieder von Staatsstellen können als Vertreter des Fiscus vor dem Verwaltungsgerichtshof auftreten.
Vergl. bürgerliche Proceßordnung §. 994.

§. 104.
Verbot der Actenversendung.

Wenn die Acten in Gemäßheit des §. 91 dem Verwaltungsgerichtshof eingesendet worden sind, so können dieselben von den Bethei⸗

ligten und ihren Anwälten nur auf der Kanzlei des Gerichtshofes eingesehen werden. Eine Versendung an auswärtige Behörden zu diesem Zweck findet nicht statt.

§. 105.
Vorbereitende Verfügungen.

Nach Einkunft der Acten bei dem Verwaltungsgerichtshof bestellt der Präsident ein Mitglied zum Referenten.

Findet dieser, daß die Sache zum Spruch noch nicht reif sei, und sind die Unvollständigkeiten von der Art, daß sich die nöthigen Aufklärungen und Ergänzungen nicht durch die mündliche Verhandlung in der öffentlichen Sitzung erwarten lassen, so beantragt er in geheimer Sitzung die erforderlichen Vorverfügungen.

§. 106.
Zusammenstellung des Actenmaterials.

Sind die Vorverhandlungen vollständig, so fertigt der Referent eine kurze Zusammenstellung des Materials unter Hinweisung auf die bei der Entscheidung in Betracht kommenden Rechtsfragen.

Die Acten werden hierauf mit dieser Zusammenstellung dem Vertreter des Staatsinteresses (§. 17 des Verwaltungsgesetzes) zur Einsicht binnen 3 Tagen zugestellt. Diesem bleibt unbenommen, seine Anträge schon jetzt kurz den Acten beizufügen vorbehaltlich der späteren Begründung in der Sitzung des Gerichtshofs.

Die Zusammenstellung des Referenten mit der Bezeichnung der Rechtsfragen muß 3 Tage vor der Sitzung zur Einsicht der Betheiligten, ihrer Anwälte und der Gerichtsmitglieder auf der Kanzlei des Gerichtshofs aufgelegt werden.

§. 107.
Einladung der Vertreter des Staatsinteresses zu den Sitzungen.

Die von den Ministerien bezeichneten ständigen Vertreter des Staatsinteresses werden zu allen Sitzungen des Verwaltungsgerichtshofes, in welchen entscheidende Beschlüsse über anhängige Verwaltungsstreitigkeiten gefaßt werden sollen, durch Mittheilung der Tagesordnung noch besonders eingeladen.

Wird für den einzelnen Fall ein besonders beauftragter Beamter zur Vertretung des Staatsinteresses abgesendet, so hat dieser sich spätestens in der Sitzung durch Vollmacht zu legitimiren.

§. 108.
Liste der spruchreifen Sachen.

Die spruchreifen Sachen werden zur mündlichen Verhandlung ausgesetzt und hierauf in eine Liste eingetragen, welche in Doppelschrift geführt wird. Das eine Exemplar derselben wird dem Präsidenten vorgelegt, das andere auf der Registratur zu Jedermanns Einsicht aufbewahrt.

§. 109.
Tagfahrt zur öffentlichen mündlichen Verhandlung.

Wenn eine angemessene Zahl spruchreifer Gegenstände vorhanden ist, so setzt der Präsident die Tagfahrt zur öffentlichen mündlichen Verhandlung auf einen der Wochentage fest, welche im Voraus zur Abhaltung der öffentlichen Sitzungen bestimmt werden.

§. 110.
Bekanntmachung der Tagesordnung.

Die Tagesordnung der in einer öffentlichen Sitzung zu verhandelnden Gegenstände wird an der Gerichtstafel bekannt gemacht und dem Präsidenten und jedem Mitgliede des Gerichtshofes, sowie den Vertretern der Ministerien, sofern sie bei einem der zu verhandelnden Gegenstände betheiligt sind, zugestellt.

§. 111.
Vorladung der Betheiligten und ihrer Anwälte.

Die Betheiligten und ihre Anwälte werden zu der Sitzung gegen Bescheinigung besonders vorgeladen, und zwar unter Hinweisung auf die Bestimmung im §. 53 dieser Verordnung.

§. 112.
Verhandlung in der öffentlichen Sitzung.

Der Vorsitzende des Gerichts eröffnet und leitet die Verhandlung und ertheilt das Wort zum Vortrage.

Die zur Verhandlung ausgesetzten Sachen werden der Reihe nach aufgerufen. Sind die Partheien nicht erschienen, so wird die Sache zur Verhandlung am Schlusse der Sitzung zurückgelegt.

Zunächst ertheilt der Präsident den Partheien, welche erschienen sind, oder deren Anwälten das Wort zur thatsächlichen und rechtlichen Begründung ihrer Anträge. Hierauf werden die Beweise erhoben, die etwa geladenen Zeugen und Sachverständigen mündlich vernommen oder deren frühere Aussagen und Gutachten verlesen, und ebenso die entscheidenden Stellen der Beweisurkunden vorgelesen.

Der Vorsitzende und jedes Mitglied des Gerichts, sowie der Vertreter des Staatsinteresses können, wenn es zur Aufklärung der Sache nothwendig erscheint, Fragen an die Betheiligten selbst, an deren Anwälte oder an die Zeugen und Sachverständigen richten.

Nach Beendigung der Beweiserhebung ertheilt der Präsident den Partheien oder ihren Anwälten nochmals das Wort zum Vortrag ihrer Schlußausführungen.

Vergl. bürgerliche Proceßordnung §. 991 und ff.

§. 113.
Verfahren bei dem Ausbleiben der Partheien.

Sind die Partheien ausgeblieben, so beginnt die Verhandlung mit einem Vortrag des Referenten über die Thatsachen des Streites, das Erkenntniß erster Instanz, die dagegen aufgestellten Beschwerden und die Erklärungen des Gegentheils.

Ist nur eine Parthei erschienen, so wird diese zunächst zum Vortrag des Streitverhältnisses und zur Begründung ihrer Anträge zugelassen. Der Referent hat hierauf, so weit es zur Vollständigkeit der Verhandlungen erforderlich ist, diesen Vortrag durch Mittheilung der Erklärungen und Anträge des Gegentheils aus den Acten zu ergänzen.

Sodann folgt die Beweiserhebung.

§. 114.
Antragstellung des Vertreters des Staatsinteresses.

Vor dem Schlusse der öffentlichen Verhandlung wird der Vertreter des Staatsinteresses veranlaßt, seine Anträge zu stellen und zu begrün= den.

§. 115.
Von der Polizei während der Sitzungen.

Der Vorsitzende hat dafür Sorge zu tragen, daß Weitläufigkeiten in der mündlichen Verhandlung thunlichst abgeschnitten und die Ruhe und Ordnung der Verhandlung nicht gestört werde. Er übt zu diesem Zwecke die Polizei über alle im Sitzungssaale anwesenden Personen.

§. 116.
Bestrafung von Ordnungswidrigkeiten.

Verletzung der dem Gerichtshofe schuldigen Achtung, Beleidigungen gegen denselben oder gegen die Betheiligten und ihre Vertreter werden sogleich mit Erinnerung, Verweis, Fortweisung und erforderlichen Falls Gefängnißstrafe bis zu drei Tagen belegt.

Im letzteren Falle wird das Erkenntniß von dem Gerichtshofe er= lassen und ein Protocoll über den Vorgang aufgenommen. Die Strafe wird durch das am Sitze des Gerichtshofes befindliche Bezirksamt, wel= chem das Protocoll mitzutheilen ist, sofort vollzogen. Ein Rechtsmittel ist nicht zulässig.

Vergl. Verordnung vom 21. April 1832 (Reg.=Bl. Nr. 22). Strafproceß= ordnung §. 261. Bürgerl. Proceßordnung §. 999.

V. Verfahren bei einigen besonderen Arten von Ver= waltungsstreitigkeiten.

§. 117.
Zuständigkeit zur Entscheidung der in §. 15, Ziff. 2—5 des Verwaltungsgesetzes aufge= führten Fälle im Verfahren.

Die Streitigkeiten des öffentlichen Rechtes, welche im §. 15, Ziff. 2, 3, 4 und 5 des Verwaltungsgesetzes dem Verwaltungsgerichtshof zur Entscheidung in letzter Instanz zugewiesen sind, müssen, bevor sie an

diesen Gerichtshof gelangen können, zunächst bei der zuständigen Ver=
waltungsbehörde zur Erledigung gebracht werden.

Zur Entscheidung dieser Streitigkeiten im Vorverfahren vor den
Verwaltungsbehörden sind zuständig:

1) im Falle des §. 15, Ziff. 2 des Verwaltungsgesetzes der Ver=
waltungsrath der betreffenden Wittwen= oder Pensionskasse,
oder wenn ein solcher nicht besteht, die nächste Staatsaufsichts=
behörde über diese Klasse;

2) im Falle des §. 15, Ziff. 3 des Verwaltungsgesetzes die nach
den einschlagenden Steuergesetzen zuständigen unteren und
mittleren Behörden, beziehungsweise die Oberdirection des
Wasser= und Straßenbaues (§. 12);

3) im Falle des §. 15, Ziff. 4 des Verwaltungsgesetzes der Be=
zirksrath des Amtsbezirkes, in welchem Derjenige, der das ba=
dische Staatsbürgerrecht in Anspruch nimmt, seinen Wohnsitz
oder ständigen Aufenthalt hat, oder wo ein solcher nicht vor=
handen ist, ein von dem Ministerium des Innern zu bezeich=
nender Bezirksrath;

4) im Falle des §. 15, Ziff. 5 des Verwaltungsgesetzes diejenige
Polizeibehörde, welche die Maßregel, wodurch Kosten entstan=
den sind, getroffen hat (§. 30, Abs. 4 des Polizeistrafgesetz=
buchs).

Vergl. Zus. 5 zu §. 15 des Verw.-Gesetzes.

§. 118.
Frist zur Anhängigmachung beim Verwaltungsgerichtshof.

Die Streitsache muß, bei Verlust des Berufungsrechtes, innerhalb
drei Monaten von der Eröffnung der Entscheidung der im vorhergehen=
den Paragraphen genannten Verwaltungsbehörde bei dem Verwaltungs=
gerichtshofe anhängig gemacht werden.

Im Falle des §. 15, Ziff. 3 des Verwaltungsgesetzes läuft diese
Frist von Eröffnung der Entscheidung der betreffenden Centralmittelbe=
hörde an.

§. 119.
Beschwerde bei dem zuständigen Ministerium.

Den Betheiligten ist es unbenommen, vor der Berufung an den
Verwaltungsgerichtshof oder gleichzeitig mit dieser, jedoch unbeschadet

20 *

des im §. 118 bezeichneten Fristenlaufs, sich um Abhilfe ihrer Be=
schwerde an das zuständige Ministerium zu wenden.

§. 120.
Mittheilung an das zuständige Ministerium über Anhängigmachung von Berufungen beim Verwaltungsgerichtshof.

Der Verwaltungsgerichtshof ist verpflichtet, wenn Berufungen der
im §. 15, Ziff. 2—5 des Verwaltungsgesetzes bezeichneten Art bei ihm
anhängig gemacht werden, hievon sofort dem zuständigen Ministerium
Mittheilung zu machen.

Ist, bevor die Entscheidung des Verwaltungsgerichtshofes ergeht,
eine Beschwerde des Betheiligten auch bei dem Ministerium eingereicht
worden, so wird dieses, wenn es die verlangte Abhilfe gewährt, dem
Verwaltungsgerichtshof alsbald hievon Mittheilung machen, andernfalls
die Erledigung der Sache diesem Gerichtshof unterstellen.

§. 121.
Erhebung der Erklärung der erkennenden Verwaltungsbehörde.

Der Verwaltungsgerichtshof muß in allen Fällen vor Anordnung
der öffentlichen Verhandlung die schriftliche Aeußerung der Verwal=
tungsbehörde, welche die angefochtene Entscheidung erlassen hat, er=
heben.

In der öffentlichen Verhandlung steht die Vertretung des Staats=
interesses dem nach §. 17 des Verwaltungsgesetzes aufzustellenden Mi=
nisterialbevollmächtigten zu.

§. 122.
Keine aufschiebende Wirkung der Berufungen in den Fällen des §. 15, Ziff. 2—5.

Die Berufungen an den Verwaltungsgerichtshof in den Fällen des
§. 15, Ziff. 2—5 des Verwaltungsgesetzes haben keine aufschiebende
Wirkung, unbeschadet der Befugniß der Verwaltungsbehörden, da, wo
keine Gefahr im Verzuge ist, Aufschub zu gewähren.

Uebergangs=Bestimmungen.

§. 123.
Eintritt der Wirksamkeit des Verwaltungsgesetzes vom 5. Oct. 1863.

Das Gesetz vom 5. October 1863 über die Organisation der innern Verwaltung tritt gleichzeitig mit gegenwärtiger Verordnung am 1. October d. J. in Wirksamkeit.

Vergl. landesh. Verordnung vom 15. Juli 1864, §. 1 (Reg.=Bl. Nr. 29, S. 316.)

§. 124.
Erledigung älterer Recurse.

Die Recurse in Streitigkeiten des öffentlichen Rechtes, welche vor dem 1. October d. J. angezeigt wurden, werden nach den Vorschriften der Recursordnung vom 14. März 1833 durch den Verwaltungsgerichts= hof in geheimer Sitzung erledigt.

§. 125.
Unzulässigkeit der Berufungen in den Fällen des §. 15, Ziff. 2 — 5 des Verwaltungs= gesetzes gegen ältere Erkenntnisse.

Berufungen an den Verwaltungsgerichtshof in den Fällen des §. 15, Ziff. 2 — 5 des Verwaltungsgesetzes sind, wenn die Entscheidung der Verwaltungsbehörden (§. 117) vor Eintritt der Wirksamkeit jenes Gesetzes schon länger als 42 Tage vollzugsreif geworden ist, nicht mehr zulässig.

Zu andern Fällen läuft von diesem Termin an die dreimonatliche Frist des §. 118.

§. 126.
Aufhebung älterer Verordnungen.

Die Verordnung vom 14. März 1833, Regierungsblatt Nr. XIII., über die Recurse in Verwaltungs= und Polizeisachen, sowie der §. 3 der Verordnung vom 21. Juni 1850, Regierungsblatt Nr. XXXI., die Vereinfachung der Geschäftsbehandlung bei den Verwaltungsstellen be= treffend, ferner die der gegenwärtigen Verordnung entgegenstehenden Bestimmungen der §§. 1 und 2 der eben erwähnten Verordnung und

ber Verordnung vom 17. Juli 1833, Regierungsblatt Nr. XXXII., über
die Competenz in Gemeindesachen sind aufgehoben.

Gegeben zu Karlsruhe in Unserem Staatsministerium, den
12. Juli 1864.

Friedrich.

A. Lamey.

Auf Seiner Königlichen Hoheit höchsten Befehl:
Schunggart.

(Beilage.)

Die Ernennung der Bezirksräthe betreffend.

Ueber das Verfahren bei Ernennung der Mitglieder der Bezirks=
räthe (§. 2 und §. 60, Abs. 1 des Verwaltungsgesetzes) werden folgende
nähere Vorschriften ertheilt.

§. 1.

In allen Gemeinden des Landes ist durch den Gemeinderath ein
Verzeichniß sämmtlicher männlicher Einwohner des Gemeindebezirks
aufzustellen, welche das badische Staatsbürgerrecht besitzen, das 25.
Lebensjahr zurückgelegt haben und seit mindestens einem Jahre in dem
Amtsbezirke, zu welchem die Gemeinde gehört, ansässig sind. Die Ein=
wohner von abgesonderten Gemarkungen und Colonien sind in das
Verzeichniß derjenigen Gemeinde aufzunehmen, welcher jene Districte
in polizeilicher Beziehung zugewiesen sind.

Dieses Verzeichniß ist alljährlich in den ersten 8 Tagen des Monats
August durch den Gemeinderath einer Revision zu unterwerfen und
dabei alle eingetretenen Aenderungen nach dem neuesten Stand einzu=
tragen.

Eine Doppelschrift dieses Verzeichnisses nebst seinen Nachträgen
muß stets in der Gemeinderegistratur aufbewahrt werden.

§. 2.

Dieses Verzeichniß (§. 1) ist 14 Tage lang zur Einsicht der Be=
theiligten auf dem Gemeindehause aufzulegen, und daß dieß geschehen,
in der Gemeinde öffentlich bekannt zu machen.

Etwaige Einsprache hat der Gemeinderath sofort zu prüfen und
zu erledigen. Beschwerden, welche innerhalb drei Tagen vorzutragen
sind, entscheidet endgiltig das Bezirksamt.

§. 3.

Spätestens bis zum 1. September müssen die Verzeichnisse sämmt=
licher Gemeinden des Amtsbezirkes nebst den Beurkundungen über Auf=
legung der Listen und den Acten über etwaige Einsprachen und Be=
schwerden durch Vermittelung des Bezirksamtes, welches die Ordnungs=
mäßigkeit der Vorlagen prüft, an den Kreishauptmann eingesendet
werden. Dieser übergibt dieselben spätestens bis zum 15. September
dem Kreisausschuß zur Vorbereitung der Vorlage an die Kreisver=
sammlung.

Die erstmalige Vorlage an die Kreisversammlung erfolgt — weil
ein Kreisausschuß noch nicht gewählt ist — unmittelbar durch den
Kreishauptmann.

Am 1. Juli jedes Jahrs hat der Kreishauptmann unter Rücksen=
dung der Listen die Gemeindebehörden zu deren Revision aufzufordern.

§. 4.

Die Vorschlagsliste der Kreisversammlung ist dem Kreishaupt=
mann zu übergeben, welcher nach Erhebung der erforderlichen Erkundi=
gungen und, so weit nöthig, nach Benehmen mit dem Bezirksbeamten seine
Anträge wegen Ernennung der Mitglieder der Bezirksräthe durch Ver=
mittelung des Landescommissärs, welcher den letzten Vorschlag zu stel=
len hat, dem Ministerium des Innern vorlegt.

§. 5.

Die Ernennung der Mitglieder der Bezirksräthe erfolgt von Seiten
des Ministeriums des Innern alljährlich für den 1. März. Von diesem
Tage an wird die Dienstzeit der Bezirksrathsmitglieder gerechnet, die

Ernennung oder der wirkliche Diensteintritt mag früher oder später er=
folgen.

Tritt ein Mitglied vor Ablauf seiner Dienstzeit aus, so ist für den
Rest der Dienstzeit aus der letzten Vorschlagsliste der Kreisversammlung
ein Ersatzmann durch das Ministerium des Innern zu ernennen.

§. 6.

Die Zahl der Mitglieder der Bezirksräthe wird — vorbehaltlich
einer Aenderung durch das Ministerium des Innern nach Vernehmung
der Kreisversammlung — in der im angeschlossenen Verzeichnisse für
sämmtliche Amtsbezirke des Landes angegebenen Weise festgesetzt.

Wo die Zahl der Mitglieder sich nicht durch zwei theilen läßt, tritt
nach Ablauf eines Jahres erstmals die kleinere Hälfte der Mitglieder aus.

§. 7.

In der ersten Sitzung der neu bestellten Bezirksräthe ist durch das
Loos zu bestimmen, welche Mitglieder erstmals nach einem Jahre aus=
treten.

Das Loos ist durch zwei aus dem kleinen Ausschuß der Gemeinde
des Amtssitzes zu wählende Urkundspersonen zu ziehen und ein Proto=
coll über den Act aufzunehmen.

Verzeichniß

der Anzahl der Mitglieder der Bezirksräthe für die einzelnen Amtsbezirke des Landes.

Ordnungszahl.	Bezirke.	Anzahl der Mitglieder des Bezirksraths.	Ordnungszahl.	Bezirke.	Anzahl der Mitglieder des Bezirksraths.
	I. Kreis Constanz.		30.	Lahr	9
1.	Constanz	7	31.	Oberkirch	7
2.	Engen	8	32.	Offenburg	9
3.	Meßkirch	6	33.	Wolfach	8
4.	Pfullendorf	6			
5.	Radolfzell	7		**VII. Kreis Baden.**	
6.	Stockach	7	34.	Achern	8
7.	Ueberlingen	8	35.	Baden	7
			36.	Bühl	8
	II. Kreis Villingen.		37.	Gernsbach	6
8.	Donaueschingen	8	38.	Rastatt	9
9.	Triberg	7			
10.	Villingen	8		**VIII. Kreis Karlsruhe.**	
			39.	Bretten	8
	III. Kreis Waldshut.		40.	Bruchsal	9
11.	Bonndorf	7	41.	Durlach	8
12.	Jestetten	6	42.	Ettlingen	7
13.	Säckingen	7	43.	Karlsruhe	9
14.	St. Blasien	6	44.	Pforzheim	9
15.	Waldshut	9			
				IX. Kreis Mannheim.	
	IV. Kreis Freiburg.		45.	Mannheim	9
16.	Breisach	8	46.	Schwetzingen	8
17.	Emmendingen	8	47.	Weinheim	7
18.	Ettenheim	7			
19.	Freiburg	9		**X. Kreis Heidelberg.**	
20.	Kenzingen	8	48.	Eppingen	7
21.	Neustadt	6	49.	Heidelberg	9
22.	Staufen	8	50.	Sinsheim	9
23	Waldkirch	8	51.	Wiesloch	7
	V. Kreis Lörrach.			**XI. Kreis Mosbach.**	
24.	Lörrach	9	52.	Adelsheim	6
25.	Müllheim	8	53.	Boxberg	7
26.	Schönau	6	54.	Buchen	6
27.	Schopfheim	7	55.	Eberbach	6
			56.	Mosbach	9
	VI. Kreis Offenburg.		57.	Tauberbischofsheim	8
28.	Gengenbach	7	58.	Walldürn	6
29.	Kork	8	59.	Wertheim	7

3. Verordnung

über

die provisorische Ernennung der Bezirksräthe.

(Reg.-Bl. 1864, Nr. 31.)

————————

Auf den Grund des §. 60, Absatz 1 des Gesetzes vom 5. October 1863 über die Organisation der innern Verwaltung (Regierungsblatt Nr. XLIX), und mit Bezug auf die Beilage zu der Vollzugsverordnung vom 12. d. Mts. zu diesem Gesetze sehen wir uns veranlaßt, anzuordnen:

1) Alsbald nach Erscheinen dieser Verordnung sind in sämmtlichen Gemeinden des Landes die Listen der nach §. 2 des Verwaltungsgesetzes zu dem Amt der Bezirksräthe wählbaren Einwohner des Amtsbezirks in der Weise aufzustellen, wie dieß durch §§. 1 und 2 der genannten Beilage zu der Vollzugsverordnung vom 12. d. M. vorgeschrieben ist.

2) Diese Listen sind nach Vorschrift des §. 2 der erwähnten Verordnungsbeilage aufzulegen.

3) Spätestens am 1. September dieses Jahres müssen die Listen dem Bezirksamt vorgelegt sein, welches in den ersten acht Tagen des Monates die im §. 60 des Verwaltungsgesetzes vorgesehene Versammlung sämmtlicher Bürgermeister des Amtsbezirks beruft und mit ihnen in Berathung zieht, welche unter den Wahlfähigen sich zur Uebertragung des Amtes eines Bezirksrathes besonders eignen.

Bei der Auswahl der Persönlichkeiten ist mit größter Sorgfalt, Gewissenhaftigkeit und Unpartheilichkeit zu verfahren

und lediglich auf das Vorhandenſein der im §. 2, Abſatz 1 des
Verwaltungsgeſetzes bezeichneten Eigenſchaften Rückſicht zu
nehmen.

4) Die aufzuſtellende engere Wahlliſte muß mindeſtens dreimal
ſo viele Namen enthalten, als Mitglieder des Bezirksrathes
nach dem der Vollzugsverordnung vom 12. d. Mts. ange=
ſchloſſenen Verzeichniſſe für den Amtsbezirk ernannt werden
ſollen. Doch hat die Verſammlung ſich nicht nothwendig auf
dieſe Zahl zu beſchränken, ſondern ſämmtliche Kandidaten,
welche die zum Amt eines Bezirksrathes erforderlichen Eigen=
ſchaften beſitzen, in die Liſte aufzunehmen.

5) Längſtens bis zum 15. September dieſes Jahres hat der Be=
zirksbeamte die Wahlliſte mit ſeinen Anträgen wegen Ernen=
nung der erforderlichen Anzahl von Bezirksräthen dem Mini=
ſterium des Innern vorzulegen.

Karlsruhe, den 18. Juli 1864.

Großherzogliches Miniſterium des Innern.

A. Lamey.

vdt. Fr. Wielandt.

4. Verordnung,
die polizeilichen Functionen der Bezirksräthe betreffend.

Nach Ansicht des §. 9 des Gesetzes vom 5. October 1863, Regie=
rungsbl. Nr. XLIV., die Organisation der inneren Verwaltung betref=
fend, wird verordnet, was folgt:

§. 1.

Die Eintheilung der Amtsbezirke in Districte und deren Zuwei=
sung an die einzelnen Bezirksräthe zur Mitwirkung bei Handhabung
der Landespolizei und bei der Aufsicht über die Ortspolizei geschieht
durch den Bezirksbeamten nach Berathung darüber im Bezirksrath.

Sie ist durch das Amtsblatt bekannt zu machen.

§. 2.

Die Bezirksräthe haben in den ihnen zu ihrer vorzugsweisen Thä=
tigkeit zugewiesenen Districten des Amtsbezirks auf die allgemeinen und
örtlichen polizeilichen Zustände fortgesetzt ihr Augenmerk zu richten.

§. 3.

Sie haben insbesondere darauf zu achten, daß Sicherheit und Ord=
nung ungefährdet bestehe, Personen und Eigenthum den gehörigen
öffentlichen Schutz genießen, daß die dazu nöthigen Einrichtungen vor=
handen sind und gehörig unterhalten werden, und daß das polizeiliche
Aufsichtspersonal seinen Pflichten mit dem erforderlichen Eifer und
Nachdruck nachkomme und dabei ein unbescholtenes und angemessenes
Verhalten zeige.

Von ihren Wahrnehmungen haben sie dem Bezirksbeamten, wo ihnen dieß angemessen oder geboten erscheint, oder von demselben an sie hierzu eine Aufforderung ergeht, Mittheilung zu machen.

§. 4.

Nehmen die Bezirksräthe erhebliche, die öffentliche Sicherheit ge=fährdende oder die öffentliche Ordnung störende Mißstände wahr, so ha=ben sie unverweilt bei dem Bezirksbeamten die zur Abhilfe geeigneten Anträge zu stellen, wo aber Gefahr auf dem Verzug steht, sofort selbst die zur Sicherheit der Personen und des Eigenthums nöthigen Anord=nungen zu treffen und dem Bezirksbeamten darüber Anzeige zu erstatten.

Sie werden dabei ihr Augenmerk insbesondere auch auf den Zustand der Löscheinrichtungen, gefährliche Stellen an Straßen und Wasser=schutzdämmen, die Ueberhandnahme der Landwirthschaft schädlicher Thiere, sowie auf besondere gemeinschädliche Erscheinungen in dem sitt=lichen und wirthschaftlichen Leben, auf den Zustand der Armenpflege und dergleichen richten.

§. 5.

Werden schwere Verbrechen verübt und die Verbrecher auf der That betreten oder Personen durch öffentliche Nacheile oder Nachruf als solche bezeichnet, oder alsbald nach der That mit Waffen, entwende=ten Sachen oder andern auf ihre Theilnahme am Verbrechen hinweisen=den Gegenständen betreten, so haben die Bezirksräthe, falls dies nicht schon geschehen, deren Festnehmung und sofortige sichere Ablieferung an die Gerichtsbehörde zu veranlassen.

§. 6.

Bis zum Eintreffen des Bezirksbeamten haben die Bezirksräthe bei Tumulten, Aufläufen und Zusammenrottungen die zu deren Beseiti=gung erforderlichen Anordnungen zu treffen, sie können die Anführer vorläufig festnehmen lassen und haben den Bezirksbeamten bei dessen Eintreffen zu unterstützen.

Bei Brandfällen können die Bezirksräthe die Leitung der Lösch=maßregeln übernehmen, bis der Bezirksbeamte auf der Brandstätte an=langt.

§. 7.

Mit der Handhabung der Ortspolizei haben sich die Bezirksräthe nicht zu befassen. Sie werden aber da, wo sie nicht von einer Staatsstelle verwaltet wird, den Bürgermeister auf Uebelstände, die sie darin wahrnehmen, aufmerksam machen und nöthigenfalls dem Bezirksbeamten davon Kenntniß geben.

§. 8.

Die Ortspolizeibeamten, das polizeiliche Aufsichtspersonal und auch andere Personen, die es angeht, haben den von den Bezirksräthen in ihrer amtlichen Stellung und innerhalb ihrer Zuständigkeit an sie ergangenen Aufforderungen Folge zu leisten. Die Gendarmen haben überdieß auf ihren Patrouillen sich bei jenen Bezirksräthen, welche außerhalb des Amtssitzes wohnen, jeweils anzumelden.

§. 9.

Zur Beglaubigung ihrer amtlichen Stellung haben die Bezirksräthe, wo sie dienstlich öffentlich aufzutreten haben, und wo es, wie in den Fällen des §. 6 geboten erscheint, daß sie für Jedermann kenntlich sind, eine Schleife in den Landesfarben mit dem Namenszug Seiner Königlichen Hoheit des Großherzogs auf der linken Brustseite zu tragen.

§. 10.

Gegenwärtige Verordnung tritt mit dem 1. October d. J. in Wirksamkeit.

Karlsruhe, den 20. August 1864.

Großherzogliches Ministerium des Innern.

A. Lamey.

vdt. Gutmann.

5. Geſetz,

Stempel, Sporteln und Taxen in Civilſtaatsverwaltungs= und Polizeiſachen betreffend.

(Reg.=Blatt 1864, Nr. 35.)

~~~~~~

Friedrich, von Gottes Gnaden
Großherzog von Baden, Herzog von Zähringen.

Mit Zuſtimmung Unſerer getreuen Stände haben Wir be=
ſchloſſen und verordnen, wie folgt:

I. Von dem Stempelpapier.

§. 1.

Zu allen Eingaben von Privatperſonen in Civilſtaatsverwaltungs=
und Polizeiſachen, welche von den Bezirksämtern oder höheren Behör=
den zu erledigen ſind, iſt Stempelpapier zu verwenden.

Dies hat auch zu geſchehen, wenn dieſe Eingaben bei andern Be=
hörden zur weitern Vorlage eingereicht werden.

Geſchichtliche Vorbemerkung. 1) Die Tax=, Sportel= und Stempelordnung vom 17. Juli
1807 wurde ſchon längſt als veraltet und ihrem Zwecke nicht mehr
entſprechend erkannt.

Es wurde deßhalb eine Reihe von Nachträgen zu derſelben
theils in einzelnen Geſetzen, theils in Verordnungen erlaſſen.

Allein auch hiemit war dem Bedürfniſſe nicht abgeholfen, be=
ſonders da die Geſetzgebung ſowohl auf dem Gebiete der Rechts=
pflege als der Verwaltung die weſentlichſten Umgeſtaltungen erlitt.

Es wurden daher alle dieſe Beſtimmungen, ſoweit ſie ſich

a. auf gerichtliche Verhandlungen in bürger=
lichen Rechtsſachen, einſchließlich der Eheſchei=
bungs= und Injurienſachen bezogen, durch Art. 1
des Geſetzes vom 13. Oct. 1840 (Reg.=Bl. Nr. 33), und
ſo weit ſie

Gefeß über Stempel, Sporteln und Taren in Verw.=Sachen.

      b. auf rechtspolizeiliche Geschäfte sich bezogen, durch Art. 13 des Gesetzes vom gleichen Tage (Reg.=Bl. Nr. 33) aufgehoben.

      c. Die Aufhebung derselben in Straffachen erfolgte durch das Gesetz vom 13. Mai 1856 (Reg.=Bl. Nr. 21), durch welches das unter Buchstabe a. genannte Gesetz erfetzt wurde.

      d. Die Einführung der Gerichtsverfassung, bürgerlichen und Strafprocessordnung und des Gesetzes über die Verwaltung der freiwilligen Gerichtsbarkeit und das Notariat und die hieburch eintretenden, durchgreifenden Aenberungen in der Verfassung, dem Geschäftsumfang und dem Verfahren der Gerichte machten es nothwendig, diesen Aenberungen auch das Sportelgesetz vom 13. Mai 1856 und das Gesetz vom 13. Oct. 1840 über die Gebühren für die Geschäfte der Rechtspolizeiverwaltung anzupassen, weßhalb das Gesetz vom 11. Juli 1864 über den Gebrauch des Stempelpapiers und den Ansatz von Sporteln bei den Gerichten (Reg.=Bl. Nr. 32), und jenes vom 20. August 1864 über die Gebühren für die Geschäfte der Rechtspolizeiverwaltung (Reg.=Bl. Nr. 39) erlassen wurde.

Es waren hienach auf dem ganzen Gebiete der Rechtspflege neue, dem Stande der Gesetzgebung angemessene Vorschriften über das Sportel=, Stempel= und Gebührenwesen gegeben.

Nicht minder fühlbar machten sich die Mängel der alten Gesetzgebung auf dem Gebiete der Verwaltung und Polizei. Es wurde daher beschlossen, das begonnene Revisionswerk auch auf das Tax=, Sportel= und Stempelwesen in der Verwaltung und Polizei auszudehnen, und beßhalb den Ständen der Gesetzentwurf vom 5. December 1859 vorgelegt. Derselbe schloß sich, so weit thunlich, dem Gesetze vom 13. Mai 1856 über Sporteln und Stempel in bürgerlichen Rechts= und gerichtlichen Straffachen an und wurde mit wenigen Abänderungen von beiden Kammern angenommen.

Vergl. die landständischen Verhandlungen von 1859—60.
II. Kammer. Regierungsvorlage: 4. Beil.=Heft, S. 45—60. Commissionsbericht: Beil.=Heft 6, S. 13—21. Discussion: Prot. Heft S. 66, 71.
·I. Kammer. Commissionsbericht: Beil.=Heft S. 161. Discussion: Prot.=Heft S 43—46.

Die Sanction und Verkündung dieses Entwurfs als Gesetz erfolgte jedoch nicht, weil schon damals in Aussicht stund, daß die bestehende Gesetzgebung verschiedenen und tief eingreifenden Veränderungen unterworfen werden würde, welche von wesentlichem

Einfluß auf das Stempel=, Sportel=, und insbesondere Tarwesen sein mußten.

Diese Aenderungen sind nun auch erfolgt durch die Gesetze über die Gewerbe, die freie Niederlassung, die Emancipation der Juden, die Organisation der innern Verwaltung, die Zuständig= keit und das Verfahren in Polizeistraffachen u. n. a. *)

Es wurde daher den Ständen auf dem Landtage von 1863 bis 1864 ein neuer Entwurf vom 4. Juni 1864 vorgelegt und von denselben angenommen.

Vergl. die landständischen Verhandlungen von 1863—64.

II. Kammer. Regierungsvorlage: Beil.=Heft 4, S. 443 bis 457. Commissionsbericht: Beil.=Heft 6, S. 410—425. Discussion und Beschlußfassung in der Sitzung vom 6. Juli 1864. **)

I. Kammer. Commissionsbericht: Beilage Nr. 356 zum Pro= tocoll der 24. Sitzung vom 9. Juli 1864. Discussion in der 25. Sitzung vom 16. Juli 1864.

Diesem Entwurfe diente der frühere, in den Jahren 1859 bis 1860 bereits mit den Ständen vereinbarte, zur Grundlage, an welchem eine unten zu besprechende Modification in Bezug auf das Tarwesen ausgenommen nur diejenigen Aenderungen vorgenommen wurden, welche nothwendige Folge der neuen Gesetze waren.

Auch schloß er sich, so weit thunlich, dem inzwischen mit den Ständen vereinbarten und unter dem 11. Juli 1864 sanctionirten Gesetz über den Gebrauch des Stempelpapiers und den Ansatz von Sporteln bei den Gerichten an.

Er wurde als Gesetz vom 29. Juli 1864 im Regierungsblatt Nr. 35, S. 433—444 verkündet.

Grundsätze.   2) Das neue Gesetz ruht auf folgenden Grundlagen:

a. Durch das Erträgniß der Sporteln, Stempel und Taren soll, wie bisher, nur ein Theil des Aufwandes für die öffentliche Verwaltung von denjenigen Personen gedeckt werden, welche die Thätigkeit der Behörden in Anspruch nehmen.

b. Das Gesammterträgniß dieser Gebühren sollte weder erhöht noch vermindert, sondern gerechter unter die Pflichtigen vertheilt werden.

Gleichwohl wird das bisherige Erträgniß an Verwal=

---

*) Der 1859 den Ständen vorgelegte Entwurf wird unten stets als Entwurf von 1860 allegirt werden, weil derselbe am 4. Februar 1860 von der Zweiten Kammer angenommen wurde, und die Erste Kammer der Fassung, wie sie am genannten Tage beschlossen wurde (Beilage Nr. 67 zum Pro= tocoll vom 9. Febr. 1860), ihre Zustimmung ohne alle Abänderungen ertheilte.

**) Die Drucksachen der Ersten und Zweiten Kammer vom Landtage 1863—64 sind noch nicht so weit vorangeschritten, daß die Nummer und Seite des betreffenden Hefts angegeben werden könnte.

tungs-Sporteln, Stempel und Taren nicht mehr erzielt
werden, weil durch die Bestimmungen des neuen Ge-
werbegesetzes eine große Zahl von Geschäften hinwegfällt,
für welche früher Gebühren angesetzt wurden, weßhalb
auch in dem neuen Budget der Gesammtbetrag dieser Gebühren niederer angenommen wurde.

(Budget für 1863 — 64. VI. Finanzverwaltung.
IV. Steuerverwaltung. Titel III. §. 15.)

c. In Bezug auf die Art und Weise, wie diese Abgaben geleistet werden sollen, wurde das sog. gemischte System
gewählt, wonach von den Betheiligten zu ihren Eingaben des Stempelpapiers sich zu bedienen ist, wogegen die Behörden für ihre Verfügungen Sporteln
ansetzen und überdieß für die von der Staatsgewalt
bewilligten Vortheile und Vergünstigungen noch besondere
Taren erheben.

d. Die Sporteln werden nur für die Erkenntnisse oder die
die Sache erledigenden Entschließungen angesetzt; für die
vorbereitenden oder sog. Zwischenverfügungen, z. B. Vor-
ladungen, Mittheilung zur Vernehmlassung, Erinnerungen,
Berichtseinforderungen und Erstattungen, Beweisauflagen,
Eröffnungen, Mittheilungen und dergl., sowie für die
Ausfertigung aller Beschlüsse, insofern sie nicht auf besonderes Verlangen geschehen, werden keine Sporteln in
Anrechnung gebracht.

3) Ueber §. 1 vergl. Entwurf von 1860, §. 1.

Nach der Begründung zu dem letzteren gehören

Gemeinden u. Cor-
porationen als Pri-
vatpersonen.

Stempel nur bei
Eingaben an die
Bezirksämter und
höheren Behörden.

a. zu den „Privatpersonen" auch Gemeinden und andere
Corporationen in ihren Privatangelegenheiten.

b. In unterer Instanz soll, wie bisher, nur bei Eingaben
an die Bezirksämter Stempelpapiere gebraucht werden, nicht aber auch bei solchen an andere Unterbehörden,
z. B. Domänenverwaltungen, Obereinnehmereien, Haupt-
zoll- und Steuerämter, Postämter, Hoch- und Straßen-
bauinspectionen, Bezirksforsteien, Bezirksärzte.

Dagegen ist zu Eingaben an die denselben vorgesetzten
(„höheren") Behörden, z. B. die Hofdomänenkammer, die
Steuerdirection, Zoll- und Forstdirection, die Direction
der Verkehrsanstalten, Baudirection, Sanitätscommission
Stempelpapier anzuwenden, auch wenn die Eingabe bei
einer der genannten Unterbehörden eingereicht wird, aber
bei einer höheren Behörde zu erledigen ist.

Zu Eingaben bei einer Gemeindebehörde, welche aber
der Vorbescheidung des Bezirksamts oder einer höheren

Behörde bedürfen, muß ebenfalls Stempelpapier verwendet werden.

Militärverwaltung.
Universitätsämter.

c. Auf die **Militärstaatsverwaltung** findet das Gesetz keine Anwendung, wohl aber auf die **Universitäts- ämter**, soweit sie Civilstaatsverwaltungsfachen zu besorgen haben.

Eingaben bei Ge- meindebehörden.

d. Zu Eingaben an **Gemeindebehörden**, welche auch bei diesen ihre Erledigung zu finden haben, ist kein Stempel zu verwenden.

§. 2.

Oeffentliche Diener, welche auf ihre Dienstverhältnisse bezügliche Eingaben, womit sie für ihre Person um etwas nachsuchen, bei den Dienstbehörden einreichen, haben sich des Stempelpapiers zu bedienen.

Ausgenommen sind die Anmeldungen um zur Bewerbung ausge- schriebene Stellen.

Vergl. Entwurf von 1860, §. 2.

§. 3.

Oeffentliche Behörden als solche verwenden nur zu denjenigen ihrer Ausfertigungen Stempelpapiere, welche zur öfteren Vorweisung bei den Behörden bestimmt sind, wie zu Reisenurkunden; sodann in den Fällen des §. 39, oder wenn es von den Betheiligten verlangt wird.

Es könnte als angemessen erscheinen, künftig auch noch andere Urkunden auf Stempelpapier ausfertigen zu lassen und die Spor- teln und Taren dafür in Form eines Stempels zu erheben, als diejenigen, bei welchen dieß bis jetzt der Fall war, z. B. bei Reise- pässen, Heimathscheinen und dergl.

Eine Ausdehnung auf andere Urkunden als die eben genann- ten, könnte sich namentlich empfehlen zur Sicherung gegen Fälschung derselben oder zur Erleichterung der Sportelerhebung.

Es soll dieß jedoch nur geschehen können für solche Entschließun- gen, bei welchen keine höhere Abgabe als 30 Kreuzer vorgeschrieben ist.

Die §§. 6 und 39 geben der Regierung hiezu die Ermächti- gung.

§. 4.

Der zu verwendende Stempel beträgt:

1) zu schriftlichen Eingaben jeder Art mit den unter 2 bezeichneten

21 *

Ausnahmen, auch zu Eingaben oder Denkschriften, welche bei
einer mündlichen Verhandlung übergeben werden:

für jeden Bogen oder weniger 15 kr.;

2) zu Vollmachten, Beweisurkunden, Beilagen jeder Art:

für jeden Bogen oder weniger 3 kr.

Vergl. Entwurf von 1860, §. 6.

**Kein Grabations-
stempel.** 1) Der §. 8 des Gerichtssportelgesetzes schreibt einen Gra-
bationsstempel von 15 Kreuzer bis zu Einem Gulden vor,
je nachdem die Eingaben bei einem Amts=, Kreis=, Appellations=
oder dem Oberhofgericht eingereicht werden.

In dem vorliegenden Gesetze ist ein überall gleicher Stempel
angenommen, es mag die Eingabe bei einer unteren, mittleren
oder obersten Staatsverwaltungsbehörde eingereicht werden. Der
Grund hievon liegt in dem Umstande, weil in Verwaltungs= und
Polizeisachen der Werth des Streitgegenstandes sich nicht immer
mit der Sicherheit ermitteln läßt, wie dieß in bürgerlichen Rechtsstreitigkeiten der Fall ist, die Competenz der Behörden in Verwaltungssachen öfter wechselt und sehr häufig die Eingaben, welche
ihre Erledigung nur bei den höheren Stellen finden können, bei
den unteren eingereicht werden müssen.

Die Erhöhung des Stempels von 3 auf 15 Kreuzer für
alle Verwaltungsstellen findet ihre Erklärung darin, daß nach
§. 9 des Gesetzes Sporteln nur für die Endentschließung jeder
Instanz von den Betheiligten erhoben werden dürfen, daher für
alle vorbereitende oder Zwischenverfügungen keine Sportel mehr in
Ansatz gebracht werden darf.

Vergl. Zus. 2 d zu §. 1.

**Niedere Stempel bei
Vollmachten u.dergl.** 2) Der in Ziff. 2 des §. 4 vorgeschriebene niederere Stempel
zu Vollmachten, Beweisurkunden und Beilagen jeder Art wurde
gewählt, um mit der desfallsigen Bestimmung in §. 8 des Gerichtssportelgesetzes in Uebereinstimmung zu bleiben.

§. 5.

Ist die Urkunde, auf welche sich eine Parthei bezieht, in einer
Sammlung, von der sie nicht füglich getrennt werden kann, z. B. in
einer Rechnung, einem Vereine und dergleichen enthalten, so ist nur für
jene Urkunde oder die angerufenen Stellen der nach ihrer Bogenzahl erforderliche Stempel beizulegen.

Zu Acten oder öffentlichen Büchern inländischer Behörden, auf
welche eine Parthei sich beruft, ist die Beilegung von Stempelpapier
nicht nothwendig.

Im Uebrigen ist für jede Urkunde, ohne Unterschied zwischen öffentlichen und Privaturkunden, zwischen Originalien und Abschriften, die erforderliche Zahl Stempelbogen so oft beizulegen, als sie zu den Acten übergeben werden.

Bei Urkunden, welche auf Stempelpapier geschrieben sind, bedarf es eines Beilagestempels nicht.

Wenn eine Druckschrift als Beilage überreicht wird, so werden vier gedruckte Seiten als ein Bogen angesehen.

Es ist gestattet, mehrere Urkunden auf denselben Stempelbogen zu schreiben; dagegen ist Beilagestempel für jede gesonderte Urkunde, auch wenn sie weniger als einen Bogen beträgt, besonders anzuschließen.

Wird eine Urkunde durch eine dritte, bei der Angelegenheit nicht betheiligte Person zu den Acten gegeben, so ist der Betrag des erforderlichen Stempels der betreffenden Parthei als Sportel anzusetzen.

Vergl. Entwurf von 1860, §. 7. Gerichtssportelgesetz §. 9.

Auf Stempelpapier geschriebene Urkunden. Der vorstehende Paragraph stimmt im Wesentlichen mit §. 9 des Gerichtssportelgesetzes überein. Er enthält nur eine Abweichung von demselben.

Während nach dem Letzteren bei Urkunden, welche auf Stempelpapier geschrieben sind, nur bei deren erstmaliger Vorlage der Beilagestempel wegfällt, bedarf es bei solchen Urkunden in Verwaltungssachen eines Beilagestempels niemals, und zwar aus dem Grunde, weil derartige Urkunden in Verwaltungssachen gerade zu mehrfachem Vorzeigen bestimmt sind. Die Rücksicht auf die möglichste Einfachheit und die Verhütung von Strafen verlangt daher, in solchen Fällen die Anwendung von Beilagestempel für unnöthig zu erklären.

§. 6.

Der von den öffentlichen Behörden zu Ausfertigungen, welche zur öfteren Vorweisung bestimmt sind (§. 3) zu verwendende Stempel beträgt 30 kr., wenn nicht durch Regierungsverordnung ein geringerer Stempel vorgeschrieben ist.

Vergl. §. 3 und Zusatz, sodann §. 39.

§. 7.

Die Anwendung von Stempelpapier ist nicht nothwendig:
1) zu den Aufschriften auf der Rückseite von Eingaben, sofern

dieses Blatt nicht auch noch einen Theil der Eingabe selbst enthält;

2) zu Doppelschriften der Eingaben und ihrer Beilagen;

3) zu den Belegen für einzelne Ansätze in Kostenliquidationen und Kostenverzeichnissen und Substitutionsvollmachten.

Vergl. §. 5 des Entwurfs von 1860. Gerichtssportelgesetz §. 10.

§. 8.

Wer gegen die Vorschrift dieses Gesetzes kein Stempelpapier oder schon vorher verwendetes gebraucht, oder statt der vorgeschriebenen höheren eine geringere Gattung desselben, hat den Gesammtbetrag des nicht gebrauchten Stempelpapiers oder des Unterschiedes zwischen dem vorgeschriebenen und dem gebrauchten nachzuzahlen, und nebstdem das Doppelte dieses Betrags als Stempelbuße, welche jedoch mindestens 15 kr. betragen muß, zu erlegen.

Betheiligte, die sich im Auslande aufhalten, werden wegen unterlassenen Gebrauchs des Stempelpapiers nicht gestraft, sondern es wird der Betrag von ihnen als Sportel nach Maßgabe des §. 4 erhoben.

Dasselbe geschieht, wenn in dem Falle des zweiten Absatzes des §. 1 der Stempel nicht verwendet wurde.

Vergl. §. 8 des Entwurfs von 1860. Gerichtssportelgesetz §. 12.

II. Von den Sporteln.

§. 9.

Für die in Anspruch genommene Thätigkeit der Bezirksämter und höheren Civilstaatsverwaltungsbehörden werden außer Protocoll- und Abschriftsgebühren nur Sporteln für die Endentschließung jeder Instanz von den Betheiligten erhoben.

Vergl. Entwurf von 1860, §. 9 und Zusatz 2 d zu §. 1 oben.

In Uebereinstimmung mit dem §. 1 wählt der Paragraph eine Fassung, aus welcher klar hervorgeht, daß in der untern Instanz nur von den Bezirksämtern Sporteln angesetzt werden sollen, nicht aber auch von anderen Unterbehörden, weil diese letzteren Stellen bisher nicht sportulirt haben und kein Grund vorliegt, hierin eine Aenderung eintreten zu lassen.

§. 10.

Für Protocolle werden nach Verhältniß der mit der Verhandlung einschließlich der Niederschreibung zugebrachten Zeit angesetzt:

a. bei den Bezirksämtern für die Stunde oder weniger . 30 kr.

b. bei einer Mittel- oder Oberbehörde für die Stunde oder weniger . . . . 1 fl.

Die in den öffentlichen Sitzungen der Bezirksräthe und des Verwaltungsgerichtshofs aufgenommenen Protocolle sind sportelfrei, mit Ausnahme derjenigen, welche über Eingeständnisse oder thatsächliche Erklärungen oder über Beweiserhebungen aufgenommen werden. In diesen Fällen werden für die Stunde oder weniger 3 fl. angesetzt.

Vergl. Entwurf von 1860, §. 10. Gerichtssportelgesetz §. 14.

§. 11.

Für Abschriften, welche auf besonderes Ansuchen eines Betheiligten gefertigt werden, sind für den Bogen anzusetzen . . . . . 12 kr.

Die Blattseite muß wenigstens 24 Linien von mindestens je 32 Buchstaben enthalten, die Anfangs- und Schlußseite ausgenommen.

Die Abschriftssportel ist auch dann, wenn die Vervielfältigung auf mechanischem Wege geschah, und zwar nach der Bogenzahl des Abbruckes, anzusetzen.

Vergl. Entwurf von 1860, §. 11. Gerichtssportelgesetz §. 28.

> Abweichend von den Bestimmungen des letzteren werden in Verwaltungssachen nur für solche Abschriften, welche auf besonderes Ansuchen eines Betheiligten gefertigt werden, die vorgeschriebenen Gebühren angesetzt.

§. 12.

Für Abschriften von Archivalurkunden und von Urkunden in fremden Sprachen kann der doppelte bis fünffache Betrag der im vorigen Paragraphen bestimmten Gebühr berechnet werden.

Vergl. Entwurf von 1860, §. 12.

§. 13.

Für Erkenntnisse oder andere Entschließungen, welche auf vorgängiges contradictorisches oder informatives Verfahren oder nach gepflogener Untersuchung ergehen, werden angesetzt:

a. bei einem Bezirksamt . . . . 2 fl.
b. bei einem Bezirksrath . . . . 3 „
c. bei demselben nach vorausgegangener mündlicher Ver=
   handlung . . . . 4 „
d. bei einer Centralmittelstelle . . . . 6 „
e. bei einem Ministerium, bei der Oberrechnungskammer
   und bei dem Verwaltungsgerichtshof . . . . . . 8 „
f. bei dem Staatsministerium . . . . 10 „

Bei weitläufigem Verfahren oder schwierigen Fällen kann die er=
kennende Behörde das Doppelte oder Dreifache dieser Sportel ansetzen.
Vergl. Entwurf von 1860, §. 13. Gerichtssportelgesetz §. 29.

  In Uebereinstimmung mit dem letzteren setzt das Gesetz für
Erkenntnisse und andere Endentschließungen in Verwaltungssachen
eine Gradationssportel je nach der Stufe der erkennenden
Behörde fest und überläßt den letzteren, bei weitläufigem Verfahren
oder in schwierigen Fällen, das Doppelte oder Dreifache der ge=
wöhnlichen Sportel anzusetzen.

  Ein solcher Spielraum war in Verwaltungssachen nothwendig,
weil die Bestimmung des Streitwerths in denselben nicht so leicht
möglich ist, wie in bürgerlichen Rechtsstreitigkeiten, und weil auch
nicht räthlich erschien, ein Maximum oder Minimum festzusetzen,
da hiebei große Ungleichheiten und in Folge hievon vielfache Be=
schwerden nicht zu vermeiden gewesen wären.

§. 14.

Für Erkenntnisse oder andere Endentschließungen, welche nach der
ersten protocollarischen Verhandlung oder nur auf Berichterstattung
hin ergehen, wird die Hälfte der Sporteln des §. 13 angesetzt.
  Vergl. Entwurf von 1860, §. 15 und 16.

  Die Bestimmungen des §. 14 und auch der nachfolgenden
§§. 15, 16 und 17 beruhen auf dem in §. 9 und 13 des Gesetzes
niedergelegten Grundsatze, daß die Sportelansätze sich nach dem
größeren oder geringeren Umfang der von den Behörden durch das
Geschäft in Anspruch genommenen Thätigkeit richten.

  Das Gesetz hebt leicht erkennbare, äußere Hauptmerkmale her=
vor, nach welchen in Ausführung des oben angeführten Grundsatzes
diejenigen Fälle bezeichnet werden, bei welchen der Sportelansatz
unter dem in §. 13 festgesetzten ordentlichen Maße bleibt.

§. 15.

Für Endentschließungen, welche ohne vorgängiges Verfahren und ohne Berichtserhebung ergehen, wird ein Drittteil der in §. 13 festgesetzten Sporteln angerechnet.

Vergl. Entwurf von 1860, §. 17.

§. 16.

In der Recursinstanz wird immer die Sportel des §. 13 angesetzt, es mag ein Verfahren stattgefunden haben oder nicht.

Vergl. Entwurf von 1860, §. 18.

§. 17.

Wird ein Recurs als verspätet oder unzulässig verworfen, so wird die Hälfte der Erkenntnißsportel angerechnet.

Vergl. Entwurf von 1860, §. 19.

§. 18.

Für ein Erkenntniß, wodurch eine Beschwerde wegen Verzögerung oder Verweigerung der Verhandlung oder Entscheidung, wegen ungebührlicher Behandlung, wegen Strichs oder Ermäßigung der Kostenansätze oder gegen die Erkennung einer Stempelbuße, gegen einen Ansatz von Sporteln und Taren, oder gegen eine Zwischenverfügung verworfen wird, ist als Sportel anzusetzen: bei einem Bezirksamt 1 fl., bei einer höhern Behörde 3 fl.

Der Entwurf enthielt keine Bestimmungen über den Sportelansatz bei Beschwerdeführungen.

Es hätte daher in Zweifel gezogen werden können, ob in solchen Fällen überhaupt nur ein Sportelansatz als gerechtfertigt erscheint.

Durch die von der Zweiten Kammer in Vorschlag gebrachten SS. 18 und 19 wurde diese Lücke in einer den Vorschriften der S. 25—27 des Gerichtssportelgesetzes entsprechenden Weise ausgefüllt.

§. 19.

Wird eine solche Beschwerde für begründet erklärt, so ist das Erkenntniß sportelfrei und der Betrag des verwendeten Stempelpapiers wird rückersetzt, außer wenn sie ein unter den Partheien selbst streitiges Verhältniß zum Gegenstande hat. Wird die Beschwerde theilweise be= gründet befunden, so wird nur ein Theil der Sportel nach dem Ermessen der erkennenden Behörde angesetzt.

Vergl. Zusatz zu §. 18.

§. 20.

Für Ergänzung, Erläuterung oder Berichtigung eines Erkenntnisses oder einer andern Endentschließung wird keine Sportel, für die Ver= werfung des Gesuches um Ergänzung u. s. w. ein Drittheil der Er= kenntnißsportel angesetzt.

Vergl. Entwurf von 1860, §. 20. Gerichtssportelgesetz §. 40, vergl. mit §. 37, Ziff. 1.

§. 21.

Eine Sportel von Einem Gulden ist anzusetzen:
1) für den Vorführungsbefehl gegen Zeugen oder Beschuldigte, welche der Ladung keine Folge geleistet haben;
2) für die öffentliche Vorladung eines Beschuldigten;
3) für die öffentliche Verkündung des Erkenntnisses.

Vergl. Entwurf von 1860, §. 21. Gerichtssportelgesetz §. 105.

§. 22.

Für einen Zahlbefehl, sowie für eine Vollstreckungsverfügung wird, insofern das deßfallsige Gesuch mündlich vorgetragen wird, es mag ein Protocoll darüber aufgenommen werden oder nicht, nur eine Sportel von 15 kr. angesetzt, andernfalls genügt die Verwendung des geordneten Stempelpapiers.

Vergl. Entwurf von 1860, §. 22.

§. 23.

Für eine Beglaubigung werden 15 kr. in Anrechnung gebracht.

Vergl. Entwurf von 1860, §. 23.

§. 24.

Für Verlängerung einer Reiseurkunde wird die Hälfte des ur= sprünglichen Stempels (§. 6) als Sportel angesetzt.

Vergl. Entwurf von 1860, §. 24.

§. 25.

Für Visitation einer Privatlehranstalt wird eine Sportel von 5—20 fl., außer dieser aber werden keine Diäten und Reisekosten für den Prüfungscommissär von dem Unternehmer der Lehranstalt erhoben. Vergl. Entwurf von 1860, §. 25.

§. 26.

Für die Aufnahme unter die Candidaten für den öffentlichen Dienst wird, wenn sie durch eine Centralmittelstelle erfolgt, eine Sportel von 1—3 fl., wenn sie durch ein Ministerium ausgesprochen wird, eine solche von 3 fl. angesetzt. Bei denjenigen, welche nur in eine Wartliste auf= genommen werden, findet ein Sportelansatz nicht statt.

Für die Aufnahme unter die Candidaten des öffentlichen Dienstes war in §. 41, Ziff. 3 des Entwurfs von 1860 eine Taxe von 1 bis 3 Gulden festgesetzt, unter ausdrücklicher Befreiung der Volksschulcandidaten von dieser Abgabe.

Das neue Gesetz verwandelt diese Abgabe in eine Sportel und hebt die letztgenannte Befreiung auf.

Es schien zu hart, neben der Taxe die Candidaten auch die in dem Entwurfe von 1860, §. 13 bestandene Sportel, das Stem= pelpapier und die etwaigen Prüfungskosten zahlen zu lassen, weß= halb die Taxe, aber auch die Befreiung der Volksschulcandidaten von jeder Abgabe aufgehoben wurde, da sie auch bisher einen den jetzigen Sporteln ungefähr gleichkommenden Betrag zu entrichten hatten.

§. 27.

Verfügungen, welche an öffentliche Diener, als solche, in Betreff ihrer Dienstverhältnisse von Amtswegen oder auf Ansuchen ergehen, wie Anstellungsurkunden, Urlaubs= und Heirathsbewilligung u. dgl. sind sportelfrei. Vergl. Entwurf von 1860, §. 27.

Wenn auch die hier genannten Verfügungen an öffentliche Diener sportelfrei sind, so muß doch zu den schriftlichen Gesuchen um Anstellung, Urlaub und Heirathserlaubniß nach §. 4 Stempel= papier verwendet werden.

§. 28.

Die Sporteln für Protocolle und Abschriften sind demjenigen an= zusetzen, welcher die Handlung, wofür sie anzurechnen sind, veranlaßt hat.

Die Sporteln für Vollstreckungsverfügungen sind dem Beklagten anzusetzen.

Die Sportel für die Endentschließung ist demjenigen in Ansatz zu bringen, welcher dieselbe veranlaßt hat oder zur Tragung der Kosten verurtheilt ist; sie ist, wenn die Kompensation der Kosten eintritt, jeder Parthei zur Hälfte anzusetzen, und wenn eine Theilung der Kosten ausgesprochen wird, in entsprechendem Verhältnisse zu theilen.

Vergl. Entwurf von 1860, §. 28.   Gerichtssportelgesetz §. 28.

§. 29.

Besteht eine Parthei aus einer Streitgenossenschaft, so hat sie einen zahlungsfähigen Sportelzahler zu bestellen, widrigenfalls einer der Streitgenossen dazu bestellt wird.

Vergl. Entwurf von 1860, §. 29.   Gerichtssportelgesetz §. 54.

§. 30.

Personen, welche sich im Auslande aufhalten, oder im Inlande nur vorübergehend verweilen, müssen, wenn sie bei einer Verwaltungsbehörde eine Privatangelegenheit anhängig machen, einen zahlungsfähigen Inländer aufstellen, welcher sich zur Entrichtung der Sporteln und sonstigen Kosten verpflichtet. Sie werden zur Erfüllung dieser Verbindlichkeit aufgefordert, wenn sie ihr nicht freiwillig genügen. Bevor dieß geschehen, wird keine Verfügung in der Sache selbst erlassen, außer in dringenden Fällen.

Vergl. Entwurf von 1860, §. 30.   Gerichtssportelgesetz §. 55.

§. 31.

Wird ein anderer Betheiligter als derjenige, von welchem bisher die Sporteln und sonstigen Kosten erhoben wurden, zu deren Bezahlung für schuldig erklärt, so werden sie, sofern derselbe im Auslande wohnt, von dessen inländischen Bevollmächtigten oder von seinem Anwalte, oder aus seinem im Inlande befindlichen Vermögen erhoben.

Der Regierung ist vorbehalten, wegen unmittelbarer Erhebung der Sporteln von Ausländern Bestimmungen zu treffen.

Vergl. Entwurf von 1860, §. 31.   Gerichtssportelgesetz §. 56.

III. Gemeinsame Bestimmungen über Stempel und Sporteln.

§. 32.

Die Anwendung von Stempelpapier und der Ansatz von Sporteln hat zu unterbleiben:

1) in Angelegenheiten der großh. Hofkasse, sowie der Staats= und Staatsanstaltenkassen;

2) in Angelegenheiten der kirchlichen Fonds (nicht auch der Kirch=spielsgemeinden) und der Fonds für Wohlthätigkeit und öffent=lichen Unterricht, und

3) in denen der notorisch Armen und der zum Armenrecht Zuge=lassenen;

4) bei dem Verfahren in Polizeistraffachen vor den Bezirkspolizei=behörden, mit Ausnahme der Fälle des §. 21, sowie der Fälle, wo förmliche Protocolle über Beweiserhebungen aufgenommen werden;

5) bei Verhandlungen und Erkenntnissen der Finanzbehörden über Recurse bei Controlvergehen in Zoll= und Steuersachen;

6) bei Gesuchen um Reiseurkunden, welche auf gestempeltem Pa=pier ausgestellt werden;

7) bei Eingaben, in welchen es sich um privatrechtliche Verhält=nisse zwischen Staatsbehörden einerseits und Denjenigen, welche die Eingaben einreichen, anderseits handelt;

8) außerdem bei allen jenen Eingaben und Amtshandlungen, welche nur im öffentlichen Interesse geschehen oder für welche durch besondere Gesetze die sportel= und stempelfreie Behand=lung vorgeschrieben ist.

Vergl. Entwurf von 1860, §. 33. Gerichtssportelgesetz §. 57 und 61.

§. 33.

Zu Streitigkeiten, bei welchen einer der in den Sätzen 1, 2 und 3 des vorigen Paragraphen genannten Befreiten als Parthei auftritt, hat weder dieser noch sein Gegner Stempelpapier zu verwenden, und es werden die Stempel= und Sportelbeträge einstweilen nur vorgemerkt,

so weit sie nicht dem nicht befreiten Gegner sofort zur Last gesetzt werden müssen.

Vergl. Entwurf von 1860, §. 34.   Gerichtssportelgesetz §. 57, Abf. 2.

§. 34.

Wird nachmals der Gegner der befreiten Parthei zur Tragung der
Kosten oder eines Theils derselben verurtheilt, so sind neben der Sportel
des Erkenntnisses zugleich die bis dahin vorgemerkten Stempelgebühren
und Sporteln, oder der betreffende Theil derselben in die Hebrolle aufzunehmen.

Vergl. Entwurf von 1860, §. 35.   Gerichtssportelgesetz §. 58.

§. 35.

Das Gleiche geschieht, wenn der in die Kosten verurtheilte Arme
vor eingetretener Verjährung (Gesetz vom 21. Juli 1839, Regierungsbl.
Nr. XXI.) zu hinreichendem Vermögen gelangt.

Vergl. Entwurf von 1860, §. 36.   Gerichtssportelgesetz §. 58, Abf. 2.

§. 36.

Wird in Folge ergriffenen Recurses das im Falle des §. 34 erlassene Erkenntniß abgeändert und die befreite Parthei zur Tragung der
Kosten oder eines Theils derselben verurtheilt, so wird der andern Parthei der Betrag der Stempelgebühren und Sporteln, der ihr vom Gegner zu ersetzen wäre, aus der Staatskasse zurückgegeben.

Vergl. Entwurf von 1860, §. 37.   Gerichtssportelgesetz §. 59.

§. 37.

Wird ein Streit mit einer befreiten Parthei durch Vergleich erledigt, so ist der nichtbefreiten Parthei die Hälfte des vorgemerkten Stem-
pel- und Sportelbetrages zur Last zu setzen, die andere Hälfte ist zu
streichen.

Vergl. Entwurf von 1860, §. 38.   Gerichtssportelgesetz §. 60.

§. 38.

Neben den Stempeln und Sporteln ist in den nachbenannten Fällen die beigesetzte Taxe zu erheben:

1) Für die Verleihung von Körperschaftsrechten　.　　50—300 fl.

2) Für die Bestätigung genossenschaftlicher Sa-
tzungen, sowie für die Genehmigung der Statuten öffentlicher Leih= und Pfandhäuser und
anderer öffentlicher Anstalten, welche auf Faust=
pfand Darleihen geben, im Falle des Gesetzes
vom 6. April 1854 (Regierungsblatt Nr. XX.)　　5—100 „

3) Für die Erlaubniß zur Errichtung eines
Stammguts und für die Bestätigung der Statuten

　　beim Herrenstand　.　.　.　.　.　.　　500 „
　　beim Ritterstand .　.　.　.　.　.　.　　200 „
Für die Bestätigung neuer Statuten für ein
besthendes Stammgut,
für die Erlaubniß zur Vergrößerung oder Ver=
äußerung eines Stammguts die Hälfte obi=
ger Taxe.

4) Für Verleihung einer Standeserhöhung und
für Anerkennung einer von einem auswärtigen
Souverain ertheilten Standeserhöhung　.　.　50—3000 „

5) Für die Volljährigkeitserklärung vor zurückge=
legtem gesetzlichen Alter:
　a) bei einem fürstlichen Standesherrn　.　.　.　　500 „
　b) bei einem gräflichen Standesherrn　.　.　.　　100 „
　c) bei einem Grundherrn　.　.　.　.　.　.　　50 „

6) Für die Ertheilung des Staatsbürgerrechts auf
Nachsuchen:
　a) an Unterthanen deutscher Bundesstaaten für
　　jede Person　.　.　.　.　.　.　.　.　.　　25 „
　b) an Unterthanen anderer Staaten für jede
　　Person　.　.　.　.　.　.　.　.　.　.　　50 „
　　　Bei Annahme von Familien sind nur
　　die noch unter der väterlichen Gewalt stehen=
　　den Kinder frei.

7) Für die Ertheilung der Auswanderungser=
laubniß　.　.　.　.　.　.　.　.　.　.　.　　2 „

8) Für die Staatsgenehmigung zur Einführung einer Verbrauchssteuer in einer Gemeinde . . 50—300 fl.

9) Für die Staatsgenehmigung der Zulassung zum Bürgerrechtsantritt vor zurückgelegtem 25. Lebensjahre . . . . 5—30 „

10) Für Ertheilung von Tanzerlaubniß . . . 2 „

11) Für Ausstellung eines Jagdpasses . . . 6 „

12) Für Dispensation von bestehenden Bauvor= schriften . . . . 3 „

13) Für Begnadigungen . . . . 1—10 „

14) Für Erlassung der Ehrenfolgen der Zucht= hausstrafe . . . . 5—10 „

15) Für Ertheilung von Privilegien einschließlich der Erfindungspatente . . . . . . 15—500 „

16) Für die Aufnahme in den Anwaltstand . . 15 „

17) Für die Aufnahme als Rhein=, Main= und Neckarschiffer . . . . 5 „

18) Für die Ertheilung von Steuermanns=Pa= tenten . . . . 1 fl. 30 kr.

19) Für Ausstellung von Patenten für Handels= reisende, so weit solche nicht nach Staatsver= trag von Zahlung einer Taxe befreit sind oder eine geringere Taxe zu zahlen haben . . . 11 „

20) Für die Genehmigung zur Gründung einer Actiengesellschaft oder einer Commanditgesell= schaft auf Actien:

a. bei einem Actienkapital unter 25,000 fl. . 50 fl.

b. bei einem Actienkapital von 25,000 bis 50,000 fl. . . . . 100 „

c. bei einem Actienkapital über 50,000 bis 200,000 fl. . . . . 150—300 „

d. bei einem Actienkapital über 200,000 fl. . 500 „

21) Für die Staatsgenehmigung zur Ausstellung von Schuldverschreibungen auf den Inhaber:

a. bis zum Betrag von 100,000 fl. . . . 50—150 „

b. bei einem Betrag über 100,000 fl. bis 200,000 fl. . . . . 150—300 „

c. bei einem Betrag über 200,000 fl. . . .   300—500 fl.

22) Für die Erlaubniß zur Abhaltung von Jahr=
märkten und Messen . . . .   20—100 „

23) Für die Bewilligung des Rechts:
a. zu einer Handapotheke . . . . . .   15 „
b. zu einer Filialapotheke . . . . . .   50—100 „
c. zu einer Personalapotheke . . . . .   150—300 „
d. zu einer Realapotheke, die Hälfte des Privi=
legiumswerthes.

24) Für die Gestattung der Verlegung:
a. eines Realapothekenprivilegiums in ein an=
deres Haus . . . .
b. eines Personalapothekenprivilegiums in eine
andere Gemeinde . . . .   } 15—150 „

25) Für Ertheilung des Rechts zu einer
a. Stein=
b. Kupfer=
c. Stahl=   } Druckerei . . . .   25—50 „
d. Buch=

26) Für Ertheilung des Rechts zu einer Sorti=
mentsbuch= oder Sortimentskunsthandlung:
a. in Orten bis mit 4000 Seelen . . . .   30 „
b. „ „ über 4000—10,000 Seelen . .   40 „
c. „ „ über 10,000 Seelen . . . . .   50 „

27) Für die Bewilligung des Rechts zu einer Ver=
lagsbuchhandlung . . . .   30 „

28) Für die Bewilligung einer Musikalienhandlung   10—30 „

29) Für die Genehmigung zur Verlegung einer
Druckerei oder einer Buch=, Kunst= oder Musi=
kalienhandlung in eine andere Gemeinde . .   3—25 „

30) Für die Bewilligung des Rechtes:
a. zu einer Leihbibliothek
b. zu einem Antiquariatsgeschäft   } . . .   20—50 „

31) Für die Bewilligung des Rechtes:
a. Zu einer Bier= und Branntweinwirthschaft:
1) in Orten bis mit 4000 Seelen . . .   20 „
2) „ „ über 4000—10,000 Seelen .   30 „

3) in Orten über 10,000 Seelen . . . .   40 fl.
b. zu einer Schenk= und Speisewirthschaft (Re=
   stauration):

   α. Persönliche:
1) in Orten bis mit 4000 Seelen   . .   30 „
2) „   „   über 4000—10,000 Seelen .   50 „
3) „   „   über 10,000 Seelen . . . .   100 „

   β. Reale:
1) in Orten bis mit 4000 Seelen   . .   100 „
2) „   „   über 4000—10,000 Seelen .   150 „
3) „   „   über 10,000 Seelen . . . .   200 „

c. zu einer Gastwirthschaft:

   α. Persönliche:
1) in Orten bis mit 4000 Seelen   . .   50 „
2) „   „   über 4000—10,000 Seelen .   100 „
3) „   „   über 10,000 Seelen . . . .   150 „

   β. Reale:
1) in Orten bis mit 4000 Seelen   . .   200 „
2) „   „   über 4000—10,000 Seelen .   300 „
3) „   „   über 10,000 Seelen . . . .   500 „

d. zu einer Wirthschaft, welche nicht auf Lebens=
   zeit bewilligt wird:
1) auf die Dauer bis mit 5 Jahren $\frac{1}{5}$ ⎫ ber unter
2) „   „   „   über 5 bis mit 10 Jahren $\frac{1}{4}$ ⎪ a., b., c. be=
3) „   „   „   „ 10 bis mit 20 Jahren $\frac{1}{2}$ ⎬ stimmten
4) „   „   „   „   20 Jahren $\frac{3}{4}$ ⎭ Taren;

e. zur Verlegung einer Wirthschaft 3 fl. bis zur
   Hälfte der für die Bewilligung zu ihrer Er=
   richtung anzusetzenden Taxe.
32) Für die Zulassung von Feuerversicherungs=Ge=
    sellschaften:
    a. zur Uebernahme von Fahrnißversicherungen   30 fl.
    b. zur Versicherung des bei der Staatsanstalt
       nicht versicherten Gebäudefünftels   . . .   20 „
33) Für die Bewilligung zur Uebernahme von Agen=
    turen   . . . .   5—50 „

34) Für die Ertheilung irgend einer andern Ge=
werbsconcession . . . . 5—50
35) Für die Erlaubniß zur Annahme eines andern
Familiennamens . . . . 5—10
36) Für Dispensation vom gesetzlichen Alter zum
Heirathen:
  a. beim männlichen Geschlecht, wenn das 25.
  Lebensjahr noch nicht zurückgelegt ist:
    1) nach zurückgelegtem 24. Lebensjahr . . 5
    2) „   „   23. „ . . 10
    3) „   „   22. „ . . 20
    4) „   „   21. „ . . 30
    5) „   „   20. „ . . 50
    6) bei einem Lebensalter unter 20 Jahren 100
  b. beim weiblichen Geschlecht, wenn das 18. Le=
  bensjahr noch nicht zurückgelegt ist:
    1) nach zurückgelegtem 17. Lebensjahre . . 5
    2) „   „   16. „ 15
    3) bei einem Lebensalter unter 16 Jahren 20—50
37) Für Dispensation vom Verbot des Heirathens
unter Verwandten . . . . 5—25
38) Für Dispensation von der vorgeschriebenen
Trauerzeit, für jeden an letzterer fehlenden Mo=
nat, die überzähligen Tage für einen vollen
Monat gerechnet. 5
39) Für Dispensation vom zweiten Eheaufgebot . 15
40) Für die Gestattung der Trauung außerhalb des
Wohnsitzes 10
41) Für die Erlaubniß zur Trauung in Privat=
häusern . . . . 5—15
42) Für die Staatsgenehmigung einer im Ausland
geschlossenen Ehe . . . . 5—20
43) Für die Bestätigung von Vermögensübergaben
und Verpfründungsverträgen 1
44) Für die Erlaubniß zur Vermögensübergabe
vor zurückgelegtem 63. Lebensjahre für jedes
fehlende Jahr 2

Dabei werden 6 Monate oder weniger nicht,
über 6 Monate aber für ein volles Jahr
gerechnet.

45) Für Gestattung:
a. der Vertheilung eines geschlossenen Hofguts   25 — 100 fl.
b. der Abtretung einzelner kleiner Parcellen von
einem solchen . . . .   5—15 „
46) Für Gestattung der Beerbigung in einer Kirche
oder Kapelle . . . .   50 „
47) Für Ertheilung eines Leichenpasses . . . .   10 „

Die Taren als Gebühren, welche für gewisse von der Staatsgewalt bewilligte Vortheile oder Vergünstigungen neben den Stempeln
und Sporteln zu entrichten sind, wurden in dem neuen Gesetze
beibehalten, ungeachtet gegen dieselben sehr gewichtige Einwendungen erhoben werden könnten.

Es geschah dieß hauptsächlich aus dem Grunde, weil die
Staatskasse, insolange nicht ein ausreichender Ersatz für sie geboten
ist, diese Abgabe nicht wohl entbehren kann.

Das neue Gesetz unterscheidet sich aber von dem früheren Entwurf in einem wesentlichen Punkte. Nach dem letzteren (§. 42)
sollte es nämlich für Verwilligungen und Vergünstigungen, welche
in demselben weder mit einer Tare belegt, noch in ihm oder in
einem anderen Gesetze für tarfrei erklärt sind, bei den bisherigen Taren bleiben, sofern sie nicht im Wege der Verordnung gemindert oder aufgehoben werden.

Eine solche Fortdauer der alten Taren neben dem neuen
Gesetze erachtete man aber für einen Mißstand, da dieselben in
verschiedenen Gesetzen und Verordnungen zerstreut und zum Theil
auch als veraltet außer Uebung gekommen sind. Man hielt es
daher für nothwendig, das ganze Gebiet der Taren einer Revision zu unterwerfen und dasselbe unter die ausschließliche Herrschaft eines Gesetzes zu stellen.

Hienach wurde der frühere Entwurf unter Beibehaltung seiner
Grundlagen vervollständigt, so daß in dem jetzigen Gesetze alle
jetzt noch giltigen Taren aufgenommen sind.

V. Allgemeine Bestimmungen.

§. 39.

Die Regierung ist ermächtigt, die Sporteln und Taren bis zum
Betrage von 30 kr. in Form eines Stempels zu erheben (§§. 3. und 6).
Vergl. Zusatz zu §. 3.

§. 40.

Gegen die Erkennung von Stempelbußen und den Ansatz von Sporteln und Taxen steht dem Betheiligten die Beschwerdeführung nur an die zunächst vorgesetzte Behörde, jedoch ohne aufschiebende Wirkung, zu. Gegen derartige Bestimmungen der Ministerien, der Oberrech= nungskammer und des Verwaltungsgerichtshofs ist nur eine Gegenvor= stellung zulässig.

Die Behörden sind verpflichtet, ihre Sportel= und Taxansätze, sowie die von ihnen erkannten Stempelbußen auf den Antrag eines Betheilig= ten oder von Amtswegen, wenn sie sich von deren Unrichtigkeit überzeu= gen, selbst zu berichtigen.

Ferner haben die Oberbehörden die Ansätze der untern Behörden, in denen sie einen wesentlichen Irrthum wahrnehmen, von Amtswegen zu berichtigen, und demgemäß die Nachzahlung oder den Rückersatz zu verfügen, wenn nicht die Verjährung nach dem Gesetz vom 21. Juli 1839 (Regierungsblatt Nr. XXI.) eingetreten ist.

Vergl. Entwurf von 1860, §. 45 und 46.   Gerichtssportelgesetz §. 6.

§. 41.

Außer den Stempeln, Sporteln und Taxen werden in Verwal= tungs= und Polizeisachen nur noch die Gebühren der Hilfspersonen der Behörden, der Zeugen, der Urkundspersonen, der Sachverständigen, der Geistlichen, ferner Porto, Einrückungsgebühren, Diäten und Reisekosten, Prüfungskosten, Rechnungsabhörgebühren und überhaupt die in einem gegebenen Falle veranlaßten baaren Auslagen entweder in den sich er= gebenden wirklichen oder in durch Verordnungen bestimmten Aversal= beträgen erhoben.

Vergl. Entwurf von 1860, §. 47.   Gerichtssportelgesetz §. 3.

§. 42.

Auf Gesandtschaften und Consulate, auf den Lehenhof, sowie auf die Gebühren der Gemeindebeamten findet dieses Gesetz keine Anwendung.

Vergl. Entwurf von 1860, §. 48.

Ueber die Lehentaxordnung f. Reg.=Bl. von 1818, Nr. 12.

Ueber die Gebühren der Gemeindebeamten: Verordnung vom 13. Juni 1864 (Reg.=Bl. Nr. 25, S. 246—256.)

§. 43.

Alle früheren Bestimmungen über Stempel, Sporteln und Taxen in Civilstaatsverwaltungs= und Polizeisachen treten mit dem Vollzug dieses Gesetzes außer Wirksamkeit.

Vergl. Entwurf von 1860, §. 39. Gerichtssportelgesetz §. 1.

§. 44.

Der Tag, an welchem gegenwärtiges Gesetz in Vollzug tritt, wird durch Regierungsverordnung bestimmt.

Unsere Civilministerien sind, jedes so weit es seinen Geschäfts= kreis berührt, mit dem Vollzug dieses Gesetzes beauftragt.

Vergl. Entwurf von 1860, §. 49.

Gegeben zu Karlsruhe in Unserem Staatsministerium, den 29. Juli 1864.

Friedrich.

A. Lamey.

Auf Seiner Königlichen Hoheit höchsten Befehl:
Schunggart.

V.

Das badische Gesetz

vom 10. April 1849

über die Einrichtung und den Geschäftskreis der Verwaltungsbehörden

und

die Verwaltungsgesetze anderer Staaten.

V.

Das badische Gesetz

vom 10. April 1849

über die

Einrichtung und den Geschäftskreis der Verwaltungsbehörden

und

die Verwaltungsgesetze einiger anderer Staaten.

§. 1.
Vorbemerkung.

Nachdem in der bisherigen Ausführung das Gesetz vom 5. October 1863 über die Organisation der innern Verwaltung in seinen Grundlagen und Detailbestimmungen näher dargelegt ist, dürfte es nicht ohne Interesse sein, zunächst den legislativen Versuch, welcher auf gleichem Gebiete im Großherzogthum durch das Gesetz vom 10. April 1849 (Reg.-Bl. Nr. 23) gemacht wurde, sodann die Gesetzgebungen anderer Staaten über diesen Gegenstand in Betracht zu ziehen.

Es kann dieß natürlich nur in einer kurzen, übersichtlichen Zusammenfassung ihrer Fundamentalsätze geschehen. Aus derselben wird von selbst sich ergeben, in welchen wesentlichen Punkten das Gesetz vom 5. October 1863 mit ihnen zusammentrifft oder von ihnen abweicht.

Es wird dadurch aber in jedem Falle hinreichender Stoff geboten sein, um zu erkennen, wie die vorliegende hochwichtige Frage in den verschiedenen Staaten gelöst wurde und wie der neue gesetzgeberische Versuch, der durch das Gesetz vom 5. October 1863 gemacht wurde, sich zu den Einrichtungen anderer Länder verhält.

Unter allen Umſtänden aber dürfte ſich, wenigſtens dem unbefan=
genen Beobachter, der Gedanke aufbrängen, baß bei der nothwendig ge=
wordenen neuen Organiſation der innern Verwaltung das bisherige rein
bureaucratiſche Syſtem nicht aufrecht erhalten werben konnte, unb baß
auch bei uns — wie bieß in anderen Staaten zum Theil ſchon längſt
geſchehen — dem Grunbſatz der Selbſtverwaltung eigener Intereſſen,
der angemeſſenen Betheiligung der Bürger an der Bezirksverwaltung
unb des Schutzes der öffentlichen Rechte burch eine ſelbſtſtänbige, unab=
hängige Verwaltungsrechtspflege die nothwendige Rechnung getragen
werden mußte.

Ueber bie Art ber Durchführung bieſer Grunbgebanken aber
können bei der Schwierigkeit unb Vielſeitigkeit bes Gegenſtandes wohl
verſchiebene Anſichten beſtehen, wie ſich bieſe in ben verſchiebenen Geſetz=
gebungen auch klar genug herausſtellen.

§. 2.
1) Das badiſche Geſetz vom 10. April 1849.

Dieſes Geſetz mit bem auf baſſelbe gegründeten, oben (Geſchichtl.
Einl. §. 22) näher bezeichneten Organiſationsprojecte hebt nicht blos
bie Kreisregierungen, ſonbern auch bie Bezirksämter in ihrem jetzigen
Beſtanbe auf unb ſetzt an bie Stelle bes bisherigen unteren unb mitt=
leren Verwaltungsorganismus ben Kreisverbanb (§. 3), welcher
vertreten iſt burch bie Kreisverſammlung, ben Kreisausſchuß unb bas
Kreisamt (§. 4).

Die Kreisverſammlung wirb burch Volkswahlen gebilbet
(§. 5), ihr Wirkungskreis (§. 20) entſpricht im Weſentlichen bem, wel=
chen bas neue Geſetz in §. 25 unb 41 u. folg. bem gleichen Verbanbe
einräumt.

Der Kreisausſchuß, von ber Kreisverſammlung gewählt
(§. 11) unb von bem Vorſtanb bes Verwaltungsamts einberufen (§. 14),
beſorgt zwar auch wie ber Kreisausſchuß bes neuen Geſetzes, bie Ange=
legenheiten bes Kreiſes (§. 23), aber zugleich übt er in Verwaltungsſtrei=
tigkeiten (§. 25) unb anbern Verwaltungsſachen (§. 26—30) nicht nur
bieſelben Befugniſſe aus, welche nach bem jetzigen Geſetze bem Bezirks=
rathe zuſtehen, ſonbern ſogar noch viel weiter gehenbe, ungeachtet bie
Regierung gar keinen Einfluß auf bie Bilbung bieſer ſo ſehr wichtigen
Verwaltungsbehörben hatte.

Der Vorstand des Kreisamtes (Kreishauptmann) führt in der Kreisversammlung und dem Kreisausschuß den Vorsitz, bereitet die Gegenstände zur Beschlußfassung vor und übt Stimmrecht aus, aber nur im Falle der Stimmengleichheit; gegen die Beschlüsse des Kreisausschusses kann er im öffentlichen Interesse Einsprache bei dem Ministerium des Innern erheben (§. 35—38).

Hieraus ergibt sich, daß in diesem Gesetze die staatliche Verwaltung und die Verwaltungsrechtspflege nicht — wie in dem neuen Gesetze — von einander getrennt und eigenen, wenn auch theilweise mit bürgerlichen Elementen besetzten Staatsbehörden übertragen sind, sondern daß diese beiden unendlich wichtigen Zweige der staatlichen Thätigkeit in die Hände einer Kreisbehörde gelegt wurden, auf deren Bildung (wie oben bemerkt) die Regierung keinen, und auf deren gesammte Verwaltung sie nur einen ungenügenden Einfluß hatte.

Man hat es auch im Lande nicht beklagt, daß dieses Gesetz nicht zum Vollzuge kam, welcher Anschauung auch die Commission der Zweiten Kammer in ihrem Berichte über das neue Gesetz sich anschloß, indem sie bemerkte, daß das Gesetz von 1849 „manche Nachgiebigkeit gegen die herrschende Strömung an sich trage, welche gerade durch die Ereignisse, die damals gefolgt sind, nicht gerechtfertigt war."

Bemerkenswerth ist, daß bei der Berathung dieses Gesetzes von der Zweiten Kammer verlangt wurde, daß von gewissen Entscheidungen des Kreisausschusses der Recurs nicht an das Ministerium des Innern, sondern an einen selbstständigen Verwaltungsgerichtshof gehen solle.

Die Regierung entsprach auch diesem Wunsche und legte einen beßfallsigen Gesetzentwurf vor [1], wonach über die Recurse gegen die Entscheidungen der Kreisausschüsse und jene der Finanzbehörden über bestrittene Forderungen von Staatsabgaben ein selbstständiger Verwaltungsgerichtshof zu entscheiden hat, welchem auch noch andere Streitigkeiten aus dem Gebiete des öffentlichen Rechts zur Aburtheilung übertragen werden können.

Der Entwurf gelangte aber in der Zweiten Kammer nicht zur Berathung, weil man, wie in dem Commissionsberichte [2] ausgeführt ist,

---

[1] Verhandl. der II. Kammer von 1847/48, 8tes Beil.-Heft, S. 209.
[2] Ebendas. 9tes Beil.-Heft, S. 125.

gegenüber dem Satze der damals geltenden Grundrechte §. 49 des
Art. 9:

> „Die Verwaltungsrechtspflege hört auf; über alle Rechtsver=
> letzungen entſcheiden die Gerichte“

Anſtand nahm, eine Behörde neu zu ſchaffen, die ihrem Namen nach
mindeſtens mit den Grundrechten im Widerſpruch ſtund, wenn man im
Uebrigen auch nicht gerade der Anſicht war, daß alle dieſer Behörde zu=
gedachten Verwaltungsgegenſtände für die Zukunft nach den Grundrech=
ten vor die Gerichte gehören würden.

Auch war damals beabſichtigt, einen „Staatsanſtalten=
und Rechnungshof“ zu errichten, welcher im Weſentlichen dieſelben
Functionen erhalten ſollte, wie der durch §. 21 des Verwaltungsge=
ſetzes geſchaffene Verwaltungshof [3]).

§. 3.
2) Die Geſetzgebung einiger deutſcher Staaten.

a. Württemberg.

Die in dieſem Lande beſtehende Einrichtung der ſog. Amtskör=
perſchaften [1]) verdient ſchon um deßwillen große Beachtung, weil
ſie, obgleich aus den älteſten Zeiten herſtammend, ſich im Weſentlichen
nicht nur erhalten hat, ſondern auch in neuer Zeit für ſo wichtig erachtet
wurde, daß ſie von der Verfaſſungsurkunde in §. 115 und 116 aus=
drücklich beſtätigt wurde.

Es iſt deßhalb auch leicht erklärlich, wenn ſie von den neueren Ge=
ſetzen, welche unter verſchiedenen Namen und in ſehr verſchiedener Weiſe
das bürgerliche Element in die innere Staats= und insbeſondere Be=
zirksverwaltung einführen, ſich vielfach unterſcheidet.

Der in neueſter Zeit lebhafter erfaßte Gedanke, den einzelnen Le=
benskreiſen möglichſt die Beſorgung ihrer eigenen Intereſſen ſelbſt zu
überlaſſen und dem Staat dadurch manche bisher von ihm beſorgte Ge=
ſchäfte abzunehmen, — liegt unverkennbar dieſer alten, durch ſpätere
Geſetze mit den modernen Staatsverhältniſſen in Uebereinſtimmung ge=
brachten Einrichtung zu Grunde.

---

[3]) Verhandl. der II. Kammer von 1847/48, 4tes Beil.=Heft, II. Abth., S. 21.
[1]) Das Nähere hierüber ſ. in v. Mohl, Staatsrecht des Königreichs Würt=
temberg. II. §. 175.

Die Amtskörperſchaft wird gebildet aus ſämmtlichen zu einem Oberamtsbezirk gehörenden Gemeinden und genießt die Rechte einer juriſtiſchen Perſon.

Ihr Wirkungskreis umfaßt ſehr verſchiedenartige Functionen; ſie ſind

1) zwiſchen den Staat und die Gemeinden als Mittelglieder ein= geſchoben, um für die Deckung derjenigen Bedürfniſſe und für die Gründung und Unterhaltung derjenigen gemeinnützigen Einrichtungen und Anſtalten zu ſorgen, welche nicht wohl vom Staate verlangt werden können, weil ihnen der Character der Allgemeinheit abgeht, welche aber auch einer Gemeinde allein nicht aufgebürdet werden können, weil ſie entweder ihre Leiſtungs= fähigkeit überſteigen, oder nicht ihr allein zu Gute kommen, z. B. die Erbauung von Vicinalſtraßen, Brücken, Krankenhäuſer, die Anſtellung von Aerzten, Feſtſetzung von Prämien für die Erfindung oder Weiterbildung örtlich nützlicher Gewerbe;

2) liegt ihnen ob, ausgleichend denjenigen Gemeinden gegenüber aufzutreten, auf welche einzelne Laſten, z. B. Einquartierung, Vorſpann, Lieferungen an Heere, Frohnden vorzugsweiſe ge= wälzt werden. Damit hier nicht eine Ungerechtigkeit geübt und öfter eine einzelne Gemeinde unter der ihr auferlegten Laſt erdrückt werde, hat die Amtskörperſchaft die Laſt entweder ſo= gleich zu übernehmen oder den Gemeinden, welche ſie getragen haben, angemeſſenen Erſatz zu leiſten;

3) haben ſie vielfache Geſchäfte zu beſorgen, welche allein dem Staate obliegen, z. B. den Einzug der geſammten ordentlichen directen Steuern eines Bezirks und Ablieferung derſelben an die Staatskaſſe, zu welchem Behufe von ihnen die betreffende Quote jeder Gemeinde zugeſchieden wird, welche die einzelnen Beträge von den Steuerpflichtigen erhebt und die Geſammt= ſumme dem Amtspfleger abliefert und zugleich für jeden Aus= fall haftbar iſt.

Ebenſo beſorgen ſie den Einzug und die Auszahlung der Brand= ſchadensgelder.

Als Organe für die Amtskörperſchaften ſind beſtellt die Amts = verſammlung und der Amtspfleger.

Die erſtere, aus 20—30 Abgeordneten der Gemeinden zuſammen=

gesetzt, welche ihr Wahlrecht nach dem Verhältniß der Beiträge zu den Gesammtausgaben des Verbandes ausüben, ist die berathende und beschließende Behörde in allen Verbandsangelegenheiten. Den Vorsitz führt der Verwaltungsbeamte des Bezirks, welchem auch das Recht der Einberufung der Versammlung zusteht.

Ihre Beschlüsse bedürfen rücksichtlich einzelner Gegenstände der Bestätigung der Staatsbehörden.

Die Bezirksverwaltungsbeamten sind jedoch in ihrer Amtsführung von der Amtskörperschaft und ihren Organen unabhängig.

Neben der Amtsversammlung besteht ein A u s s c h u ß, welcher die Geschäfte für die erstere vorbereitet und in bringenden Fällen vorläufig auch erlebigt. Er besteht aus drei bis fünf Abgeordneten der größeren Orte.

Der A m t s p f l e g e r wird von der Amtsversammlung aus den vom Staate geprüften Männern gewählt; er ist der Cassier der Körperschaften, hat die zur Bestreitung der Bedürfnisse derselben nothwendigen Umlagen (b e n A m t s s c h a b e n) einzuziehen und den gesetzlichen Beschlüssen der Amtsversammlung gemäß zu verwenden, zugleich aber auch den Einzug der directen Staatssteuern und Brandschadensbeiträge, nebst einigen weiteren Aufträgen der Staatsregierung zu besorgen. Er legt den Voranschlag der Ausgaben des Verbandes vor, welcher von der Amtsversammlung und den Staatsbehörden zu genehmigen ist; ein Gleiches geschieht rücksichtlich der Prüfung der Rechnung.

Der A m t s s c h a b e n wird auf die einzelnen Gemeinden des Bezirks, und zwar nach denselben Grundsätzen umgelegt, welche der Staat bei den ordentlichen directen Steuern befolgt. Die Ablieferung der Beiträge erfolgt an den Amtspfleger, welcher aus ihnen die laufenden Ausgaben bestreitet. Die Amtskörperschaft ist zur Aufnahme von Passivkapitalien, jedoch nur mit Ermächtigung der Staatsbehörden berechtigt.

§. 4.
b. Bayern.

1) Die Mitwirkung eines bürgerlichen Elements bei Geschäften der innern Staatsverwaltung, wie solche das badische Gesetz vom 5. Oct. 1863 sowohl in Bezug auf Entscheidung der Streitigkeiten des öffentlichen Rechts, als die Erledigung viel=

facher reiner Verwaltungsgegenstände einführt, kennt die baye=
rische Gesetzgebung nicht.

Dagegen hat sich dieselbe

2) seit längerer Zeit mit der Lösung der Frage über die Selbst=
oder Interessenverwaltung der Gemeinden, Bezirke
(Districte) und Kreise sehr eingehend beschäftigt.

Wir lassen hier die Frage über die Verwaltung der Gemeinden
als zunächst hieher nicht gehörig außer Acht und betrachten nur in
Kürze die Einrichtung der Bezirks= und Kreisverwaltung.

A. Schon durch das Gesetz vom 11. Sept. 1825 über die Behand=
lung der Districtsumlagen [1]) wurde den Gemeinden eines Verwaltungs=
bezirks die Möglichkeit gegeben, sich zu einer Districtsgemeinde
zu vereinigen, um solchen gemeinheitlichen, sowie manchen polizeilichen und
finanziellen Aufgaben gewachsen zu sein, welche sicher und vollkommen
sich nur durch das Zusammenwirken von mehreren Gemeinden lösen
lassen.

Man erkannte aber später die Nothwendigkeit, die Bildung solcher
Districtsgemeinden nicht von dem Willen einzelner Gemeinden oder den
Anträgen der öffentlichen Behörden abhängig zu machen, und es wurde
deßhalb 1850 ein Gesetzentwurf vorgelegt, wonach jeder Verwaltungsbe=
zirk, d. h. sämmtliche in ihm vereinigte Gemeinden kraft Gesetzes
eine Districtsgemeinde bilden. [2])

Der Entwurf gelangte aber nicht zur Erledigung, weßhalb 1852
eine abermalige Vorlage erfolgte, die zu dem jetzt geltenden Gesetze vom
28. Mai 1852 (Gesetzblatt von 1851 und 1852, Nr. 20) führte.

   a. Nach demselben bildet jeder Amtsbezirk eine Districtsge=
meinde, welche corporative Rechte besitzt und durch einen
Districtsrath vertreten wird.

   b. Derselbe wird gebildet aus den Vertretern der Gemeinden, den
Eigenthümern des großen Grundbesitzes in verhältnißmäßiger
Zahl und einem Vertreter des Staatsärars, wo dieses bei den
Districtsumlagen betheiligt erscheint. Die Vertreter der Ge=

---

[1]) Vergl. über die vor 1852 bestandene Gesetzgebung über die Districtsge=
meinden, Pötzl, Lehrbuch des bayerischen Verfassungsrechts, München, 1851, §. 106.
[2]) Beilage Nr. 156 zu den Verhandl. der bayerischen Kammer der Abgeord=
neten von 1850.

meinden werden von den Gemeindebehörden, jene der größeren
Grundbesitzer, soweit sie nicht ohne alle Wahl eintreten, von
einer größeren Anzahl derselben gewählt. Die Vertreter der
Gemeinden müssen der Klasse der Gemeindebürger, welche eine
directe Steuer in dem Gemeindebezirke entrichten, angehören.
Die Mitglieder des Districtsraths müssen das 30. Jahr zurückgelegt haben und keinem der Gründe unterliegen, welche
von der Wahl der Gemeindevertretung ausschließen.
Zum Wirkungskreise desselben gehören alle Angelegenheiten, welche die der Districtsgemeinde als Corporation zustehenden Rechte und Verbindlichkeiten betreffen, insbesondere
Feststellung des Ausgabenvoranschlags, Beantragung und
Vertheilung der Districtsumlagen, Rechnungsprüfung, Kapital-
aufnahmen und Festsetzung des Tilgungsplans, Erwerbung
und Veräußerung von Realitäten, Beantragung von Einrichtungen, welche nicht schon gesetzlich erforderlich sind, Abgabe
von Gutachten über Gegenstände, welche die Verwaltung des
Districts betreffen; überdieß steht ihnen zu, von den der Verwaltung einer Religionsgesellschaft nicht unterliegenden Di-
strictsstiftungen Einsicht zu nehmen und die das Interesse des
Districts wahrenden Anträge zu stellen, über den Zustand des
letzteren und etwa wahrgenommenen Gebrechen der Verwaltung
desselben sich zu äußern und hierauf bezügliche Anträge und
Beschwerden zu stellen.
Die Districtsgemeinden sind verpflichtet, alle Leistungen zu
bestreiten, welche ihnen nach dem Gesetz, besonderen Rechtstiteln
oder in Folge der Beschlüsse des Districtsraths obliegen. Als
gesetzliche Districtslasten sind insbesondere erklärt:
Verzinsung, Tilgung der Schulden und Ergänzung des Grund-
stockvermögens der Districtsgemeinde, Unterhaltung bestehender
oder künftig neu entstehender Districtsanstalten, Anlegung und
Unterhaltung der Districtsstraßen, Beschaffung und Erhaltung
der zum gemeinsamen Gebrauch bestimmten Feuerlöschma-
schinen, die Kosten des Unterrichts der Schülerinnen der Ent-
bindungskunst, die Unterhaltsbeiträge für die angestellten
Thierärzte.
Die Mittel zu Bestreitung dieser Lasten werden

entnommen: aus dem Erträgniß des Districtsgemeindever-
mögens, aus den auf Gesetz oder besonderen Richtstiteln beruhenden Leistungen des Staates, der Stiftungen, der Gemeinden
oder anderer Personen, aus freiwilligen Zuschüssen des
Staates, der Gemeinden oder Privaten, und in Ermanglung
oder bei Unzureichenheit dieser Quellen durch D i s t r i c t s u m -
l a g e n, für welche ein Maximum festgesetzt ist, wenn es sich
von solchen Lasten handelt, welche nicht als gesetzliche erklärt sind.

f. Der Districtsrath wählt auf die Dauer seines Bestehens einen
D i s t r i c t s a u s s c h u ß von 4 bis 6 Mitgliedern. Demselben
liegt ob: die Vermögensverwaltung und Vertretung der
Districtsgemeinde, die Aufsicht über die Districtsanstalten, die
Erlassung der Verrechnungs- und Zahlungsanweisung an den
Kassier, die Vorbereitung der an den Districtsrath zu bringenden Gegenstände, die Revision der Rechnungen, Entwerfung
der Voranschläge und Repartition der Umlagen und die pro-
visorische Ernennung eines Kassiers.

g. Die Sitzungen des Districtsraths sind in der Regel öffentlich.
Die Verhandlungen desselben werden der Kreisregierung vorgelegt und von dieser in collegialer Form beschieden. Gegen
einen von dieser bestätigten Beschluß des Districtsraths findet
keine Berufung statt, wohl aber ist eine solche im entgegengesetzten Falle gestattet, und zwar jeder betheiligten Gemeinde und
jedem der größten Grundbesitzer.

Man betrachtete nach diesen Grundzügen die D i s t r i c t s - G e -
m e i n d e als ein nothwendiges Mittelglied zwischen der Ortsgemeinde
und der Kreisgemeinde, und gab ihr eine feste corporative Organisation.
Sie entsprechen dem Wesen nach der B e z i r k s v e r s a m m l u n g, wie
sie in §. 57 des badischen Gesetzes vom 5. Oct. 1863 näher normirt ist,
jedoch mit dem bedeutenden Unterschiede, daß nach dem letzteren die Bezirksverbände nur auf dem Wege freien U e b e r e i n k o m m n i s s e s zu
Stande kommen können und dann allerdings corporative Befugnisse genießen, während die bayerischen Districtsgemeinden d u r c h d a s G e -
s e t z g e s c h a f f e n e corporative Verbände sind.

B. Von weitaus größerer Bedeutung als die Einrichtung der
Districtsgemeinde, ist jene der K r e i s g e m e i n d e. Diese besteht aus

sämmtlichen Gemeinden eines **R e g i e r u n g s b e z i r k s** und bildet einen mit Körperschaftsrechten ausgestatteten Verband, welcher durch den **L a n d r a t h** vertreten wird.

Diese Einrichtung wurde schon durch ein Gesetz vom 15. August 1828 eingeführt, durch ein solches vom 17. Nov. 1857 modificirt und sollte durch einen im Jahr 1850 den Ständen vorgelegten Gesetzentwurf in wesentlichen Beziehungen umgestaltet werden [3]).

Da der Entwurf aber nicht zur Erledigung kam, so wurde dem folgenden Landtage eine revidirte Vorlage gemacht, in Folge deren das jetzt geltende Gesetz vom 28. Mai 1852 erschien [4]).

Zum Verständniß desselben ist nothwendig, eine andere Einrichtung kurz zu betrachten, welche sowohl in allgemeiner Beziehung, als speciell für das Großherzogthum, in welchem eine Selbstverwaltung der Kreise neu eingeführt wird, von der größten Bedeutung ist, nämlich die durch das Gesetz vom 23. Mai 1846 [5]) erfolgte Ausscheidung der Kreislasten von den Staatslasten und die Bildung von Kreisfonds.

Hienach soll die Befriedigung gewisser öffentlicher Bedürfnisse, welche zunächst in den eigenthümlichen Zuständen und Verhältnissen der einzelnen Kreise ihren Grund haben und welche darum nicht in allen Kreisen oder doch nicht in allen in gleichem Maße sich geltend machen, den Kreisen (Regierungsbezirken) als **K r e i s l a s t e n** zugewiesen werden. Als solche sind erklärt: der Aufwand für Erhebung und Verrechnung der Kreisfonds, der Bedarf des Landraths, der Aufwand für Kreislandwirthschafts- und Gewerbschulen, für sonstige Kreisanstalten zu Zwecken der Kultur und Industrie, für allgemeine Sanitätsanstalten des Kreises, namentlich Kranken-, Gebär- und Irrenhäuser, für Armen- und Findelhäuser, sowie für Kreisbeschäftigungsanstalten. Hiezu kommen noch die Ausgaben, welche entweder durch besondere Gesetze den Kreisfonds überwiesen oder die auf Antrag des Landraths mit königlicher Genehmigung auf die Fonds eines einzelnen Kreises übernommen werden.

Zur Deckung der Kreislasten bestehen die **K r e i s f o n d s**, welche

---

[3]) Pötzl a. a. O. S. 197—200. Landtagsverhandlungen von 1827/28, Beil.-Band VII, S. 24.

[4]) Gesetzblatt von 1851 und 1852, Nr. 21.

[5]) Ebendas. 1846, S. 45.

sich bilden: durch die auf bestehenden speciellen Rechtstiteln und Bewil=
ligungen beruhenden Fundations= und Dotationsbeiträgen des Staats
und der Gemeinden, durch die budgetmäßigen Leistungen der Staats=
kasse, durch die Zuflüsse aus sonstigen Einnahmsquellen, endlich durch
Kreisumlagen. Die Kreisfonds haften indeß nur aushilfsweise, in so
ferne die Kreislasten nicht aus den Mitteln zunächst verpflichteter Stif=
tungen, Gemeinden oder Districte ihre Befriedigung finden.

Nur in dem angeführten Gesetze nicht berührte Lasten können
den Gemeinden gegen ihren Willen durch ein G e s e t z zugewiesen wer=
den. Die Zuschüsse, welche die Staatskasse zu den Kreisfonds leistet,
werden von den Ständen verwilligt und die Kreisumlagen von densel=
ben für jeden Regierungsbezirk im Maximum festgesetzt.

Zum Behufe der speciellen Controle des Kreishaushalts durch die
Stände sind ausreichende Bestimmungen getroffen.

Durch diese Bestimmungen ist der Kreisverwaltung eine positive
größtentheils dem Interessengebiete angehörige Aufgabe gesteckt und eine
sichere finanzielle Unterlage gegeben.

Sie hat nicht blos, wie nach dem badischen Verwaltungsgesetze vom
5. Oct. 1863 die B e f u g n i ß, gewisse Anstalten und Einrichtungen
auf Kosten des Kreises zu gründen, sondern sie ist v e r p f l i c h t e t, die
Kreislasten zu bestreiten, unter welche die oben bezeichneten Anstalten
und Einrichtungen besonders aufgenommen sind.

Das Gesetz vom 28. Mai 1852 bestimmt nun über den L a n d =
r a t h, als den Vertreter des gesammten Kreisverbands, in seinen we=
sentlichsten Grundzügen Folgendes:

a. Derselbe wird g e b i l d e t aus Vertretern der Districtsgemein=
   den, der unmittelbar den Kreisregierungen untergeordneten
   Städte, der großen Grundbesitzer, der wirklichen Pfarrer, der
   Universitäten. Wahlberechtigung und Wählbarkeit ist im We=
   sentlichen wie bei den Districtsgemeinden geregelt.

b. Zum W i r k u n g s k r e i s des Landraths gehört: Prüfung des
   Voranschlags der gesetzlichen Kreislasten und Feststellung der
   hiezu erforderlichen Umlagen, Prüfung der Rechnungen über
   die Verwendung der Umlagen und Verwaltung anderer Kreis=
   fonds mit dem Rechte der Beschwerdeführung gegen die verant=
   wortlichen Verwaltungsstellen, Einsichtsnahme und Stellung
   der erforderlichen Anträge zur Wahrung des Kreisinteresses in

23*

Bezug auf weltliche, für mehr als eine Districtsgemeinde be=
stimmten Stiftungen, die Befugniß, die aus Kreismitteln zu
bestreitenden Leistungen oder Ausgaben für solche Kreiseinrich=
tungen zu bewilligen, zu welchen der Kreis nicht schon durch
ein Gesetz verpflichtet ist, Entwerfung oder Prüfung der für
die Kreisanstalten zu ertheilenden Instructionen und Ordnun=
gen, Beschlußfassung über Aufnahme von Passivkapitalien,
vorbehaltlich der hiezu nöthigen Genehmigung durch ein Gesetz,
über Erwerbung und Veräußerung von Realitäten, Führung
von Rechtsstreitigkeiten und Eingehung von Vergleichen, Prü=
fung der Plane bei Bauwerken und Straßen, Begutachtung
von Veränderungen in dem Umfange eines Verwaltungs= oder
Regierungsbezirks, Aeußerung über die Zustände des letzteren,
Abgabe von Gutachten auf Veranlassung der Kreisregierung.

Die Verwendung der Kreisfonds kann nur mit Zustim=
mung des Landraths geschehen, wo nicht Gesetze oder beson=
dere Rechtstitel die Kreisgemeinde verpflichten.

Die Erhebung der Umlagen ist von dem Antrage des Land=
raths und der königlichen Genehmigung abhängig. Die zu den
gesetzlichen Kreisbedürfnissen erforderlichen Umlagen kann
jedoch der Landrath niemals verweigern.

c. Die wichtigern Bestimmungen über den Geschäftsgang bei
dem Landrath sind nachstehende: Er versammelt sich nach An=
ordnung des Königs und nach ergangener Einberufung der
Kreisregierung jährlich auf 14 Tage; seine Mitglieder werden
beeidigt; die Verhandlungen sind in der Regel öffentlich; die
königlichen Commissäre haben das Recht, den Sitzungen anzu=
wohnen, und die Pflicht, die erforderlichen Aufschlüsse zu ge=
ben; es werden ihr von denselben die nöthigen Vorlagen,
namentlich der Kreisfondsrechnungen und Voranschläge ge=
macht und am Schlusse der Sitzung seine Verhandlungen dem
Ministerium des Innern vorgelegt, welches die königlichen
Entschließungen hierauf einholt, die in einen Landtagsabschied
zusammengefaßt und durch das Regierungs= und Kreisamts=
blatt öffentlich verkündet werden.

d. Der Landrath wählt einen aus sechs Mitgliedern bestehenden
Ausschuß, welcher den Landrath, während er nicht versam=

melt iſt, in einigen Verwaltungsangelegenheiten vertritt, die
ihm ſachdienlichen Anträge in Bezug auf die Verwaltung des
Vermögens des Kreisverbandes und die Verwaltung der Kreis=
anſtalten und Stiftungen ſtellt, die ihm abgeforderten Gutach=
ten abgibt, und Bericht über ſeine Geſchäftsführung bei der
Jahresſitzung des Landraths erſtattet.

§. 5.
c. Großherzogthum Heſſen.

Die Geſetzgebung dieſes Landes über die Einrichtung der innern
Verwaltung iſt für uns inſofern von großem Intereſſe, als die weſent=
lichſten Grundſätze unſeres neuen Verwaltungsgeſetzes daſelbſt wenig=
ſtens zum Theile ſchon ſeit längerer Zeit durchgeführt waren. ¹)

- ¹) Ueber den Gang, den die Geſetzgebung über die Organiſation der innern
Verwaltung im Großherzogthum Heſſen genommen hat, vergleiche:
  a. Edict vom 6. Juni 1832 über die Organiſation der Regierungsbehörden
  (abgedruckt im Archiv der großh. heſſiſchen Geſetze und Verordnungen,
  VI. Bd., S. 69—82);
  b. die (vortrefflich ausgearbeitete) Dienſtinſtruction für die großh. heſſiſchen
  Kreisräthe vom 20. Sept. 1832 (ebendaſ. S. 274—349);
  c. Edict vom 4. Febr. 1835 über die Organiſation der Regierungsbehörden
  in Rheinheſſen (Reg.=Bl. Nr. 6);
  d. Dienſtinſtruction für die Kreisräthe in Rheinheſſen vom 27. März 1835
  (Reg.=Bl. Nr. 17);
  e. Geſetz vom 31. Juli 1848, die Organiſation der Verwaltungsbehörden
  (Reg.=Bl. Nr. 38);
  f. Geſetz vom 28. April 1852 (Reg.=Bl. Nr. 27), wodurch die §§. 1—13
  des Geſetzes vom 31. Juli 1848, welche ſich auf die Organiſation der
  Staatsverwaltungsbehörden beziehen, aufgehoben wurden, wogegen die
  §§. 14—15, durch welche das Inſtitut der Bezirksräthe eingeführt
  wurde, ſtehen blieben.
  g. Edict vom 12. Mai 1852 (Reg.=Bl. Nr. 30), wodurch die jetzt noch
  geltende Organiſation der Verwaltungsbehörden ausgeſprochen und den=
  ſelben der Wirkungskreis übertragen wurde, wie er ſchon durch die oben
  Ziff. 1, 3 u. 5 genannten Geſetze und Verordnungen beſtimmt war.
  h. Geſetz vom 10. Febr. 1853 (Reg.=Bl. Nr. 6), wodurch das Geſetz vom
  31. Juli 1848, ſoweit es rückſichtlich der Bezirksräthe noch beſtund (vergl.
  oben Ziff. 5 u. 6), aufgehoben und durch neue Beſtimmungen über dieſes
  Inſtitut erſetzt wurde.

Das jetzt geltende Recht ist in dem Edicte vom 12. Mai 1852, den daselbst angeführten ältern Gesetzen und Verordnungen, und dem Gesetze vom 10. Febr. 1853 (s. Note 1, Ziff. 7 u. 8) enthalten.

Danach bestehen

1) zwischen den Bezirks=Verwaltungsbehörden (Kreisräthen) und dem Ministerium des Innern schon seit 1832 keine mittleren Verwaltungsbehörden, wie es bei uns die bisherigen, jetzt aufgehobenen Kreisregierungen waren;

dagegen sind

2) dem Ministerium des Innern, um es in fortwährender genauer Kenntniß von dem Zustande der Verwaltung in den einzelnen Bezirken zu erhalten, zwei Beamte beigegeben, welche zu diesem Zwecke periodisch die Bezirke bereisen und zur Erforschung des Zustandes derselben, der Berufsthätigkeit der Behörden, der Art der Vollziehung und der Wirkungen der Gesetze die Acten der Behörden einsehen, etwaige Beschwerden annehmen, dieselbe erörtern und die Resultate ihrer Wahrnehmungen dem Ministerium des Innern mit gutachtlichem Antrage vorlegen. Außerdem haben diese Beamten die von dem Ministerium ihnen ertheilt werdenden Aufträge zu vollziehen und die von ihnen geforderten Gutachten zu erstatten. (Edict vom 12. Mai 1852, Art. 2, in Verbindung mit Art. 28—30 des Edicts vom 6. Juni 1832.)

Es sind diese Beamten im Wesentlichen die durch unser neues Verwaltungsgesetz eingeführten „Landescommissäre".

3) In jedem Verwaltungsbezirk besteht ein aus 15 Mitgliedern gebildeter Bezirksrath.

a. Zwölf derselben werden von den Bevollmächtigten der Gemeindevorstände, die übrigen drei von den höchstbesteuerten Grundbesitzern gewählt.

Wählbar ist jeder 30 Jahre alte Einwohner des Bezirks, welcher die Bedingungen der Stimmfähigkeit und Wählbarkeit bei den Gemeinderathswahlen in sich vereinigt; der Besitz des Ortsbürgerrechts ist jedoch nicht nöthig.

b. Der Wirkungskreis des Bezirksraths ist ein dreifacher:

α. er entscheidet die nachstehenden Streitigkeiten des öffentlichen Rechts:

aa. wenn einer Gemeinde von der Regierungsbehörde im öffentlichen Interesse eine Ausgabe angesonnen wird, welche entweder überhaupt oder ihrem Betrage nach nicht besonders bestimmt ist und bezüglich deren auch in Gesetzen oder Verordnungen nicht besonders fest= gesetzt ist, wie die Regierungsbehörde die Größe der Abgabe zu bestimmen hat, — sofern die Gemeinde Widerspruch gegen ein solches Ansinnen der Regie= rungsbehörde erhebt;　　.

bb. wenn Gemeinden über die Frage streiten, ob Aus= gaben, für welche keine privatrechtliche Verbindlich= keiten bestehen, im öffentlichen Interesse von der einen oder der andern Gemeinde, oder von mehreren ge= meinschaftlich und in welchem Verhältnisse zu tragen sind;

(Art. 18 u. 19 des Gesetzes vom 10. Febr. 1853.)

β. in anderen Verwaltungsgegenständen, welche die Interessen einer oder mehrerer Gemeinden des Bezirks oder des ganzen Bezirks berühren, steht ihm nur die Be= fugniß zu, Anträge und Gutachten an die Regierungs= behörden gelangen zu lassen und solche auf Veranlassung derselben zu erstatten (ebendas. Art. 21);

γ. rücksichtlich der sog. Selbst= oder Interessenverwaltung steht ihm die Befugniß zu, mit Genehmigung der Staats= regierung für gemeinnützige Verwendungen und Zwecke, z. B. für Errichtung von Bezirks=, Frucht= und Holz= magazinen, von gemeinnützigen Bezirksanstalten über= haupt, für Anlagen und Unterhaltung von Bezirksstraßen, für Anstellung von Bezirkswegewärtern u. s. w. nach Verhältniß der daraus entstehenden Vortheile von allen oder einzelnen Theilen des Bezirks Beiträge zu erheben und die Beitragsverhältnisse in den einzelnen Gemarkun= gen, mit Berücksichtigung des Zwecks, nach den für die Gemeindeumlagen geltenden gesetzlichen Vorschriften zu bestimmen. (Art. 20 ebendas.)

Die Gleichartigkeit der Grundgedanken zwischen diesem und dem babischen Gesetze sind hier unverkennbar; in dem letzteren sind sie, namentlich in Bezug auf die richterlichen und Verwaltungsfunctionen der Bezirksräthe weiter entwickelt, und in Bezug auf die Selbst- oder Interessenverwaltung dadurch in wesentlich verschiedener Weise ausgeführt, daß dieselbe nicht den Bezirksräthen, also nicht kleineren Bezirksverbänden, sondern dem größeren Kreisverbande in die Hände gelegt sind und daß bei der Bildung des nach dem babischen Gesetze allerdings viel einflußreicheren Bezirksraths der Regierung eine größere Einwirkung gestattet ist.

c. Der Bezirksrath tritt in der Regel jährlich nur einmal zusammen; es kann jedoch auch eine außerordentliche Zusammenberufung erfolgen, wenn es nicht aufzuschiebende Geschäfte nöthig machen; den Verhandlungen, welche der Regel nach öffentlich sind, hat ein Regierungscommissär anzuwohnen. Zur Vorbereitung der Beschlüsse kann von dem Vorsitzenden, welchen die Staatsregierung ernennt, ein Berichterstatter bestellt und es können dazu auch Ausschüsse gewählt werden.

d. Nachdem in den rechtsrheinischen Provinzen des Großherzogthums Hessen die collegialen Mittelbehörden, die Provinzregierungen aufgehoben waren, wurde ein „Administrativjustizhof" errichtet, welchem ein Theil der Befugnisse der Regierungen übertragen wurde.

Seine Competenz erweiterte sich nach und nach durch spätere Gesetze, und im Jahre 1852 trat er auch für Rheinhessen in Wirksamkeit [2]).

In der Bekanntmachung vom 27. April 1853 ist eine übersichtliche Zusammenstellung der der Competenz des Administrativjustizhofs unterliegenden Gegenstände zur Kenntnißnahme und Nachachtung der Behörden veröffentlicht.

Danach fallen in die Competenz dieses Gerichtshofs:

I. Alle jene Angelegenheiten welche Gesetzgebung für „Ab=

---

[2]) S. Edict vom 6. Juni 1832, Reg.-Bl. Nr. 55, S. 31—35. Edict vom 12. Mai 1852, Reg.-Bl. Nr. 30, Art. 10. Bekanntmachung vom 27. April 1853, Reg.-Bl. Nr. 21.

ministrativjustizsachen" erklärt hat, z. B. Verwandlung der
Zehnten, Theilabgaben und Weideberechtigungen in Grundrenten, Entschädigungsklagen wegen Wildschaden, Gemeinheitstheilungen, Streitigkeiten über Gemarkungsgrenzen und Gemarkungsrechte, über Verwandlung der auf geschlossenen Gütern haftenden Grundbeschwerden in
ständige Leistungen im Falle der Theilung dieser Güter, Festsetzung der
den ehemaligen Mühlenbannberechtigten wegen des aufgehobenen
Mahlzwangs zu leistenden Entschädigungen, ebenso jene für aufgehobene
ausschließliche Handels- und Gewerbsberechtigungen, Allobification der
Erb- und Landsiebellehen u. a. m.

In allen diesen Fällen entscheidet der Gerichtshof in erster und
— soweit Recurse zulässig sind — der Staatsrath in zweiter und letzter
Instanz.

II. „Streitige Administrativsachen", z. B. bestrittene
Ansprüche der Ortsbürger an dem Genusse des Gemeindevermögens,
Abtretung des Privateigenthums zu öffentlichen Zwecken, des Grund-
eigenthums zu Bauplätzen, zu Culturunternehmungen.

In den meisten dieser Fälle entscheidet der Gerichtshof in zweiter
Instanz, der Recurs gegen seine Erkenntnisse geht an das Ministerium
des Innern.

III. Sonstige ihm überwiesene Gegenstände, z. B.
Entscheidung über die Gesetzlichkeit der Gemeinderathswahlen, über die
Nothwendigkeit und Zulässigkeit von Ausgaben, welche Gemeinden im
öffentlichen Interesse angesonnen werden im Falle des Widerspruchs der
Gemeindebehörde, über Vertheilung der durch Bachregulirung entstehenden Kosten, über Bildung und Aufhebung von Verbänden behufs der
Säuberung und Unterhaltung von Bächen; Begutachtung der Dienst-
entlassungen der Bürgermeister und Beigeordneten, sowie der Auflösung
von Gemeinderäthen, Untersuchungen gegen Kreisräthe und die ihnen
untergeordneten Diener; Ermächtigung zur Führung von Activ- und
Passivprocessen von Seiten der Gemeinden, der weltlichen Stiftungen
u. a. m. Der Instanzenzug in diesen Gegenständen ist verschieden
regulirt.

Man ersieht hieraus, daß der dem badischen Verwaltungsgesetze
zu Grunde liegende Gedanke, die Verwaltungsrechtspflege von der gewöhnlichen Verwaltung zu trennen und einer eigenen richterlichen Behörde zu überweisen, schon seit bald 30 Jahren in Hessen seine Ausfüh-

rung, wenn auch in einer etwas veränderten Form gefunden hat. Un=
verkennbar aber ist die Scheidung der Verwaltungsrechtspflege von der
gewöhnlichen Verwaltung im badischen Gesetze schärfer durchgeführt und
dem Verwaltungsgerichtshof eine unabhängigere Stellung gesichert,
theils dadurch, daß er nur als Recursgericht in letzter Instanz entschei=
det, theils dadurch, daß nur Streitigkeiten des öffentlichen Rechts in
bestimmten Gegenständen und nicht auch viele streitige reine Verwal=
tungssachen an ihn gewiesen sind.

§. 6.

d. **Herzogthum Nassau.**

Die Einführung der Mitwirkung eines bürgerlichen Elements bei
den Geschäften der innern Staatsverwaltung wurde hier zuerst durch
das Gesetz vom 4. April 1849 (Verordnungsblatt Nr. 11) versucht.
Gleichzeitig mit demselben erschien eine sehr beachtenswerthe „Ver=
waltungsordnung für die herzoglichen Kreisämter". (Ebendas. S. 97
bis 131).
Das Gesetz vom 4. April 1849 wurde zwar durch jenes vom
24. Juli 1854 (Verordnungsblatt Nr. 17, S. 160—165) wieder auf=
gehoben; es sind aber in das letztere die Bestimmungen über den Be=
zirksrath im Wesentlichen aus dem früheren Gesetze übergegangen; die
angeführte Verwaltungsordnung wurde aufrecht erhalten.
Die bemerkenswertheste Seite des Gesetzes vom 24. Juli 1854 ist
für uns die einfache Bildung des Bezirksraths.
Die Mitglieder desselben werden nämlich auf 6 Jahre von den für
die Wahl der Abgeordneten zur Zweiten Kammer gewählten Wahl=
männern gewählt. Zu diesen treten noch die dem Amtsbezirk angehöri=
gen höchstbesteuerten Grundbesitzer und Gewerbtreibenden, welche in die
Wählerlisten zur Ersten Kammer aufgenommen sind.
Der Geschäftskreis des Bezirksraths, welcher aus sechs Mit=
gliedern besteht, ist ein doppelter. Er entscheidet über Streitigkeiten des
öffentlichen Rechts und wirkt in sehr ausgedehnter Weise bei der politi=
schen Bezirksverwaltung mit.
Eine eigentliche Selbst= oder Interessenverwaltung, wie sie nach
dem badischen Gesetze vom 5. October 1863 der Kreisversammlung und
dem Kreisausschusse zusteht, kennt dieses Gesetz nicht.

§. 7.

e. Hannover.

In Hannover wurde das Gesetz vom 27. Juli 1852 über die Amtsvertretung (Gesetzsammlung von 1852, 1. Abtheilung, Nr. 28) durch ein späteres vom 28. April 1859 (Gesetzsammlung von 1859, 1. Abtheilung, Nr. 29) aufgehoben.

Diese beiden Gesetze unterscheiden sich nicht sehr wesentlich von einander.

Nach dem letzteren bestehen Amtsversammlungen:

1) zur Berathung mit dem Amte über wichtigere Angelegen= heiten des Amtsversammlungsbezirks, wozu alle jene Gegen= stände gezählt werden, welche die Wohlfahrt und die Interessen entweder des ganzen vertretenen Amtsbezirks oder mehrerer Gemeinden desselben betreffen, namentlich („in Voraussetzung allgemeiner Wichtigkeit"), Förderung der Land= und Forst= wirthschaft, der Viehzucht und der Gewerbe, Wegesachen, Ent= und Bewässerungs=, Deich= und Uferbausachen, Verhütung von Feuersgefahr, Feuerversicherung, Maßregeln in Bezug auf Mangel und Theurung, Heimaths= und Armensachen, Fest= stellung polizeilicher Strafbestimmung u. a. m.;

2) zur Vertretung der Gemeinden des Amtsversammlungs= bezirks hinsichtlich ihrer gemeinsamen Angelegenheiten in den gesetzlich bestimmten Fällen.

Das Gesetz bezeichnet als solche Fälle, in welchen die Zu= stimmung der Amtsversammlung einzuholen ist:

a. wenn Ausgaben oder Leistungen zu gemeinem Nutzen des betreffenden Bezirks von diesem übernommen wer= den sollen, ohne daß er durch Gesetz oder Recht dazu verbunden ist;

b. wenn gemeinnützige Anstalten auf Kosten oder unter Gewähr des Bezirks errichtet werden, z. B. Leih= und Sparkassen, Unterrichts=, Arbeits= und Armenanstal= ten u. s. w.;

c. wenn es sich um die Art der Aufbringung der Mittel handelt, um die Ausgaben für derartige Leistungen

und Anstalten zu bestreiten, in welchem Falle die Ge=
nehmigung der zuständigen Staatsbehörde einzuholen ist.

Zusammengesetzt ist die Amtsversammlung aus den Vorstehern
der Landgemeinden und den Besitzern, beziehungsweise Vertretern der
größeren Domanial=, Kloster= und sonstigen Güter und Höfe.

Die Zahl der letzteren soll nicht mehr als ein Drittel der aus höch=
stens 24 Mitgliedern bestehenden Amtsversammlung betragen.

Der Zusammentritt der Amtsversammlung findet zu regel=
mäßigen, besondes festzustellenden Zeiten statt; sie kann auch außer=
ordentlicher Weise berufen werden. Das Amt leitet die Verhandlungen,
welche in der Regel öffentlich sind.

§. 8.

f. Kurhessen.

Durch manche Eigenthümlichkeiten macht sich das kurhessische Ge=
setz vom 31. October 1848 [1]) bemerkbar.

Nach demselben wurde

1) das Land in 9 Verwaltungsbezirke eingetheilt. Jedem dersel=
   ben ist ein Bezirksvorstand vorgesetzt, dem ein Bezirksrath
   und ein Bezirksausschuß beigegeben ist.

2) Der Bezirksrath wird von den Wahlmännern zu den
   Landtagswahlen, und zwar zu je ein Drittheil aus
   wissenschaftlich Gebildeten, aus Gutsbesitzern und aus Gewerb=
   treibenden gewählt.

3) Er tritt ordentlicher Weise jährlich einmal zusammen, kann aber
   auch zu außerordentlicher Versammlung durch den Bezirksvor=
   stand mit Genehmigung des Ministeriums berufen werden.
   Seine Sitzungen sind öffentlich; der Regierung steht das Auf=
   lösungsrecht zu; die Mitglieder des Bezirksraths beziehen nur
   Reisekosten, keine Diäten.

4) Zu dem Wirkungskreise des Bezirksraths gehört: die
   Kenntnißnahme von der gesammten Verwaltung des
   Bezirks, zu welchem Behufe ihm die Einsicht aller Acten=
   stücke zusteht, die Antragstellung auf Untersuchung der Bezirks=

---

[1]) Gesetzsammlung von 1848, Nr. 23, S. 237.

anstalten und der Stellung der Bezirksbeamten vor
Gericht, die Ergreifung von Maßregeln zur Förderung der
Landwirthschaft, des Handels und der Gewerbe, zur Abwendung
von Nothzuständen und Theurung; die Gründung von Be=
zirksanstalten, z. B. Leih= und Sparkassen, Musterwirthschaf=
ten, Ackerbauschulen, Handwerkerschulen, Arbeits= und Armen=
anstalten nach Verhältniß der Mittel. Ihm steht zu die Be=
rathung der Statuten und Voranschläge dieser Anstalten, sowie
die Prüfung der Rechnungen derselben; er hat ferner die ihm
von den Regierungsbehörden abverlangten Gutachten zu er=
statten, den Bezirksverwaltungsbeamten in seiner ganzen Amts=
führung zu unterstützen und die Bezirkskasse zu verwalten.
5) Zu den Einnahmen der letzteren gehören außer den
Umlagen: das Erträgniß der Hundesteuer und der Verbrauch=
steuer von Branntwein im Bezirk, einige besonders bezeichnete
Strafgelder, und die mit ständischer Zustimmung aus der
Staatskasse verwilligten Zuschüsse.
6) Der von dem Bezirksrath auf ein Jahr gewählte, aus 6 Mit=
gliedern bestehende Bezirksausschuß versammelt sich alle
Monate und beschließt über die Ausgleichung der Bezirkslasten,
die Kriegskosten, die Taxregulirungen, Gewerbeconcessionen
(soweit sie nicht sicherheitspolizeilicher Natur sind), über Be=
schwerden in Zunftangelegenheiten, Recrutirungs= und Bür=
gerwehrsachen, er führt die Aufsicht über die Gemeindeverwal=
tung, die Wegbauten der Gemeinden, und hat seine Zustimmung
zu allen polizeilichen Anordnungen im Bezirke zu geben.

Am 14. März 1850 wurde noch ein auf die Wahlen zu den Be=
zirksräthen sich beziehendes Gesetz erlassen [2]).

Das letztere sowohl, als das Gesetz vom 31. October 1848 wurden
aber durch die Verordnung vom 7. Juli 1851 und durch ein provisori=
sches Gesetz vom gleichen Tage aufgehoben [3]).

Durch die erstere wurde die alte, vor dem Gesetz vom 31. October
1848 bestandene Eintheilung des Landes in Landrathsämter, denen als
Mittelstellen „Regierungen“ vorgesetzt waren, wieder eingeführt; das

---

[2]) Gesetzsammlung von 1850, Nr. 2, S. 10.
[3]) Gesetzsammlung von 1851, Nr. 13, S. 27 u. 31.

letztere ist nur in so fern bemerkenswerth, als man selbst in jener Zeit in Kurhessen die Institution des Bezirksraths doch nicht ganz aufhob, sondern ihn auf eine lediglich begutachtende Behörde herabdrückte und in Bezug auf den Wahlmodus vielfache Beschränkungen einführte.

Wie das Gesetz von 1848 unverkennbar an manchen Gebrechen litt, welche in der damaligen Zeitströmung ihren Grund hatten, so ging auf der andern Seite jenes von 1851 dadurch zu weit, daß es dem bürgerlichen Element allen reellen Einfluß auf die Verwaltung seiner Angelegenheiten entzog.

§. 9.
g. Braunschweig.

Das bürgerliche Element findet bei der innern Staatsverwaltung in zweifacher Beziehung seine Vertretung, nämlich in den Amtsräthen und in den Kreiscommissionen.

I. In jedem Amte des Herzogthums besteht ein Amtsrath (s. Landgemeinde-Ordnung vom 19. März 1850, §. 129 u. folg. [1]). Derselbe wird

1) in der Zahl von 5 bis 15 Personen von den Mitgliedern der Gemeinderäthe gewählt.

   Wählbar ist jeder Gemeindegenosse, welcher zur Uebernahme eines Gemeindeamtes befähigt ist.

2) Das Amt eines Mitgliedes dauert vier Jahre; alle zwei Jahre scheidet die Hälfte aus; dasselbe wird als Ehrenamt unentgeltlich verwaltet; der Landesfürst kann den Amtsrath auflösen.

3) Derselbe bildet das Organ der einem Amte angehörigen Gemeinden für alle Angelegenheiten, welche sich über die Grenzen der einzelnen Gemeinden erstrecken, aber nicht als allgemeine Angelegenheiten betrachtet werden können.

   Sein Wirkungskreis umfaßt hienach:

   a. Förderung der Erwerbsverhältnisse, der Bildungsanstalten und Sittlichkeit, Leitung der Auswanderung erwerbloser und gemeingefährlicher Personen; er hat zu diesem Behufe der Staatsbehörde Vorschläge zu machen, Uebelstände zu rügen,

---

[1] Braunschweig'sche Gesetz- und Verordnungssammlung von 1850, Nr. 24, S. 395 u. folgende.

Mängel der Verwaltung aufzudecken und auf deren Abstel=
lung hinzuwirken, zu dem Ende Statuten und polizeiliche
Reglements mit Genehmigung der Staatsbehörde zu erlas=
sen und letzteren auf Verlangen zu erstatten;

b: Er beschließt über Errichtung gemeinnütziger, über die Gren=
zen einzelner Gemeinden sich erstreckender Anstalten und
Einrichtungen, und hat für deren Verwaltung zu sorgen.

Zu diesem Behufe kann er den Amtsbezirk durch Verträge
rechtlich verpflichten, Grundstücke und Berechtigungen er=
werben oder veräußern, Umlagen ausschreiben und Anleihen
aufnehmen.

c. der Amtsrath hat ferner bei der Ausübung des Oberauf=
sichtsrechts des Staats über die Gemeindeverwaltung mit=
zuwirken, indem gewisse Beschlüsse der Gemeinderäthe der
Bestätigung des Amtsraths bedürfen und Beschwerden
und Erinnerungen gegen manche Acte der Gemeindebehörden,
sowie einige Streitigkeiten in Gemeindesachen seiner Ent=
scheidung unterstellt sind.

d. Er übt die Disciplinargewalt über die Gemeindevor=
steher und deren Gehilfen aus, und es können

e. dem Vorsteher oder einzelnen Mitgliedern des Amtsraths von
der Landesregierung Aufträge in Sachen der Landespolizei
dauernd oder vorübergehend ertheilt werden.

4) Der Amtsrath versammelt sich regelmäßig alle drei Monate
auf Berufung der Staatsbehörde, welche den Sitzungen, die in
der Regel öffentlich sind, anwohnt.

Gegen die Beschlüsse oder Entscheidungen steht, mit Aus=
nahme einiger besonders genannten Fälle, den Gemeinden, so=
wie den Einzelnen das Recursrecht an die Staatsbehörde zu,
welche auch befugt ist, Einsprache gegen solche Beschlüsse der
Amtsräthe zu erheben, die das Gesetz oder das Gemeinwohl
verletzen.

II. Die Kreiscommissionen (Gesetz über die Organisation
der Landesverwaltungsbehörden vom 19. März 1850 [2]) sind den Kreis=

---

[2] Braunschweig'sche Gesetz= und Verordnungssammlung von 1850, Nr. 26,
S. 442 u. folgende.

directionen beigegeben, welche als Verwaltungsstellen für die sechs Kreise, in welche das Land eingetheilt ist, bestellt sind. Diese Com= missionen bestehen in der Regel aus den Bürgermeistern der Städte und den Vorsitzenden der Amtsräthe; sie treten nur auf Berufung der Kreisdirection zusammen; der Kreisdirector führt den Vorsitz und die Leitung der Verhandlungen, ohne jedoch selbst ein Stimmrecht zu haben; die Sitzungen sind in der Regel öffentlich. Der Wirkungskreis dieser Commissionen ist indeß ein sehr beschränkter.

Es steht ihnen nämlich nur in dem Fall ein Entscheidungsrecht zu, wenn es sich um die Feststellung von Maß und Umfang rücksichtlich solcher Geld= und Naturalleistungen handelt, welche Gemeinden, Körper= schaften oder Einzelne nach öffentlichem Recht im Allgemeinen obliegen, deren nähere Begrenzung aber von den Verpflichteten bestritten ist, sofern der streitige Betrag die Summe von 100 Reichsthalern erreicht.

§. 10.

h. Großherzogthum Sachsen-Weimar.

Die Bezirksverwaltung wird von fünf Bezirksbirectoren geführt, welchen ein von den Gemeinden gewählter Bezirksausschuß zur Seite steht (Gesetz vom 5. März 1850 über die Neugestaltung der Staatsbe= hörden und Ausführungsverordnung dazu vom 22. Mai 1850 [1]).

Derselbe hat theils bei der Entscheidung, theils bei der Be = rathung bestimmter Gegenstände des öffentlichen Rechts, der poli= tischen und der Interessenverwaltung des Bezirks mitzuwirken und die Amtsthätigkeit der Bezirksbirectoren im Allgemeinen zu überwachen.

Der Bezirksausschuß wird nach den für die Wahlen der Landtags= abgeordneten geltenden Bestimmungen gewählt; er tritt regelmäßig auf Einladung des Bezirksbirectors alle Monate zusammen und verhandelt unter der Leitung des Letzteren in der Regel öffentlich. Er besteht aus so vielen Mitgliedern, als innerhalb des Geschäftssprengels des Bezirks= birectors sich Wahlbezirke für die Wahlen zum Landtage befinden.

---

[1] Regierungsblatt von 1850, Nr. 6, S. 103 u. folg., und Nr. 17, S. 527 u. folg.

§. 11.

i. Königreich Sachsen.

Nach dem Gesetze vom 11. Aug. 1855 [1]) werden für jeden
Sprengel eines Gerichtsamts, welcher Behörde die Rechtspflege und
Verwaltung in erster Instanz übertragen ist, aus der Mitte der größeren
Grundbesitzer, sowie der sonst durch Vermögen, größeren Gewerbsbe=
trieb oder persönliche Stellung ausgezeichneter Einwohner des Bezirks
eine gewisse Anzahl Personen als F r i e d e n s r i ch t e r bestellt. Es
wird bei der Ernennung besondere Rücksicht genommen auf Besitzer von
vormals mit eigener Gerichtsbarkeit versehen gewesener Güter.

1) Die E r n e n n u n g erfolgt vom König auf Vorschlag einer
   kreisständischen Commission, welche eine Candidatenliste aufzu=
   stellen hat, die mindestens das Zweifache der zu besetzenden
   Stellen (15 bis 30 für jeden amtshauptmannschaftlichen Be=
   zirk) umfassen muß.

2) Die Friedensrichter sind o b r i g k e i t l i ch e P e r s o n e n und
   in dieser Eigenschaft dem Amtshauptmann des Bezirks unter=
   geordnet, dem Gerichtsamte aber für den ganzen Bereich seiner
   polizeilichen und gemeinbeobrigkeitlichen Amtsthätigkeit zur
   Seite gestellt und dazu berufen, bei Handhabung der gesetz=
   lichen Ordnung theils unterstützend, theils selbstständig mitzu=
   wirken.

   Ihre Wirksamkeit erstreckt sich jedoch nicht auf diejenigen
   Städte, in welchen die Städteordnung eingeführt ist.

3) Sie haben ihre Aufmerksamkeit und Fürsorge zunächst denje=
   nigen Theilen der Sicherheits= und Wohlfahrtspolizeipflege zu=
   zuwenden, welche die Aufrechthaltung der öffentlichen Ruhe
   und Ordnung und die Abwehr von Friedensstörungen, An=
   stalten für Sicherheit der Personen und des Eigenthums, das
   Armenwesen, die öffentliche Sittlichkeit, die Nahrungs= und

---

[1]) Gesetz= und Verordnungsblatt von 1855, 11. Stück, S. 159—164. Vergl.
auch Gesetz vom 11. Aug. 1855, die künftige Einrichtung der Behörden erster In=
stanz für Rechtspflege und Verwaltung; ebendas. S. 144—158, und Vollzugsver=
ordnung vom 24. Juli 1857 zu dem Gesetze über die Einsetzung von Friedens=
richtern im Gesetz= und Verordnungsblatt von 1857, Stück 8, S. 133   142.

Erwerbsverhältnisse der arbeitenden Klassen, den Zustand der nicht vom Staate unterhaltenen öffentlichen Wege betreffen.

Die Theilnahme der Friedensrichter an den Geschäften der gerichtlichen Polizei beschränkt sich auf Anordnung von Verhaftungen der auf der That ergriffenen oder flüchtigen Verbrecher und auf Veranstaltung von Haussuchungen nach gestohlenem Gute.

4) Die Friedensrichter haben im Bereiche der ihnen zugewiesenen Geschäfte für die Befolgung der einschlagenden Gesetze und Verordnungen Aufsicht zu führen, gegen Ordnungswidrigkeiten nöthigenfalls durch Festnahme der Widersetzlichen einzuschreiten und Zuwiderhandlungen dem Gerichtsamte anzuzeigen, auch in bringenden Fällen die durch die Umstände gebotenen Sicherheitsmaßregeln zu ergreifen. Sie können sogar mit den von ihnen zu erlassenden Ge- und Verboten Strafandrohungen bis zu fünf Thalern verbinden, die Strafe in Contraventionsfällen aussprechen und den Betrag beitreiben.

Das Ortspolizeipersonal ist zu ihrer Verfügung gestellt und nicht minder haben ihnen die Gensdarmen und die polizeilichen Beamten des Gerichtsamts auf Verlangen Dienste zu leisten.

5) Das friedensrichterliche Amt ist ein Ehrenamt und wird unentgeldlich verwaltet, der Friedensrichter hat sogar den Bureauaufwand aus eigenen Mitteln zu bestreiten.

6) Der Verein sämmtlicher Friedensrichter oder ein aus der Mitte derselben zu bestellender Ausschuß dient der Kreisdirection, der Amtshauptmannschaft und dem Gerichtsamte als Verwaltungsbehörde als berathendes Organ für die Angelegenheiten des Bezirks.

7) Die friedensrichterlichen Versammlungen finden auf Anordnung der Staatsbehörden statt; ein Staatsbeamter führt den Vorsitz; jedem einzelnen Mitgliede steht es zu, selbstständige Anträge über Angelegenheiten des Bezirks zu stellen.

Diese Einrichtung des Friedensrichterinstituts, welche in manchen Punkten etwas singulär erscheinen mag, steht in besonderem Zusammenhang mit der durch das Gesetz vom 11. Aug. 1855 über Organisation der untern Justiz- und Verwaltungsbehörden (Note 1) erfolgten Aufhebung der Patrimonialgerichtsbarkeit und der Regulirung der rechtlichen und politischen Verhältnisse der bisherigen Gerichtsinhaber, wie sie durch eine Beilage zu jenem Gesetze ausgesprochen ist.

In einigen Punkten trifft es mit dem leitenden Gedanken des §. 9 des badischen Verwaltungsgesetzes zusammen.

§. 12.

k. Oldenburg.

In der rücksichtlich der Normirung der Gemeindeverhältnisse viel=fach interessanten Gemeindeordnung vom 1. Juli 1855 [1]) sind im 12. Abschnitt, Art. 200—208, auch einige, wiewohl ziemlich dürftige Bestimmungen über die Errichtung eines Amtsraths enthalten, wor=nach ein solcher

1) in jedem Amtsbezirk mit der Bestimmung bestehen soll,

    a. in Angelegenheiten, welche allein oder vorzugsweise die In=teresssen des Amtsbezirks betreffen, das Organ der Wünsche, Anträge und Beschwerden der Amtseingesessenen zu sein;

    b. über öffentliche Verhältnisse in den Fällen Erklärungen ab=zugeben, in welchen solche durch Gesetz oder Verordnung gefordert werden oder deren Einziehung von den Staatsbe=hörden für räthlich erachtet wird;

    c. diejenige Wirksamkeit auszuüben, welche für einzelne öffent=liche Angelegenheiten durch besondere Gesetze oder Verord=nungen dem Amtsrathe beigelegt wird.

2) Er besteht aus den Vorstehern der Gemeinden und den vom Gemeinderath aus seiner Mitte gewählten weiteren Abgeordne=ten (je einen auf 600 Einwohner).

3) Der Amtsrath versammelt sich in den oben Ziff. 1 a. bezeich=neten Angelegenheiten auf Berufung und unter dem Vorsitz des von ihm gewählten Amtsbevollmächtigten, in den Ziff. 1 b. genannten dagegen auf Berufung und unter dem Vorsitz des Amts.

Die Verhandlungen des Amtsraths sind in der Regel öffent=lich.

---

[1]) Gesetzblatt von 1855. 81. Stück. S. 941 u. folg.

24 *

§. 13.

1. Preußen.

Die Gesetzgebung in Preußen über die Vertretung der Bezirks= oder Kreisinteressen nahm seit einer Reihe von Jahren einen sehr bemerkenswerthen Gang [1]); man hat es wahrlich nicht an ausdauernden Anstrengungen fehlen lassen, um diese wichtige Frage ihrer Erledigung entgegenzuführen, bis jetzt aber ist es noch nicht gelungen.

Diese Interessenvertretung ist nämlich in die Hände der „Kreisstände" gelegt, welche Einrichtung im innigsten Zusammenhang mit den „Provinzialständen" steht.

Die Gesetzgebung über die Kreis= und Provinzialverfassung beruht auf dem allgemeinen Gesetze über Einführung der Provinzialstände vom 5. Juni 1823 [2]). Nach demselben sollten besondere Gesetze nachfolgen, welche die Form und Grenzen dieses ständischen Verbandes normiren sollten. Diese Gesetze über die Anordnung von Provinzialständen wurden in den Jahren 1823 und 1824 für sämmtliche Provinzen erlassen und bestimmten namentlich auch die Erhaltung und beziehungsweise Wiedereinführung der Kreisstände. Es wurden deßhalb für die verschiedenen Landestheile in den Jahren 1825, 1827 und 1828 „Kreisordnungen" verkündet, welche durch spätere Gesetze und Verordnungen in einzelnen Punkten ergänzt, erläutert und abgeändert wurden.

Wir haben nur die Kreisstände hier kurz zu besprechen, weil nur sie eine mit körperschaftlichen Rechten ausgestattete Interessenverwaltung bilden, während die Provinzialstände politische Organe zur Berathung gewisser provinzieller Angelegenheiten sind. Mit der letzteren im Zusammenhang müssen sie nur besprochen werden

I. bei dem geschichtlichen Ueberblicke des äußeren Ganges, den die Preußische Gesetzgebung genommen hat.

Die Provinzial= und Kreisstände, wesentlich nur bestehend in einer für einzelne Territorien des Landes eingesetzten Vertretung der Grundbesitzer mit sehr enge begrenzten Befugnissen, konnten natür=

---

[1]) Vergl. hierüber v. Rönne, Staatsrecht der Preußischen Monarchie, Bd. I., S. 109 u. 142.
[2]) Gesetzsammlung S. 129.

lich nach keiner Seite hin den Erwartungen und Rechtsansprüchen auf Einführung einer zeitgemäßen Volksvertretung entsprechen, weßhalb auch die am 3. Februar 1847 erfolgte Zusammenberufung der acht verschiedenen Provinzial-Landtage zu einem „Vereinigten Land= tage" wenig befriedigte.

Das Staatsgrundgesetz vom 31. Januar 1850 setzte an die Stelle der Provinzialstände mit zum Theil nur berathender Stimme die Volksvertretung mit beschließender Befugniß. Die Kreisstände dagegen sollten beibehalten werden. Der Art. 105 der Verf.=Urk. bestimmte nämlich, daß über die innern und besondern Angelegenheiten der Provinzen, Bezirke und Kreise aus gewählten Vertretern bestehende Versammlungen beschließen, deren Beschlüsse durch die Vorsteher der Provinzen, Bezirke und Kreise ausgeführt werden.

Hieburch sollte nicht nur eine corporative Organisation von dem Ganzen abwärts durch die Provinzen, Kreise und Bezirke hindurch bis zur Gemeinde durchgeführt, sondern es sollte auch die Selbst= ständigkeit und das Selbstverwaltungsrecht allen diesen Corporationen in Bezug auf ihre innern Angelegenheiten anerkannt werden. Es wurde deßhalb zum Vollzug des Art. 105 der Verf.=Urk. gleichzeitig mit einer neuen Gemeindeordnung auch die Kreis=, Bezirks= und Pro= vinzial=Ordnung vom 11. März 1850 verkündet, deren Ausführung aber durch einen königlichen Erlaß vom 19. Juni 1852 sistirt.

Zwei Gesetze vom 24. Mai 1853, beide mit ständischer Zustimmung erlassen, veränderten nun gänzlich die neu gewonnene Grundlage der Gesetzgebung. Das eine hob den Art. 105 der Verf.=Urk. auf und setzte statt dessen fest: „daß die Vertretung und Verwaltung der Gemeinden, Kreise und Provinzen des Staats durch besondere Gesetze näher be= bestimmt werde;" das andere dieser Gesetze hob mit der Gemeindeord= nung auch das oben angeführte Gesetz vom 11. März 1850 über die Kreis= und Provinzialordnung auf und führte die früheren Gesetze über diesen Gegenstand wieder ein, so weit sie nicht mit der Verfassungs= urkunde im Widerspruch stehen. Zur Fortbildung der älteren Einrich= tungen sollten besondere provinzielle Gesetze erlassen werden.

Sonach bestund neben dem System der Repräsentativ=Verfassung für die allgemeine Vertretung des Volks eine auf einer ganz anderen

Grundlage ruhende Vertretung der Provinzen und Kreise in ihren An=
gelegenheiten [3]).

Die Gesetzgebung bemühte sich in aller Weise, diesen Widerspruch
in befriedigender Weise zu lösen.

Auf den Landtagen 1851—52 wurden Gesetzentwürfe über eine
Provinzial= und eine Kreisordnung vorgelegt, sie kamen aber nur in der
Ersten Kammer zur Berathung; im Januar 1853 wurden 8 Entwürfe
über die Kreisverfassung der verschiedenen Provinzen und die gleiche
Zahl über die Provinzverfassung vorgelegt; sie blieben unerledigt.

Im December 1853 wurden abermals je 8 Entwürfe über diesen
Gegenstand vorgelegt, sie wurden aber 1854 wieder zurückgezogen [4]).

Im Jahr 1860 wurde ein die sechs östlichen Provinzen umfassen=
der neuer Entwurf vorgelegt; er gelangte aber in der Zweiten Kammer
nicht zur Berathung, und ein gleiches Schicksal theilte der am 11. Jan.
1862 den Ständen vorgelegte, alle Provinzen des Königreichs. umfas=
sende Entwurf einer Kreisordnung. Es wurde über denselben
nicht einmal Bericht erstattet [5]).

Sonach besteht denn zur Zeit noch

II.   die frühere kreisständische Verfassung, welche auf dem all=
gemeinen Gesetz vom 5. Juni 1823, den für die verschiedenen Landes=
theile 1825, 1827 und 1828 erlassenen Kreisordnungen und eini=
gen anderen einzelne Gegenstände betreffenden Gesetzen und Verordnungen
beruht, in Wirksamkeit [6]).

Hienach haben

1) die Kreisversammlungen den Zweck, die Verwaltung des Land=
    raths in Communalangelegenheiten zu unterstützen. Die land=
    räthlichen Kreise bilden die Bezirke der Kreisstände.

2) Ihren Wirkungskreis anlangend, so haben sie die Kreiscor=
    porationen in allen den ganzen Kreis betreffenden Commu=

---

[3]) v. Rönne a. a. O., §. 109, S. 462, Note 3.

[4]) Ebendaf. S. 464, Note 3.

[5]) Drucksachen des Herrenhauses von 1861/62, Nr. 8, welchen die Motive
zu dem 1860 vorgelegten Entwurf beiliegen.
Stenographische Berichte über die Verhandlungen des Herrenhauses von
1861/62, S. 19—21.

[6]) v. Rönne a. a. O., §. 142, S. 163—178.

nalangelegenheiten zu vertreten, Namens derselben verpflichtende
Erklärungen abzugeben, die kreisweise aufzubringenden Staats=
prästationen zu repartiren, über Abgaben und Leistungen zu
den Kreisbedürfnissen ihr Gutachten abzugeben und die des=
fallsigen Rechnungen abzuhören, sie können sich mit Bitten
und Beschwerden an die höheren Behörden wenden, sie können
Ausgaben beschließen und die Kreisangesessenen dadurch ver=
pflichten zum Zwecke von gemeinnützigen Einrichtungen und
Anlagen. Es steht ihnen auch eine Betheiligung an den Wah=
len der Candidaten zu den Landraths\ämtern und das Wahl=
recht der Kreisdeputirten (Amtsgehilfen der Landräthe) zu.

3) Die kreisständische Versammlung ist zusammengesetzt aus den
Besitzern landtagsfähiger Rittergüter des Kreises, von denen
jeder eine Virilstimme auf dem Kreise führt, sodann aus De=
putirten der Städte und Landgemeinden.

4) Die Kreistage werden von dem Landrathe jährlich wenigstens
einmal einberufen, er führt den Vorsitz auf denselben; die drei
Stände verhandeln auf denselben gemeinschaftlich. Findet ein
Stand durch die gefaßten Beschlüsse sich beschwert, so steht ihm
das Recht der Beschwerde an die betreffende Staatsbehörde zu.

In manchen Fällen bedürfen die Beschlüsse des Kreistags
der Bestätigung der Staatsbehörden; ihr Vollzug erfolgt in
der Regel durch den Landrath.

III. Es dürfte nicht ohne Interesse sein, neben der eben kurz dar=
gestellten repristinirten kreisständischen Einrichtung auch das neueste
legislative Project, nämlich den oben Ziff. I., Note 5 genannten Ent=
wurf vom 11. Januar 1862 kurz zu betrachten, weil in keinem anderen
deutschen Lande diese Frage die Gesetzgebung so vielfach und zum Theil
in so entgegengesetzter Richtung beschäftigte, als in Preußen.

Nach diesem Entwurfe bilden

1) die Kreise in ihrem bisherigen Umfange Corporationen, denen
die Selbstverwaltung ihrer Angelegenheiten zusteht und
zugleich die Verwaltungsbezirke.

Jeder Kreis ist befugt, besondere, den bestehenden Gesetzen
nicht zuwiderlaufende statutarische Anordnungen über solche
Angelegenheiten und über solche auf diese bezügliche Rechte und
Pflichten der Kreiseingesessenen zu treffen, hinsichtlich deren

das Gesetz Verschiedenheit gestattet oder keine ausdrücklichen Bestimmungen enthält. Solche Anordnungen bedürfen der landesherrlichen Bestätigung.

2) Die Kreisversammlung (Kreistag) besteht:

    a. aus den in das Herrenhaus berufenen Besitzern solcher größeren Gutscomplexe, auf denen das Recht erblicher Mitgliedschaft des Herrenhauses radicirt ist;

    b. außerdem aus 15 bis 60 Kreistagsabgeordneten, welche von drei zu diesem Behufe gebildeten Wahlverbänden des großen ländlichen Grundbesitzes, der Landgemeinden und der Städte gebildet werden. Rücksichtlich der beiden letzten Kategorien tritt für die Provinzen Rheinland und Westphalen eine den dortigen Gemeindeverhältnissen entsprechende Modification ein.

3) Der Geschäftskreis des Kreistags besteht im Allgemeinen in der Vertretung der Kreiscorporationen in allen den Kreis betreffenden Communalangelegenheiten, deren Verwaltung innerhalb der bestehenden Gesetzgebung den Gegenstand seiner Berathungen und Beschlüsse ausmacht.

Im Einzelnen ist der Geschäftskreis derselben im Wesentlichen dem der früheren Kreisstände (s. oben II. 2) gleich normirt.

Eine Mitwirkung bei den Wahlen der Candidaten für die Landräthe soll ihm aber nicht mehr zustehen, da die letzteren vom Könige ernannt werden; dagegen verbleibt ihnen das Wahlrecht der Kreisdeputirten.

4) Der Landrath beruft die Kreistage und führt auf denselben den Vorsitz.

5) Alle Beschlüsse des Kreistags, durch welche der Maßstab für die Repartition der Kreisbeiträge aufgestellt oder der bisherige abgeändert werden soll, ebenso Dispositionen über das Kapitalvermögen und Veräußerungen von Grundstücken bedürfen der Genehmigung der Regierung.

An königliche Bestätigung sind gebunden die Beschlüsse über Herstellung von Einrichtungen und Anlagen, bei welchen nur ein Theil des Kreises interessirt ist. Uebernahme von Bürgschaften und über solche Ausgaben, welche den Kreis über die Zeitdauer von drei Jahren hinaus oder dergestalt belasten, daß der Gesammtbetrag der jährlich aufzubringenden Kreisabgaben 10 Procent der directen Staatssteuern übersteigt.

Zur Abwehr oder Minderung dringender Nothstände ist den Kreistagen noch die Erhebung einer weiteren Abgabe bis zu 5 Procent der Staatssteuer gestattet, selbst wenn jenes Maximum-dadurch überschritten würde.

6) Die gewählten Kreisdeputirten bilden mit dem Landrath den Kreisausschuß, welcher die Beschlüsse des Kreisraths vorzubereiten und bei ihrer Ausführung den Landrath zu unterstützen hat.

7) Der Letztere ist berechtigt, die Ausführung derjenigen Beschlüsse des Kreistags oder der von ihm eingesetzten Commissionen oder des Kreisausschusses, welche deren Befugniß überschreiten, die Gesetze oder das Staatsinteresse verletzen, zu untersagen, in welchem Falle sofort die Entscheidung der höheren Staatsbehörde eingeholt werden muß.

Die Kreisversammlung kann durch königliche Verordnung aufgelöst werden, in welchem Falle Neuwahlen anzuordnen sind, welche binnen drei Monaten von der Auflösung an, erfolgen müssen.

§. 14.

m. Oefterreich.

Ein kaiserliches Rescript vom 31. December 1851 [1]), stellte die Grundsätze für die organischen Einrichtungen der Kronländer in dem Kaiserstaate fest und verordnete in dem §. 35 und 36, daß den Kreisbehörden berathende Ausschüsse aus dem besitzenden Erbadel, dem großen und kleinen Grundbesitze, und der Industrie mit gehöriger Bezeichnung der Objecte und des Umfangs ihrer Wirksamkeit an die Seite gestellt werden sollen.

Auch bei den Bezirksämtern sollen die Vorstände der Gemeinden und die Eigenthümer des außer dem Gemeindeverband stehenden

---

[1]) Allgemeines Reichsgesetz= und Regierungsblatt für das Kaiserthum Oesterreich von 1852, Stück 2, S. 32.

großen Grundbesitzes oder deren Bevollmächtigte zu „Zusammentretun=
gen in ihren Angelegenheiten" von Zeit zu Zeit einberufen werden.

Am 5. März 1862 wurde unter Zustimmung der beiden Häuser
des Reichsraths ein Gesetz erlassen, welches die grundsätzlichen Bestim=
mungen zur Regelung des Gemeindewesens vorzeichnet und in den Ar=
tikeln 17 bis 26 im Wesentlichen folgende Bestimmungen enthält [2]):

1) Zwischen die Gemeinde und den Landtag kann durch ein Lan=
   desgesetz eine Bezirks=, Gau= oder Kreisvertretung ein=
   geführt werden, welche in periodisch wiederkehrenden Zeiträu=
   men oder auf Berufung ihres Vorstandes zusammentritt und
   ihre ständigen Angelegenheiten durch einen Ausschuß und
   Vorsteher besorgen läßt.

2) In den Wirkungskreis dieser Vertretung gehören alle
   innern, die gemeinsamen Interessen des Bezirks (Gaues, Krei=
   ses) und seinen Angehörigen betreffenden Angelegenheiten.
   Außerdem können dieser Vertretung durch ein Landesgesetz
   noch zugewiesen werden:

   a. die Ueberwachung der Erhaltung des Stammvermö=
      gens der Gemeinden und ihrer Anstalten;
   b. die Genehmigung wichtiger, insbesondere den Gemeinde=
      haushalt betreffenden Acte;
   c. Die Entscheidung über Berufungen gegen Beschlüsse
      der Gemeindeausschüsse in allen der Gemeinde nicht
      vom Staate übertragenen Angelegenheiten (der Wir=
      kungskreis der Gemeinde ist nämlich ein doppelter:
      ein selbstständiger, d. h. ein solcher, in welchem sie
      unter Beobachtung der Gesetze nach freier Selbstbe=
      stimmung anordnen und verfügen kann, und ein über=
      tragener, welcher in der Verpflichtung besteht, für
      die Zwecke der öffentlichen (Staats)= Verwaltung mit=
      zuwirken). In den letzteren Gegenständen geht die
      Berufung an die Staatsbehörde.

3) Die Kreisvertretung ist zusammengesetzt aus den Interessen=
   gruppen des großen Grundbesitzes, der Höchstbesteuerten der
   Industrie und des Handels, der übrigen Angehörigen der Städte

---

[2]) Reichsgesetzblatt von 1862, Stück 9, S. 40 u. 41.

und Landgemeinden, welche periobisch die auf sie fallende Zahl
von Vertretern wählen.
4) Die Kreisvertretung wählt aus ihrer Mitte ben Ausschuß und
Vorsteher, welch' letzterer der kaiserlichen Bestätigung bedarf.
5) Zur Bestreitung ber burch die Einkünfte aus bem Stammver=
mögen nicht gebeckten Ausgaben kann die Kreisvertretung Zu=
schläge zu ben directen Steuern bis zu einem bestimmten Maße
umlegen und einziehen.
    Zuschläge über dieses Maß ober andere Umlagen bebürfen
eines Landesgesetzes.
6) Die Stimmfähigkeit und Wählbarkeit richtet sich nach ben für
die Gemeinbewahlen gegebenen Vorschriften.
7) Der Staatsregierung steht ein Aufsichtsrecht über die Kreis=
vertretung zu. Ebenso wacht
8) ber Landtag burch seinen Ausschuß über die Erhaltung bes
Stammvermögens ber Kreisvertretung und entscheidet über
Berufungen gegen Beschlüsse berselben in ben oben Ziff. 2 be=
zeichneten, zum Wirkungskreise berselben gehörigen Angelegen=
heiten.

§. 15.
n. Außerdeutsche Staaten.
α. England.

Die Organisation ber Verwaltung in ben größeren außerbeutschen
Staaten, bie hier hauptsächlich in Betracht kommen können, nämlich:
England, Frankreich und Belgien, ruht auf geschichtlichen und politischen
Voraussetzungen, wie sie bei uns nicht bestehen.

Deßungeachtet bürfte es nicht ohne Interesse sein, die Verwal=
tungseinrichtung bieser Länder wenigstens in ben allgemeinsten Um=
rissen hier mitzutheilen, weil sie auf bie Entwickelung unserer Zustände
in bieser Frage unverkennbar großen Einfluß geübt haben.

Die Selbstverwaltung in England [1]) beschränkt sich nicht

---

[1]) Gneist, das heutige englische Verfassungs= und Verwaltungsrecht, 2 Bbe.,
insbesondere der 2te Band, auch unter bem Titel: Die heutige englische Com=
munalverfassung und Communalverwaltung, oder das System des Selfgovern=
ment in seiner heutigen Gestalt. Berlin 1860. Sobann:

blos auf die örtlichen oder die Interessen eines größeren Bezirks, sondern sie dehnt sich auf beinahe alle Zweige der Staats= verwaltung in den einzelnen Grafschaften aus und ruht wesentlich auf dem Grundsatz, dem ·Grundbesitz, der vorzugsweise zur Tragung der Steuerlast herangezogen ist, auch die Verwaltung der öffentlichen Angelegenheiten in die Hände zu legen.

Diese Selbstthätigkeit der Grafschaften und Städte umfaßt:

1) einen sehr bedeutenden Theil der Rechtspflege. Es wird nämlich

     a. die unterrichterliche bürgerliche Gerichtsbarkeit von dem Sheriff verwaltet;

     b. das Richteramt für eine äußerst zahlreiche Klasse von klei= neren Straffachen und Polizeiübertretungen üben je ein oder zwei Friedensrichter, welchen auch das Vorunter= suchungsamt für jene schwereren Straffälle anvertraut ist, deren Aburtheilung den Assisen oder Quartalsitzungen zusteht.

2) Die große Zahl der Geschäfte, welche bei uns zu dem Gebiete der innern Verwaltung gerechnet werden, einschließlich jener der Polizei, sind den Friedensrichtern als Einzelbeamten in erster Instanz zugetheilt. Für die Ortsgemeindever= waltung bilden sie eine Oberinstanz; bei minder wichtigen Fällen treten zwei Friedensrichter zur summarischen Verhand= lung zusammen; bei wichtigern dagegen verhandeln und ent= scheiden drei bis sechs dieser Richter in periodischen sog. Specialsitzungen. Diesen wurde auch noch zugewiesen: die Ernennung und Bestätigung der Ortsgemeindebeamten, die Wegbaustreitigkeiten, die Ertheilung der Schankconcessionen.

3) Von großer Bedeutung ist die Vereinigung sämmtlicher Friedensrichter einer Grafschaft zu den sog. Quar= talsitzungen, die mindestens viermal jährlich abgehalten werden müssen.

Der Wirkungskreis derselben umfaßt:

Gneist, die Geschichte des Selfgovernment in England. Berlin 1863.

v. Mohl, Geschichte und Literatur der Staatswissenschaften. II. S. 4 u. folgende.

Fischel, die Verfassung Englands. Berlin 1864. S. 256—353.

a. die Erledigung der Appellationen in Straffachen gegen die Erkenntnisse der einzelnen Friedensrichter und kleinen Sitzungen,
b. die Erledigung der Beschwerden gegen die Verfügungen der Specialfitzungen (oben Ziff. 2) in den ihnen zugewiefenen Verwaltungsfachen,
c. die Gerichtsbarkeit in einigen wichtigern Straffällen.

Zugleich bilden fie aber auch

d. eine Kreisverwaltungsbehörde zur unmittelbaren collegialen Leitung mancher wichtigen Verwaltungsgeschäfte, z. B. Ausschreibung der Graffchaftsfteuern, Anstellung der Rechner, Auffficht über das Gefängniß, das Correctionshaus und die Gerichtslocalitäten der Graffchaft, Erlaffung von Polizeiregulativen für Lebensmittelpreise, Arbeitslöhne, Instructionen für die Verwaltung der Gefängniffe, Gebührentaxen der Conftabler und anderer Graffchaftsbeamten, Ertheilung von Conceffionen für Getreidekäufer, für Pulvermühlen, Anstellung von Controlebeamten der Maß- und Gewichtsverwaltung u. a. m.

4) Die Selbstthätigkeit der Graffchaften erstreckt sich aber außer den bisher genannten Gebieten der Rechtspflege und eigentlichen innern Verwaltung auch auf die Milizverfaffung, und theilweise auf das Steuerwesen.

Die Armenverwaltung des Kirchspiels liegt der Ortsgemeinde unter einem Einwirkungsrecht des Friedensrichters ob, ebenfo die Wegeverwaltung, wie denn überhaupt in neuerer Zeit eine Erweiterung der Functionen der Ortsgemeinde zu verschiedenartigen polizeilichen Zwecken eingetreten ist.

5) Manche der Selbstthätigkeit der Graffchaften überwiefene Gegenstände werden in den Städten von den Obrigkeiten derselben beforgt.

6) Die Beforgung der vorgenannten Geschäfte ist unter verschiedene Perfonen vertheilt, unter welchen

a. die Friedensrichter die hervorragendfte Stellung einnehmen, weil, wie aus der obigen Darstellung hervorgeht, in ihren Händen die Verwaltung der Graffchaft und auch ein großer Theil der Rechtspflege, namentlich in den Quar-

talſitzungen in Verbindung mit der Juri die Strafrechts=
pflege liegt.

Sie werden von dem Staatsoberhaupte **ernannt**, und
zwar aus der Zahl derjenigen Perſonen, welche eine
Grundrente von 100 Pfund Sterling beziehen.
Ohne Cenſus können ernannt werden die Lords, ihre
älteſten Söhne und Erben, ſowie die älteſten Söhne und
Erben einer Perſon, welche 600 Pfund Grundrente bezieht.
Obwohl hiedurch ſtädtiſche Grundbeſitzer, Geiſtliche, grund=
beſitzende Advocaten von dieſen Aemtern nicht ausge=
ſchloſſen ſind, ſo werden ſie doch größtentheils aus den vor=
nehmſten Grundbeſitzern der Gentry beſetzt, welchen ſie
durch die einflußreiche ſociale Stellung des Adels, durch die
großen Ausgaben, die mit der Verwaltung dieſer, unent=
geldlich zu verſehenden Ehrenſtellen verknüpft ſind, als ge=
ſichert erſcheinen. Dazu kommt, daß in neuerer Zeit die
engliſche Gentry ſich den öffentlichen Beruf immer mehr
zur Lebensaufgabe macht und ſich die hierzu erforderliche
Vorbildung auf den höheren Lehranſtalten zu erwerben ſucht.

Die Verbindung des politiſchen Einfluſſes, welchen das
Amt gewährt mit der hervorragenden ſocialen Stellung,
welche durch Beſitz und Bildung geſchaffen werden, ſichert
dem Landabel auch die **Mitgliedſchaft im Unter=
hauſe**, für welche das Friedensrichteramt in der Regel
der Durchgangspunkt iſt und dieſe Mitgliedſchaft in Ver=
bindung mit dem durch ſie erleichterten Eintritt in die
Pairie verleiht dem Adel einen politiſchen Schwerpunkt,
der, mancher Verſuche ungeachtet, ſo leicht nicht verrückt
werden wird, weil er auf der ſicheren Grundlage ruht,
welche die Verbindung von großem Grundbeſitz mit un=
entgeldlichen gewohnheitsmäßigen Leiſtungen für das öffent=
liche Weſen gewähren, als deren wohlerworbene Beloh=
nung der Beſitz der Ehrenſtellen anerkannt wird.

b. **Das unbeſoldete Amt des Sheriff** bildet ſeinen
ſchweren Ehrenausgaben wegen gleichfalls ein Reſervat
der vornehmeren Klaſſen. Es wird vom Könige jährlich wech=
ſelnd aus den größeren Grundbeſitzern der Grafſchaft beſetzt.

Im Laufe der Zeit hat das Amt an seiner Bedeutung verloren.

Ursprünglich eine vollständige Statthalterschaft in der Finanz=, Militär= und Gerichtsverwaltung, bildet es jetzt mit gewissen Ehrenrechten und mancherlei Resten einer no= minellen Gewalt nur noch das Gericht erster Instanz zur Verhandlung und Entscheidung kleinerer Civilprocesse, ver= folgt die Verbrecher und stellt sie vor die zuständigen Ge= richte, erledigt die Aufträge der Obergerichte und wahrt die fiscalischen Rechte in seinem Bezirke durch Besitznahme confiscirter oder erbloser Güter, Einzug von Strafen und dergl.

c. Die Coroner, von den Grafschaftsangehörigen auf Le= benszeit gewählte Beamte, haben hauptsächlich unter Mit= wirkung der Geschworenen die Ermittelung der Todesfälle vorzunehmen, die Schiffsbrüche zu constatiren, bei gefunde= nen Schätzen die Person des Finders und den Ort des Fundes zu constatiren. Auch haben sie, concurrirend mit den Friedensrichtern, das Verhaftungsrecht bei einigen Verbrechern und in Verhinderungsfällen des Sheriff die Verpflichtung seiner Stellvertretung.

d. Die Constabler sind in der neuesten Zeit zu besoldeten Polizeimannschaften, Gensbarmerie = Corps umgewandelt worden. Außerdem bestehen noch

e. die Wegeaufseher, Kirchenvorsteher, Armenaufseher und eine Anzahl von städtischen Functionären, z. B. Bürger= meister, Rathsherren ꝛc.

f. Eines der bedeutendsten Grafschaftsämter ist jenes des Lord=Lieutenants, dessen Ernennung durch königli= ches Patent thatsächlich auf Lebenszeit erfolgt, und zwar aus der Zahl der vornehmsten Grundbesitzer. Er ist eigent= lich der Statthalter der Provinz und der Chef der Miliz. In der letzteren Eigenschaft ernennt er die Miliz=Offiziere und Verwaltungscommissäre, die größtentheils mit dem Personal der Friedensrichter zusammenfallen, wie denn auch der Lord=Lieutenant selbst herkömmlich zum ersten Friedensrichter ernannt wird.

§. 16.

β. Frankreich.

Während die Einrichtung der Verwaltung in England, welche in dem engſten Zuſammenhang mit der Staatsverfaſſung, insbeſondere dem Parlamente, ſteht, zum Theil in dem mittelalterlichen Lehensſtaate wurzelt und erſt allmälig im Laufe der Zeiten den veränderten Verhält=niſſen und Anſchauungen im Einzelnen ſo angepaßt und verbeſſert wurde, daß ſie im Großen und Ganzen dem Volke, dem ſie dient, trotz der vielfachen Unvollkommenheiten entſpricht und rückſichtlich des Sy=ſtems der Selbſtverwaltung, das in ihr zur umfaſſendſten Geltung ge=bracht wurde, für andere Staaten die Anregung zur Prüfung und Adoptirung mancher als wichtig und anwendbar befundener Einzelheiten gegeben hat, haben die Dinge in Frankreich einen ganz entgegenge=ſetzten Lauf genommen [1]).

Hier wurde in Folge der Aufhebung aller Local= und Provinzial=privilegien jedwede geſchichtliche Ueberlieferung verlaſſen und ein neues Verwaltungsſyſtem nach Einem durchgreifenden Gedanken geſchaffen. (Geſetz vom 15. Jan. 1790). Es traten zwar manche Verbeſſerungen und Veränderungen im Laufe der wechſelvollen politiſchen Geſtaltungen dieſes Landes ein; im Weſentlichen aber ſind die Grundzüge der ur=ſprünglichen Einrichtungen beibehalten.

Hienach zerfällt das Land in Departements (jetzt 86), denen ein Präfect vorſteht, welcher, mit großen Machtbefugniſſen ausge=rüſtet, die geſammte Verwaltung und Polizei des Departements in ſei=ner Hand zuſammenfaßt, und in dieſer Beziehung als Organ der Regierung im Departement auftritt.

Neben dem Präfecten beſteht in jedem Departement ein General=rath und ein Präfecturrath.

I. Der Generalrath [2]) wird vom Volke auf 9 Jahre gewählt; ſeine Mitglieder ſind unbeſoldet und treten jährlich einmal zu einer

---

[1]) Ueber die reiche Literatur des franzöſiſchen Verfaſſungs= und Verwal-tungsrechts ſiehe R. v. Mohl, die Geſchichte und Literatur der Staatswiſſen-ſchaften. Dritter Band, S. 1—290.

[2]) S. M. Blok, Dictionaire de l'administration française. Paris et Strassbourg 1856. S. 529—532, und R. v. Mohl a. a. O. S. 249.

zehntägigen Sitzung zusammen. Er kann vom Kaiser aufgelöst werden.

Sein Wirkungskreis besteht nach dem Gesetze vom 10. Mai 1838 ben wesentlichen Grundzügen nach in Folgendem:

1) er beschließt endgiltig und ohne an eine weitere Genehmigung gebunden zu sein, über die Vertheilung der durch das Finanzgesetz dem Departement zugeschiedenen directen Staatssteuerquote unter die verschiedenen Arrondissements, über die von den letzteren oder den Gemeinden erhobenenen Reclamationen gegen die Größe der ihnen zugewiesenen Steuerquote, über die Aufbringung der zu den Departementalausgaben nothwendigen Zuschlägen zu den directen Staatssteuern innerhalb der durch das Finanzgesetz gezogenen Grenzen;

2) er beschließt vorbehaltlich der Genehmigung der zuständigen Staatsbehörde über Erhebung außerordentlicher Steuern und Aufnahme von Darlehen für das Departement, über Kauf und Verkauf von Liegenschaften für dasselbe, Verwendung der Gebäude und Grundstücke, Führung von Rechtsstreitigkeiten und Eingehung von Vergleichen, Annahme von Schenkungen und Vermächtnissen zu Gunsten des Departements, Klassification und Richtung der Departements und Gemeindewege, über die Projecte, Plane und Kostenüberschläge der aus Departementsmitteln zu bestreitenden Arbeiten, Concessionen zu im Interesse des Departements unternehmenden Arbeiten, über den Antheil an denjenigen Ausgaben, welche der Staat für ein Unternehmen macht, an dem das Departement betheiligt ist, Errichtung und Organisirung von Pensionskassen für Beamte der Präfecturen und Unterpräfecturen, Vertheilung der Ausgaben unter die Gemeinden, welche durch die Versorgung von Irren und Findlingen entstehen u. A. m.;

3) er begutachtet viele Fragen der Verwaltung, z. B. Einführung von Jahrmärkten 2c.;

4) er berathet das Budget der Departements-Verwaltung. Die Haupteinnahme desselben bilden die Zuschläge (centimes additionnels) zu der directen Staatssteuer. Die Ausgaben werden eingetheilt in ordentliche, facultative, außerordentliche und specielle.

Weißel, Gesetz üb. inn. Verwalt.   25

Unter die ersteren gehören die für die regelmäßige Fortführung der Verwaltung unentbehrlichen. Diese können von dem Generalrath nicht verweigert werden, d. h. der Präfect ist berechtigt, sie, wenn dieß doch geschehen würde, in das Budget aufzunehmen und zur Erhebung zu bringen.

Die facultativen Ausgaben, d. h. jene, welche das Gesetz unter die erste Klasse nicht rechnet, können von der Regierung nicht vermehrt oder erhöht, wohl aber vermindert werden.

Die außerordentlichen Ausgaben, d. h. diejenigen, welche nöthig werden, wenn die facultativen unzulänglich sind, müssen von der Regierung bestätigt oder verworfen, können aber nicht erhöht oder vermindert werden.

Die speciellen Ausgaben (für den Elementarunterricht, Bau der Vicinalwege, Erneuerung des Katasters) bedürfen gleichfalls der Staatsgenehmigung.

Hieraus ergibt sich, daß die Departements nicht blos geographische Verwaltungsbezirke, sondern zugleich moralische Personen sind, welche eigene Interessenverbände mit einer freilich sehr eng begrenzten, selbstständigen Verwaltungsbefugniß bilden. Der Präfect erscheint zugleich als der Repräsentant dieses Verbandes gegenüber der Staatsregierung.

II. Der Präfecturrath [3]), dessen Umgestaltung seit einer Reihe von Jahren Gegenstand bis jetzt erfolglos gebliebener Verhandlungen war, ist ein aus entlaßbaren, nieder besoldeten Staatsbeamten zusammengesetztes Collegium von 3 bis 5 Mitgliedern, in welchem der Präfect den Vorsitz führt und bei Stimmengleichheit den Ausschlag gibt. Seine Aufgabe besteht:

1) in der Entscheidung von Streitigkeiten des öffentlichen Rechts, z. B. über die Schuldigkeit zur Zahlung der directen Steuern und der Größe derselben, über die Erfüllung der Verträge zwischen den Unternehmern öffentlicher Arbeiten und der Staatsverwaltungsbehörden (ein dem Gebiete des Privatrechts angehörender Fall), über Reclamationen bei dem Verkaufe von Staatsgütern, über Streitigkeiten wegen gesundheitsschädlicher, gewerblicher Einrichtungen, militärischer Servituten, Wege-

---

[3]) Blok a. a. O. S. 518 u. folg.

bauten und einigen Gemeindeangelegenheiten; sie ertheilen die
Ermächtigung zur Führung von Rechtsstreitigkeiten an die
Gemeinden und Wohlthätigkeitsanstalten, geben die Entschei=
dung über Beobachtung der gesetzlichen Formen und Fristen
bei den politischen Wahlen, erlassen die Rechnungsbescheide
über die Rechnungen der Gemeinden und Wohlthätigkeitsan=
stalten, wenn die Einnahme eine gewisse Summe nicht über=
steigt; sie können auch bei einigen Contraventionen kleinere
Geldstrafen erkennen und die Hinwegräumung ordnungswidri=
ger Anlagen verfügen.

2) In einer ziemlich großen Anzahl von Administrativsachen ist
der Präfect verpflichtet, das Gutachten des Präfectur=
raths von Erlassung der ihm allein zustehenden Entscheidung
zu erheben, was in der Regel dadurch geschieht, daß der Prä=
fect die fraglichen Gegenstände in der Sitzung des Präfectur=
raths zur Sprache bringt.

3) Die Mitglieder des Präfecturraths sind überdieß verpflichtet,
die ihnen vom Präfecten ertheilten dienstlichen Aufträge
zu erledigen, z. B. die Stellvertretung des Präfecten und der
Unterpräfecten zu übernehmen, den Vorsitz in einzelnen Com=
missionen zu führen u. dergl.

III. Jedes Departement wird in verschiedene Arrondisse=
ments getheilt, denen ein Unterpräfect vorsteht.

Der Geschäftskreis des letzteren besteht hauptsächlich in dem Voll=
zug der Anordnungen des Präfecten, der Vermittelung des Verkehrs
des letzteren mit den Vorstehern der Gemeinden, der Vorbereitung ein=
zelner Geschäfte für die Entscheidung der höheren Behörde; nur in sehr
wenigen Fällen ist ihm ein selbstständiges Eingreifen und Entscheiden
gestattet.

Auch das Arrondissement hat seinen eigenen aus Wahlen hervor=
gegangenen Rath (conseil d'arrondissement), der jedoch keine morali=
sche Person bildet und daher auch kein eigenes Budget hat. Es kommen
ihm einige der Befugnisse des Generalraths zu, insbesondere hat er die
dem Arrondissement zugewiesene Quote der directen Staatssteuer zu
vertheilen.

Die Arrondissements zerfallen sodann in die einzelnen Gemein=
den.

§. 17.

γ. Belgien.

Nachdem die Verfaſſung für das neu conſtituirte Königreich im Jahre 1831 in Wirkſamkeit getreten war und ſeine Stellung gegen Außen als hinreichend geſichert betrachtet werden konnte, begann man unter günſtigen innern Verhältniſſen ſich dem Ausbau der Verfaſſungs= und Verwaltungsgeſetzgebung zuzuwenden. Wohl fehlte es nicht an Meinungsverſchiedenheiten der politiſchen Partheien über wichtige Fra=gen, allein man einigte ſich ſchließlich, und nach langen Verhandlungen über drei für die innere Ordnung und den Wohlſtand des Landes ſehr wichtige Geſetze, nämlich jene über den öffentlichen Unterricht, über die Verfaſſung der Gemeinden und über jene der Provinzen.

Wir haben nur das letztere [1]), welches am 30. April 1836 ſanc=tionirt wurde, in ſeinen Hauptumriſſen darzuſtellen.

Nach demſelben beſteht

1) in jeder Provinz ein ſog. Provinzialrath, welcher direct von den für die Bildung der Ständekammern beſtimmten Wahlcollegien auf vier Jahre gewählt wird, alle zwei Jahre ſich zur Hälfte erneuert, und aus ſeiner Mitte wieder einen ſtändigen Ausſchuß (deputation permanente) wählt.

    Zugleich wird in jeder Provinz vom König ein Regie=rungscommiſſär, welcher den Titel »Gouverneur« führt, er=nannt.

    Wählbar in den Provinzialrath ſind alle 25 Jahre alten, im Genuſſe der bürgerlichen und politiſchen Rechte befindlichen, in der Provinz anſäſſigen Belgier. Einige Kategorien von Staatsbeamten ſind von der Wahl ausgeſchloſſen. Ebenſo können Verwandte und Verſchwägerte bis zum zweiten Grade nicht zu gleicher Zeit gewählt werden.

2) Der Provinzialrath verſammelt ſich regelmäßig jährlich ein=mal an dem Hauptorte der Provinz oder außerordentlicher

---

[1]) Eine deutſche Ueberſetzung des belgiſchen Provinzialgeſetzes vom 30. April 1836 erſchien 1848 in Berlin bei C. H. Schröder.

Bruno, Code administrativ de Belgique. Bruxelles 1842. Tom I. p. 1—114.

Weise auf besondere Berufung des Königs. Die gewöhn=
liche Sitzung dauert 15 Tage; sie kann nur vom Gouverneur
um länger als weitere 8 Tage verlängert werden. In keinem
Falle darf sie länger als vier Wochen dauern.

Die Mitglieder des Provinzialraths, welche in einer Ent=
fernung von mehr als 1½ Stunden von dem Versammlungs=
orte wohnen, erhalten eine kleine Reiseentschädigung, und 2
Francs Diäten für jeden Tag Aufenthalt. Der Provinzial=
rath prüft die Vollmachten seiner Mitglieder und ernennt den
Vorsitzenden, seinen Stellvertreter und die übrigen Mitglieder
des Bureaus.

3) Der Wirkungskreis des Provinzialraths ist ein sehr aus=
gedehnter; neben anderen, minder wichtigen, stehen ihm folgende
Befugnisse zu:

a. er entscheidet über alle Angelegenheiten von provinziellem
Interesse, stellt die Rechnungen über die Einnahmen und
Ausgaben und votirt das Budget, in welches alle diejenigen
Ausgaben aufgenommen werden müssen, welche nach den
Gesetzen der Provinz zur Last fallen, z. B. die kleinen
Ausgaben der Assisenhöfe, der Gerichtshöfe erster Instanz,
der Handels=, Friedens= und Polizeigerichte, die kleinen Re=
paratur= und Unterhaltungskosten der Localitäten aller dieser
Gerichte, der Arrest= und Civil= und Militärgerichtshäuser
der Provinz, einschließlich des Ankaufs und der Unterhal=
tung des Mobiliars; die Gehalte der Boten, der Ingenieure,
die Unterhaltung der Wege, die Bewässerungs= und Ent=
wässerungsarbeiten, die Ausgaben für die Hauptkirchen,
bischöflichen Paläste und Diöcesanseminarien, für die Pro=
vinzialgebäude und ihr Mobiliar, für die Pensionen der ehe=
maligen Provinzialbeamten, den Unterhalt der dürftigen
Geisteskranken und der in den Armenhäusern befindlichen
Personen im Falle der Unzulänglichkeit der Mittel der be=
treffenden Gemeinden, die Unterhaltung der Findelkinder, die
Kosten der Kasernirung der Gensdarmerie u. a. m.;

b. er entscheidet über die Einrichtung und Verbesserung
der öffentlichen Anstalten auf Kosten der Provinz, genehmigt
Anleihen, Erwerbungen, Veräußerungen der Besitzungen

der Provinz, sowie die auf dieselben bezüglichen gerichtlichen und außergerichtlichen Geschäfte;

c. er beschließt über den Bau der Wege, Kanäle und anderer öffentlichen Arbeiten;

d. er ertheilt unter den Gemeinden in Gemäßheit der Gesetze die auf die Provinz fallende Quote der directen Steuern und entscheidet über die Reclamationen und Reductions=forderungen der Gemeinden;

e. er kann Provinzialreglements für die innere Verwaltung und Polizeiverordnungen erlassen, welche sich auf Gegen=stände beziehen, die nicht schon durch Gesetze oder allgemeine Verwaltungsreglements festgestellt sind, und zwar unter Androhung von Strafen bis zu 8 Tagen Gefängniß und 200 Franken Geldbuße.

f. er entscheidet über die Gesuche der Gemeinden um Errichtung, Einstellung und Veränderung der Messen und Märkte;

g. er ernennt die Provinzialbeamten und präsentirt zu einer gewissen Kategorie von Richterstellen die Candidaten.

4) Das Verhältniß der Regierung zur Provinzial=verwaltung ist im Wesentlichen durch folgende Bestimmun=gen festgestellt:

a. Bei mehreren Gegenständen können die Beschlüsse des Pro=vinzialraths erst nach erfolgter königlicher Bestäti=gung zur Ausführung kommen, z. B. in Bezug auf das Einnahme= und Ausgabebudget, die Herstellung von ge=meinnützigen Anlagen auf Kosten der Provinz, Erwerbungen, Veräußerungen u. dergl., sofern sie den Werth von 10,000 Fr. übersteigen, bem Bau von Wegen, Kanälen und andern öffentlichen Arbeiten, deren Gesammtausgabe den Betrag von 50,000 Fr. übersteigt, die Errichtung oder Unter=drückung von Messen und Märkten, die Provinzialreglements für die innere Verwaltung und die Polizeiverordnungen.

b. Die Regierung ist ferner befugt, diejenigen Kosten, zu deren Zahlung die Provinz gesetzlich verpflichtet ist, kraft eige=nen Rechts in den Voranschlag aufzunehmen, wenn es von dem Provinzialrath nicht geschehen ist.

c. Der König hat das Recht, diejenigen Beschlüsse des Pro=

vinzialraths, welche das allgemeine Interesse verletzen oder ihre Befugnisse überschreiten, für nichtig zu erklären.

d. Jede Vereinigung von Provinzialräthen, welche außerhalb des gesetzlich bestimmten Orts und zu anderer als gesetzlich festgesetzten Zeit als Provinzialrath sich constituiren, ist ungesetzlich und ihre Beschlüsse sind ungiltig. Der Gouverneur veranlaßt die erforderlichen Maßregeln, daß die Versammlung sich sofort trenne und die Theilnehmer an derselben verfallen in eine Gefängnißstrafe von 6 Monaten bis zu zwei Jahren.

5) Der ständige Ausschuß, von welchem eine große Zahl von Staats- und Gemeindebeamten, die Kirchendiener, ausübende Advocaten u. a. m. ausgeschlossen sind, wird in jeder Provinz auf 4 Jahre erwählt und erneuert sich in der durch das Loos festzustellenden Reihenfolge alle zwei Jahre zur Hälfte; er besteht aus 6 Mitgliedern, welche einen jährlichen Gehalt von je 3000 Fr. beziehen und wird vom Gouverneur präsidirt. Er hat Gutachten abzugeben über die auf den Grund der Gesetze oder Vorlagen der Regierung ihm vorgelegten Gegenstände; er berathet, sowohl in Abwesenheit als während der Dauer der Sitzungen des Provinzialraths über Alles, was die „tägliche Verwaltung" der Provinzialinteressen betrifft, über den Vollzug der Gesetze, für welche seine Mitwirkung in Anspruch genommen ist, über die an ihn gestellten Forderungen des Gouverneurs; er leitet alle Rechtsangelegenheiten der Provinz und entscheidet, wenn der Provinzialrath nicht versammelt ist, über alle demselben vorbehaltenen Gegenstände in dem Falle, daß ein Aufschub nicht zulässig ist. Ausgeschlossen hievon sind nur die Budgets, Rechnungen, sowie die Ernennungen und Präsentationen, welche dem Provinzialrathe zustehen.

Ueber die Provinzialfonds kann nur auf den Grund der vom Ausschusse erlassenen Mandate verfügt werden. Bei Eröffnung der ordentlichen Sitzung des Provinzialraths erstattet alljährlich der Ausschuß Bericht über die Lage der Provinz, legt ihm die Rechnungen über die Einnahmen und Ausgaben des abgelaufenen Jahrs nebst dem Budget für das künftige vor und macht die weitern ihm angemessen scheinenden Vorschläge.

6) Der Gouverneur bereitet die dem Provinzialrathe oder Ausschusse vorzulegenden Gegenstände vor, wohnt den Verhandlungen des ersteren an und kann zu denselben auch noch Commissarien beiziehen; ihm allein steht die Ausführung der Beschlüsse der beiden genannten Collegien zu, gegen welche er innerhalb 10 Tagen den Recurs an die Regierung ergreifen muß, wenn sie das allgemeine Interesse verletzen oder die Befugniß der Collegien übersteigen. Sein Recurs hat Suspensiveffect während der Dauer von 25 Tagen. Er hat über die Erhaltung der Ruhe und Ordnung, die Sicherheit der Personen und des Eigenthums zu wachen, zu welchem Zwecke er über die Gensdarmerie und die Bürgergarde verfügt und die bewaffnete Macht anrufen kann; der commandirende Offizier hat der schriftlichen Requisition des Gouverneurs Folge zu leisten.

Er untersucht wenigstens einmal jährlich die Provinzialkassen, die anderen öffentlichen Kassen aber, so oft er es für nöthig findet.

7) Jedem Verwaltungsbezirke ist ein königlicher Commissär (commissair d'arrondissement) vorgesetzt. Seine Befugnisse erstrecken sich auf die ländlichen Gemeinden und die Städte von weniger als 5000 Seelen, sofern sie nicht Kreishauptorte sind. Er hat die Verwaltung dieser Gemeinden unter Leitung des Gouverneurs und des ständigen Ausschusses zu überwachen, für die Aufrechthaltung der Gesetze und Verordnungen, sowie für den Vollzug der Beschlüsse des Provinzialraths und des Ausschusses zu sorgen. Er bereist wenigstens einmal jährlich alle Gemeinden seines Bezirks, und untersucht, so oft er es für angemessen erachtet, die Gemeindekassen und Anstalten.

Er hat jährlich dem ständigen Ausschusse einen Generalbericht über den Zustand seines Bezirks in dem verflossenen Jahre zu erstatten und demselben vor dem Zusammentritt des Provinzialraths einen weiteren Bericht über die in seinem Bezirke einzuführenden Verbesserungen und seine Bedürfnisse vorzulegen.

Alphabetisches Inhaltsverzeichniß.

400

W.

Wahlgiltigkeit, S. 182.
Waidrechte, S. 173.
Wasserbenützung, S. 171, 184.
Weisungen, allgemeine, S. 295.
Wiederherstellung dritter Bethei-
ligter, S. 291.
— wegen neuer Thatsachen und Be-
weise, S. 299.
— wegen Versäumung, S. 281, 292.
Wirthschaftsrechte, S. 182.
Wittwenkassen, S. 195.

Z.

Zehntablösung, S. 179.

Zuständigkeit in den Fällen des §. 5,
Ziff. 6 des Verwaltungsgesetzes, S.
192.

Zuständigkeit der Gerichts- und
Verwaltungsbehörden, s.: Competenz.

Zustellung der Verfügungen und
Entscheidungen, S. 272, 274.

Druckfehler.

Seite 46, Zeile 20, lies „berührender Dinge“, statt: berührenden Dingen.
„ 52, „ 16, „ „führten“, statt: führte.
„ 64, „ 16, „ „6“, statt: 5.
„ 99, vor der Ueberschrift des §. 7 lies „2“, statt: 1.
„ 99, Zeile 17, lies „vor den“, statt: von den.
„ 148, „ 21, „ „wichtigen“, statt: richtigen.
„ 231, vor Schlußbestimmungen lies „VI“, statt IV.
„ 316, unter der Ueberschrift ist beizufügen: „(Reg.-Bl. 1864, Nr. 42.)“

Druck der G. Braun'schen Hofbuchdruckerei in Karlsruhe.

Check Out More Titles From HardPress Classics Series In this collection we are offering thousands of classic and hard to find books. This series spans a vast array of subjects – so you are bound to find something of interest to enjoy reading and learning about.

Subjects:
Architecture
Art
Biography & Autobiography
Body, Mind &Spirit
Children & Young Adult
Dramas
Education
Fiction
History
Language Arts & Disciplines
Law
Literary Collections
Music
Poetry
Psychology
Science
…and many more.

Visit us at www.hardpress.net

CPSIA information can be obtained
at www.ICGtesting.com
Printed in the USA
BVHW040337280819
556817BV00034B/2656/P

9 781407 636092